HARRY POTTER
E AS RELÍQUIAS
DA MORTE

J.K. ROWLING é a autora da eternamente aclamada série Harry Potter.

Depois que a ideia de Harry Potter surgiu em uma demorada viagem de trem em 1990, a autora planejou e começou a escrever os sete livros, cujo primeiro volume, *Harry Potter e a Pedra Filosofal*, foi publicado no Reino Unido em 1997. A série, que levou dez anos para ser escrita, foi concluída em 2007 com a publicação de *Harry Potter e as Relíquias da Morte*. Os livros já venderam mais de 600 milhões de exemplares em 85 idiomas, foram ouvidos em audiolivro ao longo de mais de 80 milhões de horas e transformados em oito filmes campeões de bilheteria.

Para acompanhar a série, a autora escreveu três pequenos livros: *Quadribol através dos séculos*, *Animais fantásticos e onde habitam* (em prol da Comic Relief e da Lumos) e *Os contos de Beedle, o Bardo* (em prol da Lumos). *Animais fantásticos e onde habitam* inspirou uma nova série cinematográfica protagonizada pelo magizoologista Newt Scamander.

A história de Harry Potter quando adulto foi contada na peça teatral *Harry Potter e a Criança Amaldiçoada*, que Rowling escreveu com o dramaturgo Jack Thorne e o diretor John Tiffany, e vem sendo exibida em várias cidades pelo mundo.

Rowling é autora também de uma série policial, sob o pseudônimo de Robert Galbraith, e de dois livros infantis independentes, *O Ickabog* e *Jack e o Porquinho de Natal*.

J.K. Rowling recebeu muitos prêmios e honrarias pelo seu trabalho literário, incluindo a Ordem do Império Britânico (OBE), a Companion of Honour e o distintivo de ouro Blue Peter.

Ela apoia um grande número de causas humanitárias por intermédio de seu fundo filantrópico, Volant, e é a fundadora das organizações sem fins lucrativos Lumos, que trabalha pelo fim da institucionalização infantil, e Beira's Place, um centro de apoio para mulheres vítimas de assédio sexual.

J.K. Rowling mora na Escócia com a família.

Para saber mais sobre J.K. Rowling, visite: jkrowlingstories.com

J.K. ROWLING

HARRY POTTER
E AS RELÍQUIAS DA MORTE

ILUSTRAÇÕES DE MARY GRANDPRÉ

TRADUÇÃO DE LIA WYLER

Rocco

Título original
HARRY POTTER
and the Deathly Hallows

Copyright do texto © 2007 by J.K. Rowling
Direitos de publicação e teatral © J.K. Rowling

Copyright das ilustrações de miolo, de Mary GrandPré © 2007 by Warner Bros.

Copyright ilustração de capa, de Kazu Kibuishi © 2013 by Scholastic Inc.
Reproduzida com autorização.

Todos os personagens e símbolos correlatos
são marcas registradas e © Warner Bros. Entertainment Inc.
Todos os direitos reservados.

Todos os personagens e acontecimentos nesta publicação, com exceção
dos claramente em domínio publico, são fictícios e qualquer semelhança
com pessoas reais, vivas ou não, é mera coincidência.

Nenhuma parte desta obra pode ser reproduzida, armazenada em sistema,
ou transmitida, sob qualquer forma ou meio, sem a autorização prévia, por escrito,
do editor, não podendo, de outro modo, circular em qualquer formato de impressão
ou capa diferente daquela que foi publicada; sem as condições similares, que inclusive,
deverão ser impostas ao comprador subsequente.

Direitos para a língua portuguesa reservados
com exclusividade para o Brasil à
EDITORA ROCCO LTDA.
Rua Evaristo da Veiga, 65 – 11º andar
Passeio Corporate – Torre 1
20031-040 – Rio de Janeiro, RJ
Tel.: (21) 3525-2000 – Fax: (21) 3525-2001
rocco@rocco.com.br / www.rocco.com.br

Printed in Brazil/Impresso no Brasil

Preparação de originais
MÔNICA MARTINS FIGUEIREDO

CIP-Brasil. Catalogação na fonte.
Sindicato Nacional dos Editores de Livros, RJ.

R778h   Rowling, J.K. (Joanne K.), 1967-
         Harry Potter e as Relíquias da Morte / J.K. Rowling;
         ilustrações de Mary GrandPré; tradução de Lia Wyler. –
         1ª ed. – Rio de Janeiro: Rocco, 2015.
         il.

         Tradução de: Harry Potter and the Deathly Hallows
         ISBN 978-85-325-3001-1

         1. Literatura infantojuvenil inglesa. I. GrandPré, Mary, 1954-.
         II. Wyler, Lia, 1934-. III. Título.

15-22831   CDD-028.5
                                                   CDU-087.5

O texto deste livro obedece às normas
do Acordo Ortográfico da Língua Portuguesa

Impressão e Acabamento: GEOGRÁFICA

Este livro
é dedicado
a sete pessoas:
a Neil,
a Jessica,
a David,
a Kenzie,
a Di,
a Anne,
e a você,
que acompanhou
Harry
até o
fim.

Ah, desgraça inerente à raça!
    o grito torturante da morte
        e o golpe que atinge a veia,
    o sangramento inestancável, a dor,
a maldição insuportável.

Mas há uma cura dentro
    e não fora de casa, não
        vinda de outros mas deles próprios
    por sua disputa sangrenta. Apelamos a vós,
deuses da sombria terra.

Ouvi bem-aventurados poderes soterrâneos –
    atendei o nosso apelo, socorrei-nos
Favorecei os filhos, dai-lhes a vitória.

                Ésquilo, *As coéforas*

A morte é apenas uma travessia do mundo, tal como os amigos que atravessam o mar e permanecem vivos uns nos outros. Porque sentem necessidade de estar presentes, para amar e viver o que é onipresente. Nesse espelho divino veem-se face a face; e sua conversa é livre e pura. Este é o consolo dos amigos e, embora se diga que morrem, sua amizade e convívio estão, no melhor sentido, sempre presentes, porque são imortais.

                William Penn, *More Fruits of Solitude*

1

A ASCENSÃO DO LORDE DAS TREVAS

Os dois homens se materializaram inesperadamente, a poucos metros de distância, na estreita ruazinha iluminada pelo luar. Por um momento eles ficaram imóveis, as varinhas apontadas para o peito um do outro; então, reconhecendo-se, guardaram a varinha sob a capa e começaram a andar apressados na mesma direção.

– Novidades? – perguntou o mais alto dos dois.

– As melhores – respondeu Severo Snape.

A rua era ladeada por um silvado, à esquerda, e por uma sebe alta e cuidadosamente aparada, à direita. As longas capas dos homens esvoaçavam ao redor dos tornozelos enquanto eles caminhavam.

– Pensei que fosse me atrasar – disse Yaxley, suas feições grosseiras desaparecendo e reaparecendo à sombra dos galhos de árvores que se interpunham ao luar. – Foi um pouco mais complicado do que imaginei. Mas acho que ele ficará satisfeito. Você tem certeza de que será bem recebido?

Snape assentiu sem, contudo, dar explicações.

Os homens viraram para um largo caminho de entrada, à direita. A alta sebe margeava e se estendia para além do impressionante portão de ferro trabalhado que barrava a entrada. Em silêncio, ambos ergueram o braço esquerdo numa espécie de saudação e atravessaram o portão, como se o metal escuro fosse apenas fumaça.

As sebes de teixo abafaram os passos dos homens. Ouviu-se um farfalhar à direita. Yaxley tornou a sacar a varinha, apontando-a por cima da cabeça do seu companheiro, mas a fonte do ruído fora apenas um pavão alvíssimo, que caminhava, majestoso, ao longo do topo da sebe.

– Ele sempre soube viver, o Lúcio. *Pavões...* – Com um bufo de desdém, Yaxley tornou a guardar a varinha sob a capa.

Um belo casarão se destacou nas trevas, no final do caminho reto, as luzes faiscando nas janelas em formato de losango do andar térreo. Em algum lugar no jardim escuro, atrás dos arbustos, uma fonte jorrava. O saibro começou a estalar sob os pés, quando Snape e Yaxley apressaram o passo em direção à porta da frente, que se abriu à sua aproximação, embora ninguém parecesse tê-la aberto.

O hall de entrada era grande, mal iluminado e suntuosamente decorado, e um magnífico tapete cobria quase todo o piso de pedra. Os olhos dos rostos pálidos nos retratos das paredes acompanharam Snape e Yaxley assim que eles passaram. Os dois homens se detiveram à frente de uma pesada porta de madeira que levava a outro cômodo, hesitaram o tempo de uma pulsação, então Snape girou a maçaneta de bronze.

A sala estava cheia de pessoas silenciosas, sentadas a uma comprida mesa ornamentada. Os móveis que habitualmente a guarneciam tinham sido empurrados descuidadamente contra as paredes. A iluminação provinha das chamas vivas de uma bela lareira, cujo console de mármore era encimado por um espelho dourado. Snape e Yaxley pararam um instante à entrada. À medida que seus olhos se acostumaram à penumbra, sua atenção foi atraída para o detalhe mais estranho da cena: o vulto de uma pessoa aparentemente desacordada suspensa de cabeça para baixo sobre a mesa, girando lentamente como se estivesse presa por uma corda invisível, e se refletindo no espelho e na superfície nua e lustrosa da mesa. Nenhuma das pessoas sentadas à roda dessa visão singular a encarava, exceto um jovem pálido que estava praticamente embaixo. Parecia incapaz de se conter e erguia os olhos a todo instante.

— Yaxley, Snape — falou uma voz aguda e clara da cabeceira da mesa —, vocês estão praticamente atrasados.

O dono da voz estava sentado defronte à lareira, de modo que, a princípio, os recém-chegados tiveram dificuldade em distinguir mais que a sua silhueta. À medida que se aproximaram, porém, seu rosto se destacou na obscuridade, imberbe, ofídico, com fendas estreitas no lugar das narinas e olhos vermelhos e brilhantes de pupilas verticais. Era tão pálido que parecia emitir uma aura perolada.

— Severo, aqui — disse Voldemort, indicando a cadeira imediatamente à sua direita. — Yaxley, ao lado de Dolohov.

Os dois homens ocuparam os lugares designados. Os olhares da maioria dos que estavam à mesa seguiram Snape, e foi a ele que Voldemort se dirigiu primeiro.

— E então?

— Milorde, a Ordem da Fênix pretende transferir Harry Potter do lugar seguro em que está, no sábado, ao anoitecer.

O interesse ao redor da mesa se intensificou perceptivelmente. Alguns enrijeceram, outros se mexeram, todos atentos a Snape e Voldemort.

— Sábado... ao anoitecer — repetiu Voldemort. Seus olhos vermelhos se fixaram nos olhos pretos de Snape com tanta intensidade que alguns dos observadores desviaram o olhar, aparentemente receosos de serem atingidos pela ferocidade daquela fixidez. Snape, no entanto, sustentou esse olhar calmamente, e, após um momento, os lábios descarnados de Voldemort se curvaram num aparente sorriso.

— Bom. Muito bom. E essa informação veio de...?

— Da fonte sobre a qual conversamos — disse Snape.

— Milorde.

Yaxley tinha se inclinado para a frente procurando ver Voldemort e Snape. Todos os rostos se voltaram para ele.

— Milorde, eu ouvi coisa diferente.

Yaxley aguardou, mas Voldemort não objetou, então ele prosseguiu.

— Dawlish, o auror, deixou escapar que Potter não será transferido até o dia trinta à noite, na véspera do seu aniversário de dezessete anos.

Snape sorriu.

— Minha fonte informou que planejam divulgar uma pista falsa; deve ser essa. Sem dúvida, lançaram em Dawlish um Feitiço para Confundir. Não seria a primeira vez, todos conhecem a sua suscetibilidade a feitiços.

— Posso lhe assegurar, Milorde, que Dawlish me pareceu muito seguro do que dizia — contrapôs Yaxley.

— Se foi confundido, é óbvio que parecerá seguro — disse Snape. — Garanto a *você*, Yaxley, que a Seção de Aurores não irá participar da proteção de Harry Potter. A Ordem acredita que estamos infiltrados no Ministério.

— Então, pelo menos nisso a Ordem acertou, hein? — comentou um homem atarracado, a pouca distância de Yaxley, dando uma risadinha sibilada que ecoou pela mesa.

Voldemort não riu. Seu olhar se desviou para o alto, para o corpo que girava vagarosamente, e ele pareceu se alhear.

— Milorde — continuou Yaxley —, Dawlish acredita que vão usar um destacamento inteiro de aurores na transferência do garoto...

Voldemort ergueu a mão grande e branca, e Yaxley calou-se imediatamente, observando, rancoroso, o Lorde se dirigir outra vez a Snape.

— E em seguida, onde irão esconder o garoto?

— Na casa de um dos membros da Ordem — respondeu Snape. — O lugar, segundo a minha fonte, recebeu toda a proteção que a Ordem e o Ministério juntos puderam lhe dar. Acredito que seja mínima a chance de pormos as mãos nele uma vez que chegue ao destino, Milorde, a não ser, é claro, que o Ministério tenha caído antes de sábado, o que, talvez, nos desse a oportunidade de descobrir e desfazer um número suficiente de feitiços, e passar pelos demais.

— E então, Yaxley? — interpelou-o Voldemort, a luz das chamas se refletindo estranhamente em seus olhos vermelhos. — O Ministério terá caído até sábado?

Mais uma vez, todas as cabeças se viraram. Yaxley empertigou-se.

— Milorde, a esse respeito tenho boas notícias. Consegui, com dificuldade e após muito esforço, lançar uma Maldição Imperius em Pio Thicknesse.

Muitos dos que estavam próximos de Yaxley pareceram impressionados; seu vizinho, Dolohov, um homem de cara triste e torta, deu-lhe um tapinha nas costas.

— É um começo — disse Voldemort —, mas Thicknesse é apenas um homem, Scrimgeour precisa estar cercado por gente nossa para eu agir. Um atentado malsucedido à vida do ministro me causará um enorme atraso.

— É verdade, Milorde, mas o senhor sabe que, na função de chefe do Departamento de Execução das Leis da Magia, Thicknesse tem contato frequente não só com o próprio ministro como também com os chefes dos outros departamentos do Ministério. Acho que será fácil dominar os demais, agora que temos um funcionário graduado sob controle, e então todos podem trabalhar juntos para derrubar Scrimgeour.

— Isso se o nosso amigo Thicknesse não for descoberto antes de ter convertido o resto — afirmou Voldemort. — De qualquer forma, é pouco provável que o Ministério seja meu antes de sábado. Se não pudermos pôr a mão no garoto no lugar de destino, então teremos que fazer isso durante a transferência.

— Nesse particular, estamos em posição vantajosa, Milorde — disse Yaxley, que parecia decidido a receber alguma aprovação. — Já plantamos várias pessoas no Departamento de Transportes Mágicos. Se Potter aparatar ou usar a Rede de Flu, saberemos imediatamente.

— Ele não fará nenhum dos dois — disse Snape. — A Ordem está evitando qualquer forma de transporte controlada ou regulada pelo Ministério, desconfiam de tudo que esteja ligado àquele lugar.

— Tanto melhor — disse Voldemort. — Ele terá que se deslocar em campo aberto. Será muitíssimo mais fácil apanhá-lo.

Mais uma vez Voldemort ergueu o olhar para o corpo que girava vagarosamente, então prosseguiu:

— Cuidarei do garoto pessoalmente. Cometeram-se erros demais com relação a Harry Potter. Alguns foram meus. Que Potter ainda viva deve-se mais aos meus erros do que aos seus êxitos.

As pessoas em volta da mesa fitaram Voldemort apreensivas, cada qual deixando transparecer o medo de ser responsabilizada por Harry Potter ainda estar vivo. Voldemort, no entanto, parecia estar falando mais consigo mesmo do que com os demais, ainda atento ao corpo inconsciente no alto.

— Por ter sido descuidado, fui frustrado pela sorte e a ocasião, essas destruidoras dos planos, a não ser os mais bem traçados. Mas aprendi. Agora compreendo coisas que antes não compreendia. Eu é que devo matar Harry Potter, e assim farei.

Nisso, e em aparente resposta às suas palavras, ouviu-se um lamento repentino, um grito terrível e prolongado de infelicidade e dor. Muitos ao redor da mesa olharam para baixo, assustados, pois o som parecia vir do chão.

— Rabicho? — chamou Voldemort, sem alterar o seu tom de voz, baixo e reflexivo, e sem tirar os olhos do corpo que girava no alto. — Já não lhe disse para manter essa escória calada?

— Disse, M-Milorde — falou um homenzinho sentado na segunda metade da mesa, tão encolhido que, à primeira vista, sua cadeira parecia estar desocupada. E, levantando-se de um salto, saiu correndo da sala, deixando em seu rastro apenas um estranho brilho prateado.

— Como eu ia dizendo — continuou Voldemort, olhando mais uma vez para os rostos tensos dos seus seguidores —, agora compreendo melhor. Precisarei, por exemplo, pedir emprestada a varinha de um de vocês antes de sair para matar Potter.

Os rostos à sua volta expressaram apenas incredulidade; como se ele tivesse anunciado que queria um braço deles emprestado.

— Nenhum voluntário? — perguntou Voldemort. — Vejamos... Lúcio, não vejo razão para você continuar a ter uma varinha.

Lúcio Malfoy ergueu a cabeça. Sua pele parecia amarela e cerosa à luz das chamas, e tinha os olhos encovados e sombrios. Quando falou, sua voz saiu rouca.

— Milorde?

— Sua varinha, Lúcio. Preciso de sua varinha.

— Eu...

Malfoy olhou de esguelha para sua mulher. Narcisa tinha o olhar fixo à frente, tão pálida quanto o marido, os longos cabelos louros descendo pelas costas, mas, sob a mesa, seus dedos finos apertaram brevemente o pulso dele. Ao seu toque, Malfoy enfiou a mão nas vestes e tirou uma varinha que passou a Voldemort, que a ergueu diante dos olhos vermelhos e examinou-a detidamente.

— De que é?
— Olmo, Milorde — sussurrou Malfoy.
— E o núcleo?
— Dragão... fibra do coração.
— Ótimo — aprovou Voldemort. E, sacando a própria varinha, comparou os comprimentos.

Lúcio Malfoy fez um movimento involuntário; por uma fração de segundo, pareceu que esperava receber a varinha de Voldemort em troca da sua. O gesto não passou despercebido ao Lorde, cujos olhos se arregalaram maliciosamente.

— Dar-lhe a minha varinha, Lúcio? *Minha* varinha?
Alguns dos presentes riram.
— Dei-lhe a liberdade, Lúcio, não é suficiente? Mas tenho notado que você e sua família ultimamente parecem menos felizes... alguma coisa na minha presença em sua casa os incomoda, Lúcio?
— Nada... nada, Milorde.
— Quanta *mentira*, Lúcio...

A voz suave parecia silvar, mesmo quando a boca cruel parava de mexer. Um ou dois bruxos mal conseguiram refrear um tremor quando o silvo foi se intensificando; ouviu-se uma coisa pesada deslizar pelo chão embaixo da mesa.

A enorme cobra apareceu e subiu vagarosamente pela cadeira de Voldemort. Foi emergindo, como se fosse interminável, e parou sobre os ombros do mestre: o pescoço do réptil tinha a grossura de uma coxa masculina; seus olhos com as pupilas verticais não piscavam. Voldemort acariciou-a, distraído, com seus dedos longos e finos, ainda encarando Lúcio Malfoy.

— Por que os Malfoy parecem tão infelizes com a própria sorte? Será que o meu retorno, minha ascensão ao poder, não é exatamente o que disseram desejar durante tantos anos?

— Sem dúvida, Milorde — respondeu Lúcio Malfoy. Sua mão tremeu quando secou o suor sobre o lábio superior. — É o que desejávamos... desejamos.

À esquerda de Malfoy, sua mulher fez um aceno rígido e estranho com a cabeça, evitando olhar para Voldemort e a cobra. À direita, seu filho Draco, que estivera mirando o corpo inerte no teto, lançou um brevíssimo olhar a Voldemort, aterrorizado de encarar o bruxo.

— Milorde — disse uma mulher morena na outra metade da mesa, sua voz embargada pela emoção —, é uma honra tê-lo aqui, na casa de nossa família. Não pode haver prazer maior.

Estava sentada ao lado da irmã, tão diferente desta na aparência, com seus cabelos pretos e olhos de pálpebras pesadas, quanto o era no porte e na atitude; enquanto Narcisa sentava-se dura e impassível, Belatriz se curvava para Voldemort, porque meras palavras não podiam demonstrar o seu desejo de maior proximidade.

— Não pode haver prazer maior — repetiu Voldemort, a cabeça ligeiramente inclinada para o lado, estudando Belatriz. — Isso significa muito, Belatriz, vindo de você.

O rosto da mulher enrubesceu, seus olhos lacrimejaram de prazer.

— Milorde sabe que apenas digo a verdade!

— Não pode haver prazer maior... mesmo comparado ao feliz evento que, segundo soube, houve em sua família esta semana?

Belatriz fitou-o, os lábios entreabertos, nitidamente confusa.

— Eu não sei a que está se referindo, Milorde.

— Estou falando de sua sobrinha. E de vocês também, Lúcio e Narcisa. Ela acabou de casar com o lobisomem Remo Lupin. A família deve estar muito orgulhosa.

Gargalhadas debochadas explodiram à mesa. Muitos se curvaram para trocar olhares divertidos; alguns socaram a mesa com os punhos. A cobra, incomodada com o barulho, escancarou a boca e silvou irritada, mas os Comensais da Morte nem a ouviram, tão exultantes estavam com a humilhação de Belatriz e dos Malfoy. O rosto da mulher, há pouco rosado de felicidade, tingiu-se de feias manchas vermelhas.

— Ela não é nossa sobrinha, Milorde — disse em meio às gargalhadas. — Nós, Narcisa e eu, nunca mais pusemos os olhos em nossa irmã depois que ela casou com aquele sangue ruim. A fedelha não tem a menor ligação conosco, nem qualquer fera com quem se case.

— E você, Draco, que diz? — perguntou Voldemort, e, embora falasse baixo, sua voz ressoou claramente em meio aos assovios e caçoadas. — Vai bancar a babá dos filhotes?

A hilaridade aumentou; Draco Malfoy olhou aterrorizado para o pai, que contemplava o próprio colo, e seu olhar cruzou com o de sua mãe. Ela balançou a cabeça quase imperceptivelmente, depois retomou seu olhar fixo na parede oposta.

— Já chega — disse Voldemort, acariciando a cobra raivosa. — Basta.

E as risadas pararam imediatamente.

— Muitas das nossas árvores genealógicas mais tradicionais, com o tempo, se tornaram bichadas — disse, enquanto Belatriz o mirava, ofegante e súplice. — Vocês precisam podar as suas, para mantê-las saudáveis, não? Cortem fora as partes que ameaçam a saúde do resto.

— Com certeza, Milorde — sussurrou Belatriz, mais uma vez com os olhos marejados de gratidão. — Na primeira oportunidade!

— Você a terá — respondeu Voldemort. — E, tal como fazem na família, façam no mundo também... vamos extirpar o câncer que nos infecta até restarem apenas os que têm o sangue verdadeiramente puro.

Voldemort ergueu a varinha de Lúcio Malfoy, apontou-a diretamente para a figura que girava lentamente, suspensa sobre a mesa, e fez um gesto quase imperceptível. O vulto recuperou os movimentos com um gemido e começou a lutar contra invisíveis grilhões.

— Você está reconhecendo a nossa convidada, Severo? — indagou Voldemort.

De baixo para cima, Snape ergueu os olhos para o rosto pendurado. Todos os Comensais agora olhavam para a prisioneira, como se tivessem recebido permissão para manifestar sua curiosidade. Quando girou para o lado da lareira, a mulher disse, com a voz entrecortada de terror:

— Severo, me ajude!

— Ah, sim — respondeu Snape enquanto o rosto da prisioneira continuava a virar para o outro lado.

— E você, Draco? — perguntou Voldemort, acariciando o focinho da cobra com a mão livre. Draco sacudiu a cabeça com um movimento brusco. Agora que a mulher acordara, ele parecia incapaz de continuar encarando-a.

— Mas você não teria se matriculado no curso dela — disse Voldemort. — Para os que não sabem, estamos reunidos aqui esta noite para nos despedir de Caridade Burbage que, até recentemente, lecionava na Escola de Magia e Bruxaria de Hogwarts!

Ouviram-se breves sons de assentimento ao redor da mesa. Uma mulher corpulenta e curvada, de dentes pontiagudos, soltou uma gargalhada.

— Sim... a prof^a. Burbage ensinava às crianças bruxas tudo a respeito dos trouxas... e como se assemelham a nós...

Um dos Comensais da Morte cuspiu no chão. Em seu giro, Caridade Burbage tornou a encarar Snape.

— Severo... por favor... por favor...

— Silêncio — ordenou Voldemort, com outro breve movimento da varinha de Lúcio, e Caridade silenciou como se tivesse sido amordaçada. — Não contente em corromper e poluir as mentes das crianças bruxas, na semana passada, a profª Burbage escreveu uma apaixonada defesa dos sangues ruins no *Profeta Diário*. Os bruxos, disse ela, devem aceitar esses ladrões do seu saber e magia. A diluição dos puros sangues é, segundo Burbage, uma circunstância extremamente desejável... Ela defende que todos casemos com trouxas... ou, sem dúvida, com lobisomens...

Desta vez ninguém riu: não havia como deixar de perceber a raiva e o desprezo na voz de Voldemort. Pela terceira vez, Caridade Burbage encarou Snape. Lágrimas escorriam dos seus olhos para os cabelos. Snape retribuiu seu olhar, totalmente impassível, enquanto ela ia girando o rosto para longe dele.

— *Avada Kedavra*.

O lampejo de luz verde iluminou todos os cantos da sala. Caridade caiu estrondosamente sobre a mesa, que tremeu e estalou. Vários Comensais pularam para trás ainda sentados. Draco caiu da cadeira para o chão.

— Jantar, Nagini — disse Voldemort com suavidade, e a grande cobra deslizou sinuosamente dos ombros dele para a lustrosa mesa de madeira.

2

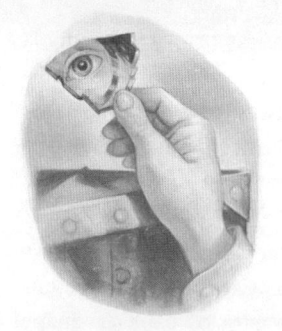

IN MEMORIAM

Harry sangrava. Segurando a mão direita com a esquerda, e xingando baixinho, ele empurrou a porta do quarto com o ombro. Ouviu um barulho de porcelana quebrando; pisara em uma xícara de chá frio que alguém deixara do lado de fora, à porta do quarto.

— Que m...?

Ele olhou para os lados; o corredor da rua dos Alfeneiros nº 4 estava deserto. A xícara de chá era, possivelmente, a ideia de armadilha inteligente imaginada por Duda. Harry manteve a mão ensanguentada no alto, juntou os cacos da xícara com a outra mão e atirou-os na cesta abarrotada de lixo que entreviu pela porta de seu quarto. Depois caminhou pesadamente até o banheiro para pôr o dedo sob a água da torneira.

Era uma idiotice sem sentido e incrivelmente irritante que ainda lhe faltassem quatro dias para poder realizar feitiços... mas tinha de admitir que esse feio corte no dedo o derrotaria. Nunca aprendera a curar ferimentos e, agora que lhe ocorria pensar nisso — particularmente à luz dos seus planos imediatos —, parecia-lhe uma séria lacuna em sua educação bruxa. Anotando mentalmente para perguntar a Hermione como se fazia, ele usou um grande chumaço de papel higiênico para secar o melhor que pôde o chá derramado, antes de voltar para o quarto e bater a porta.

Harry gastara a manhã inteira esvaziando seu malão de viagem pela primeira vez desde que o arrumara havia seis anos. Nos primeiros anos de escola, ele simplesmente limpara uns três quartos do seu conteúdo e os repusera ou atualizara, deixando no fundo uma camada de lixo — penas usadas, olhos secos de besouro, meias sem par que não lhe serviam mais. Minutos antes, Harry metera a mão nesse entulho, sentira uma dor lancinante no quarto dedo da mão direita e, ao puxá-la, viu que estava coberta de sangue.

Continuou, então, um pouco mais cauteloso. Tornando a se ajoelhar ao lado do malão, apalpou o fundo, retirou um velho broche que piscava fracamente, ora *Apoie* CEDRICO DIGGORY ora POTTER FEDE, um bisbilhoscópio rachado e gasto e um medalhão de ouro contendo um bilhete assinado por R.A.B., e finalmente descobriu o gume afiado que o ferira. Reconheceu-o sem hesitação. Era um caco de uns cinco centímetros do espelho encantado que Sirius, seu falecido padrinho, tinha lhe dado. Harry separou-o e apalpou o malão à procura do resto, mas nada mais restara do último presente do padrinho exceto o vidro moído, agora grudado, na última camada de destroços, como purpurina.

Harry sentou e examinou o caco pontiagudo em que se cortara, mas não viu nada além do reflexo do seu brilhante olho verde. Colocou, então, o fragmento sobre o *Profeta Diário* daquela manhã, que continuava intocado em sua cama, e tentou estancar o repentino fluxo de amargas lembranças, as pontadas de remorso e saudade que a descoberta do espelho partido tinha ocasionado, ao atacar o resto do lixo dentro do malão.

Levou mais uma hora para esvaziá-lo completamente, jogar fora os objetos inúteis e separar os demais em pilhas, de acordo com as suas futuras necessidades. Suas vestes de escola e de quadribol, caldeirão, pergaminho, penas e a maior parte dos livros de estudo foram empilhados a um canto para serem deixados em casa. Ficou imaginando o que os tios fariam com aquilo; provavelmente queimariam tudo na calada da noite, como se fossem provas de um crime hediondo. Suas roupas de trouxa, Capa da Invisibilidade, estojo para preparo de poções, certos livros, o álbum de fotos que Hagrid um dia lhe dera, um maço de cartas e sua varinha foram rearrumados em uma velha mochila. No bolso frontal, guardou o mapa do maroto e o medalhão com o bilhete assinado por R.A.B. O medalhão recebera esse lugar de honra não porque fosse valioso – sob qualquer ângulo normal, era imprestável –, mas pelo que lhe custara obtê-lo.

Restou uma avantajada pilha de jornais sobre sua escrivaninha, ao lado da alvíssima coruja Edwiges: um exemplar para cada um dos dias desse verão que Harry passara na rua dos Alfeneiros.

Levantou-se, então, do chão, espreguiçou-se e se dirigiu à escrivaninha. Edwiges não fez o menor movimento quando ele começou a folhear os jornais e atirar um a um na montanha de lixo acumulado; a coruja cochilava, ou fingia cochilar; estava zangada com Harry por causa do pouco tempo que, no momento, ele a deixava fora da gaiola.

Quase no fim da pilha de jornais, Harry desacelerou à procura de uma certa edição que ele sabia ter chegado logo depois do seu regresso à rua dos Alfeneiros, para passar o verão; lembrava-se de que havia uma pequena nota na primeira página sobre o pedido de demissão de Caridade Burbage, a professora de Estudo dos Trouxas em Hogwarts. Finalmente encontrou-a. Abrindo-a à página dez, sentou-se à cadeira da escrivaninha e releu o artigo que estivera procurando.

EM MEMÓRIA DE ALVO DUMBLEDORE

Elifas Doge

Conheci Alvo Dumbledore aos onze anos de idade, em nosso primeiro dia em Hogwarts. Sem dúvida o nosso interesse mútuo se deveu ao fato de ambos nos sentirmos deslocados. Eu contraíra varíola de dragão pouco antes de chegar à escola, e, embora não oferecesse mais contágio, o meu rosto marcado e verdoso não animava ninguém a se aproximar de mim. Por sua vez, Alvo chegara a Hogwarts carregando o peso de uma indesejável notoriedade. Menos de um ano antes, seu pai, Percival, fora condenado por um ataque selvagem, e amplamente comentado, a três rapazes trouxas.

Alvo jamais tentou negar que o pai (que morreria em Azkaban) cometera o crime; muito ao contrário, quando reuni coragem para lhe perguntar, ele me confirmou que sabia que o pai era culpado. E se recusava a acrescentar o que fosse sobre o triste caso, embora muitos tentassem fazê-lo falar. Alguns até se dispunham a elogiar a atitude do pai, presumindo que Alvo também odiasse trouxas. Não poderiam estar mais enganados: todos que conheceram Alvo atestariam que ele jamais revelou a mais remota tendência antitrouxa. Na realidade, seu decisivo apoio aos direitos dessa comunidade conquistou-lhe muitos inimigos nos anos que se seguiram.

Em questão de meses, no entanto, a fama pessoal de Alvo começou a eclipsar a do pai. Ao terminar o primeiro ano de Hogwarts, deixara de ser conhecido como o filho do homem que odiava trouxas, e ganhou a reputação de ser o aluno mais brilhante que a escola já vira. Aqueles que tinham o privilégio de ser seus amigos se beneficiavam do seu exemplo, além de ajuda e estímulo, que sempre distribuía com generosidade. Mais adiante na vida, ele me confessaria que já naquela época sabia que o seu maior prazer era ensinar.

Alvo não só ganhou todos os prêmios importantes que a escola oferecia, bem como não tardou a se corresponder regularmente com as personalidades mais notáveis do mundo da magia contemporânea, inclusive Nicolau Flamel, o famoso alquimista, Batilda Bagshot, a renomada historiadora, e o teórico da magia Adalberto Waffling. Vários dos seus artigos foram acolhidos por publicações cultas como a *Transfiguração Hoje, Desafios nos Encantamentos, O Preparador de Poções.* A carreira futura de Dumbledore provavelmente seria meteórica, e a única dúvida era se chegaria a ministro da Magia. Embora futuramente se previsse com frequência que ele estava às vésperas de assumir o cargo, Dumbledore nunca teve ambições ministeriais.

Três anos depois de começarmos a estudar em Hogwarts, seu irmão chegou à escola. Não se pareciam; Aberforth nunca foi dado a leituras e, ao contrário de Alvo, preferia resolver suas diferenças com duelos em vez de discuti-las racionalmente. É, porém, um engano insinuar, como alguns têm feito, que os irmãos não fossem amigos. Davam-se tão bem quanto dois garotos, assim diferentes, poderiam se dar. E, para fazer justiça a Aberforth, deve-se admitir que viver à sombra de Alvo não pode ter sido uma experiência muito confortável. Ser continuamente ofuscado era um risco ocupacional que acompanhava seus amigos, e não pode ter sido muito mais prazeroso para um irmão.

Quando Alvo e eu concluímos os estudos em Hogwarts, pretendíamos fazer juntos a viagem pelo mundo, então tradicional, para visitar e observar os bruxos estrangeiros, antes de seguir cada qual a sua carreira. Interveio, porém, a tragédia. Na véspera de nossa viagem, a mãe de Alvo, Kendra, faleceu, legando ao filho mais velho a tarefa de chefiar e sustentar sozinho a família. Adiei a minha partida tempo suficiente para prestar as últimas homenagens a Kendra, então iniciei a viagem, solitário. Com um irmão e uma irmã mais jovens para cuidar, e o pouco dinheiro herdado, já não havia possibilidade de Alvo me acompanhar.

Aquele foi o período de nossas vidas em que mantivemos menos contato. Escrevi a Alvo, narrando, talvez insensivelmente, as maravilhas da minha viagem, desde o episódio em que escapei por um triz de quimeras na Grécia até as minhas experiências com alquimistas egípcios. As cartas dele me contavam alguma coisa de sua vida diária, que eu percebia ser monótona e frustrante para um bruxo tão genial. Absorto em minhas próprias experiências, foi com horror que soube, quase no fim do ano de viagens, que outra tragédia se abatera sobre a família: a morte de sua irmã Ariana.

Embora Ariana não gozasse de boa saúde havia tempo, o golpe tão próximo à morte da mãe afetou profundamente os dois irmãos. Todos os que eram mais chegados a Alvo – e incluo-me entre esses felizardos – concordam que a morte de Ariana e o sentimento de responsabilidade do irmão por esse desfecho (ainda que ele não fosse culpado) marcaram-no para sempre.

Quando regressei, encontrei um rapaz que passara por sofrimentos de um homem mais velho. Alvo tornou-se mais reservado do que antes e muito menos alegre. Para aumentar sua infelicidade, a morte de Ariana não conduzira a uma aproximação maior entre Alvo e Aberforth, mas a um afastamento. (Com o tempo isso se resolveria – nos últimos anos eles restabeleceram se não uma relação íntima, ao menos cordial.) Desde então, porém, ele raramente falava dos pais ou de Ariana, e seus amigos aprenderam a não mencioná-los.

Outros escritores descreverão os triunfos dos anos seguintes. As inúmeras contribuições de Dumbledore ao acervo de conhecimentos sobre magia, inclusive a descoberta dos doze usos para o sangue de dragão, beneficiarão as futuras gerações, do mesmo modo que a sabedoria que demonstrou nos muitos julgamentos que realizou durante o mandato de presidente da Suprema Corte dos Bruxos. Dizem, ainda hoje, que nenhum duelo de magia jamais se igualou ao que foi travado entre Dumbledore e Grindelwald, em 1945. Os presentes descreveram o terror e o assombro que sentiram ao observar aqueles dois bruxos extraordinários combaterem. A vitória de Dumbledore e suas consequências para o mundo bruxo são consideradas um marco na história da magia, comparável à introdução do Estatuto Internacional de Sigilo em Magia ou à queda d'Aquele-Que-Não-Deve-Ser-Nomeado.

Alvo Dumbledore jamais demonstrava orgulho ou vaidade; sempre encontrava o que elogiar em qualquer pessoa, por mais insignificante ou miserável que fosse, e acredito que as perdas que sofreu na juventude o dotaram de grande humanidade e solidariedade. Sentirei saudades de sua amizade mais do que poderia reconhecer, mas a minha perda é desprezível se a compararmos à do mundo dos bruxos. É indiscutível que ele foi o mais inspirador e o mais querido diretor de Hogwarts. Ele morreu como viveu: sempre trabalhando para o bem maior e, até a sua hora final, tão disposto a estender a mão ao garotinho com varíola de dragão quanto no dia em que o conheci.

Harry terminou a leitura, mas continuou a contemplar a foto que acompanhava o obituário. Dumbledore exibia o seu conhecido sorriso bondoso, mas, ao olhar por cima dos oclinhos de meia-lua, dava a impressão, mesmo em jornal, de ver o íntimo de Harry, cuja tristeza mesclou-se com uma sensação de humilhação.

Tinha achado que conhecia Dumbledore muito bem, mas, depois da leitura do obituário, fora forçado a admitir que pouco sabia dele. Jamais imaginara uma única vez a infância ou a juventude do mestre; era como se ele tivesse ganhado existência quando Harry o conhecera, venerável, de barbas e cabelos prateados, e idoso. A ideia de um Dumbledore adolescente era simplesmente esquisita, o mesmo que imaginar uma Hermione burra ou um explosivim amigável.

Nunca pensara em indagar a Dumbledore sobre o seu passado. Sem dúvida, teria sido constrangedor, e até impertinente, mas era de conhecimento geral que Dumbledore travara um lendário duelo com Grindelwald, e Harry nem sequer pensara em perguntar ao mestre como fora este e outros feitos famosos. Não, eles sempre discutiam Harry, o passado de Harry, o futuro de Harry, os planos de Harry... e a impressão de Harry agora, apesar de seu futuro tão perigoso e incerto, era que ele perdera insubstituíveis oportunidades de perguntar mais a Dumbledore sobre ele mesmo, embora a única pergunta pessoal que fizera ao mestre tenha sido, também, a única que, desconfiava, Dumbledore não respondera com sinceridade:

— *O que é que o senhor vê quando se olha no espelho?*
— *Eu? Eu me vejo segurando um par de grossas meias de lã.*

Após alguns minutos de reflexão, Harry retirou o obituário do *Profeta*, dobrou a folha cuidadosamente e guardou-a no primeiro volume de *Prática da magia defensiva e seu uso contra as Artes das Trevas*. Em seguida, atirou o resto do jornal no monte de lixo e virou-se para encarar o quarto. Estava muito mais arrumado. As únicas coisas fora de lugar eram a edição do dia do *Profeta Diário*, ainda sobre a cama, e, em cima dela, o caco de espelho.

Harry atravessou o quarto, empurrou o caco para o lado e abriu o jornal. Tinha apenas corrido os olhos pela manchete ao tirar o exemplar enrolado das garras da coruja entregadora, mais cedo naquela manhã, abandonando-o em seguida ao reparar que nada havia sobre Voldemort. Harry tinha certeza de que o Ministério contava que o *Profeta* omitisse as notícias sobre o bruxo das trevas. Foi somente neste momento, portanto, que reparou no que deixara escapar.

Na metade inferior da primeira página, havia uma manchete no alto de uma foto de Dumbledore caminhando com um ar preocupado: DUMBLEDORE – ENFIM A VERDADE?

Na próxima semana, a chocante verdade sobre o gênio imperfeito que muitos consideram o maior bruxo de sua geração.
    Desfazendo a imagem popular de serena e venerável sabedoria, Rita Skeeter revela a infância perturbada, a juventude rebelde, as rixas intermináveis e os segredos vergonhosos que Dumbledore levou para o túmulo. POR QUE o homem indicado para ministro da Magia se contentou com o simples cargo de diretor de escola? QUAL era a real finalidade da organização secreta conhecida como a Ordem da Fênix? COMO Dumbledore realmente encontrou a morte?
    As respostas a essas perguntas e muitas outras são examinadas em uma nova e explosiva biografia *A vida e as mentiras de Alvo Dumbledore*, de autoria de Rita Skeeter, entrevistada com exclusividade por Betty Braithwaite, na página 13 deste número.

Harry rasgou a cinta do jornal e abriu-o à página treze. O artigo estava encimado pela foto de outro rosto conhecido: uma mulher com óculos enfeitados com pedrinhas, cabelos louros bem ondulados, os dentes à mostra no que, sem dúvida, se supunha ser um sorriso cativante, agitando os dedos para ele. Fazendo o possível para ignorar a imagem nauseante, Harry leu.

Rita Skeeter é muito mais simpática e sensível em pessoa do que os seus já famosos e ferozes retratos a bico de pena poderiam sugerir. Recebendo-me à entrada de sua casa aconchegante, ela me conduz diretamente à cozinha para uma xícara de chá, uma fatia de bolo inglês e, nem é preciso dizer, um caldeirão fumegando com fofocas frescas.
    "Naturalmente, Dumbledore é o sonho de qualquer biógrafo", diz Skeeter, "com sua vida longa e plena. Tenho certeza que o meu livro será o primeiro de muitos outros."
    Skeeter certamente agiu com rapidez. Seu livro de novecentas páginas foi concluído apenas quatro semanas após a misteriosa morte de Dumbledore, em junho. Pergunto-lhe como conseguiu esse feito de velocidade.
    "Ah, quando se é jornalista de longa data, trabalhar com prazos curtos é uma segunda natureza. Eu sabia que o mundo dos bruxos

exigia uma história completa e queria ser a primeira a satisfazer essa demanda."

Menciono os comentários recentes e amplamente divulgados de Elifas Doge, conselheiro especial da Suprema Corte dos Bruxos, o Wizengamot, e amigo de longa data de Alvo Dumbledore, de que "o livro da Skeeter contém menos fatos do que um cartão de sapos de chocolate".

Skeeter joga a cabeça para trás dando uma gargalhada.

"Querido Doguinho! Lembro-me de tê-lo entrevistado há alguns anos sobre os direitos dos sereianos, que Deus o abençoe. Completamente gagá, parecia achar que estávamos sentados no fundo do lago Windermere, e não parava de recomendar que eu tivesse cuidado com as trutas."

Contudo, as acusações de imprecisão feitas por Elifas Doge encontraram eco em muitos lugares. Será que Skeeter julga que quatro breves semanas foram suficientes para captar um retrato de corpo inteiro da longa e extraordinária vida de Dumbledore?

"Ah, minha cara", responde ela, abrindo um largo sorriso e me dando um tapinha afetuoso na mão, "você conhece tão bem quanto eu a quantidade de informações que pode gerar uma bolsa cheia de galeões, uma recusa em aceitar um 'não' e uma pena de repetição rápida! As pessoas fizeram fila para despejar as sujeiras de Dumbledore. Nem todas achavam que ele fosse tão maravilhoso assim, sabe – ele pisou um bom número de calos de gente importante. Mas o velho Doguinho esquivo pode descer do seu hipogrifo, porque tive acesso a uma fonte que faria jornalistas negociarem as próprias varinhas para obter, alguém que jamais fez declarações públicas e que foi íntimo de Dumbledore durante a fase mais turbulenta e perturbada de sua juventude."

A publicidade que antecede o lançamento da biografia de Skeeter certamente sugere que o livro reserva surpresas para os que acreditam que Dumbledore levou uma vida sem pecados. Perguntei-lhe quais foram os maiores que descobriu.

"Francamente, Betty, não vou revelar todos os destaques antes de as pessoas comprarem o livro!", ri Skeeter. "Mas posso prometer que alguém que ainda pense que Dumbledore era alvo como suas barbas vai acordar assustado! Digamos apenas que ninguém que o tenha ouvido vociferar contra Você-Sabe-Quem sonharia que ele próprio lidou com as Artes das Trevas na juventude! E, para um bruxo que passou o resto da vida pedindo tolerância, ele não era exatamente indulgente quando mais moço! Sim, senhora, Alvo Dumbledore teve um passado sombrio, isso para não mencionar sua família muito suspeita, que ele tanto se esforçou por ocultar."

Pergunto se Skeeter está se referindo ao irmão de Dumbledore, Aberforth, cuja condenação pela Suprema Corte dos Bruxos por mau uso da magia causou um pequeno escândalo há quinze anos.

"Ah, Aberforth é apenas o topo da estrumeira", ri Skeeter. "Não, não, estou falando de coisa muito pior do que a predileção de um irmão por bodes, pior mesmo do que a mutilação de um trouxa pelo pai, coisas que Dumbledore não pôde abafar, os dois foram condenados. Não, estou me referindo à mãe e à irmã que me intrigaram, uma pequena pesquisa desenterrou um verdadeiro ninho de maldades — mas, como digo, você terá que esperar pelos capítulos de nove a doze para conhecer os detalhes. O que posso adiantar agora é que ninguém estranhe que Dumbledore nunca tenha contado como fraturou o nariz."

Apesar dos torpes segredos de família, será que Skeeter nega a genialidade que conduziu Dumbledore a tantas descobertas em magia?

"Ele tinha cabeça", admite ela, "embora muitos agora questionem se realmente mereceu sozinho o crédito por suas supostas realizações. No capítulo dezesseis, transcrevo a afirmação de Ivor Dillonsby de que ele já teria descoberto oito usos para o sangue de dragão quando Dumbledore 'tomou emprestado' os seus estudos."

Atrevo-me a replicar que a importância de algumas realizações de Dumbledore não pode ser negada. E a famosa vitória sobre Grindelwald?

"Ah, foi bom você ter mencionado o Grindelwald", responde Skeeter, com um sorriso irresistível. "Acho que aqueles cujos olhos umedecem de emoção com a magnífica vitória de Dumbledore devem se preparar para uma bomba — ou talvez uma bomba de bosta. Realmente fede bastante. Só posso alertar para a dúvida com relação ao duelo espetacular que nos conta a lenda. Depois de lerem o meu livro, as pessoas talvez sejam obrigadas a concluir que Grindelwald simplesmente conjurou um lenço branco na ponta da varinha e se entregou!"

Skeeter se recusa a revelar outros detalhes sobre o intrigante assunto, portanto, abordamos a relação que, sem dúvida, mais fascina os seus leitores.

"Ah, sim", diz Skeeter, assentindo energicamente, "dedico um capítulo inteiro à relação Potter-Dumbledore. Há quem a considere doentia e até sinistra. Repito mais uma vez, os seus leitores terão de comprar o meu livro para saber a história completa, mas, pelo que ouço dizer, é ponto pacífico que Dumbledore tomou um interesse anormal por Potter. Se isso realmente visava ao bem do garoto – é o que veremos. Certamente não é segredo que Potter tem tido uma adolescência excepcionalmente perturbada."

Perguntei se Skeeter ainda mantém contato com Harry Potter, a quem entrevistou, com sucesso, no ano anterior: um furo de reportagem em que Potter falou exclusivamente de sua certeza sobre o retorno de Você-Sabe-Quem.

"Ah, sim, construímos um forte vínculo", diz Skeeter. "O coitado do Potter tem poucos amigos verdadeiros, e nos conhecemos em um dos momentos de maior desafio de sua vida – o Torneio Tribruxo. Provavelmente sou uma das poucas pessoas vivas que podem afirmar conhecer o real Harry Potter."

A resposta nos leva diretamente aos muitos boatos que continuam a circular sobre as últimas horas de vida de Dumbledore. Será que Skeeter acredita que Potter estava presente quando ele morreu?

"Bem, não quero falar demais – está tudo no livro –, mas testemunhas oculares no castelo de Hogwarts viram Potter saindo de cena instantes depois de Dumbledore cair, saltar ou ser empurrado. Mais tarde, o garoto prestou depoimento acusando Severo Snape, um homem com quem ele tinha conhecida inimizade. Será que as coisas são como parecem ser? Caberá à comunidade bruxa julgar – depois de ler o meu livro."

A essa nota intrigante, eu me despeço. Não há dúvida de que Skeeter escreveu um bestseller de ocasião. Enquanto isso, as legiões de admiradores de Dumbledore talvez estejam apreensivas com o que em breve será divulgado sobre o seu herói.

Harry chegou ao fim do artigo, mas continuou a olhar atônito para o papel. A repugnância e a fúria o acometeram como um vômito; ele amassou o jornal e atirou-o, com toda a força, contra a parede, onde a bola foi se juntar ao monte de lixo que já transbordava da lata.

Começou a caminhar às cegas pelo quarto, abrindo gavetas vazias e erguendo os livros para, em seguida, repô-los nas mesmas pilhas, quase inconsciente do que fazia, enquanto frases esparsas da entrevista com Rita ecoavam em sua cabeça: um *capítulo inteiro à relação Potter-Dumbledore... há quem a* considere doentia e até sinistra... ele próprio lidou com as Artes das Trevas na juventude... tive acesso a uma fonte que faria jornalistas negociarem as próprias varinhas para obter...

— Mentiras! — berrou Harry, e pela janela viu o dono da casa ao lado, que parara para religar o cortador de grama, erguer os olhos, nervoso.

O garoto sentou-se com força na cama. O caco de espelho saltou para longe; ele o apanhou e examinou entre os dedos pensando, pensando em Dumbledore e nas mentiras com que Rita Skeeter o difamava...

Um lampejo azul intenso. Harry congelou, o dedo cortado escorregou pela ponta do espelho. Fora imaginação, devia ter sido. Ele espiou por cima do ombro, mas a parede continuava da cor pêssego enjoativo que tia Petúnia escolhera; não havia nada azul ali para ser refletido. Harry tornou a examinar o fragmento de espelho e nada viu, exceto o seu olho muito verde encarando-o.

Imaginara o lampejo, não havia outra explicação; imaginara porque estivera pensando no diretor falecido. Se havia uma certeza era que os olhos muito azuis de Alvo Dumbledore jamais o perscrutariam outra vez.

3

A PARTIDA DOS DURSLEY

O ruído da porta da frente batendo ecoou escada acima, e uma voz gritou:

— Ei! Você!

Dezesseis anos ouvindo este chamado não permitiu a Harry duvidar que era a ele que o tio estava se dirigindo; ainda assim, não respondeu imediatamente. Continuou a contemplar o caco de espelho em que, por uma fração de segundo, pensara ter visto um olho de Dumbledore. Somente quando o tio berrou "MOLEQUE!", Harry se levantou vagarosamente e se encaminhou para a porta do quarto, parando, antes, para guardar o pedaço de espelho na mochila cheia com as coisas que ia levar.

— E vem se arrastando! — urrou Válter Dursley quando o garoto apareceu no alto da escada. — Desça aqui, quero falar com você!

Harry desceu a escada, as mãos enfiadas no fundo dos bolsos do jeans. Quando chegou à sala de estar, encontrou os três Dursley. Trajavam roupas de viagem: tio Válter vestia um blusão de zíper castor, tia Petúnia um elegante casaco salmão, e Duda, o primo forte, musculoso e louro, uma jaqueta de couro.

— Pois não? — disse Harry.

— Sente-se! — ordenou o tio. Harry ergueu as sobrancelhas. — Por favor! — acrescentou, fazendo uma ligeira careta como se a palavra lhe arranhasse a garganta.

Harry sentou-se. Pensou que sabia o que esperar. Válter Dursley começou a andar para cima e para baixo. Tia Petúnia e Duda acompanhavam seus passos com os rostos ansiosos. Por fim, o tio, com a cara larga e púrpura contraída de concentração, parou diante de Harry e falou:

— Mudei de ideia.

— Que surpresa — respondeu o garoto.

— Não venha com ironias... — começou tia Petúnia com a voz esganiçada, mas o marido fez sinal para que ela se calasse.

— É tudo conversa fiada — afirmou ele, encarando Harry com seus olhinhos de porco. — Concluí que não acredito em uma única palavra. Vamos ficar aqui, não vamos a lugar algum.

Harry ergueu os olhos para o tio e sentiu uma mescla de exasperação e surpresa. Válter Dursley vinha mudando de ideia a cada vinte e quatro horas nas últimas quatro semanas, carregando o carro, descarregando-o e recarregando-o a cada mudança. O momento favorito de Harry tinha sido quando o tio, sem saber que Duda guardara os pesos de musculação na mala desde a última vez que fora descarregada, tentara colocá-la novamente no porta-malas e desequilibrou-se, soltando urros de dor e xingando horrores.

— Pelo que me conta — disse Válter Dursley, recomeçando a andar pela sala —, nós, Petúnia, Duda e eu, corremos perigo. Por conta de... de...

— Gente da "minha laia", certo.

— Pois eu não acredito — repetiu o tio, parando outra vez diante de Harry. — Passei metade da noite refletindo e acho que é uma armação para você ficar com a casa.

— A casa? — perguntou Harry. — Que casa?

— Esta casa! — gritou o tio, a veia da testa começando a pulsar. — Nossa casa! Os preços das casas estão disparando por aqui! Você quer nos tirar do caminho, fazer meia dúzia de charlatanices e, quando a gente der pela coisa, as escrituras estarão em seu nome e...

— O senhor enlouqueceu? Uma armação para ficar com esta casa? Será que o senhor é realmente tão idiota como está parecendo ser?

— Não se atreva!... — guinchou tia Petúnia, mas, novamente, Válter fez sinal para a mulher se calar: ofensas sobre sua personalidade não se comparavam ao perigo que identificara.

— Caso o senhor tenha esquecido — disse Harry —, eu já tenho uma casa, meu padrinho a deixou para mim. Então, por que eu iria querer esta? Pelas boas lembranças que guardo daqui?

Fez-se silêncio. Harry achou que impressionara o tio com esse argumento.

— Você quer me dizer que esse tal lorde...

— Voldemort — completou Harry impaciente —, e já repassamos isso cem vezes. E não é o que quero dizer, é um fato, Dumbledore lhe disse isso no ano passado, e Kingsley e o sr. Weasley...

Válter Dursley encolheu os ombros encolerizado, e Harry imaginou que o tio estivesse tentando exorcizar as lembranças da inesperada visita de dois bruxos adultos, logo no início de suas férias de verão. A chegada de Kingsley Shacklebolt e Arthur Weasley à porta da casa fora um choque extremamente desagradável para os Dursley. Contudo, Harry tinha de admitir que não era de se esperar que o reaparecimento do sr. Weasley, que no passado demolira metade da sala, deixasse seu tio feliz.

— Kingsley e o sr. Weasley explicaram tudo muito bem — salientou Harry, sem piedade. — Quando eu completar dezessete anos, o feitiço de proteção que me resguarda se desfará, e isto me põe em risco e a vocês também. A Ordem tem certeza que Voldemort visará o senhor, seja para torturá-lo e descobrir aonde fui, seja por pensar que, se o fizer refém, eu tentarei vir salvá-lo.

O olhar do tio encontrou o de Harry. O garoto teve certeza de que naquele instante os dois estavam se perguntando a mesma coisa. Então, Válter recomeçou a andar e Harry continuou:

— O senhor precisa se esconder e a Ordem quer ajudar, ofereceu uma sólida proteção, a melhor que existe.

Tio Válter não respondeu, continuou a andar para cá e para lá. Lá fora, o sol batia diagonalmente sobre a cerca de alfeneiros. Na casa ao lado, o cortador de grama do vizinho parou mais uma vez.

— Pensei que houvesse um Ministério da Magia! — exclamou o tio bruscamente.

— Há — respondeu Harry, surpreso.

— Então, por que não podem nos proteger? Parece-me que, como vítimas inocentes, cujo único crime foi dar guarida a um homem marcado, deveríamos ter direito à proteção do governo!

Harry riu; não conseguiu se conter. Era tão típico do seu tio depositar as esperanças nas instituições, mesmo as de um mundo que ele desprezava e não confiava.

— O senhor ouviu o que o sr. Weasley e Kingsley disseram. Achamos que o inimigo está infiltrado no Ministério.

Tio Válter foi até a lareira e voltou, respirando com tanta força que ondulava o enorme bigode preto, seu rosto ainda púrpura de concentração.

— Muito bem — disse ele, parando mais uma vez diante do sobrinho. — Muito bem, vamos considerar a hipótese de que aceitemos essa proteção. Continuo sem entender por que não podemos recebê-la do tal Kingsley.

Harry conseguiu não erguer os olhos para o teto, mas a muito custo. A pergunta já tinha sido respondida meia dúzia de vezes.

— Como lhe expliquei — disse entre os dentes —, Kingsley está protegendo o trouxa, quero dizer, o seu primeiro-ministro.

— Exatamente: ele é o melhor! — exclamou o tio, apontando para a tela escura da televisão. Os Dursley tinham localizado Kingsley no telejornal, andando discretamente às costas do primeiro-ministro em visita a um hospital. Isto, e o fato de Kingsley ter aprendido a se vestir como um trouxa, sem esquecer da segurança que transmitia com sua voz lenta e grave, tinha levado os Dursley a aceitarem Kingsley de um jeito que certamente não se aplicara a nenhum outro bruxo, embora fosse verdade que eles nunca o tivessem visto de brinco.

— Ele está ocupado — disse Harry. — Mas Héstia Jones e Dédalo Diggle estão mais do que qualificados para esse serviço...

— Se ao menos tivéssemos visto os currículos deles... — começou tio Válter, mas Harry perdeu a paciência. Levantando-se, dirigiu-se ao tio, agora ele próprio apontando para a televisão.

— Esses acidentes não são acidentes, as colisões, explosões, descarrilamentos e o que mais tenha acontecido desde a última vez que o senhor viu o telejornal. As pessoas estão desaparecendo e morrendo, e é ele que está por trás de tudo: Voldemort. Já lhe disse isso muitas vezes, ele mata trouxas para se divertir. Até os nevoeiros: são causados por dementadores, e se o senhor não lembra quem são, pergunte ao seu filho!

As mãos de Duda ergueram-se bruscamente para cobrir a própria boca. Sentindo os olhos dos pais e de Harry postos nele, tornou a baixá-las lentamente e perguntou:

— Tem... mais daqueles?

— Mais? — Riu Harry. — Você quer dizer mais do que os dois que nos atacaram? Claro que tem, tem centenas, talvez milhares a essa altura, uma vez que se alimentam do medo e do desespero...

— Está bem, está bem — trovejou Válter Dursley. — Você me convenceu...

— Espero que sim, porque quando eu completar dezessete anos, todos eles, os Comensais da Morte, os dementadores e até os Inferi, que é como chamamos os mortos-vivos enfeitiçados por um bruxo das trevas, poderão encontrar vocês e certamente atacá-los. E se lembrarem da última vez que tentaram ser mais rápidos do que os bruxos, acho que irão concordar que precisam de ajuda.

Houve um breve silêncio em que o eco distante de Hagrid derrubando uma porta de madeira deu a impressão de reverberar pelos anos transcorridos desde então. Tia Petúnia olhava para tio Válter; Duda encarava Harry. Por fim, o tio perguntou abruptamente:

— E o meu trabalho? E a escola de Duda? Suponho que essas coisas não tenham importância para um bando de bruxos vagabundos...

— Será que o senhor não compreende? — gritou Harry. — *Eles torturarão e matarão vocês como fizeram com os meus pais!*

— Pai — disse Duda em voz alta —, pai... eu vou com esse pessoal da Ordem.

— Duda — comentou Harry —, pela primeira vez na vida você está demonstrando bom-senso.

Ele sabia que a batalha estava ganha. Se Duda estivesse suficientemente apavorado para aceitar a ajuda da Ordem, os pais o acompanhariam; separarem-se de Duda estava fora de questão. Harry olhou para o relógio de alça sobre o console da lareira.

— Eles estarão aqui dentro de uns cinco minutos — anunciou e, diante do total silêncio dos Dursley, saiu da sala. A perspectiva de se separar, provavelmente para sempre, dos tios e do primo era algo que ele conseguia imaginar com alegria, mas, ainda assim, havia um certo constrangimento no ar. Que se dizia a parentes ao fim de dezesseis anos de intensa e mútua aversão?

De volta ao próprio quarto, Harry mexeu a esmo na mochila, depois empurrou umas nozes pelas grades da gaiola de Edwiges. Elas produziram um som oco ao bater no fundo, onde a coruja as ignorou.

— Logo, logo estaremos indo embora daqui — disse-lhe Harry. — Então você vai poder voar novamente.

A campainha da porta tocou. Harry hesitou, em seguida tornou a sair do quarto e descer: era demais esperar que Héstia e Dédalo enfrentassem os Dursley sozinhos.

— Harry Potter! — esganiçou-se uma voz animada, no instante em que ele abriu a porta; um homenzinho de cartola lilás fez-lhe uma profunda reverência. — Uma honra como sempre!

— Obrigado, Dédalo — respondeu Harry, concedendo um sorriso breve e inibido a Héstia, a bruxa de cabelos escuros. — É realmente uma gentileza fazerem isso... eles estão aqui dentro, meus tios e meu primo...

— Bom dia aos parentes de Harry Potter! — exclamou Dédalo, feliz, entrando na sala de estar. Os Dursley não pareceram nada felizes com a saudação; Harry chegou a pensar que mudariam mais uma vez de ideia. Duda se encolheu junto à mãe ao ver os bruxos.

"Vejo que já fizeram as malas e estão prontos. Excelente! O plano, como Harry deve ter-lhes dito, é simples", prosseguiu Dédalo, puxando do colete um enorme relógio de bolso e consultando-o.

"Vamos sair antes de Harry. Devido ao perigo de se usar magia em sua casa, porque Harry ainda é menor de idade, e isto poderia dar ao Ministério uma desculpa para prendê-lo, seguiremos de carro, digamos, por uns dois quilômetros. Então, desaparataremos até o local seguro que escolhemos para os senhores. Imagino que saiba dirigir, não?", perguntou o bruxo a tio Válter educadamente.

— Saiba...? Claro que sei dirigir muito bem! — respondeu ele bruscamente.

— É preciso muita inteligência, senhor, muita inteligência. Eu ficaria absolutamente abobalhado com todos aqueles botões e alavancas de puxar e empurrar — disse Dédalo. Sem dúvida, o bruxo pensava estar elogiando Válter Dursley, que visivelmente ia perdendo confiança no plano a cada palavra que Dédalo dizia.

— Nem ao menos sabe dirigir — resmungou, entre os dentes, ondulando o bigode de indignação, mas, por sorte, nem Dédalo nem Héstia pareceram ouvi-lo.

— Você, Harry — continuou Dédalo —, irá esperar aqui por sua guarda. Houve uma pequena mudança nos preparativos...

— Que quer dizer? — perguntou Harry, surpreso. — Pensei que Olho-Tonto viria para fazer comigo uma aparatação acompanhada, não?

— Inviável — respondeu Héstia, concisamente. — Olho-Tonto lhe explicará.

Os Dursley, que tinham escutado tudo com expressões de total incompreensão nos rostos, sobressaltaram-se ao ouvir um guincho alto: "*Apressem-se!*" Harry correu os olhos pela sala e se deu conta de que a voz saíra do relógio de bolso de Dédalo.

— Tem razão, estamos operando com um horário apertado — comentou o bruxo, assentindo para o relógio e tornando a enfiá-lo no bolso do colete. — Estamos tentando cronometrar sua saída da casa com a desaparatação de sua família, Harry; assim, o feitiço se desfaz no momento em que todos estiverem rumando para um destino seguro. — E, voltando-se para os Dursley: — Então, estamos com as malas feitas e prontos para partir?

Nenhum deles lhe respondeu: tio Válter ainda olhava espantado para o volume no bolso do colete de Dédalo.

— Talvez a gente devesse esperar lá fora no hall, Dédalo — murmurou Héstia: era evidente que considerava indelicado permanecerem na sala enquanto Harry e os Dursley, talvez às lágrimas, trocavam despedidas amorosas.

— Não precisa — murmurou Harry, mas tio Válter tornou qualquer explicação desnecessária ao dizer em voz alta:

— Então, adeus, moleque. — Ergueu o braço direito para apertar a mão do garoto, mas, no último instante, pareceu incapaz de fazê-lo, e simplesmente fechou a mão e começou a sacudi-la para a frente e para trás como se fosse um metrônomo.

– Pronto, Duzinho? – perguntou tia Petúnia, verificando, atrapalhada, o fecho da bolsa de mão para evitar sequer olhar para Harry.

Duda não respondeu, mas ficou parado ali com a boca entreaberta, lembrando ligeiramente a Harry o gigante Grope.

– Vamos, então – disse o tio. Ele já alcançara a porta da sala quando Duda murmurou:

– Eu não estou entendendo.

– O que não está entendendo, fofinho? – perguntou tia Petúnia, erguendo a cabeça para o filho.

Duda estendeu a mão, que mais parecia um presunto, e apontou para Harry.

– Por que ele não está vindo com a gente?

Tio Válter e tia Petúnia congelaram onde estavam, como se o filho tivesse acabado de expressar o desejo de ser uma bailarina.

– Quê?! – exclamou tio Válter em voz alta.

– Por que ele não está vindo também? – repetiu Duda.

– Ora, ele... ele não quer – respondeu tio Válter, virando-se com um olhar feroz para o sobrinho e acrescentando: – Você não quer, não é mesmo?

– Nem pensar – confirmou Harry.

– Viu? – disse tio Válter ao filho. – Agora ande, estamos indo.

E saiu da sala; todos ouviram a porta da frente abrir, mas Duda não se mexeu e, após alguns poucos passos hesitantes, tia Petúnia parou também.

– Que foi agora? – vociferou tio Válter, reaparecendo à porta.

Aparentemente, Duda lutava com conceitos demasiado difíceis para expressar em palavras. Passados vários segundos de um conflito interior visivelmente doloroso, ele perguntou:

– Mas aonde ele está indo?

Tia Petúnia e tio Válter se entreolharam. Era óbvio que Duda estava apavorando os pais. Héstia Jones rompeu o silêncio.

– Mas... certamente o senhor sabe aonde está indo o seu sobrinho, não? – perguntou, demonstrando perplexidade.

– Certamente que sabemos – retrucou Válter Dursley. – Está indo embora com uns tipos da sua laia, não é? Certo, Duda, vamos para o carro, você ouviu o que o homem disse, estamos com pressa.

Mais uma vez, Válter Dursley se dirigiu resolutamente à porta da frente, mas Duda não o acompanhou.

— Indo embora com uns tipos da *nossa* laia?

Héstia pareceu ultrajada. Harry já vira essa reação antes: bruxos se mostrarem perplexos ao constatar que os parentes vivos mais próximos tivessem tão pouco interesse no famoso Harry Potter.

— Tudo bem — Harry tranquilizou-a. — Não faz diferença, sinceramente.

— Não faz diferença? — repetiu Héstia, sua voz se alteando ameaçadoramente. — Essas pessoas não entendem o que você tem sofrido? O perigo em que se encontra? A posição única que você ocupa no coração dos que militam no movimento anti-Voldemort?

— Ah... não, não entendem — respondeu Harry. — Na verdade, acham que sou um desperdício de espaço, mas estou acostumado...

— Eu não acho que você seja um desperdício de espaço.

Se Harry não tivesse visto a boca do garoto mexer, talvez não tivesse acreditado. Tendo visto, entretanto, ficou olhando para Duda durante vários segundos antes de aceitar, por um detalhe, que devia ter sido o primo quem falara: seu rosto avermelhara. E Harry estava, ele próprio, sem graça e pasmo.

— Ãh... obrigado, Duda.

Novamente, Duda pareceu lutar com pensamentos demasiado difíceis, antes de murmurar:

— Você salvou a minha vida.

— Não foi bem assim. Era a sua alma que o dementador queria...

Harry olhou com curiosidade para o primo. Eles virtualmente não tinham tido contato durante este verão ou o anterior, porque ele voltara à rua dos Alfeneiros por poucos dias e ficara em seu quarto a maior parte do tempo. Ocorria-lhe agora, porém, que a xícara de chá em que pisara aquela manhã talvez não tivesse sido uma armadilha. Embora bastante comovido, sentiu-se aliviado ao constatar que Duda aparentemente esgotara sua capacidade de expressar sentimentos. Depois de abrir a boca mais uma ou duas vezes, o primo mergulhou em ruborizado silêncio.

Tia Petúnia rompeu em lágrimas. Héstia Jones lhe lançou um olhar de aprovação que se transformou em revolta quando a mulher se adiantou rapidamente e abraçou Duda em vez de Harry.

— Que amor, Dudoca... — soluçou ela encostada no largo peito do filho —, q-que beleza de g-garoto... ag-gradecendo...

— Mas ele não agradeceu! — exclamou Héstia, indignada. — Ele só disse que não achava que Harry fosse um desperdício de espaço!

— É, mas, vindo de Duda, isto equivale a dizer "eu te amo" — explicou Harry, dividido entre a contrariedade e a vontade de rir, quando tia Petúnia continuou agarrada a Duda como se ele tivesse acabado de salvar Harry de um prédio em chamas.

— Então, vamos ou não vamos? — urrou tio Válter, reaparecendo à porta da sala de estar. — Pensei que estávamos em cima da hora!

— Claro... claro, estamos — respondeu Dédalo Diggle, que parara diante dessa troca de palavras com ar de estupefação, e agora parecia ter voltado ao normal. — Realmente precisamos ir, Harry...

O bruxo se adiantou aos tropeços e apertou a mão de Harry entre as suas.

— ... boa sorte. Espero que voltemos a nos encontrar. Você carrega nos ombros as esperanças do mundo bruxo.

— Ah, certo. Obrigado.

— Adeus, Harry — disse Héstia, também apertando sua mão. — Os nossos pensamentos o acompanharão.

— Espero que tudo corra bem — disse Harry, lançando um olhar a Petúnia e Duda.

— Ah, tenho certeza que vamos acabar nos tornando os melhores amigos — disse Diggle animado, acenando com a cartola ao sair da sala. Héstia acompanhou-o.

Duda se soltou gentilmente das garras da mãe e se adiantou para Harry, que precisou conter o impulso de ameaçá-lo com um feitiço. Então, o primo estendeu a manzorra rosada.

— Caramba, Duda — disse Harry, sobrepondo-se aos renovados soluços de tia Petúnia —, será que os dementadores sopraram para dentro de você uma nova personalidade?

— Sei lá — murmurou Duda. — A gente se vê, Harry.

— É — respondeu Harry, apertando a mão do primo e sacudindo-a. — Quem sabe. Se cuida, Dudão.

Duda quase sorriu e em seguida saiu, desajeitado, da sala. Harry ouviu seus passos pesados na entrada de saibro, então a porta de um carro bateu.

Tia Petúnia, cujo rosto estivera enfiado no lenço, olhou para os lados ao ouvir a batida. Pelo jeito, não esperava se ver sozinha com Harry. Guardando apressada o lenço molhado no bolso, disse:

— Bom... adeus. — E dirigiu-se resoluta à porta, sem olhar para o sobrinho.

— Adeus — respondeu Harry.

Ela parou e olhou para trás. Por um momento, Harry teve a estranhíssima sensação de que ela queria lhe dizer alguma coisa: a tia lhe lançou um olhar estranho e trêmulo que pareceu oscilar à beira da fala, então, com um movimento brusco da cabeça, saiu apressada da sala para se reunir ao marido e ao filho.

4

OS SETE POTTER

Harry voltou correndo ao seu quarto, chegando ainda em tempo de ver o carro dos Dursley se afastar rua acima. Avistou, ainda, a cartola de Dédalo Diggle entre Petúnia e Duda, no banco traseiro. O veículo virou à direita, no fim da rua dos Alfeneiros, suas janelas se avermelharam por um momento ao sol poente, e, então, desapareceu.

Harry apanhou a gaiola de Edwiges, a Firebolt e a mochila, lançou um último olhar ao quarto anormalmente arrumado e, então, desceu desajeitado para o hall, onde pousou a gaiola, a vassoura e a mochila próximos ao pé da escada. A claridade diminuía rapidamente, o hall enchia-se de sombras crepusculares. Parecia muito estranho ficar parado ali, naquele silêncio, sabendo que ia sair de casa pela última vez. Anos atrás, quando os Dursley o deixavam sozinho e iam se divertir, as horas de solidão tinham se constituído num presente raro: parando apenas para furtar alguma gulodice da geladeira, ele corria escada acima para brincar com o computador de Duda, ou ligar a televisão e trocar de canal à vontade. Dava-lhe um estranho vazio lembrar aqueles tempos: era como lembrar um irmão mais moço que tivesse perdido.

— Não quer dar uma última olhada na casa? — perguntou a Edwiges, que continuava aborrecida com a cabeça sob a asa. — Nunca mais viremos aqui. Você não quer lembrar os bons tempos? Isto é, olhe só para esse capacho. Que recordações... Duda vomitou aí depois que o salvei dos dementadores... Ele acabou me agradecendo, dá para acreditar?... E no verão passado, Dumbledore entrou por essa porta...

Harry perdeu por um instante o fio dos pensamentos, mas Edwiges não fez nada para ajudá-lo a retomar seu discurso e continuou parada na mesma posição. Harry virou as costas para a porta da frente.

— E aqui embaixo, Edwiges — Harry abriu uma porta sob a escada —, é onde eu costumava dormir! Você nem me conhecia na época... caramba, eu tinha esquecido como é apertado...

Harry correu o olhar pelos sapatos e guarda-chuvas empilhados, lembrando-se de que acordava toda manhã encarando o "avesso" dos degraus da escada, que muito frequentemente estavam enfeitados com uma ou duas aranhas. Naquele tempo, desconhecia sua verdadeira identidade, e ainda não descobrira como os pais tinham morrido nem a razão de coisas tão estranhas sempre acontecerem ao seu redor. Harry ainda lembrava os sonhos que o perseguiam, mesmo naquela época: sonhos confusos que incluíam clarões verdes e, uma vez – tio Válter quase batera com o carro quando lhe contara um deles –, uma moto voadora...

Um ronco repentino e ensurdecedor ecoou perto dali. Harry se endireitou abruptamente e bateu com o cocuruto no portal baixo. Parando apenas para dizer alguns dos palavrões mais enfáticos aprendidos com o tio, saiu cambaleando até a cozinha com as mãos na cabeça e espiou o quintal pela janela.

A escuridão parecia estar ondulando, o ar estremecia. Então, uma a uma, as pessoas começaram a aparecer instantaneamente à medida que se desfaziam os Feitiços da Desilusão. Dominando a cena, ele viu Hagrid, de capacete e óculos de proteção, montando uma gigantesca motocicleta com um *sidecar* preto. A toda volta, outras pessoas desmontavam de vassouras e, em dois casos, de cavalos alados pretos e esqueletais.

Abrindo com violência a porta dos fundos, Harry correu para o centro do círculo. Ergueu-se um grito de boas-vindas enquanto Hermione abria os braços para ele, Rony lhe dava um tapinha nas costas e Hagrid perguntava:

– Tudo bem, Harry? Pronto para o bota-fora?

– Com certeza – respondeu, incluindo todos em um grande sorriso. – Mas eu não estava esperando tanta gente!

– Mudança de planos – rosnou Olho-Tonto, que segurava duas sacas grandes e cheias e cujo olho mágico girava do céu do anoitecer para a casa e dali para o jardim, com estonteante rapidez. – Vamos entrar antes de lhe explicar tudo.

Harry conduziu-os à cozinha onde, rindo e tagarelando, eles se acomodaram em cadeiras, sentaram-se nas reluzentes bancadas da tia Petúnia ou se encostaram em seus imaculados eletrodomésticos: Rony, magro e comprido; Hermione com os cabelos bastos presos às costas em uma longa trança; Fred e Jorge, com sorrisos idênticos; Gui, cheio de cicatrizes e cabelos longos; o sr. Weasley, o rosto bondoso, os cabelos rareando, os óculos meio tortos; Olho-Tonto, cansado de guerra, perneta, o olho mágico azul girando na órbita; Tonks, cujos cabelos curtos estavam pintados no rosa berrante de que tanto gostava; Lupin, mais grisalho, mais enrugado; Fleur, esguia e linda com seus longos cabelos louros platinados; Kingsley, careca, negro, os ombros largos; Hagrid, de barba e cabelos sem trato, curvando-se para não bater a cabeça no teto; e Mundungo Fletcher, franzino, sujo e trapaceiro, com aqueles olhos caídos de basset hound e os cabelos empastados. O coração de Harry pareceu crescer e se iluminar ao vê-los; gostava incrivelmente de todos, até de Mundungo, que ele tentara estrangular da última vez que o encontrara.

— Kingsley, pensei que você estivesse cuidando do primeiro-ministro trouxa, não? — perguntou do lado oposto da cozinha.

— Ele pode passar sem mim por uma noite — respondeu. — Você é mais importante.

— Harry, adivinha? — falou Tonks, empoleirada sobre a máquina de lavar roupa, acenando os dedos da mão esquerda para ele; brilhava ali uma aliança.

— Você se casou? — gritou Harry, seu olhar correndo da auror para Lupin.

— Que pena que você não pôde assistir, Harry, foi superíntimo.

— Genial, meus para...

— Tudo bem, tudo bem, teremos tempo depois para pôr as novidades em dia! — rugiu Moody, abafando a algazarra, e fez-se silêncio na cozinha. O bruxo largou as sacas junto aos pés e se virou para Harry. — Dédalo provavelmente lhe disse que tivemos de abandonar o plano A. Pio Thicknesse passou-se para o outro lado, o que nos causou um grande problema. Decretou que são transgressões puníveis com prisão ligar esta casa à Rede de Flu, criar uma Chave de Portal, aparatar ou desaparatar aqui. Tudo em nome de sua maior proteção, para impedir que Você-Sabe-Quem chegue a você. Coisa absolutamente sem sentido, uma vez que o feitiço de sua mãe já se encarrega disso. Na realidade, o que ele fez foi impedi-lo de sair daqui em segurança.

"Segundo problema: você é menor de idade, o que significa que ainda tem um rastreador."

— Não estou...

— O rastreador, o rastreador! — interrompeu-o Olho-Tonto com impaciência. — O feitiço que detecta atividades mágicas em torno de menores de dezessete anos, e que permite ao Ministério descobrir quando um menor faz uso da magia! Se você, ou alguém ao seu redor, lançar um feitiço para tirá-lo daqui, Thicknesse saberá, e os Comensais da Morte também.

"Não podemos esperar o rastreador caducar, porque, no momento em que você completar dezessete anos, perderá toda a proteção que sua mãe lhe deu. Em resumo: Pio Thicknesse acha que o encurralou de vez."

Harry não pôde senão concordar com o desconhecido, o tal Thicknesse.

— Então, que vamos fazer?

— Vamos usar os únicos meios de transporte que nos restaram, os únicos que o rastreador não poderá detectar, porque não precisamos lançar feitiços para usar: vassouras, testrálios e a moto do Hagrid.

Harry percebia falhas nesse plano; contudo, calou-se para dar a Olho-Tonto a chance de continuar.

— Ora, o feitiço de sua mãe só se desfará sob duas condições: quando você se tornar maior ou — Moody fez um gesto abrangendo a cozinha impecável — quando deixar de chamar este lugar de lar. Hoje à noite você e seus tios vão seguir caminhos separados, concordando plenamente que jamais voltarão a viver juntos, certo?

Harry assentiu.

— Então desta vez, quando você sair, não haverá retorno, e o feitiço se desfará no momento em que deixar o âmbito desta casa. Decidimos desfazer o feitiço antes, porque a alternativa é esperar Você-Sabe-Quem entrar e capturá-lo no momento em que completar dezessete anos.

"A única coisa que temos a nosso favor é que Você-Sabe-Quem ignora que estamos transferindo você hoje à noite. Deixamos vazar uma pista falsa no Ministério: acham que você vai esperar até o dia trinta. Ainda assim, estamos lidando com Você-Sabe-Quem, portanto não podemos confiar que ele se deixe enganar com a data; certamente, por precaução, terá alguns Comensais da Morte patrulhando o céu desta área. Então, equipamos umas doze casas diferentes com toda a proteção que é possível lhes dar. Todas aparentam ser aquela em que vamos escondê-lo, todas têm alguma ligação com a Ordem: minha casa, a do Kingsley, a de Muriel, tia de Molly... entende a ideia."

— Entendo — confirmou Harry, com pouca sinceridade, porque ainda era capaz de ver um enorme furo nesse plano.

— Você vai para a casa dos pais de Tonks. Uma vez dentro dos limites dos feitiços protetores que lançamos sobre a casa, poderá usar uma Chave de Portal para A Toca. Alguma pergunta?

— Ah... sim — respondeu Harry. — Talvez eles não saibam para qual das doze casas seguras eu irei primeiro, mas não ficará meio óbvio — e ele fez uma rápida contagem das cabeças — quando catorze de nós voarmos para a casa dos pais de Tonks?

— Ah — disse Moody —, me esqueci de mencionar o principal. Os catorze não irão voar para a casa dos pais de Tonks. Haverá sete Harry Potter deslocando-se pelo céu hoje à noite, cada um deles com um companheiro, cada par rumando para uma casa segura diferente.

De dentro do casaco, Moody tirou um frasco contendo um líquido que parecia lama. Ele não precisou acrescentar mais nada: Harry entendeu o restante do plano imediatamente.

– Não! – exclamou alto, sua voz ressoando pela cozinha. – Nem pensar!

– Eu avisei a eles que essa seria a sua reação – disse Hermione com um ar indulgente.

– Se vocês acham que vou deixar seis pessoas arriscarem a vida...!

– ... porque é a primeira vez para todos nós – interpôs Rony.

– Isto é diferente, fingir ser eu...

– Bom, nenhum de nós gostou muito da ideia, Harry – disse Fred, sério. – Imagine se alguma coisa der errado e continuarmos para o resto da vida retardados, magricelas e "ocludos".

Harry não sorriu.

– Não poderão fazer isso se eu não cooperar, precisarão que eu ceda uns fios de cabelo.

– Então, lá se vai o plano por água abaixo – comentou Jorge. – É óbvio que não há a menor possibilidade de arranjar fios dos seus cabelos, a não ser que você colabore.

– É, treze de nós contra um cara proibido de usar magia; não temos a menor chance – acrescentou Fred.

– Engraçado – disse Harry. – Realmente hilário.

– Se tivermos que usar a força, usaremos – rosnou Moody, seu olho mágico agora estremecendo um pouco na órbita ao encarar Harry com severidade. – Todos aqui são maiores de idade, Potter, e todos estão dispostos a se arriscar.

Mundungo sacudiu os ombros e fez uma careta; o olho mágico virou de esguelha pelo lado da cabeça de Moody para repreendê-lo.

– Não vamos continuar a discutir. O tempo está passando. Quero alguns fios de cabelo seus, moleque, agora.

– Isto é loucura, não há necessidade...

– Não há necessidade! – rosnou Moody. – Com Você-Sabe-Quem aí fora e metade do Ministério do lado dele? Potter, se dermos sorte, ele terá engolido a pista falsa e estará planejando emboscar você no dia trinta, mas ele será doido se não mantiver um ou dois Comensais da Morte vigiando. É o que eu faria. Talvez eles não possam atingir você nem esta casa enquanto o feitiço de sua mãe estiver em vigor, mas está prestes a caducar e eles têm uma ideia geral de sua localização. A nossa única chance é usar chamarizes. Nem mesmo Você-Sabe-Quem é capaz de se dividir em sete.

O olhar de Harry encontrou o de Hermione e desviou-se rapidamente.

– Portanto, Potter, uns fios do seu cabelo, por gentileza.

Harry olhou para Rony, que fez uma careta como se dissesse "dá logo".

– Agora! – vociferou Moody.

Com todos os olhares convergindo para ele, Harry levou a mão ao topo da cabeça, agarrou um punhado de fios e arrancou-os.

– Ótimo – disse Moody, mancando até ele e puxando a tampa do frasco de poção. – Aqui dentro, por gentileza.

Harry deixou cair os fios no líquido cor de lama. No instante em que o cabelo tocou a sua superfície, a poção começou a espumar e fumegar e, instantaneamente, se tornou límpida e dourada.

– Ah, você parece muito mais gostoso que o Crabbe ou o Goyle, Harry – comentou Hermione antes de notar as sobrancelhas erguidas de Rony e, corando levemente, acrescentou –, ah, você entendeu o que eu quis dizer, a poção de Goyle lembrava um bicho-papão.

– Certo, então, os falsos Potter alinhem-se do lado de cá, por favor – pediu Moody.

Rony, Hermione, Fred, Jorge e Fleur se enfileiraram à frente da reluzente pia de tia Petúnia.

– Falta um – disse Lupin.

– Aqui – respondeu Hagrid rispidamente, e, erguendo Mundungo pelo cangote, largou-o ao lado de Fleur, que enrugou o nariz deliberadamente e foi se postar entre Fred e Jorge.

– Eu lhe disse que preferia ser guarda – reclamou Mundungo.

– Cala a boca – rosnou Moody. – Como já lhe expliquei, seu verme invertebrado, quaisquer Comensais da Morte que encontrarmos tentarão capturar Potter, e não matá-lo. Dumbledore sempre disse que Você-Sabe-Quem iria querer liquidar Potter pessoalmente. Serão os guardas que terão de se preocupar mais, os Comensais da Morte tentarão eliminá-los.

Mundungo não pareceu muito tranquilo, mas Moody já tinha tirado de dentro da capa meia dúzia de cálices, que distribuiu após servir em cada um a dose da Poção Polissuco.

– Todos juntos, então...

Rony, Hermione, Fred, Jorge, Fleur e Mundungo beberam. Todos ofegaram e fizeram caretas quando a poção chegou à garganta: imediatamente, suas feições começaram a borbulhar e distorcer como cera quente. Hermione e Mundungo cresceram de repente; Rony, Fred e Jorge encolheram; seus cabelos escureceram, os de Hermione e Fleur pareceram reentrar na cabeça.

Moody, indiferente, começou a soltar os cordões das enormes sacas que trouxera: quando tornou a se aprumar, havia seis Harry Potter exclamando ofegantes diante dele.

Fred e Jorge se viraram um para o outro e disseram juntos:

— Uau... estamos idênticos!

— Não sei, não, acho que estou mais bonito — comentou Fred, examinando seu reflexo na chaleira.

— Bah! — exclamou Fleur, mirando-se na porta do micro-ondas. — *Gui, nam olhe parra mim: estam horrenda.*

— Se as roupas ficarem largas em vocês, há tamanhos menores aqui — disse Moody, indicando a primeira saca —, e vice-versa. Não esqueçam os óculos, há seis pares no bolso lateral. E depois de se vestirem, a bagagem está na segunda saca.

O verdadeiro Harry achou que aquela talvez fosse a cena mais bizarra que já presenciara na vida, e já vira coisas extremamente exóticas. Observou seus seis duplos mexerem na saca de roupa, tirar trajes completos, pôr os óculos e guardar as próprias coisas. Teve vontade de pedir que demonstrassem um pouco mais de respeito por sua intimidade quando começaram a se despir sem censura, visivelmente mais à vontade em desnudar o seu corpo do que estariam com os próprios corpos.

— Eu sabia que Gina estava mentindo sobre aquela tatuagem — disse Rony, olhando para o próprio peito nu.

— Harry, a sua visão é ruim mesmo — comentou Hermione, ao colocar os óculos.

Uma vez vestidos, os falsos Harry Potter tiraram da segunda saca mochilas e gaiolas de coruja, cada uma contendo uma alvíssima coruja empalhada.

— Ótimo — aprovou Moody, quando, por fim, os sete Harry vestidos, equipados com óculos e bagagem, se viraram para ele. — Os pares serão os seguintes: Mundungo irá viajar comigo de vassoura...

— Por que vou com você? — protestou o Harry mais perto da porta dos fundos.

— Porque você é o único que precisa de vigilância — rosnou Moody, e, de fato, seu olho mágico não se desviou de Mundungo enquanto continuava —, Arthur e Fred...

— Eu sou Jorge — disse o gêmeo para quem Moody estava apontando.

— Você não consegue nos distinguir nem quando somos Harry?

— Desculpe, Jorge...

— Eu só estou zoando você, na verdade sou o Fred...

— Chega de brincadeiras! — rosnou Moody. — O outro... Fred ou Jorge, seja lá quem for, você vai com Remo. Srta. Delacour...

— Vou levar Fleur em um testrálio — disse Gui. — Ela não gosta muito de vassouras.

Fleur foi para junto dele, lançando-lhe um olhar apaixonado e servil que Harry desejou de todo o coração que jamais voltasse a aparecer em seu rosto.

— Srta. Granger com Kingsley, também em um testrálio...

Hermione pareceu mais tranquila ao retribuir o sorriso de Kingsley; Harry sabia que a amiga também não se sentia segura em uma vassoura.

— E você sobra para mim, Rony! — comentou Tonks animada, derrubando um porta-canecas ao acenar para ele.

Rony não pareceu tão satisfeito quanto Hermione.

— E você vai comigo, Harry. É isso? — perguntou Hagrid, parecendo um pouco ansioso. — Iremos de moto. Vassouras e testrálios não aguentam o meu peso, entende. Não sobra muito espaço depois que eu me sento, então você irá no *sidecar*.

— Beleza — disse Harry, sem muita sinceridade.

— Achamos que os Comensais da Morte esperarão que você esteja voando em uma vassoura — explicou Moody, que pareceu perceber o que Harry estava sentindo. — Snape já teve tempo suficiente para acabar de informar a eles tudo que sabe sobre você, por isso, se toparmos com Comensais, apostamos que irão escolher um Harry que pareça à vontade montando uma vassoura. Muito bem, então — continuou Moody, amarrando a saca com as roupas falsas de Harry e saindo primeiro para o quintal. — Calculo que faltem três minutos para o nosso horário de partida. Não adianta trancar a porta dos fundos, não vai segurar os Comensais da Morte quando vierem procurar você... Vamos...

Harry correu ao hall para apanhar sua mochila, a Firebolt e a gaiola de Edwiges antes de se reunir aos outros no quintal escuro. A toda volta, vassouras saltaram para as mãos dos donos; Kingsley já tinha ajudado Hermione a montar um grande testrálio preto; e Gui ajudou Fleur. Hagrid estava pronto ao lado da moto, com os óculos de proteção.

— É essa? A moto de Sirius?

— A própria — respondeu Hagrid, sorrindo para Harry. — E a última vez em que a montou, Harry, você cabia em uma das minhas mãos!

Harry não pôde deixar de se sentir um pouquinho humilhado ao embarcar no *sidecar*. Isto o colocava vários metros abaixo dos demais: Rony deu um sorrisinho debochado ao ver o amigo sentado ali, como uma criança em um carrinho de parque de diversões. Harry empurrou a mochila e a vassoura para o lugar dos pés e encaixou a gaiola de Edwiges entre os joelhos. Ficou extremamente desconfortável.

— Arthur andou fazendo uns ajustes — contou Hagrid, indiferente ao desconforto de Harry. Montou, então, a moto que rangeu um pouco e afundou alguns centímetros no solo. — Agora tem uns botões especiais no guidão. Esse aí foi minha ideia. — Hagrid apontou com o grosso dedo um botão roxo junto ao velocímetro.

— Por favor, tenha cuidado, Hagrid — recomendou o sr. Weasley, que estava parado ao lado deles, segurando a vassoura. — Ainda não tenho certeza se é aconselhável, e certamente só deve ser usado em emergências.

— Muito bem, então — anunciou Moody. — Todos a postos, por favor; quero que todos saiam exatamente na mesma hora, ou invalidamos a ideia de despistamento.

Todos montaram as vassouras.

— Segure-se firme agora, Rony — disse Tonks, e Harry viu o amigo lançar um olhar furtivo e culpado a Lupin antes de colocar as mãos na cintura da bruxa. Hagrid deu partida na moto, que roncou como um dragão e o *sidecar* começou a vibrar.

— Boa sorte a todos! — gritou Moody. — Vejo vocês dentro de uma meia hora n'A Toca. Quando eu contar três. Um... dois... TRÊS.

Ouviu-se o estrondo da moto, e Harry sentiu o *sidecar* avançar assustadoramente; estavam levantando voo em alta velocidade, seus olhos lacrimejavam um pouco, os cabelos foram varridos para trás. À sua volta, as vassouras subiam também: a cauda longa e preta de um testrálio ultrapassou-o. As pernas do garoto, entaladas no *sidecar* pela gaiola de Edwiges e a mochila, já estavam doendo e começando a ficar dormentes. Seu desconforto era tão grande que ele quase se esqueceu de lançar um último olhar ao número quatro da rua dos Alfeneiros; quando finalmente olhou pelo lado do *sidecar*, já não sabia distinguir qual era a casa. Eles foram subindo, sem parar, em direção ao céu...

Então, de repente, sem ninguém saber de onde nem como, eles se viram cercados. No mínimo uns trinta vultos encapuzados pairavam no ar, formando um vasto círculo no meio do qual entraram os membros da Ordem, sem perceber...

Gritos, clarões verdes para todo lado: Hagrid soltou um berro e a moto virou de cabeça para baixo. Harry perdeu a noção de onde estavam: lampiões de rua no alto, berros à sua volta, ele agarrado ao *sidecar*, como se disso dependesse sua vida. A gaiola de Edwiges, a Firebolt e a mochila escorregaram de baixo dos seus joelhos...

— Não...! EDWIGES!

A vassoura girou em direção ao solo, mas ele conseguiu, por um triz, agarrar a alça da mochila e a gaiola quando a moto voltou à posição normal. Um segundo de alívio e outro clarão verde. A coruja soltou um grito agudo e tombou no chão da gaiola.

— Não... NÃO!

A moto avançava veloz; de relance, Harry viu Comensais da Morte encapuzados se dispersarem quando Hagrid rompeu o seu círculo.

— Edwiges... *Edwiges*...

A coruja, porém, continuou no chão da gaiola, imóvel e patética como um brinquedo. Harry não conseguia acreditar, e sentiu um supremo terror pelos companheiros. Espiou rapidamente por cima do ombro e viu uma massa de gente se deslocando, clarões verdes, dois pares montados em vassouras se distanciavam, mas não sabia dizer quem eram...

— Hagrid, temos que voltar, temos que voltar! — berrou para sobrepor a voz ao ronco atroante do motor, empunhou a varinha, empurrou a gaiola de Edwiges para o chão, se recusando a aceitar que estivesse morta. — Hagrid, DÊ MEIA-VOLTA!

— Minha obrigação é levar você em segurança, Harry! — berrou Hagrid, acelerando.

— Pare... PARE! — gritou Harry. Quando tornou a olhar para trás, dois jorros de luz verde passaram voando por sua orelha esquerda: quatro Comensais da Morte tinham deixado o círculo e vinham em sua perseguição, fazendo pontaria nas largas costas de Hagrid. O bruxo se desviou, mas os Comensais emparelharam com a moto; lançaram mais feitiços contra eles, e Harry teve que se abaixar para evitá-los. Torcendo-se para trás, ordenou "*Estupefaça!*", e um raio de luz vermelha partiu de sua varinha, abrindo uma brecha entre os quatro perseguidores, ao se dispersarem para evitar ser atingidos.

— Segure-se, Harry, isso acabará com eles — rugiu Hagrid, e Harry ergueu os olhos bem em tempo de ver o amigo meter o dedo grosso em um botão verde ao lado do medidor de gasolina.

Uma parede, uma parede maciça de tijolos irrompeu do cano de escape. Espichando o pescoço, Harry a viu expandir-se no ar. Três dos Comensais da Morte se desviaram para evitá-la, mas o quarto não teve tanta sorte: desapareceu e em seguida despencou como uma pedra por trás da parede, sua vassoura despedaçada. Um dos companheiros diminuiu a velocidade para socorrê-lo, mas eles e a parede voadora foram engolidos pela escuridão quando Hagrid se inclinou por cima do guidão e acelerou.

Mais Maldições da Morte lançadas pelos dois Comensais sobreviventes voaram pelos lados da cabeça de Harry, mirando Hagrid. Harry respondeu com Feitiços Estuporantes; vermelho e verde colidiam no ar produzindo uma chuva de faíscas multicoloridas, e o garoto pensou intempestivamente em fogos de artifício, e nos trouxas lá embaixo que não fariam ideia do que estava acontecendo...

— Lá vamos nós outra vez, Harry, segure-se — berrou Hagrid, apertando um segundo botão. Desta vez saiu uma rede pelo escape, mas os Comensais da Morte estavam preparados. Não só se desviaram, como o que havia desacelerado para salvar o amigo inconsciente os alcançou: brotou inesperadamente da escuridão e agora três deles vinham em perseguição da moto, todos disparando feitiços.

— Isso vai resolver, Harry, segure firme! — berrou Hagrid, e o garoto o viu bater com a mão espalmada no botão roxo ao lado do velocímetro.

Com um urro inconfundível, o fogo de dragão, incandescente e azul, jorrou pelo escape e a moto arrancou com a velocidade de uma bala produzindo um som metálico. Harry viu os Comensais da Morte desaparecerem para evitar a trilha mortífera de chamas e ao mesmo tempo sentiu o *sidecar* sacudir sinistramente: as ligações metálicas que o prendiam à moto racharam com a violência da aceleração.

— Tudo bem, Harry! — berrou Hagrid, empurrado para trás pelo ímpeto da moto; ninguém controlava agora, e o *sidecar* começou a se retorcer violentamente no jato de ar que a moto deslocava.

"Estou alerta, Harry, não se preocupe!", berrou Hagrid, e, do bolso do blusão, ele tirou o guarda-chuva cor-de-rosa e florido.

— Hagrid! Não! Deixa comigo!

— REPARO!

Ouviu-se um estampido ensurdecedor e o *sidecar* se soltou completamente: Harry disparou para a frente, impulsionado pela velocidade da moto, então o *sidecar* começou a perder altura...

Desesperado, Harry apontou a varinha para o carro e gritou:

— *Wingardium Leviosa*!

O *sidecar* subiu como uma rolha, desgovernada, mas, pelo menos, no ar. Seu alívio, porém, durou apenas segundos: mais feitiços passaram por ele como raios, os três Comensais da Morte agora mais próximos.

— Estou chegando, Harry! — gritou Hagrid da escuridão, mas o garoto sentiu o *sidecar* recomeçar a afundar: agachando-se o mais baixo que podia, apontou para os vultos que se aproximavam e berrou: — *Impedimenta*!

O feitiço atingiu no peito o Comensal do centro. Por um instante, o homem abriu absurdamente braços e pernas no ar, como se tivesse batido contra uma barreira invisível: um dos seus companheiros quase se chocou com ele...

Então o *sidecar* começou de fato a cair e um dos Comensais disparou um feitiço tão perto de Harry que ele precisou se encolher abaixo da borda do *sidecar*, e perdeu um dente ao bater contra o assento...

— Estou indo, Harry, estou indo!

Uma mão descomunal agarrou as vestes do garoto pelas costas e guindou-o para fora do *sidecar* em mergulho irreversível; Harry puxou para si a mochila ao se arrastar para o assento da moto e se viu sentado de costas para Hagrid. Ao ganharem altitude, afastando-se dos dois Comensais da Morte restantes, o garoto cuspiu o sangue da boca, e, apontando a varinha para o *sidecar* que caía, gritou:

— *Confringo*!

Sentiu uma dor terrível como se lhe arrancassem as entranhas quando Edwiges explodiu; o Comensal mais próximo foi arrancado da vassoura e saiu do campo de visão de Harry; o companheiro recuou e desapareceu.

— Harry, me desculpe, me desculpe — gemeu Hagrid. — Eu devia ter tentado consertar o *sidecar*... você ficou sem espaço...

— Isto não é problema, continue voando! — gritou Harry em resposta, no momento em que mais dois Comensais da Morte emergiam da escuridão e vinham em sua direção.

Quando os feitiços cortaram o espaço entre eles, Hagrid se desviou e ziguezagueou; Harry sabia que o amigo não ousaria usar novamente o botão do fogo de dragão, com ele sentado sem a menor segurança. Disparou um Feitiço Estuporante atrás do outro contra os perseguidores, mal conseguindo mantê-los a distância. Disparou outro feitiço para detê-los: o Comensal mais próximo desviou-se e seu capuz caiu, e, à luz vermelha do Feitiço Estuporante seguinte, Harry reconheceu o estranho rosto vidrado de Stanislau Shunpike, o Lalau...

— *Expelliarmus!* — berrou Harry.
— É ele, é ele, o verdadeiro!

O grito do Comensal encapuzado chegou aos ouvidos de Harry apesar do ronco da moto: no momento seguinte, mais dois perseguidores tinham recuado e desaparecido de vista.

— Harry, que aconteceu? — berrou Hagrid. — Onde eles se meteram?
— Não sei!

Harry, porém, teve medo: o Comensal encapuzado gritara "é o verdadeiro"; como soubera? Correu os olhos pela escuridão aparentemente vazia e sentiu o perigo. Onde estavam? Ele se virou no assento para ficar de frente e se agarrou nas costas do blusão de Hagrid.

— Hagrid, use o fogo do dragão outra vez, vamos dar o fora daqui.
— Segure-se bem, então, Harry!

Ouviu-se uma trovoada metálica e ensurdecedora e o fogo branco-azulado jorrou do escape: o garoto sentiu que estava escorregando para trás no pouco assento que lhe cabia, Hagrid foi atirado para cima dele, mal conseguindo manter as mãos no guidão...

— Acho que despistamos eles, Harry, acho que conseguimos! — berrou Hagrid.

Harry, contudo, não se convenceu: o medo o envolvia enquanto olhava à direita e à esquerda, à procura dos perseguidores e seguro de que viriam... Por que teriam recuado? Um deles ainda segurava a varinha... "É ele, é ele, o *verdadeiro*"... tinham exclamado logo depois que ele tentara desarmar Lalau...

— Estamos quase chegando, Harry, estamos quase conseguindo! — gritou Hagrid.

Harry sentiu a moto perder um pouco de altitude, embora as luzes em terra ainda parecessem estrelas remotas.

Então a cicatriz em sua testa ardeu em brasa: dois Comensais apareceram dos lados da moto, duas Maldições da Morte lançadas por trás passaram a milímetros do garoto...

Então Harry o viu. Voldemort vinha voando como fumaça ao vento, sem vassoura nem testrálio para sustentá-lo, seu rosto ofídico brilhando na escuridão, seus dedos brancos erguendo mais uma vez a varinha... Hagrid soltou um urro amedrontado e mergulhou a moto verticalmente. Segurando-se como se a vida dependesse disso, Harry disparou Feitiços Estuporantes a esmo para a noite vertiginosa. Viu um corpo passar por ele e soube que tinha atingido alguém, mas, em seguida, ouviu um estampido e viu saírem faíscas do motor; a moto entrou em uma espiral descendente, completamente descontrolada...

Jatos de luz verde tornaram a passar por eles. Harry estava totalmente desorientado: sua cicatriz continuava a queimar; esperou morrer a qualquer segundo. Uma figura encapuzada em uma vassoura vinha a centímetros dele, o garoto viu-a erguer o braço...

– NÃO!

Com um grito de fúria, Hagrid se atirou da moto contra o Comensal da Morte; para seu horror, Harry viu os dois bruxos caírem e desaparecer, seus pesos somados excessivos para a vassoura...

Mal se segurando na moto com os joelhos, Harry ouviu Voldemort gritar:

– Meu!

Era o fim: ele não ouvia nem via onde Voldemort estava; de relance, percebeu outro Comensal da Morte fazer uma curva para se afastar do caminho e ouviu: *Avada*...

Quando a dor forçou-o a fechar os olhos, sua varinha agiu por vontade própria. Sentiu-a arrastar seu braço como um enorme magneto, pelas pálpebras entreabertas viu um jorro de fogo dourado, ouviu um estalido e um grito de fúria. O Comensal da Morte restante urrou; Voldemort berrou:

– NÃO!

De algum modo, Harry se deu conta de que estava com o nariz a dois centímetros do botão do fogo de dragão; socou-o com a mão livre e a moto disparou mais chamas no ar, precipitando-se para o solo.

– Hagrid! – chamou Harry, se segurando com força à moto. – Hagrid... *Accio* Hagrid!

A moto acelerou, puxada para a terra. Com o rosto ao nível do guidão, Harry nada via exceto luzes distantes que se aproximavam sem parar: ele ia bater e não havia nada que pudesse fazer. Atrás dele, outro grito...

– *Sua varinha, Selwyn, me dê sua varinha!*

Harry sentiu Voldemort antes de vê-lo. Olhando de esguelha, ele deparou com os olhos vermelhos e teve certeza de que seria a última coisa que veria na vida: Voldemort preparando-se para amaldiçoá-lo.

Então o lorde sumiu. Harry olhou para baixo e viu Hagrid de pernas e braços abertos no chão: puxou com força o guidão para evitar bater nele, tateou à procura do freio, mas, com um estrondo de furar os tímpanos e uma colisão de fazer o chão tremer, a moto bateu com grande impacto em um laguinho lamacento.

5

O GUERREIRO CAÍDO

— Hagrid?

Harry lutou para levantar-se dos destroços de metal e couro que o cercavam; suas mãos afundaram em centímetros de água lamacenta quando tentou ficar de pé. Não conseguia entender aonde fora Voldemort, e esperava, a qualquer momento, vê-lo descer da escuridão. Alguma coisa quente e molhada escorria-lhe do queixo e da testa. Ele se arrastou para fora do laguinho e cambaleou até a grande massa escura no chão, que era Hagrid.

— Hagrid? Hagrid, fala comigo...

Mas a massa escura não se mexeu.

— Quem está aí? É o Potter? Você é Harry Potter?

Harry não reconheceu a voz do homem. Então uma mulher gritou:

— Eles sofreram um acidente, Ted! Caíram no jardim!

A cabeça de Harry estava rodando.

— Hagrid — repetiu, abobado, e seus joelhos cederam.

Quando voltou a si, estava deitado de costas no que lhe pareciam almofadas, com uma sensação de queimação nas costelas e no braço direito. Seu dente partido rebrotara. A cicatriz na testa ainda latejava.

— Hagrid?

Harry abriu os olhos e viu que estava deitado em um sofá, em uma sala iluminada e desconhecida. Sua mochila estava no chão a uma pequena distância, molhada e suja de lama. Um homem louro, barrigudo, observava-o com ansiedade.

— Hagrid está bem, filho — disse o homem. — Minha mulher está cuidando dele agora. Como está se sentindo? Mais alguma coisa quebrada? Consertei suas costelas, seu dente e seu braço. A propósito, sou Ted, Ted Tonks, o pai de Dora.

Harry se sentou depressa demais: as luzes piscaram diante dos seus olhos e ele se sentiu enjoado e tonto.

— Voldemort...

— Tenha calma — disse Ted Tonks, apoiando a mão no seu ombro e empurrando-o contra as almofadas. — Você acabou de sofrer um acidente sério. Afinal, que aconteceu? Alguma coisa enguiçou na moto? Arthur Weasley exagerou outra vez, ele e suas geringonças de trouxas?

— Não — respondeu Harry, sentindo a cicatriz latejar como uma ferida aberta. — Comensais, montes deles... fomos perseguidos...

— Comensais? — interrompeu-o Ted. — Você quer dizer, Comensais da Morte? Pensei que não soubessem que você ia ser transferido hoje à noite, pensei...

— Eles sabiam.

Ted Tonks olhou para o teto como se pudesse ver o céu lá fora.

— Ora, então sabemos que os nossos feitiços de proteção funcionam, não? Não deveriam poder chegar a novecentos metros deste lugar em qualquer direção.

Harry compreendeu, então, por que Voldemort desaparecera; tinha sido no ponto em que a moto cruzou a barreira de feitiços da Ordem. Sua esperança era que continuassem a funcionar: ele imaginou o lorde a novecentos metros de altura, enquanto conversavam, procurando um modo de penetrar o que Harry visualizou como uma imensa bolha transparente.

O garoto pôs as pernas para fora do sofá; precisava ver Hagrid com seus próprios olhos para acreditar que o amigo continuava vivo. Mal se levantara, porém, a porta se abriu e Hagrid se espremeu por ela, o rosto coberto de lama e sangue, mancando um pouco, mas milagrosamente vivo.

— Harry!

Derrubando duas frágeis mesas e uma aspidistra, o gigante cobriu a distância que os separava em dois passos e puxou o garoto para um abraço que quase partiu suas costelas recém-emendadas.

— Caramba, Harry, como foi que você se safou? Pensei que nós dois estávamos ferrados.

— Eu também. Nem acredito...

Harry se calou: acabava de notar a mulher que entrara na sala depois de Hagrid.

— Você! — gritou ele, enfiando a mão no bolso, mas encontrou-o vazio.

— Sua varinha está aqui, filho — disse Ted, batendo de leve em seu braço com o objeto. — Caiu bem do seu lado, e eu a recolhi. E essa com quem você está gritando é a minha mulher.

— Ah, me... me desculpe.

Quando a bruxa se adiantou, a semelhança da sra. Tonks com a irmã, Belatriz, se tornou menos acentuada: o castanho dos seus cabelos era suave e claro, e seus olhos maiores e mais bondosos. Contudo, ela pareceu um pouco arrogante ao ouvir a exclamação de Harry.

— Que aconteceu com a nossa filha? — perguntou ela. — Hagrid me contou que vocês foram vítimas de uma emboscada; onde está Ninfadora?

— Não sei — respondeu Harry. — Não sabemos o que aconteceu com mais ninguém.

A bruxa e o marido se entreolharam. Uma mescla de medo e culpa se apoderou de Harry ao ver as expressões em seus rostos; se algum dos outros tivesse morrido, ele seria o culpado, o único culpado. Consentira que executassem o plano, dera-lhes fios de cabelo...

— A Chave de Portal — lembrou-se ele, subitamente. — Temos que voltar À Toca e descobrir... poderemos, então, mandar avisá-los, ou... ou Tonks virá avisar se...

— Dora ficará bem, Drômeda — tranquilizou-a Ted. — Ela conhece o ofício, já esteve em muitas situações críticas com os aurores. A Chave de Portal é por aqui — acrescentou ele para Harry. — Deve partir em três minutos, se quiserem pegá-la.

— Queremos. — Harry apanhou a mochila, atirou-a sobre os ombros. — Eu...

Olhou, então, para a sra. Tonks, querendo se desculpar pelo medo que lhe infundira e por tudo por que se sentia profundamente responsável, mas não lhe ocorreram palavras que não parecessem vazias e insinceras.

— Direi a Tonks... Dora... para avisar, quando ela... obrigado pelos consertos, obrigado por tudo. Eu...

Harry ficou satisfeito de sair da sala e acompanhar Ted Tonks por um pequeno corredor que dava acesso a um quarto. Hagrid acompanhou-os, abaixando-se bem para evitar bater a cabeça na moldura superior da porta.

— Aí está, filho. A Chave de Portal.

O sr. Tonks apontava para uma pequena escova de cabelos com o cabo de prata que se encontrava em cima da penteadeira.

— Obrigado — disse Harry, esticando-se para colocar um dedo no objeto, pronto para partir.

— Espere um instante — disse Hagrid, olhando para os lados. — Harry, cadê Edwiges?

— Ela... ela foi atingida.

A percepção da realidade desabou sobre ele: sentiu-se envergonhado, as lágrimas queimaram seus olhos. A coruja sempre fora sua companheira, sua única e importante ligação com o mundo da magia, sempre que se via obrigado a retornar à casa dos Dursley.

Hagrid estendeu a enorme mão e deu-lhe uma dolorosa palmada nas costas.

– Não fique assim – disse, rouco. – Não fique assim. Ela teve uma vida boa e longa.

– Hagrid! – exclamou Ted, alertando-o quando a escova se iluminou com uma forte luz azul, e Hagrid só teve tempo para encostar o dedo nela.

Sentindo um puxão por dentro do umbigo como se um anzol invisível o arrastasse para a frente, Harry foi sugado para o vazio, e rodopiou inerte, o dedo preso na Chave de Portal, enquanto ele e Hagrid eram arremessados para longe da casa do sr. Tonks. Segundos depois, os seus pés bateram em solo firme e ele caiu de quatro no quintal d'A Toca. Ouviu gritos. Atirando para um lado a escova que já não luzia, Harry se ergueu, um pouco tonto, e viu a sra. Weasley e Gina descerem correndo a escada da entrada dos fundos enquanto Hagrid, que também desmontara à chegada, levantava-se com dificuldade do chão.

– Harry? Você é o Harry verdadeiro? Que aconteceu? Onde estão os outros?! – exclamou a sra. Weasley.

– Como assim? Ninguém mais voltou? – ofegou Harry.

A resposta estava claramente estampada no rosto pálido da sra. Weasley.

– Os Comensais da Morte estavam à nossa espera – contou-lhe Harry. – Fomos cercados no instante em que levantamos voo... eles sabiam que era hoje... não sei o que aconteceu com os outros. Quatro Comensais vieram atrás de nós, só pudemos escapar, então Voldemort nos alcançou...

Ele percebia o tom de autojustificação em sua voz, a súplica para que ela compreendesse por que ele não sabia o que tinha acontecido com os seus filhos, mas...

– Graças aos céus vocês estão bem – disse ela, puxando-o para um abraço que ele não achava merecer.

– Você não teria conhaque aí, teria, Molly? – perguntou Hagrid um pouco abalado. – Para fins medicinais?

A sra. Weasley poderia ter conjurado a bebida usando magia, mas quando entrou, apressada, na casa torta, Harry percebeu que ela queria esconder o rosto. Virou, então, para Gina, que respondeu imediatamente ao seu mudo pedido de informação.

– Rony e Tonks deviam ter voltado primeiro, mas perderam a hora da Chave de Portal, que chegou sem eles – disse ela, apontando para uma lata de óleo enferrujada ali perto no chão. – E aquela outra – Gina apontou para um velho tênis de escola – era a de papai e Fred, que deviam ser os segundos. Você e Hagrid eram os terceiros e – consultando o relógio –, se conseguirem, Jorge e Lupin devem chegar no próximo minuto.

A sra. Weasley reapareceu trazendo uma garrafa de conhaque, que entregou a Hagrid. O gigante desarrolhou-a e tomou a bebida de um gole.

– Mamãe! – gritou Gina, apontando para um lugar a vários passos de distância.

Uma luz azul brilhou na escuridão: foi crescendo e se intensificando, Lupin e Jorge apareceram aos rodopios e, em seguida, caíram no chão. Harry percebeu imediatamente que havia alguma coisa errada: Lupin vinha carregando Jorge, que estava inconsciente e tinha o rosto ensanguentado.

Harry correu para os dois e segurou as pernas do rapaz. Juntos, ele e Lupin carregaram Jorge para dentro de casa, e da cozinha para a sala de visitas, onde o deitaram no sofá. Quando a luz do candeeiro iluminou a cabeça dele, Gina prendeu a respiração e o estômago de Harry revirou: Jorge perdera uma das orelhas. O lado de sua cabeça e o pescoço estavam empapados de sangue espantosamente vermelho.

Nem bem a sra. Weasley se curvou para o filho, Lupin segurou Harry pelo braço e arrastou-o, sem muita gentileza, de volta à cozinha, onde Hagrid continuava tentando passar o corpanzil pela porta dos fundos.

– Ei! – exclamou Hagrid indignado. – Solte ele! Solte o braço de Harry!

Lupin não lhe deu atenção.

– Que criatura estava em um canto na primeira vez que Harry Potter visitou o meu escritório em Hogwarts? – perguntou ele, dando uma sacudidela no garoto. – Responda!

– Um... um *grindylow* em um tanque, não era?

Lupin soltou Harry e recuou de encontro ao armário da cozinha.

– Que foi isso? – rugiu Hagrid.

– Desculpe, Harry, mas eu precisava verificar – disse Lupin, tenso. – Fomos traídos. Voldemort sabia que íamos transferir você hoje à noite, e as únicas pessoas que poderiam ter-lhe contado estavam participando diretamente do plano. Você poderia ser um impostor.

– Então, por que não está me testando? – arquejou Hagrid, ainda lutando para passar pela porta.

– Você é meio gigante – respondeu Lupin, erguendo os olhos para Hagrid. – A Poção Polissuco foi concebida apenas para uso humano.

— Ninguém da Ordem contou a Voldemort que ia ser hoje — disse Harry: achava a ideia medonha demais para atribuí-la a qualquer deles. — Voldemort só me alcançou quase no fim, não sabia qual era o Harry. Se estivesse por dentro do plano, teria sabido desde o início que eu estava com Hagrid.

— Voldemort o alcançou? — perguntou Lupin bruscamente. — Que aconteceu? Como foi que você escapou?

Harry explicou brevemente que os Comensais da Morte que vieram em seu encalço pareceram reconhecer que ele era o verdadeiro. Depois, abandonaram a perseguição e foram avisar Voldemort, que apareceu pouco antes de ele e Hagrid chegarem ao santuário da casa dos pais de Tonks.

— Eles reconheceram você? Mas como? Que foi que você fez?

— Eu... — Harry tentou lembrar-se; a viagem toda parecia-lhe um borrão de pânico e confusão. — Eu vi Lalau Shunpike... sabe o condutor do Nôitibus? E tentei desarmá-lo em vez de... bem, ele não sabe o que faz, não é? Deve estar sob o efeito de uma Maldição Imperius.

Lupin se horrorizou.

— Harry, o tempo de desarmar alguém já acabou! Essa gente está tentando capturar você para matá-lo! Pelo menos estupore, se não está preparado para matar!

— Estávamos à grande altitude! Lalau não estava normal, e se fosse estuporado teria caído e morrido como se eu tivesse usado o *Avada Kedavra*! O *Expelliarmus* me salvou de Voldemort dois anos atrás — acrescentou Harry, em tom de desafio. Lupin estava lhe lembrando o desdenhoso Zacarias Smith da Lufa-Lufa, que debochara de Harry por ter querido ensinar a Armada de Dumbledore a desarmar.

— É verdade, Harry — disse Lupin, contendo-se a custo. — E um grande número de Comensais da Morte presenciaram o acontecido. Perdoe-me, mas foi uma tática muito insólita para alguém usar sob iminente risco de vida. Repeti-la hoje à noite, diante de Comensais da Morte, que ou presenciaram ou ouviram contar sobre aquela primeira ocasião, foi quase suicídio!

— Então você acha que eu devia ter matado Lalau Shunpike? — indagou Harry enraivecido.

— Claro que não, mas os Comensais, e francamente a maior parte das pessoas, esperariam que você contra-atacasse. *Expelliarmus* é um feitiço útil, Harry, mas os Comensais da Morte começam a achar que tem a sua assinatura, e insisto que você não deixe isso se confirmar!

Lupin estava fazendo Harry se sentir idiota, contudo, ainda restava no garoto certa vontade de desafiar.

— Não vou eliminar as pessoas só porque estão no meu caminho. Esse é o ofício de Voldemort.

A resposta de Lupin se perdeu. Tendo finalmente conseguido se espremer pela porta, Hagrid cambaleou até uma cadeira, que desabou sob seu peso. Sem dar atenção aos seus xingamentos e pedidos de desculpas, Harry tornou a se dirigir a Lupin.

— Jorge vai ficar bom?

Toda a frustração de Lupin com relação a Harry pareceu se esgotar ao ouvir a pergunta.

— Acho que sim, embora não haja possibilidade de se recompor a orelha, não quando foi decepada com um feitiço.

Ouviram passos do lado de fora. Lupin precipitou-se para a porta; Harry pulou por cima das pernas de Hagrid e correu para o quintal.

Dois vultos tinham se materializado ali, e ao correr ao seu encontro, Harry percebeu que eram Hermione, agora retomando sua aparência normal, e Kingsley, ambos agarrados a um cabide de casacos, amassado. Hermione atirou-se nos braços de Harry, mas Kingsley não demonstrou prazer algum ao vê-los. Por cima do ombro de Hermione, Harry o viu erguer a varinha e apontá-la para o peito de Lupin.

— Quais foram as últimas palavras de Alvo Dumbledore para nós dois?

— "Harry é a melhor esperança que temos. Confie nele" — respondeu Lupin calmamente.

Kingsley apontou a varinha para Harry, mas Lupin disse:

— É ele mesmo, já verifiquei.

— Tudo bem, tudo bem! — concluiu Kingsley, guardando a varinha sob a capa. — Mas alguém nos traiu! Eles sabiam, sabiam que era hoje à noite!

— É o que parece — replicou Lupin —, mas aparentemente não sabiam que haveria sete Harrys.

— Grande consolo! — rosnou Kingsley. — Quem mais voltou?

— Só Harry, Hagrid, Jorge e eu.

Hermione abafou um gemido com a mão.

— Que aconteceu com você? — Lupin perguntou a Kingsley.

— Fui seguido por cinco, feri dois, talvez tenha matado um — enumerou o auror. — E vimos Você-Sabe-Quem, ele se juntou aos Comensais mais ou menos no meio da perseguição, mas desapareceu em seguida. Remo, ele é capaz de...

— Voar — completou Harry. — Eu o vi também, veio atrás de mim e Hagrid.

— Então foi por isso que sumiu: para seguir você! — concluiu Kingsley. — Não consegui entender por que tinha desistido. Mas o que o levou a mudar de alvo?

— Harry foi bondoso demais com Lalau Shunpike — disse Lupin.

— Lalau? — repetiu Hermione. — Pensei que ele estava em Azkaban, não?

Kingsley deu uma risada sem graça.

— Obviamente, Hermione, houve uma fuga em massa que o Ministério abafou. O capuz de Travers caiu quando eu o amaldiçoei, ele deveria estar preso também. Mas que aconteceu com você, Remo? Onde está Jorge?

— Perdeu uma orelha — informou-o Lupin.

— Perdeu uma...? — repetiu Hermione com a voz esganiçada.

— Obra de Snape — disse Lupin.

— *Snape?* — gritou Harry. — Você não disse...

— Ele perdeu o capuz durante a perseguição. O *Sectumsempra* sempre foi uma especialidade de Snape. Eu gostaria de poder dizer que lhe paguei na mesma moeda, mas pude apenas manter Jorge montado na vassoura depois que foi ferido, estava perdendo muito sangue.

O silêncio se abateu sobre os quatro ao erguerem os olhos para o céu. Não havia sinal de movimento; as estrelas retribuíram seu olhar, sem piscar, indiferentes, sem sombra de amigos em voo. Onde estava Rony? Onde estavam Fred e o sr. Weasley? Onde estavam Gui, Fleur, Tonks, Olho-Tonto e Mundungo?

— Harry, me ajuda aqui! — chamou Hagrid, rouco, da porta na qual tornara a se entalar. Feliz de ter o que fazer, Harry empurrou-o e depois atravessou a cozinha para voltar à sala de visitas, onde a sra. Weasley e Gina ainda cuidavam de Jorge. A sra. Weasley estancara a hemorragia e, à luz do candeeiro, Harry viu um buraco aberto onde antes havia uma orelha.

— Como está ele?

A sra. Weasley se virou para responder:

— Não posso recompor uma orelha que foi decepada por Artes das Trevas. Mas poderia ter sido muito pior... ele está vivo.

— Graças a Deus — disse Harry.

— Ouvi a voz de mais alguém no quintal? — perguntou Gina.

— Hermione e Kingsley.

— Felizmente — sussurrou Gina. Os dois se entreolharam; Harry teve vontade de abraçá-la, não largá-la mais; nem se importava que a sra. Weasley estivesse presente, mas, antes que pudesse dar vazão a esse impulso, ouviram um grande estrondo na cozinha.

— Vou provar quem sou, Kingsley, depois que vir o meu filho, agora saia da frente se sabe o que é bom para você!

Harry nunca ouvira o sr. Weasley gritar assim. O bruxo irrompeu na sala, a careca brilhando de suor, os óculos tortos, Fred em seus calcanhares, os dois pálidos e ilesos.

— Arthur! — soluçou a sra. Weasley. — Graças aos céus!

— Como é que ele está?

O sr. Weasley ajoelhou-se ao lado de Jorge. Pela primeira vez desde que Harry o conhecia, Fred parecia não saber o que dizer. De pé, atrás do sofá, olhava boquiaberto para o ferimento do irmão gêmeo como se não conseguisse acreditar no que via.

Despertado talvez pelo barulho da chegada de Fred e do pai, Jorge se mexeu.

— Como está se sentindo, Jorginho? — sussurrou a sra. Weasley.

O rapaz levou os dedos ao lado da cabeça.

— Mouco — murmurou.

— Que é que ele tem? — perguntou Fred lugubremente, com um ar aterrorizado. — A perda afetou o cérebro dele?

— Mouco — repetiu Jorge, abrindo os olhos e erguendo-os para o irmão. — Entende... Surdo e oco, Fred, sacou?

A sra. Weasley soluçou mais forte que nunca. A cor inundou o rosto pálido de Fred.

— Patético — respondeu Fred ao irmão. — Patético! Com um mundo de piadas sobre ouvidos para escolher, você me sai com "mouco"?

— Ah, bem — disse Jorge, sorrindo para a mãe debulhada em lágrimas. — Agora você vai poder distinguir quem é quem, mamãe.

Ele olhou para os lados.

— Oi Harry... você é o Harry, certo?

— Sou — respondeu Harry, aproximando-se do sofá.

— Bom, pelo menos você voltou inteiro — comentou Jorge. — Por que Rony e Gui não estão rodeando o meu leito de enfermo?

— Ainda não voltaram, Jorge — disse a sra. Weasley. O sorriso de Jorge desapareceu. Harry olhou para Gina e fez sinal para que o acompanhasse ao quintal. Ao passarem pela cozinha, a garota comentou em voz baixa:

— Rony e Tonks já deviam ter voltado. A viagem não era demorada; a casa de tia Muriel não é tão longe daqui.

Harry não respondeu. Desde que chegara À Toca tinha procurado afastar o medo, mas agora o sentimento o envolveu, pareceu deslizar por sua pele, vibrar em seu peito, obstruir sua garganta. Quando desceram os degraus para o quintal escuro, Gina segurou sua mão.

Kingsley estava dando grandes passadas para lá e para cá, olhando para o céu cada vez que completava uma volta. Harry se lembrou do tio Válter fazendo o mesmo na sala de estar, há milhões de anos. Hagrid, Hermione e Lupin se achavam parados, ombro a ombro, contemplando o céu em silêncio. Nenhum deles se virou quando Harry e Gina se uniram à sua muda vigília.

Os minutos se prolongaram como se fossem anos. O mais leve sopro de vento os sobressaltava e os fazia virar para o arbusto ou árvore que farfalhava, na esperança de que algum membro da Ordem, ainda ausente, saltasse ileso da folhagem...

Então uma vassoura se materializou diretamente sobre eles, e, como um raio, foi em direção ao chão...

– São eles! – gritou Hermione.

Tonks fez uma longa derrapagem que levantou terra e pedras para todo lado.

– Remo! – gritou ela ao descer entorpecida da vassoura para os braços de Lupin. O rosto do marido estava sério e pálido: parecia incapaz de falar. Rony desmontou tonto e saiu aos tropeços ao encontro de Harry e Hermione.

– Você está bem – murmurou ele, antes de Hermione se precipitar para ele e abraçá-lo com força.

– Pensei... pensei...

– Tô inteiro – disse Rony, dando-lhe palmadinhas nas costas. – Tô inteiro.

– Rony foi o máximo – comentou Tonks calorosamente, soltando Lupin. – Fantástico. Estuporou um dos Comensais da Morte direto na cabeça, e olha que quando se está mirando um alvo móvel montado em uma vassoura...

– Você fez isso? – perguntou Hermione, olhando para Rony ainda com os braços em seu pescoço.

– Sempre o tom de surpresa – disse o garoto se desvencilhando, rabugento. – Somos os últimos a chegar?

– Não – disse Gina –, ainda estamos esperando Gui e Fleur e Olho-Tonto e Mundungo. Vou avisar mamãe e papai de que você está bem, Rony...

Ela correu para dentro de casa.

– Então, qual foi a razão do atraso? Que aconteceu? – Lupin perguntou a Tonks quase zangado.

– Belatriz – respondeu ela. – Me quer tanto quanto quer o Harry, Remo, fez tudo para me matar. Eu gostaria de tê-la acertado, fiquei devendo. Mas, definitivamente, ferimos Rodolfo... então chegamos à casa da tia de Rony, Muriel, onde perdemos a nossa Chave de Portal, e ela ficou nos paparicando...

Um músculo tremia no queixo de Lupin. Ele assentiu, mas parecia incapaz de dizer qualquer outra coisa.

– E que aconteceu com vocês? – perguntou Tonks, virando-se para Harry, Hermione e Kingsley.

Eles contaram o que acontecera em suas jornadas, mas todo o tempo a ausência continuada de Gui, Fleur, Olho-Tonto e Mundungo parecia recobri-los como gelo, a frialdade a cada momento mais difícil de ignorar.

– Vou ter que voltar à residência do primeiro-ministro. Já deveria ter chegado lá há uma hora – disse Kingsley por fim, após esquadrinhar o céu uma última vez. – Avisem quando eles chegarem.

Lupin assentiu. Com um aceno para os demais, Kingsley se afastou no escuro em direção ao portão. Harry pensou ter ouvido um levíssimo estalido quando Kingsley desaparatou pouco além do perímetro d'A Toca.

O sr. e a sra. Weasley desceram correndo os degraus dos fundos, seguidos por Gina, e abraçaram Rony antes de falarem com Lupin e Tonks.

– Obrigada – disse a sra. Weasley –, pelos nossos filhos.

– Não seja boba, Molly – protestou Tonks na mesma hora.

– Como está Jorge? – perguntou Lupin.

– Que aconteceu com ele? – esganiçou-se Rony.

– Perdeu...

O final da frase da sra. Weasley, porém, foi abafado por uma gritaria geral: um testrálio acabara de surgir no céu e aterrissar a pouca distância do grupo. Gui e Fleur desceram do animal, descabelados pelo vento, mas ilesos.

– Gui! Graças a Deus, graças a Deus...

A sra. Weasley se adiantou para o casal, mas o abraço que Gui lhe concedeu foi superficial. Olhando diretamente para o pai, comunicou:

– Olho-Tonto morreu.

Ninguém falou, ninguém se mexeu. Harry sentiu que alguma coisa dentro dele estava caindo, atravessando a terra, deixando-o para sempre.

– Vimos acontecer – continuou Gui; Fleur confirmou com a cabeça, lágrimas brilhantes escorrendo por suas faces à claridade da janela da cozinha. – Foi logo depois que rompemos o cerco: Olho-Tonto e Dunga estavam perto de nós, rumando também para o norte. Voldemort, que é capaz de voar, partiu direto para cima deles. Dunga entrou em pânico, ouvi-o gritar, Olho-Tonto tentou fazê-lo parar, mas ele desaparatou. A maldição de Voldemort atingiu Olho-Tonto em cheio no rosto, ele caiu da vassoura e... nada pudemos fazer, nada, havia meia dúzia deles nos perseguindo...

A voz de Gui quebrou.

– Claro que você não poderia ter feito nada – disse Lupin.

Todos pararam, se entreolhando. Harry não conseguia absorver. Olho-Tonto morto; não podia ser... Olho-Tonto, tão resistente, tão corajoso, um perfeito sobrevivente...

Por fim, as pessoas começaram a compreender, embora ninguém falasse, que não havia mais razão para continuar aguardando no quintal e, em silêncio, eles acompanharam o sr. e a sra. Weasley de volta à casa e à sala de visitas, onde Fred e Jorge riam juntos.

– Que aconteceu? – perguntou Fred, vendo os rostos das pessoas à medida que entravam. – Que aconteceu? Quem...?

– Olho-Tonto – disse o sr. Weasley. – Morto.

As risadas dos gêmeos se transformaram em caretas de sobressalto. Ninguém parecia saber o que fazer. Tonks chorava silenciosamente, levando o lenço ao rosto: Harry sabia que ela fora muito chegada a Olho-Tonto, sua aluna favorita e protegida no Ministério da Magia. Hagrid, que se sentara no chão, a um canto mais espaçoso, enxugava os olhos com um lenço do tamanho de uma toalha de mesa.

Gui foi ao aparador e apanhou uma garrafa de uísque de fogo e alguns copos.

– Peguem – disse ele e, com um aceno da varinha, lançou no ar doze copos cheios, um para cada pessoa, mantendo o décimo terceiro no ar. – A Olho-Tonto.

– A Olho-Tonto – disseram todos, e beberam.

– A Olho-Tonto – secundou Hagrid, atrasado com um soluço.

O uísque de fogo queimou a garganta de Harry: deu a impressão de instilar sentimento, dissipar a insensibilidade e a sensação de irrealidade, despertar nele algo semelhante à coragem.

– Então Mundungo desapareceu? – disse Lupin, que bebera todo o uísque de um gole.

Houve uma mudança instantânea na atmosfera. Todos pareceram se tensionar e observar Lupin, dando a Harry a impressão de que desejavam que ele continuasse a falar e, ao mesmo tempo, receavam o que poderiam ouvir.

– Sei o que está pensando – disse Gui –, e me ocorreu o mesmo pensamento quando estava voltando para cá, porque eles pareciam estar nos esperando, não é? Mas Mundungo não poderia ter nos traído. Eles não sabiam que haveria sete Harrys, isto os confundiu no instante em que aparecemos, e, caso tenham esquecido, foi Mundungo que sugeriu esse pequeno ardil. Por que omitiria esse ponto essencial para os Comensais? Acho que Dunga entrou em pânico, foi só. Primeiro não queria ir, mas Olho-Tonto o obrigou, e Você-Sabe-Quem investiu direto contra os dois: isto é suficiente para fazer qualquer um entrar em pânico.

— Você-Sabe-Quem agiu exatamente como Olho-Tonto previu — disse Tonks, fungando. — Olho-Tonto disse que ele calcularia que o verdadeiro Harry estaria com os aurores mais fortes e capazes. Perseguiu, primeiro, Olho-Tonto, e, quando Mundungo os denunciou, virou-se para Kingsley...

— É, tude stá muite bem — retrucou Fleur —, mes inde nam exxplique come sabiem qu' iamos trransferrir Arry hoje à noite. Alguém foi descuidade. Alguém deixou scapar a date prra um strranhe. É a unique explicaçon prra eles conhecerrem a data mas nam o plane tode.

Ela olhou séria para todos, os filetes de lágrimas ainda visíveis em seu belo rosto, desafiando silenciosamente que alguém a contradissesse. Ninguém o fez. O único som a romper o silêncio foi a tosse de Hagrid, abafada por seu lenço. Harry olhou para o gigante, que acabara de arriscar a vida para salvá-lo — Hagrid, a quem ele amava, em quem confiava, que no passado tinha caído em uma esparrela e dado a Voldemort uma informação crítica em troca de um ovo de dragão...

— Não — disse Harry em voz alta, e todos olharam para ele surpresos: o uísque de fogo aparentemente amplificara sua voz. — Quero dizer... se alguém errou — continuou Harry — e deixou escapar alguma coisa, sei que não errou por mal. Não é culpa dele — repetiu outra vez, um pouco mais alto do que teria normalmente falado. — Temos que confiar uns nos outros. Eu confio em todos vocês, acho que nenhum dos presentes nesta sala me venderia a Voldemort.

Às suas palavras, seguiu-se mais silêncio. Todos olhavam para ele; Harry sentiu-se um pouco mais acalorado e bebeu um pouco mais de uísque de fogo para se ocupar. Ao beber, pensou em Olho-Tonto. O auror sempre ironizara a disposição de Dumbledore para confiar nas pessoas.

— Muito bem falado, Harry — disse Fred, inesperadamente.

— É, apoiado, apoiado — emendou Jorge, com um meio relance para Fred, cujo canto da boca tremeu. Lupin tinha uma estranha expressão no rosto quando olhou para Harry: beirava a piedade.

— Você acha que sou tolo? — perguntou-lhe Harry.

— Não, acho que você é igual ao Tiago — respondeu Lupin —, que teria considerado a maior desonra desconfiar dos amigos.

Harry sabia a que Lupin estava se referindo: que seu pai fora traído pelo amigo Pedro Pettigrew. Sentiu-se irracionalmente irritado. Queria discutir, mas Lupin lhe deu as costas, descansou o copo em uma mesinha lateral e se dirigiu a Gui.

– Temos trabalho a fazer. Posso perguntar a Kingsley se...

– Não – Gui o interrompeu. – Eu farei, eu irei.

– Aonde estão indo? – perguntaram Tonks e Fleur ao mesmo tempo.

– O corpo de Olho-Tonto – explicou Lupin. – Precisamos resgatá-lo.

– Não podem... – começou a sra. Weasley, lançando um olhar suplicante a Gui.

– Esperar? – perguntou Gui. – Não, a não ser que a senhora prefira que os Comensais da Morte o levem.

Todos se calaram. Lupin e Gui se despediram e saíram.

Os que tinham ficado agora se sentaram, todos exceto Harry, que continuou de pé. A repentinidade e completude da morte dominava a atmosfera da sala como uma presença.

– Eu tenho que ir também – anunciou Harry.

Dez pares de olhos assustados o olharam.

– Não seja tolo, Harry – disse a sra. Weasley. – Que está dizendo?

– Não posso ficar aqui.

Ele esfregou a testa: voltara a formigar; não doía assim havia mais de um ano.

– Todos vocês correm perigo enquanto eu estiver aqui. Não quero...

– Mas não seja tolo! – protestou a sra. Weasley. – A razão do que fizemos hoje à noite foi trazê-lo para cá em segurança e, graças aos céus, conseguimos. Fleur concordou em casar aqui, em vez de na França, já providenciamos tudo para que possamos ficar juntos e cuidar de você...

Ela não compreendia; estava fazendo Harry se sentir pior, e não melhor.

– Se Voldemort descobrir que estou aqui...

– Mas por que descobriria? – perguntou a sra. Weasley.

– Há outros doze lugares onde você poderia estar agora, Harry – lembrou o sr. Weasley. – Ele não tem como saber para qual das casas protegidas você foi.

– Não é comigo que estou preocupado! – contrapôs o garoto.

– Nós sabemos – replicou o sr. Weasley em voz calma. – Mas, se você for embora, teremos a sensação de que os nossos esforços desta noite foram inúteis.

– Você não vai a lugar nenhum – rosnou Hagrid. – Caramba, Harry, depois de tudo que passamos para trazer você para cá?

— É, e a minha orelha sangrenta? — acrescentou Jorge, erguendo-se nas almofadas.

— Sei que...

— Olho-Tonto não iria querer isso...

— EU SEI! — berrou Harry.

Ele se sentiu pressionado e chantageado: será que pensavam que ignorava o que tinham feito por ele, não compreendiam que essa era exatamente a razão por que queria partir, antes que sofressem mais por sua causa? Houve um longo silêncio de constrangimento, em que sua cicatriz continuou a formigar e a latejar, e que foi, por fim, rompido pela sra. Weasley.

— Onde está Edwiges, Harry? — perguntou ela, querendo agradá-lo. — Podemos colocá-la com Pichitinho e lhe dar alguma coisa para comer.

As entranhas dele se contraíram como um punho. Não podia contar a verdade. Bebeu o resto do uísque de fogo para evitar responder.

— Espere até espalharem que você conseguiu novamente, Harry — disse Hagrid. — Escapou dele, o repeliu quando estava em cima de você!

— Não fui eu — negou Harry categoricamente. — Foi a minha varinha. Minha varinha agiu sozinha.

Passados alguns momentos, Hermione argumentou gentilmente:

— Mas isso é impossível, Harry. Você quer dizer que usou a magia sem querer; reagiu instintivamente.

— Não — respondeu Harry. — A moto estava caindo, eu não saberia dizer onde estava Voldemort, mas a minha varinha rodou a minha mão, localizou-o e disparou um feitiço, e não foi um feitiço que eu conhecesse. Nunca fiz aparecer labaredas douradas antes.

— Muitas vezes — disse o sr. Weasley —, quando o bruxo está em uma situação crítica, é possível ele produzir feitiços com que nunca sonhou. Isso acontece muitas vezes com as crianças, antes de terem estudado...

— Não foi assim — retrucou Harry com os dentes cerrados. Sua cicatriz estava queimando: ele sentia raiva e frustração; odiava a ideia de que o imaginassem dotado de um poder equiparável ao de Voldemort.

Todos se calaram. Harry sabia que não estavam acreditando nele. Agora, porém, lhe ocorria que nunca ouvira falar de uma varinha que fizesse gestos de magia por conta própria.

Sua cicatriz queimava barbaramente: só havia uma coisa que podia fazer para não gemer alto. Murmurando que ia tomar ar fresco, pousou o copo na mesa e saiu da sala.

Ao atravessar o quintal escuro, o grande testrálio ossudo ergueu a cabeça, moveu as enormes asas de morcego, depois continuou a pastar. Harry parou diante do portão que abria para o jardim e se pôs a contemplar as plantas excessivamente crescidas, esfregando a testa latejante e pensando em Dumbledore.

Dumbledore teria acreditado, disso ele tinha certeza. Dumbledore teria sabido como e por que sua varinha agira sem que a comandasse, porque Dumbledore sempre tinha as respostas; conhecia tudo sobre varinhas, explicara a Harry a estranha ligação que existia entre a sua varinha e a de Voldemort... mas Dumbledore, tal como Olho-Tonto, como Sirius, como seus pais, como sua pobre coruja, todos tinham partido para um lugar em que Harry não poderia mais falar com eles. Sentiu, então, uma ardência na garganta que não tinha qualquer relação com o uísque de fogo.

E, sem saber como, a dor em sua cicatriz atingiu o auge. Ao apertar a testa e fechar os olhos, uma voz gritou em sua cabeça.

— *Você me disse que o problema se resolveria usando a varinha de outro bruxo!*

E em sua mente irrompeu a visão de um velho emaciado, coberto de trapos sobre um piso de pedra, gritando, um grito longo e terrível, um grito de insuportável agonia...

— Não! Não! Eu lhe suplico, eu lhe suplico...

— Você mentiu para Lorde Voldemort, Olivaras!

— Não menti... Juro que não...

— Você quis ajudar Potter, ajudá-lo a escapar de mim!

— Juro que não... Acreditei que uma varinha diferente funcionaria...

— Explique então o que aconteceu. A varinha de Lúcio foi destruída!

— Não consigo entender... a ligação... existe apenas... entre as duas varinhas...

— Mentiras!

— Por favor... eu lhe suplico...

E Harry viu a mão branca erguer a varinha e sentiu a raiva maligna de Voldemort, viu o frágil velho no chão se contorcer de agonia...

— Harry?

A visão terminou tão depressa quanto surgira: Harry ficou tremendo no escuro, agarrado ao portão do jardim, o coração disparado, a cicatriz coçando. Decorreram vários segundos até ele perceber que Rony e Hermione estavam ao seu lado.

— Harry, volte para dentro de casa — sussurrou Hermione. — Você não está pensando em ir embora mesmo, está?

— É, você tem que ficar, cara — disse Rony, batendo em suas costas.

— Você está passando bem? — perguntou Hermione, agora suficientemente perto para ver o rosto de Harry. — Está com uma cara horrível!

— Bem — respondeu Harry, trêmulo —, provavelmente estou com uma cara melhor do que Olivaras...

Quando ele terminou de contar o que vira, Rony demonstrava espanto, mas Hermione estava aterrorizada.

— Isso devia ter acabado! A sua cicatriz... não devia mais fazer isso! Você não pode deixar essa ligação reabrir: Dumbledore queria que você fechasse a mente!

Ao ver que o amigo não respondia, ela o agarrou pelo braço.

— Harry, ele está dominando o Ministério, os jornais e metade do mundo bruxo! Não deixe que ele se infiltre também em sua mente!

6

O VAMPIRO DE PIJAMA

O choque de perder Olho-Tonto pairou sobre a casa nos dias que se seguiram; Harry continuou na expectativa de vê-lo entrar mancando pela porta dos fundos, como os demais membros da Ordem que iam e vinham para transmitir notícias. Ele sentiu que nada, a não ser a ação, aliviaria seus sentimentos de culpa e pesar, e que deveria partir em missão para encontrar e destruir as Horcruxes, assim que possível.

— Bem, você não pode fazer nada a respeito das... — Rony enunciou a palavra *Horcruxes* — até fazer dezessete anos. Ainda tem o rastreador. E podemos planejar aqui tão bem quanto em qualquer outro lugar, não? Ou — a voz dele virou um sussurro — já tem ideia de onde estão as você-sabe-o-quê?

— Não — admitiu Harry.

— Acho que a Hermione tem feito umas pesquisas. Ela me disse que estava guardando os resultados para quando você chegasse.

Os dois estavam sentados à mesa do café da manhã; o sr. Weasley e Gui tinham acabado de sair para o trabalho, a sra. Weasley subira para acordar Hermione e Gina, e Fleur fora tomar banho.

— O rastreador perderá a validade no dia trinta e um — disse Harry. — Isto significa que só preciso ficar aqui mais quatro dias. Depois eu posso...

— Cinco dias — Rony corrigiu-o com firmeza. — Temos que ficar para o casamento. Eles nos matarão se não estivermos aqui.

Harry entendeu que o "eles" se referia a Fleur e a sra. Weasley.

— É só mais um dia — disse Rony, quando Harry pareceu se rebelar.

— Será que não compreendem como é importante...?

— Claro que não — respondeu Rony. — Não fazem a menor ideia. E agora que você tocou nesse assunto, eu queria mesmo esclarecer umas coisas.

Rony olhou para a porta que abria para o corredor a ver se a sra. Weasley já estava voltando, depois se curvou para Harry.

— Mamãe esteve tentando extrair informações de Hermione e de mim: vamos viajar para o quê. Você será o próximo, portanto prepare-se. Papai e Lupin também perguntaram, mas, quando respondemos que a recomendação de Dumbledore foi para você não comentar com ninguém exceto nós dois, eles não insistiram. Mas a mamãe, não. Ela é decidida.

As previsões de Rony se confirmaram algumas horas mais tarde. Pouco antes do almoço, a sra. Weasley afastou Harry dos outros, pedindo-lhe para identificar um pé de meia sem par que talvez tivesse caído da mochila dele. Assim que o encurralou na despensa mínima ao lado da cozinha, ela começou:

— Rony e Hermione estão achando que vocês três vão deixar Hogwarts — começou ela em um tom leve e informal.

— Ah — respondeu Harry. — Ah, é. Vamos.

O par apareceu sozinho no canto, saindo de um colete que parecia ser do sr. Weasley.

— Posso perguntar *por que* vocês vão abandonar sua educação?

— Bem, Dumbledore me deixou... umas coisas para fazer — murmurou Harry. — Rony e Hermione sabem disso, e querem vir comigo.

— Que tipo de "coisas"?

— Desculpe, mas não posso...

— Ora, francamente, acho que Arthur e eu temos o direito de saber, e tenho certeza de que o sr. e a sra. Granger concordariam comigo! — retrucou a sra. Weasley. Harry receara a estratégia dos "pais preocupados". Fez força para encarar a senhora nos olhos, reparando, ao fazer isso, que eles tinham exatamente o mesmo tom de castanho dos de Gina. Isso não ajudou nem um pouco.

— Dumbledore não queria que mais ninguém soubesse. Sinto muito. Rony e Hermione não têm que viajar comigo, foi a opção que fizeram...

— Também não vejo por que *você* precisa ir! — retorquiu ela, abandonando todo o fingimento. — Vocês mal atingiram a maioridade, os três! É um absurdo, se Dumbledore precisava que fizessem algum serviço para ele, tinha a Ordem inteira à disposição! Harry, você deve ter entendido mal. Provavelmente ele estava falando de alguma coisa que queria que *alguém* fizesse, e você entendeu que se referia a *você*...

— Não entendi mal — respondeu Harry resoluto. — O alguém era eu.

Ele devolveu à sra. Weasley o pé de meia estampado com juncos dourados que supostamente deveria identificar.

— Não é minha, eu não torço pelo Puddlemere United.

— Ah, claro que não — disse a bruxa, com um retorno repentino e enervante ao seu tom informal. — Eu devia ter me lembrado. Então, Harry, enquanto estiver aqui conosco, não irá se importar de ajudar nos preparativos para o casamento de Gui e Fleur, não é? Ainda falta fazer tanta coisa!

— Não... eu... claro que não — respondeu Harry, desconcertado com a súbita mudança de assunto.

— Você é muito gentil. — Ela o aprovou, sorrindo, e saiu da despensa.

Daquele momento em diante, a sra. Weasley manteve Harry, Rony e Hermione tão ocupados com os preparativos para o casamento que mal lhes sobrava tempo para pensar. A explicação mais caridosa para tal atitude seria a vontade de distraí-los para não pensarem em Olho-Tonto e nos terrores da recente viagem. Depois de dois dias limpando talheres sem parar, combinando, por cor, presentinhos para os convidados, fitas e flores, desgnomizando o jardim e ajudando a sra. Weasley a cozinhar enormes tabuleiros de petiscos, no entanto, Harry começou a suspeitar que ela tivesse um motivo diverso. Todos os serviços que distribuía pareciam manter Rony, Hermione e ele afastados um do outro; Harry não tivera oportunidade de falar a sós com os amigos desde a primeira noite, quando lhes contara que Voldemort estava torturando Olivaras.

— Acho que mamãe pensa que, se impedir vocês três de se reunirem para fazer planos, poderá adiar a sua partida — murmurou Gina para Harry, na terceira noite, quando punham a mesa para o jantar.

— E que é que ela acha que vai acontecer? — perguntou Harry no mesmo tom de voz. — Que talvez outra pessoa liquide Voldemort enquanto ela nos segura aqui preparando *vol-au-vents*?

Ele falara sem pensar e notou que o rosto de Gina ficara lívido.

— Então é verdade? É isso que vão tentar fazer?

— Eu... não... eu estava brincando — respondeu Harry, fugindo à pergunta.

Os dois se encararam, e havia algo mais do que uma forte comoção no rosto de Gina. Subitamente, Harry percebeu que era a primeira vez que ficava a sós com ela, desde as horas roubadas em lugares isolados de Hogwarts. E teve a certeza de que Gina também estava se lembrando daqueles momentos. Os dois se sobressaltaram quando a porta abriu e o sr. Weasley, Kingsley e Gui entraram.

Agora, era frequente outros membros da Ordem virem jantar, porque A Toca substituíra o largo Grimmauld nº 12 como quartel-general. O sr. Weasley explicara que, depois da morte de Dumbledore, que era o fiel do segredo, cada uma das pessoas a quem ele confiara a localização da casa se tornara, por sua vez, um fiel do segredo.

— E como somos uns vinte, isso dilui muito o poder do Feitiço Fidelius. A possibilidade de os Comensais da Morte extraírem o segredo de um deles é vinte vezes maior. Não podemos esperar que o segredo seja mantido por muito mais tempo.

— Mas, com certeza, a essa altura, Snape já terá informado aos Comensais o endereço, não? – perguntou Harry.

— Bem, Olho-Tonto preparou alguns feitiços contra Snape, caso ele voltasse a aparecer por lá. Temos esperança de que sejam suficientemente fortes para mantê-lo a distância e amarrar sua língua, se tentar falar sobre a casa, mas não podemos estar seguros. Teria sido loucura continuar a usar o local como quartel-general, agora que sua proteção se tornou tão precária.

A cozinha estava tão apinhada naquela noite que tornava difícil o uso de garfos e facas. Harry se viu espremido ao lado de Gina; as palavras não ditas que os dois haviam trocado o fizeram desejar que estivessem separados por mais gente. Ele fazia tanto esforço para não roçar no braço dela que mal conseguia cortar a galinha no próprio prato.

— Alguma notícia sobre Olho-Tonto? – Harry perguntou a Gui.

— Não – foi a resposta.

Não haviam realizado um funeral para Olho-Tonto porque Gui e Lupin não conseguiram resgatar o corpo. Fora difícil determinar onde poderia ter caído, por causa da escuridão e da confusão da batalha.

— O *Profeta Diário* não disse uma palavra sobre a morte dele nem sobre as buscas pelo corpo – continuou Gui. – Mas isso não quer dizer nada. O jornal tem omitido muita notícia ultimamente.

— E o Ministério, ainda não convocou uma audiência para averiguar a magia que usei ainda menor de idade para escapar dos Comensais da Morte? – Harry perguntou ao sr. Weasley, que, do outro lado da mesa, sacudiu a cabeça em resposta. – Porque sabe que não tive escolha ou porque não quer que eu conte ao mundo inteiro que Voldemort me atacou?

— Acho que a segunda hipótese. Scrimgeour não quer admitir que Você-Sabe-Quem tem tanto poder quanto ele, nem que houve uma fuga em massa em Azkaban.

— É, para que informar ao público a verdade? – protestou Harry, agarrando a faca com tanta força que as leves cicatrizes no dorso de sua mão direita se destacaram, brancas, na pele: *Não devo contar mentiras.*

— Será que não tem ninguém no Ministério disposto a enfrentá-lo? – perguntou Rony com raiva.

— Claro que tem, Rony, mas as pessoas estão aterrorizadas – respondeu o sr. Weasley –, aterrorizadas com a ideia de serem as próximas a desaparecer, e seus filhos os próximos a serem atacados! Há muitos boatos assustadores; eu, por exemplo, não acredito que a professora de Estudo dos Trouxas em Hogwarts tenha pedido demissão. Faz semanas que ninguém a vê. Nesse meio-tempo, Scrimgeour passa o dia trancado no escritório: só espero que esteja preparando algum plano.

Fez-se uma pausa em que a sra. Weasley, com um gesto da varinha, pôs os pratos usados no aparador e serviu a torta de maçã.

— Prrecisamos rresolverr o disfarrce que você vai usarr, Arry – disse Fleur depois da sobremesa. – No casamente – acrescentou, quando ele pareceu não entender. – Naturralmente, nam tam Comensais da Morte entre nosses convidades, mas nam posse garrantirr que nam falem demais depois de tomarrem champanhe.

Ao que Harry deduziu que ela ainda suspeitava de Hagrid.

— É, uma boa lembrança – disse a sra. Weasley da cabeceira da mesa onde estava, os óculos encarrapitados na ponta do nariz, passando em revista uma enorme lista de tarefas que anotara em um longo pergaminho. – Então, Rony, já limpou o seu quarto?

— Por quê?! – exclamou Rony, batendo a colher no prato e olhando feio para a mãe. – Por que o meu quarto tem que ser limpo? Harry e eu estamos muito bem no quarto do jeito que está.

— Vamos festejar o casamento do seu irmão dentro de alguns dias, jovem...

— E eles vão casar no meu quarto? – indagou Rony furioso. – Não! Então por que em nome das plicas de Merlim...

— Não responda assim a sua mãe – interpôs o sr. Weasley com firmeza. – E faça o que ela está mandando.

Rony amarrou a cara para o pai e a mãe, depois apanhou novamente a colher e atacou os últimos bocados da torta de maçã.

— Eu posso ajudar, um pouco da bagunça é minha – disse Harry a Rony, mas a sra. Weasley cortou a conversa.

— Não, Harry querido, prefiro muito mais que você ajude Arthur a limpar o galinheiro, e, Hermione, eu agradeceria muito se você fosse trocar os lençóis do casal Delacour, sabe, eles estão chegando amanhã às onze horas.

Afinal, havia muito pouco a fazer pelas galinhas.

— Não há necessidade de, ah, dizer isso a Molly – começou o sr. Weasley, bloqueando o acesso de Harry ao galinheiro –, mas, ah, Ted Tonks me mandou quase tudo que restou da moto de Sirius e, ah, estou escondendo-a, ou, melhor dizendo, guardando-a aqui. É fantástica: tem uma ganacha de escape, acho que é esse o nome, uma bateria magnífica, e será uma ótima oportunidade para descobrir como os freios funcionam. Vou tentar montá-la outra vez quando Molly não... quero dizer, quando eu tiver tempo.

Quando voltou a casa, a sra. Weasley não estava à vista, então Harry subiu despercebido para o quarto de Rony, no sótão.

— Já estou arrumando, já estou arrumando...! Ah, é você! — exclamou Rony aliviado, quando Harry entrou. O amigo estava deitado na cama, e era óbvio que acabara de desocupá-la. O quarto continuava na mesma desordem da semana inteira; a única mudança é que agora Hermione estava sentada no canto oposto, com o seu peludo gato ruivo, Bichento, aos pés, separando livros, alguns dos quais Harry reconheceu serem dele, em duas enormes pilhas.

— Oi, Harry — cumprimentou a amiga quando ele sentou na cama de armar.

— Como foi que você conseguiu fugir?

— Ah, a mãe de Rony esqueceu que já tinha pedido a Gina para trocar os lençóis ontem — respondeu Hermione. E jogou o *Numerologia e gramática* em uma pilha e *Ascensão e queda das Artes das Trevas* na outra.

— Estávamos conversando sobre o Olho-Tonto — disse Rony. — Acho que ele pode ter sobrevivido.

— Mas Gui viu quando ele foi atingido pela Maldição da Morte — argumentou Harry.

— É, mas o Gui também estava sob ataque — replicou Rony. — Como pode ter certeza do que viu?

— Mesmo que a Maldição da Morte não o atingisse, Olho-Tonto caiu uns trezentos metros — lembrou Hermione, agora segurando o pesado *Os times de quadribol da Grã-Bretanha e da Irlanda*.

— Ele poderia ter usado o Feitiço Escudo...

— Fleur disse que a varinha foi arrancada da mão dele — disse Harry.

— Tudo bem, se vocês querem que ele tenha morrido — concluiu Rony mal-humorado, dando uns socos no travesseiro para afofá-lo.

— É claro que não queremos que esteja morto! — exclamou Hermione, chocada. — É horrível que ele esteja! Mas temos que ser realistas!

Pela primeira vez, Harry imaginou o corpo de Olho-Tonto com os ossos partidos como o de Dumbledore, mas com aquele único olho ainda girando na órbita. Sentiu uma reação violenta, que mesclava desgosto e uma bizarra vontade de rir.

— Os Comensais da Morte provavelmente limparam os restos dele, é por isso que ninguém encontrou nada — sugeriu Rony com sabedoria.

— É — acrescentou Harry. — Como o Bartô Crouch, transformado em um osso e enterrado no jardim do Hagrid. Provavelmente transfiguraram o Olho-Tonto e o empalharam...

— Para! — guinchou Hermione. Assustado, Harry ergueu a cabeça em tempo de ver a garota romper em lágrimas sobre o *Silabário de Spellman*.

— Ah, não! — exclamou Harry tentando se levantar da velha cama de armar. — Hermione, eu não estava querendo transtornar ninguém...

Com uma rangedeira de molas enferrujadas, Rony pulou da cama e chegou primeiro. Com um braço, envolveu Hermione, e enfiou a outra mão no bolso do jeans de onde extraiu um lenço absurdamente sujo, usado mais cedo, naquele dia, para limpar o forno. Em seguida, puxou depressa a varinha, apontou para o trapo e ordenou: "*Tergeo!*"

A varinha chupou a maior parte da graxa. Com um ar de vaidosa satisfação, Rony entregou o lenço ainda fumegando a Hermione.

— Ah... obrigada, Rony... desculpe... — Ela assoou o nariz e soluçou. — Só que é tão ho-horrível, não é? P-pouco depois de Dumb-bledore... P-por alguma razão, eu nunc-ca imaginei Olho-Tonto morto, ele parecia tão forte!

— É, eu sei — concordou Rony, dando-lhe um breve aperto. — Mas vocês sabem o que ele nos diria se estivesse aqui?

— V-vigilância constante — respondeu Hermione enxugando os olhos.

— É isso aí — concordou Rony, reforçando com um aceno de cabeça. — Ele nos diria para aprender com o que lhe aconteceu. E o que aprendi foi a não confiar naquele lixo covarde do Mundungo.

Hermione soltou uma risada trêmula e se curvou para apanhar mais dois livros. Um segundo mais tarde, Rony puxou o braço das costas dela; Hermione tinha deixado cair *O livro monstruoso dos monstros* no pé dele. O cinto de couro que o prendia soltou-se e o livro abocanhou com força o tornozelo do garoto.

— Desculpe, desculpe — Hermione pedia, enquanto Harry arrancava o livro da perna de Rony e tornava a amarrá-lo.

— Afinal, que está fazendo com todos esses livros? — perguntou Rony, mancando de volta à cama.

— Tentando decidir quais deles vamos levar conosco, quando formos procurar as Horcruxes.

— Ah, claro — disse Rony, batendo na própria testa. — Esqueci que vamos liquidar Voldemort em uma biblioteca móvel.

— Ha-ha — replicou ela, examinando o *Silabário*. — Será que... precisaremos traduzir runas? É possível... acho que é melhor levar, só por precaução.

Hermione jogou o livro na maior das duas pilhas e apanhou *Hogwarts, uma história*.

— Escutem aqui — disse Harry.

Ele se empertigara na cama. Rony e Hermione olharam o amigo com expressões iguais que somavam resignação e desafio.

— Eu sei que vocês disseram, depois dos funerais de Dumbledore, que queriam me acompanhar — começou Harry.

— Lá vem ele — comentou Rony com Hermione olhando para o teto.

— Como sabíamos que iria fazer — suspirou a garota, voltando sua atenção para os livros. — Sabem, acho que vou levar *Hogwarts, uma história*. Mesmo que a gente não volte lá, acho que não me sentiria bem se não carregasse...

— Escutem! — repetiu Harry.

— Não, Harry, escute *você* — retorquiu Hermione. — Vamos com você. Isto já ficou decidido há meses; aliás, há anos.

— Mas...

— Cala essa boca — Rony o aconselhou.

— ... vocês têm certeza que refletiram bem? — insistiu Harry.

— Vejamos — retrucou Hermione, batendo com o volume de *Viagens com trasgos* na pilha dos descartados, com uma expressão feroz no rosto. — Estou arrumando a bagagem há dias, portanto estamos prontos para partir a qualquer momento, o que, para sua informação, exigiu feitiços extremamente complexos, para não mencionar o contrabando do estoque de Poção Polissuco de Olho-Tonto, bem debaixo do nariz da mãe de Rony.

"Além disso, alterei a memória dos meus pais para se convencerem de que, na realidade, são Wendell e Monica Wilkins, e que sua ambição na vida é mudar para a Austrália, o que eles já fizeram. Para dificultar que Voldemort os encontre e interrogue sobre mim... ou sobre vocês, porque, infelizmente, contei aos dois muita coisa sobre vocês.

"Supondo que eu sobreviva à busca das Horcruxes, procurarei mamãe e papai e desfarei o feitiço. Se não... bem, acho que lancei neles um encanto suficientemente forte para que vivam seguros e felizes como Wendell e Monica Wilkins. O casal não sabe que tem uma filha, entendem."

Os olhos de Hermione tinham se enchido novamente de lágrimas. Rony tornou a levantar da cama, a abraçá-la pelos ombros e a franzir a testa para Harry como se o repreendesse pela falta de tato. Harry não conseguiu pensar em mais nada para contrapor a isso, no mínimo porque era excepcionalmente insólito Rony ensinar alguém a ter tato.

— Eu... Hermione, peço desculpas... eu não...

— Não percebeu que Rony e eu temos perfeita noção do que poderá acontecer se formos com você? Pois temos. Rony, mostre ao Harry o que você já fez.

— Nããnh, ele acabou de comer — disse Rony.

— Mostra logo, ele precisa saber!

— Ah, tá, Harry, vem comigo.

Pela segunda vez, Rony parou de abraçar Hermione e saiu mancando para a porta.

— Anda.

— Por quê? — quis saber Harry, saindo do quarto e acompanhando Rony ao pequeno patamar do sótão.

— *Descendo!* — murmurou Rony, apontando a varinha para o teto baixo. Um alçapão se abriu e uma escada desceu aos seus pés. Um barulho horrível, meio gemido meio sucção, saiu do buraco quadrado, juntamente com um horrível cheiro de esgoto.

— É o seu vampiro, não é? — perguntou Harry, que nunca chegara a conhecer a criatura que, por vezes, perturbava o silêncio noturno n'A Toca.

— É — confirmou Rony subindo a escada. — Suba para dar uma olhada nele.

Harry seguiu o amigo pela escadinha até o minúsculo sótão. Sua cabeça e seus ombros já estavam no quarto quando ele avistou a criatura enroscada ali perto no escuro, ferrada no sono com a bocarra aberta.

— Mas ele... parece... é normal vampiros usarem pijamas?

— Não — respondeu Rony. — Nem é normal terem cabelos ruivos ou tantas espinhas.

Harry contemplou a coisa, ligeiramente enojado. Na forma e no tamanho, pareceu-lhe humano e, aos seus olhos acostumados ao escuro, não havia dúvida de que usava um pijama velho de Rony. Harry também não duvidava de que os vampiros, em geral, fossem viscosos e carecas, e não visivelmente cabeludos e cobertos de feias espinhas roxas.

— Ele sou eu, entendeu? — disse Rony.

— Não. Não entendi.

— Então explico lá no meu quarto, o cheiro está me incomodando. — Os dois desceram a escada, que Rony empurrou de volta ao teto, e foram se reunir a Hermione, que continuava separando livros.

"Quando viajarmos, o vampiro vai descer para morar no meu quarto", disse Rony. "Acho que ele está até ansioso para isso acontecer, mas é difícil saber, porque ele só sabe gemer e babar, mas acena muito com a cabeça quando se menciona a mudança. Em todo caso, ele vai ser o Rony com sarapintose. Bem bolado, hein?"

O rosto de Harry espelhava sua perplexidade.

— É, sim! — insistiu Rony, visivelmente frustrado porque Harry não alcançara a genialidade do seu plano. — Olhe, quando nós três não aparecermos em Hogwarts, todo o mundo vai pensar que Hermione e eu estamos com você, certo? O que significa que os Comensais da Morte irão direto procurar as nossas famílias para obter informações sobre o seu paradeiro.

— Mas, se o plano der certo, parecerá que fui viajar com os meus pais; muitas pessoas que nasceram trouxas estão falando em sumir de circulação por um tempo — esclareceu Hermione.

— Não podemos esconder a minha família inteira, iria parecer suspeito demais, além disso, eles não podem largar o emprego — explicou Rony. — Então, vamos divulgar a história de que estou gravemente doente com sarapintose, razão por que não pude voltar à escola. Se alguém vier investigar, meus pais podem mostrar o vampiro na minha cama, coberto de pústulas. Essa doença é realmente contagiosa, portanto eles não vão querer chegar muito perto. E também não fará diferença se o vampiro não puder falar nada, porque aparentemente ninguém pode, depois que o fungo ataca a úvula.

— E seus pais concordaram com esse plano? — perguntou Harry.

— Papai, sim. Ele ajudou Fred e Jorge a transformarem o vampiro. Mamãe... bem, você já viu como ela é. Não vai aceitar que viajemos até termos partido.

Fez-se silêncio no quarto, interrompido apenas pelas leves batidas que Hermione produzia ao jogar os livros em uma das duas pilhas. Rony parou, observando-a, e Harry olhava de um para outro incapaz de falar. As medidas que os amigos tinham tomado para proteger as famílias, mais do que qualquer outra coisa, o convenceram de que iriam acompanhá-lo e que sabiam exatamente o perigo que corriam. Quis manifestar o quanto isto significava para ele, mas simplesmente não encontrava palavras que fossem expressivas o suficiente.

No silêncio, ouviram o ruído abafado dos gritos da sra. Weasley quatro andares abaixo.

— Gina provavelmente deixou uma poeirinha em uma droga qualquer de porta-guardanapos — comentou Rony. — Não sei por que os Delacour inventaram de chegar dois dias antes do casamento.

— A irmã de Fleur vai ser dama de honra, precisa estar aqui para o ensaio e é jovem demais para viajar sozinha — explicou Hermione, examinando indecisa o *Como dominar um espírito agourento*.

— Bom, ter hóspedes não vai melhorar os níveis de estresse da mamãe — comentou Rony.

— O que realmente precisamos decidir — disse Hermione, atirando o *Teoria da defesa em magia* em uma lata de lixo sem olhá-lo duas vezes e apanhando *Uma avaliação da educação em magia na Europa* — é para onde iremos ao sair daqui. Eu sei que você disse que quer ir a Godric's Hollow primeiro, Harry, e entendo o motivo, mas... bem... não devíamos dar prioridade às Horcruxes?

— Se soubéssemos onde encontrar alguma Horcrux, eu concordaria com você — respondeu Harry, sem acreditar que Hermione entendesse, de fato, o seu desejo de retornar a Godric's Hollow. O túmulo dos seus pais era apenas uma parte do atrativo: ele tinha uma forte sensação, embora inexplicável, que o vilarejo lhe forneceria algumas respostas. Talvez fosse simplesmente porque ali ele sobrevivera à Maldição da Morte lançada por Voldemort; agora que enfrentava o desafio de repetir o feito, sentia-se atraído ao lugar onde tudo acontecera, buscando compreendê-lo.

— Você não acha possível que Voldemort esteja mantendo Godric's Hollow sob vigilância? — arriscou Hermione. — Talvez espere que você volte para visitar o túmulo dos seus pais, uma vez que está livre para ir aonde quiser.

A ideia não ocorrera a Harry. E, enquanto se concentrava para contra-argumentar, Rony se manifestou, obviamente seguindo um fluxo independente de pensamentos.

— Esse tal R.A.B. — disse ele. — Sabe, aquele que roubou o verdadeiro medalhão?

Hermione fez que sim com a cabeça.

— Ele disse no bilhete que ia destruir o medalhão, não foi?

Harry puxou sua mochila para perto e tirou de dentro a falsa Horcrux contendo o bilhete de R.A.B.

— "*Roubei a Horcrux verdadeira e pretendo destruí-la assim que puder*" — leu Harry em voz alta.

— Então, e se ele *de fato* a destruiu? — perguntou Rony.

— Ou ela — interrompeu-o Hermione.

— O que seja, seria uma a menos para se procurar! — concluiu Rony.

— Mas ainda iríamos tentar rastrear o medalhão verdadeiro, não? — quis saber Hermione. — Para descobrir se foi ou não destruído.

— E quando o encontrarmos, como é que se destrói uma Horcrux? — perguntou Rony.

— Bem — começou Hermione —, andei pesquisando.

— Como? — admirou-se Harry. — Achei que não havia livros sobre Horcruxes na biblioteca.

— Não havia — esclareceu Hermione, corando. — Dumbledore retirou todos, mas... mas não os destruiu.

Rony se sentou na cama de olhos arregalados.

— Pelas calças de Merlim, como foi que você conseguiu pôr a mão nesses livros sobre Horcruxes?

— Eu... não foi roubando! — respondeu ela, olhando de Harry para Rony com um ar de desespero. — Eles continuaram a ser livros da biblioteca, mesmo que Dumbledore os tenha retirado das prateleiras. Enfim, se ele realmente não quisesse que ninguém os pegasse, tenho certeza de que teria dificultado muito mais...

— Não fique enrolando! — exclamou Rony.

— Bem, foi fácil — disse Hermione com uma vozinha humilde. — Lancei um Feitiço Convocatório. Sabem: *Accio*! E eles saíram voando pela janela do gabinete de Dumbledore para o dormitório das garotas.

— Mas quando foi que você fez isso? — perguntou Harry, olhando para a amiga ao mesmo tempo assombrado e incrédulo.

— Logo depois do... funeral — respondeu ela com uma vozinha ainda mais humilde. — Logo depois de combinarmos que iríamos deixar a escola para procurar as Horcruxes. Quando voltei para apanhar minhas coisas, me... simplesmente me ocorreu que, quanto mais soubéssemos sobre o assunto, melhor seria... e eu estava sozinha lá em cima... então tentei... e funcionou. Eles entraram voando direto pela janela aberta e eu... eu os guardei no malão.

A garota engoliu em seco e, então, justificou suplicante:

— Não acredito que Dumbledore se zangasse, não vamos usar a informação para fazer uma Horcrux, não é?

— Você está nos ouvindo reclamar? — perguntou Rony. — Afinal, onde estão esses livros?

Hermione procurou um pouco e tirou da pilha um grande livro, encadernado em couro preto já desbotado. Fez uma cara de nojo e estendeu-o cautelosamente como se fosse uma coisa recém-morta.

— Esse é o que dá instruções explícitas para se preparar uma Horcrux: *Segredos das artes mais tenebrosas*. É um livro horrível, realmente assustador, cheio de feitiços malignos. Fico pensando quando foi que Dumbledore o retirou da biblioteca... se foi só quando se tornou diretor. Aposto como Voldemort copiou dele todas as instruções de que precisava.

— Por que então precisou perguntar a Slughorn como preparar uma Horcrux, se já tinha lido o livro? — perguntou Rony.

— Ele só procurou o professor para saber o que acontecia quando a pessoa subdividia a alma em sete pedaços — disse Harry. — Dumbledore tinha certeza de que Riddle já sabia fazer uma Horcrux na época em que foi à sala de Slughorn. Acho que você tem razão, Hermione, é muito provável que tenha sido daí que ele tirou as informações.

— E quanto mais eu leio — continuou Hermione —, mais terrível a ideia me parece, e menos acredito que ele tenha realmente feito seis. O livro alerta para a instabilidade que a pessoa causa ao restante da alma dividindo-a, e isso para se fazer apenas uma Horcrux!

Harry lembrou-se de Dumbledore ter dito que Voldemort ultrapassara a "esfera da maldade normal".

— E não tem jeito de reintegrar todas as partes? — perguntou Rony.

— Tem — respondeu Hermione com um sorriso inexpressivo —, mas causaria uma dor lancinante.

— Por quê? Como se faz? — quis saber Harry.

— Remorso — esclareceu Hermione. — A pessoa precisa estar, de fato, arrependida do que fez. Tem um pé de página. Pelo que diz, a dor do processo pode destruí-la. Não sei por quê, não consigo ver Voldemort fazendo isso, e vocês?

— Não — respondeu Rony antes que Harry o fizesse. — E o livro diz como destruir Horcruxes?

— Diz — confirmou Hermione, agora virando as frágeis páginas como se examinasse entranhas em decomposição —, porque avisa aos bruxos das trevas que os feitiços com que se protegerem têm que ser excepcionalmente fortes. De tudo que li, o que Harry fez com o diário de Riddle foi uma das poucas maneiras infalíveis de destruir uma Horcrux.

— O quê, furar com uma presa de basilisco? — perguntou Harry.

— Ah, bom, que sorte a gente ter um estoque tão grande de presas de basilisco — comentou Rony. — Eu estava mesmo me perguntando o que íamos fazer com elas.

— Não precisa ser uma presa de basilisco — explicou Hermione, pacientemente. — Tem que ser alguma coisa tão destrutiva que a Horcrux não possa se autorrestaurar. O veneno de basilisco só tem um antídoto, e é incrivelmente raro...

— ... lágrimas de fênix — disse Harry.

— Exatamente — confirmou Hermione. — O problema é que há pouquíssimas substâncias tão destrutivas quanto o veneno de basilisco, e são todas muito perigosas para se carregar por aí. Mas é um problema que precisaremos resolver, porque romper, quebrar ou moer uma Horcrux não adianta. É preciso deixá-la sem possibilidade de se restaurar por magia.

— Mas, se a gente destrói o objeto em que está guardada — perguntou Rony —, por que o fragmento de alma não pode se mudar para outro lugar?

— Porque uma Horcrux é o absoluto oposto de um ser humano.

Ao perceber que Harry e Rony pareciam confusos, Hermione se apressou a explicar:

— Vejam, se eu apanhasse uma espada neste minuto e transpassasse você, eu não danificaria sua alma.

— O que, com certeza, seria realmente um consolo para mim — disse Rony.

Harry riu.

— Devia ser mesmo! Mas o que quero demonstrar é que, seja o que for que aconteça ao seu corpo, sua alma continuará ilesa. Mas com uma Horcrux é o contrário. O fragmento de alma depende do objeto que o contém, do seu corpo encantado, para sobreviver. Do contrário, não sobreviverá.

— Aquele diário deu a impressão de morrer quando eu o perfurei — disse Harry, lembrando-se da tinta que jorrou como sangue de suas páginas e os gritos do fragmento de alma de Voldemort ao desaparecer.

— E, uma vez que o diário foi completamente destruído, o fragmento nele contido não pôde sobreviver. Gina tentou se livrar do diário antes de você, jogando-o no vaso e dando descarga, mas, obviamente, ele voltou novo em folha.

— Espere aí — disse Rony, franzindo a testa. — O pedacinho de alma naquele diário estava possuindo a Gina, não? Como é isso, então?

— Enquanto o objeto mágico continuar intacto, o pedacinho de alma nele pode entrar em uma pessoa e tornar a sair se ela chegar muito perto do objeto. Não precisa segurá-lo muito tempo, não é o toque que importa — acrescentou ela, antes que Rony pudesse falar. — É a proximidade emocional. Gina abriu o coração para o diário, tornando-se, assim, incrivelmente vulnerável. A pessoa se mete em apuros quando se apega demais ou passa a depender de uma Horcrux.

— Fico imaginando como foi que Dumbledore destruiu o anel — disse Harry. — Por que não perguntei a ele? Realmente nunca...

Sua voz foi morrendo: pensou nas muitas coisas que deveria ter perguntado a Dumbledore e como, desde sua morte, lhe parecia que tinha desperdiçado tantas oportunidades, enquanto o diretor era vivo, para descobrir mais... descobrir tudo...

O silêncio foi quebrado quando a porta do quarto se escancarou, produzindo um estrondo de sacudir as paredes. Hermione gritou e deixou cair o *Segredos das artes mais tenebrosas*; Bichento disparou para baixo da cama, bufando indignado. Rony pulou da cama, escorregou em uma embalagem velha de sapos de chocolate e bateu a cabeça na parede oposta, e Harry, instintivamente, se jogou para apanhar sua varinha antes de perceber que estava vendo a sra. Weasley, que tinha os cabelos revoltos e o rosto contorcido de raiva.

— Lamento interromper essa reuniãozinha íntima — vociferou ela, com a voz trêmula. — Tenho certeza de que vocês precisam de descanso... mas há presentes de casamento empilhados no meu quarto que precisam ser separados, e tive a impressão de que vocês concordaram em ajudar.

— Ah, sim — respondeu Hermione aterrorizada, levantando-se depressa e fazendo os livros voarem para todos os lados. — Ajudaremos... pedimos desculpas...

Com um olhar aflito para Harry e Rony, a garota saiu correndo do quarto atrás da sra. Weasley.

— É como se a gente fosse um elfo doméstico — queixou-se Rony em voz baixa, ainda massageando a cabeça e saindo com Harry atrás das duas. — Só que sem a satisfação no trabalho. Quanto mais cedo esse casamento terminar, mais feliz eu vou ficar.

— É — concordou Harry —, então não teremos mais nada para fazer exceto procurar Horcruxes... vai parecer até que estamos de férias, não é?

Rony começou a rir, mas, ao ver a enorme pilha de presentes de casamento que os esperava no quarto da sra. Weasley, parou no ato.

Os Delacour chegaram na manhã seguinte às onze horas. A essa altura, Harry, Rony, Hermione e Gina já estavam sentindo certa raiva da família de Fleur; foi de má vontade que Rony subiu as escadas batendo os pés para calçar meias iguais e Harry tentou baixar os cabelos. Quando foram considerados bem-arrumados, os garotos saíram em fila para esperar as visitas no quintal batido de sol.

Harry nunca vira a casa tão arrumada. Os caldeirões enferrujados e as botas velhas que, em geral, coalhavam a escada para a porta dos fundos tinham desaparecido e sido substituídos por dois grandes vasos com arbustos tremulantes a cada lado da porta; embora não houvesse brisa, as folhas balançavam preguiçosamente, produzindo um belo efeito ondulante. As galinhas tinham sido trancadas no galinheiro, o quintal varrido e o jardim anexo fora despojado das folhas velhas, podado e, de um modo geral, cuidado, embora Harry, que o preferia sem trato, achasse que o jardim parecia abandonado sem o seu contingente normal de gnomos saltitantes.

O garoto perdera a noção da quantidade de feitiços de segurança que tinham sido lançados sobre A Toca, tanto pela Ordem quanto pelo Ministério; só sabia que tinham inviabilizado a possibilidade de alguém viajar por magia até ali. O sr. Weasley, portanto, fora esperar os Delacour no alto de um morro próximo, onde a família chegaria por Chave de Portal. O primeiro sinal de sua aproximação foi uma gargalhada anormalmente aguda, dada pelo sr. Weasley, soube-se depois, que apareceu ao portão em seguida, carregado de malas à frente de uma bela loura de longas vestes verde-folha, que só poderia ser a mãe de Fleur.

— *Maman!* — exclamou Fleur, correndo para abraçá-la. — *Papa!*

O sr. Delacour não era nem de longe atraente como sua mulher; era uma cabeça mais baixo que ela, além de extremamente gordo, e usava uma barbicha pontuda e preta. Parecia, contudo, uma pessoa bem-humorada. Sacudindo-se nas botas de salto em direção à sra. Weasley, ele lhe aplicou dois beijos em cada bochecha, deixando-a perturbada.

— *Vocês tiverram tante trrabalhe* — disse ele com sua voz grave. — *Fleur nos contou qu'andarram trrabalhando muite mesme.*

— Ah, não foi nada, absolutamente nada! — gorjeou a sra. Weasley. — Não foi trabalho algum!

Rony aliviou sua frustração mirando um pontapé em um gnomo que estava espiando atrás de um dos vasos com arbustos tremulantes.

— *Minhe carra senhorra!* — replicou o sr. Delacour, ainda segurando a mão da sra. Weasley entre as suas, muito gorduchas, e dando-lhe um radiante sorriso. — *Nos sentimes muite honrrrades com a eminente união de nosses famílies! Deixe-me arpresentarr-lhe minhe mulherr, Apolline.*

Madame Delacour adiantou-se como se deslizasse e se curvou para beijar a sra. Weasley também.

— *Enchantée* — disse ela. — *Se marrido esteve me contanto histórrias muite diverrtidas!*

O sr. Weasley soltou uma risada exagerada; a sra. Weasley lançou-lhe um olhar que o fez calar-se imediatamente e assumir uma expressão mais apropriada a uma visita a um amigo doente no hospital.

— *E, naturalmente, já conhecem minhe filhinea Gabrrielle!* — disse Monsieur Delacour. Gabrielle era uma Fleur em miniatura; onze anos, cabelos louros platinados, a garota dirigiu um sorriso ofuscante à sra. Weasley, abraçou-a e, pestanejando, lançou um olhar intenso a Harry. Gina pigarreou alto.

— Então, entrem, por favor! — convidou a sra. Weasley animada, levando os hóspedes para dentro, depois de muitos "Não, por favor!" e "Primeiro os senhores!" e "De maneira alguma!".

Os Delacour, eles não tardaram a perceber, eram hóspedes prestativos e agradáveis. Mostravam-se satisfeitos com tudo e desejosos de ajudar nos preparativos do casamento. Monsieur Delacour considerou tudo, desde a distribuição de lugares até os sapatos das damas de honra, "*charmant!*". Madame Delacour era muito talentosa com feitiços domésticos e deixou o forno limpo em segundos; Gabrielle seguia a irmã mais velha pela casa, tentando ajudar no que pudesse, tagarelando em um francês muito rápido.

Embaixo, A Toca não fora construída para acomodar tanta gente. O casal Weasley agora estava dormindo na sala de visitas depois de calar os protestos de Monsieur e Madame Delacour e insistir que os dois ocupassem seu quarto. Gabrielle ia dormir com Fleur no antigo quarto de Percy, e Gui dividiria o quarto com Carlinhos, seu padrinho de casamento, quando ele chegasse da Romênia. As oportunidades de se reunirem para fazer planos praticamente deixaram de existir, e foi por desespero que Harry, Rony e Hermione passaram a se oferecer para dar comida às galinhas só para fugir da casa demasiado cheia.

— Nem assim ela vai nos deixar em paz! — reclamou Rony quando a segunda tentativa de se encontrarem no quintal foi frustrada pelo aparecimento da sra. Weasley, carregando um grande cesto de roupa lavada nos braços.

— Ah, ótimo, vocês já alimentaram as galinhas — disse ao se aproximar. — É melhor prendê-las outra vez no galinheiro antes que os homens cheguem amanhã... para armar a tenda para o casamento — explicou, parando e se apoiando à parede da casa. Ela parecia exausta. —Tendas Mágicas Millamant... eles são muito bons. Gui vai acompanhá-los... é melhor você não sair de casa enquanto estiverem aqui, Harry. Devo confessar que complica bastante organizar um casamento, com tantos feitiços de segurança pela propriedade.

— Lamento muito — respondeu Harry com humildade.

— Ah, não seja tolo, querido! — exclamou a sra. Weasley imediatamente. — Não quis me referir... bem, a sua segurança é muito mais importante! Aliás, eu estava pensando em lhe perguntar como vai querer comemorar o seu aniversário, Harry. Afinal, dezessete anos é uma data importante...

— Não quero incomodar — disse Harry depressa, imaginando a pressão adicional que isso traria a todos. — Realmente, sra. Weasley, um jantar normal seria ótimo... é a véspera do casamento...

— Ah, bem, se você tem certeza, querido. Vou convidar Remo e Tonks, posso? E Hagrid?

— Seria ótimo. Mas, por favor, não se incomode demais.

— Não, não mesmo... não será incômodo...

A bruxa lhe lançou um olhar demorado e inquisitivo, depois sorriu com certa tristeza e, se aprumando, afastou-se. Harry observou-a acenar a varinha quando se aproximou do varal, fazendo as roupas úmidas se erguerem no ar para se pendurarem, e, de repente, foi invadido por uma onda de remorso pela inconveniência e o pesar que estava lhe causando.

7
O TESTAMENTO DE DUMBLEDORE

Ele estava caminhando por uma estrada montanhosa, à luz fria e azulada do alvorecer. Muito abaixo, envolta em névoa, via-se a sombra de uma aldeia. O homem que ele procurava estaria lá? O homem de quem ele precisava tanto que nem conseguia pensar em muito mais, o homem que guardava a resposta para o seu problema...

— Ei, acorde.

Harry abriu os olhos. Estava novamente no sótão, deitado na cama de armar, no encardido quarto de Rony. O sol ainda não nascera e o quarto ainda estava escuro. Pichitinho dormia com a cabeça sob sua asinha. A cicatriz na testa de Harry formigava.

— Você estava falando enquanto dormia.

— Estava?

— Hum-hum. Gregorovitch. Você ficou repetindo Gregorovitch.

Harry estava sem óculos; o rosto de Rony lhe parecia meio borrado.

— Quem é Gregorovitch?

— Não sei, sei? Você é que estava falando.

Harry esfregou a testa, pensando. Tinha uma vaga ideia de que ouvira o nome antes, mas não conseguia lembrar onde.

— Acho que Voldemort está procurando por ele.

— Coitado — comentou Rony com veemência.

Harry sentou-se, ainda esfregando a cicatriz, agora completamente acordado. Tentou se lembrar exatamente do que vira no sonho, mas tudo o que lhe veio à mente foi um horizonte montanhoso e os contornos de um lugarejo aninhado em um vale profundo.

— Acho que ele está no exterior.

— Quem, Gregorovitch?

— Voldemort. Acho que está em algum lugar no exterior. Não parecia a Inglaterra.

— Você acha que estava lendo a mente dele outra vez?

Rony pareceu preocupado.

— Faz um favor, não comenta com a Hermione — pediu Harry. — Não sei como é que ela espera que eu pare de ver coisas quando estou dormindo...

Ele ergueu os olhos para a gaiola de Pichitinho, pensando... por que lhe pareceu reconhecer o nome Gregorovitch?

— Acho — disse lentamente — que tem alguma coisa com quadribol. Há uma ligação, mas não consigo... não consigo saber qual é.

— Quadribol?! — exclamou Rony. — Será que você não está pensando em Gorgovitch?

— Quem?

— Dragomir Gorgovitch, o artilheiro, teve o passe comprado pelo Chudley Cannons há dois anos por um preço recorde. É também recordista do maior número de goles perdidas em uma só temporada.

— Não, decididamente não estou pensando em Gorgovitch.

— Eu também tento não pensar. Enfim, feliz aniversário!

— Uau... tem razão, tinha me esquecido! Fiz dezessete anos!

Harry apanhou a varinha ao lado da cama de armar, apontou-a para a escrivaninha cheia onde deixara seus óculos e ordenou:

— *Accio óculos!* — Embora eles estivessem apenas trinta centímetros de distância, havia algo extremamente prazeroso em ver os óculos voando em sua direção, pelo menos até lhe espetarem um olho.

— Legal! — Riu Rony.

Contente com a remoção do rastreador, Harry fez os pertences de Rony voarem pelo quarto e acordou Pichitinho, que bateu as asas alvoroçado na gaiola. Harry também experimentou amarrar os cordões do tênis usando magia (o nó resultante precisou de vários minutos para ser desfeito manualmente) e, por puro prazer, mudou as vestes cor de laranja para azul berrante nos pôsteres de Rony dos Chudley Cannons.

— Mas eu desabotoaria a braguilha com a mão — aconselhou Rony rindo, fazendo com que Harry imediatamente a verificasse. — Tome o seu presente. Abra-o aqui, não é para minha mãe ver.

— Um livro? — admirou-se Harry, ao receber o embrulho retangular. — Foge um pouco à tradição, não?

— Não é um livro comum — comentou Rony. — É ouro puro: *Doze maneiras infalíveis de encantar bruxas*. Explica tudo que você precisa saber sobre garotas. Se eu ao menos o tivesse lido no ano passado, saberia exatamente como me livrar de Lilá e como engrenar com a... bem, Fred e Jorge me deram um exemplar, e aprendi um bocado. Você vai ficar surpreso, não trata só de feitiços com varinhas.

Quando chegaram à cozinha, encontraram uma pilha de presentes aguardando sobre a mesa. Gui e Monsieur Delacour estavam terminando o café da manhã, e a sra. Weasley conversava com eles enquanto cuidava da frigideira.

— Arthur me pediu para lhe desejar felicidades pelo seu décimo sétimo aniversário, Harry — disse a sra. Weasley abrindo um radiante sorriso. — Precisou sair cedo para o trabalho, voltará para o jantar. O presente de cima é o nosso.

Harry se sentou, apanhou o embrulho quadrado que ela apontara e abriu-o. Dentro havia um relógio de pulso muito parecido com o que a sra. Weasley e o marido tinham dado a Rony aos dezessete anos: era de ouro e tinha estrelas girando no mostrador em vez de ponteiros.

— É tradição dar a um bruxo um relógio quando ele atinge a maioridade — explicou ela, observando-o ansiosamente do fogão. — Não é exatamente novo como o de Rony, pertenceu ao meu irmão Fabiano, e ele não era muito cuidadoso com os seus pertences, tem um amassado na parte de trás, mas...

O resto do discurso se perdeu; Harry se levantou e abraçou-a. Tentou colocar muitas coisas não ditas naquele abraço e ela talvez tenha entendido, porque afagou seu rosto, sem graça, e, quando o garoto a largou, acenou com a varinha meio a esmo e fez meio pacote de bacon saltar da frigideira para o chão.

— Feliz aniversário, Harry! — desejou Hermione, entrando apressada na cozinha e acrescentando o seu presente ao topo da pilha. — Não é muita coisa, mas espero que goste. Que foi que você deu a ele? — perguntou a Rony, que pareceu não tê-la ouvido.

— Anda logo, abre o presente da Hermione! — disse Rony.

A garota comprara um novo bisbilhoscópio para Harry. Os outros embrulhos continham um barbeador encantado de Gui e Fleur (*"Ah, sim, isse vai lhe darr o barrbearr mais suave qu' você já fez"*, assegurou-lhe Monsieur Delacour, *"mas você prrecisa dizerr exatamente o que querr... de outre mode vai se verr com menos pelos do que gostarria..."*), bombons do casal Delacour e uma enorme caixa com as últimas Gemialidades Weasley, de Fred e Jorge.

Harry, Rony e Hermione não se demoraram à mesa, porque a chegada de Madame Delacour, Fleur e Gabrielle deixou a cozinha muito cheia e desconfortável.

— Eu guardo isso para você — disse Hermione, animada, tirando os presentes dos braços de Harry enquanto os três voltavam para o andar de cima.
— Quase terminei, só estou esperando suas calças acabarem de lavar, Rony...

A resposta engrolada de Rony foi interrompida pela abertura de uma porta no primeiro andar.

— Harry, você pode vir aqui um instante?

Era Gina. Rony parou abruptamente, mas Hermione agarrou-o pelo cotovelo e puxou-o escada acima. Nervoso, Harry entrou com Gina no quarto.

Nunca estivera ali antes. Era pequeno, mas claro.

Em uma parede, havia um grande pôster da banda bruxa Esquisitonas e, na outra, uma foto de Guga Jones, capitã do time de quadribol Harpias de Holyhead. A escrivaninha ficava de frente para a janela aberta, por onde se via o pomar onde ele e Gina tinham certa vez jogado quadribol em duplas com Rony e Hermione, e que agora acolhia uma tenda branco-pérola. A bandeira dourada no alto alcançava a janela de Gina.

A garota ergueu o rosto para Harry, tomou fôlego e disse:

— Feliz décimo sétimo!

— Ah... obrigado.

Ela continuou encarando-o com firmeza; ele, no entanto, achou difícil sustentar aquele olhar; era o mesmo que tentar fixar uma luz brilhante.

— Bonita vista — disse sem graça, apontando para a janela.

Gina não passou recibo. Ele não podia culpá-la.

— Não consegui pensar no que lhe dar — começou.

— Você não tinha que me dar nada.

A garota ignorou isso também.

— Não sabia o que poderia ser útil. Nada muito grande, porque você não poderia levar na viagem.

Ele experimentou olhá-la. Gina não estava chorosa; essa era uma das suas qualidades: raramente chorava. Por vezes ocorria a Harry que o fato de ela ter seis irmãos a tornara forte.

A garota se aproximou dele mais um passo.

— Então, pensei que gostaria de lhe dar uma coisa que fizesse você se lembrar de mim, sabe, se encontrar uma *veela* dessas quando estiver fora, fazendo seja lá o que vai fazer.

— Acho que as oportunidades de sair com garotas vão ser mínimas nessa viagem, para ser sincero.

— Esse é o lado bom que estive procurando — sussurrou ela e, em seguida, beijou-o como nunca o beijara antes, e Harry retribuiu o beijo, e sentiu uma felicidade que o fez esquecer todo o resto, melhor do que qualquer uísque de fogo; ela era a única realidade no mundo, Gina, a sensação do seu corpo, uma das mãos em suas costas e a outra em seus cabelos perfumados...

A porta se escancarou contra a parede e os dois se separaram sobressaltados.

— Ah — disse Rony incisivamente. — Desculpem.

— Rony! — Hermione vinha logo atrás, ligeiramente ofegante. Fez-se um silêncio constrangido, quando Gina disse inexpressivamente:

— Bem, enfim, Harry, feliz aniversário.

As orelhas de Rony ficaram vermelho-vivo; Hermione parecia nervosa. Harry teve vontade de bater a porta na cara deles, mas era como se uma corrente fria de ar tivesse invadido o quarto e seu momento de glória espoucasse no ar como uma bolha de sabão. Todas as razões para terminar o namoro com Gina, para se distanciar dela, pareciam ter entrado no quarto com Rony, e seu êxtase de felicidade se esvaíra.

Ele olhou para Gina, querendo lhe dizer alguma coisa, sem saber muito o quê, mas ela lhe virou as costas. Harry pensou que desta vez ela iria sucumbir às lágrimas. E ele não poderia fazer nada para consolá-la na frente de Rony.

— A gente se vê mais tarde — disse ele, e acompanhou os amigos que saíam do quarto.

Rony desceu pisando firme, passou pela cozinha cheia e saiu para o quintal, Harry seguiu-o de perto e Hermione, quase correndo, foi atrás dos dois com ar assustado.

Quando chegaram ao isolamento do gramado recém-aparado, Rony se voltou para Harry.

— Você deu o fora em Gina. Que está fazendo agora se metendo com ela?

— Não estou me metendo com ela — retorquiu Harry no momento em que Hermione os alcançava.

— Rony...

O garoto, porém, ergueu a mão pedindo que a amiga se calasse.

— Ela ficou realmente arrasada quando você terminou...

— Eu também fiquei. Você sabe por que terminei, e não foi porque quisesse.

— É, mas agora fica de beijos e abraços, renovando as esperanças da minha irmã...

— Ela não é idiota, sabe que não pode ser, não está esperando que a gente... a gente acabe casando nem...

Ao dizer isso, formou-se em sua mente uma imagem vívida de Gina de vestido branco, casando com um desconhecido repelente e sem feições. E em um instante vertiginoso ele pareceu entender: o futuro dela era livre e sem compromissos, enquanto o dele... tinha apenas Voldemort no horizonte.

– Se você não para de se atracar com a Gina sempre que tem uma chance...

– Não vai acontecer outra vez – retrucou Harry com rispidez. O dia estava claro, mas ele sentiu como se o sol tivesse desaparecido. – O.k.?

Rony fez uma cara entre ressentida e sem graça; balançou-se sobre os pés para a frente e para trás por um instante, então disse:

– Certo, então, bem, é... isso.

Gina não buscou outro encontro a sós com Harry o resto do dia, nem, por olhar ou gesto, demonstrou que tivessem tido mais do que uma conversa cordial em seu quarto. A chegada de Carlinhos foi um alívio para Harry. Divertiu-o observar a sra. Weasley forçar o filho a sentar em uma cadeira, erguer a varinha ameaçadoramente e anunciar que ia lhe fazer um corte de cabelos decente.

Como o aniversário de Harry teria feito a cozinha d'A Toca explodir de tanta gente, mesmo antes da chegada de Carlinhos, Lupin, Tonks e Hagrid, foram colocadas várias mesas ao comprido, no jardim. Fred e Jorge conjuraram algumas lanternas roxas, enfeitadas com um grande número 17 para pendurar no ar sobre as mesas. Graças aos cuidados da sra. Weasley, o ferimento de Jorge estava sarando, mas Harry ainda não se acostumara com o buraco escuro na cabeça do amigo, apesar das muitas piadas dos gêmeos sobre a mutilação.

Hermione fez irromperem da sua varinha serpentinas roxas e douradas e arrumou-as artisticamente sobre árvores e arbustos.

– Bonito – comentou Rony, quando a garota, com um floreio final da varinha, dourou as folhas da macieira-brava. – Você realmente tem gosto para esse tipo de coisa.

– Muito obrigada, Rony! – disse Hermione, parecendo ao mesmo tempo contente e um pouco envergonhada. Harry deu as costas aos dois, sorrindo para si mesmo. Ocorrera-lhe a ideia cômica de que encontraria um capítulo sobre elogios quando tivesse tempo de folhear o seu exemplar de *Doze maneiras infalíveis de encantar bruxas*; o seu olhar encontrou o de Gina e ele sorriu para a garota, antes de se lembrar da promessa que fizera a Rony e depressa puxar conversa com Monsieur Delacour.

– Abram caminho, abram caminho! – cantarolou a sra. Weasley, passando pelo portão com algo que lembrava um pomo de ouro do tamanho de uma bola de piscina flutuando à sua frente. Harry levou alguns segundos para entender que era o seu bolo de aniversário, que a sra. Weasley trazia suspenso com a varinha, para não se arriscar carregá-lo pelo terreno acidentado. Quando o bolo finalmente aterrissou no meio da mesa, Harry elogiou:

– Fantástico, sra. Weasley!

– Ah, não é nada, querido – respondeu-lhe a bruxa carinhosamente. Por cima do ombro da mãe, Rony ergueu o polegar para Harry e murmurou: "Beleza."

Por volta das sete horas, todos os convidados tinham chegado e sido levados ao interior da casa por Fred e Jorge, que os esperavam no fim da estradinha. Hagrid enfatiotou-se para a ocasião com o seu melhor, mas medonho, terno peludo marrom. Embora Lupin sorrisse ao apertar sua mão, Harry achou-o com um ar bastante infeliz. Era muito esquisito; ao seu lado, Tonks parecia simplesmente radiante.

– Feliz aniversário, Harry – ela lhe desejou, abraçando-o com força.

– Dezessete anos, hein! – exclamou Hagrid aceitando um copo de vinho do tamanho de um balde das mãos de Fred. – Faz seis anos que nos conhecemos, Harry, lembra?

– Vagamente – respondeu Harry, rindo para o amigo. – Você não derrubou a porta de casa, botou um rabo de porco em Duda e disse que eu era bruxo?

– Esqueci os detalhes – comentou Hagrid com uma gargalhada. – Tudo bem, Rony, Hermione?

– Estamos ótimos – respondeu Hermione. – E você, como vai?

– Hum, nada mal. Andei ocupado, temos uns unicórnios recém-nascidos, mostro a vocês quando voltarem... – Harry evitou os olhares dos amigos enquanto Hagrid procurava alguma coisa no bolso. – Tome aqui... eu não sabia o que comprar para você, então me lembrei disso. – Ele puxou uma bolsinha ligeiramente felpuda com um longo cordão, evidentemente concebida para usar ao pescoço. – Pele de briba. Esconda alguma coisa aí e ninguém, exceto o dono, pode tirar. São raras, essas.

– Hagrid, obrigado!

– Não é nada – disse Hagrid, com um aceno da mão enorme como a tampa de uma lata de lixo. – E lá está o Carlinhos! Sempre gostei dele... ei! Carlinhos!

O rapaz se aproximou, passando a mão, pesaroso, pelo novo corte de cabelos brutalmente curto. Ele era mais baixo do que Rony, mais atarracado, e tinha inúmeras queimaduras e arranhões nos braços musculosos.

— Oi, Hagrid, como vai a vida?

— Faz tempo que ando pensando em escrever pra você. Como vai o Norberto?

— Norberto? — Riu Carlinhos. — O dragão norueguês de dorso cristado? Agora ele se chama Norberta.

— Quê... Norberto é uma fêmea?

— Sim, senhor.

— Como é possível saber? — perguntou Hermione.

— São muito mais agressivos — respondeu Carlinhos. Ele deu uma olhada por cima do ombro e baixou a voz. — Gostaria que papai chegasse logo. Mamãe está ficando impaciente.

Todos olharam para a sra. Weasley. Ela estava tentando conversar com Madame Delacour, mas lançava olhares constantes para o portão.

— Acho que é melhor começarmos sem o Arthur — anunciou para os convidados no jardim, depois de alguns momentos. — Ele deve ter sido retido... ah!

Todos viram ao mesmo tempo: um rastro de luz cortou o jardim e parou sobre a mesa, onde se transformou em uma doninha prateada que se ergueu nas patas traseiras e falou com a voz do sr. Weasley:

— O ministro da Magia está vindo comigo.

O Patrono se dissolveu no ar, deixando a família de Fleur assombrada, olhando para o lugar em que o bicho desaparecera.

— Nós não devíamos estar aqui — disse Lupin na mesma hora. — Harry... lamento... explicarei outra hora...

E, agarrando Tonks pelo pulso, levou-a embora; ao chegarem à cerca, os dois a transpuseram e desapareceram. A sra. Weasley demonstrava espanto.

— O ministro... mas por quê... Não estou entendendo...

Não houve, porém, tempo para discutirem o assunto; um segundo depois, o sr. Weasley apareceu ao portão acompanhado por Rufo Scrimgeour, instantaneamente reconhecível pela juba grisalha.

Os recém-chegados atravessaram o quintal e, com passos firmes, se dirigiram ao jardim e à mesa iluminada pelas lanternas, onde todos aguardavam em silêncio, observando sua aproximação. Quando Scrimgeour entrou no perímetro iluminado pelas lanternas, Harry constatou que o ministro parecia muito mais velho do que da última vez que tinham se visto, magro e carrancudo.

— Desculpem a intrusão — disse Scrimgeour, ao parar diante da mesa. — Principalmente porque posso ver que estou penetrando em uma festa para a qual não fui convidado.

O seu olhar se demorou por um momento no gigantesco pomo de ouro.

— Muitos anos de vida.

— Obrigado — disse Harry.

— Preciso dar uma palavrinha com você em particular — continuou Scrimgeour. — E também com o sr. Ronald Weasley e a srta. Hermione Granger.

— Nós?! — exclamou Rony em tom surpreso. — Por que nós?

— Explicarei quando estivermos em lugar mais reservado. Há na casa um lugar assim? — perguntou ao sr. Weasley.

— Naturalmente — disse o sr. Weasley, parecendo nervoso. — A... a sala de visitas, pode usá-la.

— Mostre-me onde é — disse Scrimgeour a Rony. — Não haverá necessidade de nos acompanhar, Arthur.

Harry viu o sr. Weasley trocar um olhar preocupado com a mulher, quando ele, Rony e Hermione se levantaram. Enquanto se dirigiam à casa em silêncio, Harry sabia que os outros dois estavam pensando o mesmo que ele: Scrimgeour devia, de algum modo, ter descoberto que estavam planejando abandonar Hogwarts.

O ministro não falou quando passaram pela cozinha desarrumada e entraram na sala de visitas d'A Toca. Embora o jardim estivesse iluminado por uma luz noturna suave e dourada, já estava escuro ali dentro: Harry apontou a varinha para os lampiões, ao entrar, e fez-se luz na sala gasta mas aconchegante. Scrimgeour sentou-se na poltrona de molas frouxas que o sr. Weasley normalmente ocupava, deixando que Harry, Rony e Hermione se apertassem lado a lado no sofá. Uma vez acomodados, o ministro falou:

— Tenho algumas perguntas a fazer aos três, mas acho que será melhor fazê-las separadamente. Se vocês dois — ele apontou para Harry e Hermione — puderem esperar lá em cima, começarei pelo Ronald.

— Não vamos a lugar algum — disse Harry, secundado por um vigoroso aceno de cabeça de Hermione. — O senhor pode falar com todos juntos ou não falar com nenhum.

Scrimgeour lançou a Harry um frio olhar de avaliação. O garoto teve a impressão de que o ministro estava refletindo se valeria a pena iniciar as hostilidades tão cedo.

— Muito bem, então, juntos — disse ele, sacudindo os ombros. E pigarreou. — Estou aqui, como bem sabem, por causa do testamento de Alvo Dumbledore.

Harry, Rony e Hermione se entreolharam.

— Pelo visto é surpresa! Vocês não sabiam que Dumbledore tinha lhes deixado alguma coisa?

— A... aos três? — perguntou Rony. — A mim e Hermione também?

— A todos...

Harry, no entanto, interrompeu-o.

— Já faz mais de um mês que Dumbledore faleceu. Por que demoraram tanto para nos entregar o que ele nos deixou?

— Não é óbvio?! — exclamou Hermione, antes que Scrimgeour pudesse responder. — Queriam examinar seja lá o que ele tenha nos deixado. O senhor não tinha o direito de fazer isso! — Sua voz tremia levemente.

— Tinha todo o direito — disse Scrimgeour sumariamente. — O Decreto sobre Confisco Justificável dá ao ministro o poder de confiscar os bens de um testamento...

— A lei foi criada para impedir os bruxos das trevas de legarem seus objetos — retorquiu Hermione —, e o Ministério precisa ter fortes provas de que os bens do falecido são ilegais antes de apreendê-los! O senhor está nos dizendo que julgou que Dumbledore estivesse tentando nos passar objetos malditos?

— Srta. Granger, está pretendendo fazer carreira em Direito da Magia?

— Não, não estou — retrucou Hermione. — Tenho esperança de fazer algum bem no mundo!

Rony riu. Os olhos de Scrimgeour piscaram em sua direção e tornaram a se desviar quando Harry falou.

— Então, por que resolveu nos entregar o que nos pertence agora? Não conseguiu pensar em um pretexto para manter os objetos em seu poder?

— Não, deve ser porque os trinta e um dias venceram — respondeu Hermione imediatamente. — O Ministério não pode reter objetos por prazo superior, a não ser que sejam comprovadamente perigosos. Certo?

— Você diria que era íntimo de Dumbledore, Ronald? — perguntou Scrimgeour, ignorando Hermione. Rony pareceu surpreso.

— Eu? Não... muito... era sempre Harry quem...

Rony olhou para os amigos e viu Hermione lhe dando aquele olhar "cale-já-a-boca!", mas o estrago já fora feito: Scrimgeour fez cara de quem acabara de ouvir exatamente o que tinha esperado e queria ouvir. Avançou na deixa de Rony como uma ave de rapina.

— Se você não era muito íntimo de Dumbledore, como explica que tenha se lembrado de você no testamento? Ele deixou excepcionalmente pouco a indivíduos. A maior parte dos seus bens... sua biblioteca particular, seus instrumentos mágicos e outros pertences... foram legados a Hogwarts. Por que acha que mereceu destaque?

— Eu... não sei — respondeu Rony. — Quando digo que não éramos íntimos... Quero dizer, acho que ele gostava de mim...

— Você está sendo modesto, Rony — interveio Hermione. — Dumbledore gostava muito de você.

Isto era exagerar a verdade quase ao ponto de ruptura; pelo que Harry sabia, Rony e Dumbledore nunca tinham estado a sós, e o contato direto entre diretor e aluno fora mínimo. Contudo, Scrimgeour não parecia estar escutando. Meteu a mão sob a capa e puxou uma bolsa de cordões muito maior do que a que Hagrid dera a Harry. Da bolsa, tirou um rolo de pergaminho, que abriu e leu em voz alta.

— "Últimas vontades de Alvo Percival Wulfrico Brian Dumbledore...", sim, aqui está, "a Ronald Weasley, deixo o meu desiluminador, na esperança de que se lembre de mim quando usá-lo."

Scrimgeour tirou da bolsa um objeto que Harry já vira: parecia um isqueiro de prata, mas tinha, sabia ele, o poder de extinguir toda a luz de um lugar e restaurá-la com um simples clique. Scrimgeour se inclinou para a frente e passou o desiluminador a Rony, que o recebeu e examinou entre os dedos com ar de perplexidade.

— Isto é um objeto valioso — comentou Scrimgeour, observando Rony. — Talvez seja único no mundo. Com certeza foi projetado pelo próprio Dumbledore. Por que ele teria lhe legado algo tão raro?

Rony sacudiu a cabeça, aturdido.

— Dumbledore deve ter tido milhares de alunos — insistiu Scrimgeour. — Contudo, os únicos de que se lembrou em seu testamento foram vocês três. Por que será? Que uso ele terá pensado que o senhor daria a esse desiluminador, sr. Weasley?

— Apagar luzes, suponho — murmurou Rony. — Que mais eu poderia fazer com ele?

Evidentemente Scrimgeour não teve outras sugestões a dar. Depois de observar Rony com os olhos semicerrados por um momento, voltou sua atenção para o testamento de Dumbledore.

— "Para a sra. Hermione Granger, deixo o meu exemplar de *Os contos de Beedle, o bardo*, na esperança de que ela o ache divertido e instrutivo."

Scrimgeour apanhou, então, na bolsa um livrinho que parecia tão antigo quanto o *Segredos das artes mais tenebrosas*. A encadernação estava manchada e descascando em alguns pontos. Hermione recebeu-o do ministro em silêncio.

Segurou o livro no colo e contemplou-o. Harry viu que o título estava escrito em runas; nunca tinha aprendido a lê-las. Enquanto ele observava, uma lágrima caiu sobre os símbolos gravados em relevo.

— Por que acha que Dumbledore lhe deixou esse livro, srta. Granger? — perguntou Scrimgeour.

— Ele... ele sabia que eu gostava de ler — respondeu a garota com a voz empastada, enxugando os olhos nas mangas da roupa.

— Mas por que esse livro em especial?

— Não sei. Deve ter pensado que eu gostaria de lê-lo.

— Alguma vez discutiu códigos ou outros meios de transmitir mensagens secretas com Dumbledore?

— Não, nunca — disse Hermione, ainda enxugando as lágrimas na manga. — E se o Ministério não encontrou nenhum código secreto nesse livro em trinta e um dias, duvido que eu vá encontrar.

A garota engoliu um soluço. Os três estavam sentados tão espremidos que Rony teve dificuldade em puxar o braço e passá-lo pelos ombros de Hermione. Scrimgeour tornou a consultar o testamento.

— "A Harry Potter" — leu ele, e as entranhas do garoto se contraíram com repentina animação — "deixo o pomo de ouro que ele capturou em seu primeiro jogo de quadribol em Hogwarts, para lembrar-lhe as recompensas da perseverança e da competência."

Quando Scrimgeour tirou a bolinha de ouro do tamanho de uma noz, suas asas de prata esvoaçaram levemente e Harry não pôde deixar de sentir um definitivo anticlímax.

— Por que Dumbledore lhe deixou este pomo? — perguntou Scrimgeour.

— Não faço a menor ideia — respondeu Harry. — Pelas razões que o senhor acabou de ler, suponho... para me lembrar o que se pode obter quando se... persevera e o que mais seja.

— Então você acha que é apenas uma lembrança simbólica?

— Suponho que sim. Que mais poderia ser?

— Sou eu quem faz as perguntas — disse Scrimgeour, puxando sua cadeira para mais perto do sofá. A noite caía lá fora; a tenda vista da janela se elevava fantasmagoricamente branca acima da cerca.

— Reparei que o seu bolo de aniversário tem a forma de um pomo de ouro — disse o ministro. — Por quê?

Hermione riu ironicamente.

— Ah, não pode ser uma alusão ao fato de Harry ser um grande apanhador, isso seria óbvio demais. Deve haver uma mensagem secreta de Dumbledore escondida no glacê!

— Não acho que haja nada escondido no glacê — retrucou Scrimgeour —, mas um pomo seria um esconderijo muito bom para um pequeno objeto. A senhorita certamente sabe por quê.

Harry sacudiu os ombros. Hermione, no entanto, respondeu ao ministro: ocorreu-lhe que responder às perguntas com acerto era um hábito tão arraigado que a amiga não conseguia controlar o impulso.

— Porque os pomos guardam na memória o toque humano.

— Quê?! — exclamaram Harry e Rony juntos; os dois consideravam os conhecimentos de Hermione em quadribol insignificantes.

— Correto — disse o ministro. — Um pomo não é tocado pela pele humana nua antes de ser liberado, nem mesmo por seu fabricante, que usa luvas. Ele carrega um encantamento mediante o qual é capaz de identificar o primeiro ser humano que o segurou, no caso de uma captura disputada, por exemplo. Este pomo — acrescentou ele erguendo a minúscula bola — se lembrará do seu toque, Potter. Ocorre-me que Dumbledore, que possuía uma prodigiosa competência em magia, apesar dos defeitos que porventura tivesse, talvez tenha enfeitiçado o pomo para que só se abra ao seu toque.

O coração de Harry batia com mais força. Tinha certeza de que Scrimgeour acertara. Como poderia evitar receber o pomo com as mãos nuas diante do ministro?

— Você não responde. Talvez já saiba o que o pomo contém, não?

— Não — respondeu Harry, ainda pensando como poderia fingir que tocava o pomo sem realmente fazer isso. Se ele ao menos soubesse Legilimência, soubesse de fato, e pudesse ler a mente de Hermione: praticamente dava para ouvir as engrenagens do cérebro dela trabalhando ao seu lado.

— Pegue — disse Scrimgeour calmamente.

Harry encarou os olhos amarelos do ministro e entendeu que não lhe restava opção senão obedecer. Estendeu a mão e Scrimgeour tornou a se inclinar para a frente e depositou o pomo na palma de sua mão lenta e deliberadamente.

Nada aconteceu. Quando os dedos de Harry se fecharam em torno do pomo, suas asinhas cansadas esvoaçaram e se imobilizaram. Scrimgeour, Rony e Hermione continuaram a olhar ansiosos para a bola, agora parcialmente oculta, como se esperassem que pudesse sofrer alguma transformação.

— Essa foi dramática — comentou Harry descontraído. Rony e Hermione riram juntos.

— Então terminamos, não? — perguntou Hermione, tentando se erguer do sofá apertado.

— Ainda não — respondeu Scrimgeour, que agora parecia mal-humorado. — Dumbledore lhe deixou outra herança, Potter.

— Qual? — perguntou ele, sua agitação se renovando. Desta vez Scrimgeour não se deu ao trabalho de ler o testamento.

— A espada de Godric Gryffindor.

Hermione e Rony enrijeceram. Harry olhou para os lados, procurando um sinal da bainha incrustada de rubis, mas Scrimgeour não a tirou da bolsa de couro que, de todo modo, parecia pequena demais para contê-la.

— Então, onde está? — tornou Harry desconfiado.

— Infelizmente — disse Scrimgeour —, aquela espada não pertencia a Dumbledore para que dispusesse dela. A espada de Godric Gryffindor é uma importante peça histórica, e como tal pertence...

— Pertence a Harry! — completou Hermione exaltada. — A espada o escolheu, foi ele quem a encontrou, saiu do Chapéu Seletor para as mãos dele...

— De acordo com fontes históricas confiáveis, a espada pode se apresentar a qualquer aluno da Grifinória que a mereça — retrucou Scrimgeour. — Isto não a torna propriedade exclusiva do sr. Potter, seja o que for que Dumbledore tenha decidido. — O ministro coçou o queixo mal barbeado, estudando Harry. — Por que acha...?

— Que Dumbledore quis me dar a espada? — respondeu Harry se esforçando para não explodir. — Talvez tenha achado que ficaria bonita na minha parede.

— Isto não é brincadeira, Potter! — vociferou Scrimgeour. — Teria sido porque Dumbledore acreditava que somente a espada de Godric Gryffindor poderia derrotar o herdeiro de Slytherin? Quis lhe dar aquela espada, Potter, porque acreditava, como tantos, que você está destinado a destruir Ele-Que-Não-Deve-Ser-Nomeado?

— Uma teoria interessante. Alguém já tentou transpassar Voldemort com uma espada? O Ministério talvez devesse encarregar alguém disso, em vez de perder tempo desmontando desiluminadores ou abafando fugas em massa de Azkaban. Então, é isso que o senhor está fazendo, ministro, se trancando em seu gabinete para tentar abrir um pomo? As pessoas estão morrendo, eu quase fui uma delas, Voldemort atravessou três condados me perseguindo, matou Olho-Tonto, mas o Ministério não disse uma palavra sobre a perda, disse? E ainda espera que cooperemos com o senhor!

— Você está indo longe demais! — gritou Scrimgeour, levantando-se; Harry pôs-se de pé também. O ministro se encaminhou para Harry, mancando, e lhe deu uma forte estocada no peito com a varinha: o golpe abriu um buraco como o de uma brasa de cigarro na camiseta do garoto.

— Ei! — exclamou Rony, erguendo-se de um salto e empunhando a varinha, mas Harry disse:

— Não! Você quer dar a ele uma desculpa para nos prender?

— Lembrou-se de que não está na escola, não é? — perguntou Scrimgeour, bufando no rosto de Harry. — Lembrou-se de que não sou Dumbledore, que perdoava a sua insolência e insubordinação? Você pode usar essa cicatriz como uma coroa, mas não cabe a um garoto de dezessete anos me dizer como dirigir o Ministério! Já é hora de você aprender a ter respeito.

— E do senhor aprender a merecê-lo.

Ouviu-se um tropel de passos, em seguida a porta da sala de visitas se abriu de repente e o sr. e a sra. Weasley entraram correndo.

— Nós... nós pensamos ter ouvido... — começou o sr. Weasley, absolutamente assustado ao ver Harry e o ministro virtualmente se enfrentando.

— ... vozes alteradas — ofegou a sra. Weasley.

Scrimgeour se afastou uns dois passos de Harry, olhando para o buraco que abrira na camiseta do garoto. Pareceu se arrepender de ter perdido a cabeça.

— Não... não foi nada — rosnou o ministro. — Lamento... sua atitude — disse, encarando Harry mais uma vez. — Pelo visto, você pensa que o Ministério não deseja o mesmo que você, o que Dumbledore desejava. Devíamos estar trabalhando juntos.

— Não gosto dos seus métodos, ministro. Está lembrado?

Pela segunda vez, ele ergueu o pulso direito e mostrou a Scrimgeour as cicatrizes lívidas no dorso de sua mão, em que se liam *Não devo contar mentiras*. A expressão de Scrimgeour endureceu. Virou-se sem dizer mais nada e saiu mancando da sala. A sra. Weasley apressou-se em acompanhá-lo; Harry ouviu-a parar à porta dos fundos. Passado pouco mais de um minuto, ela falou da cozinha:

— Ele foi embora!

— E o que ele queria? — perguntou o sr. Weasley, olhando para Harry, Rony e Hermione, no momento em que a sra. Weasley voltava a se reunir a eles.

— Entregar o que Dumbledore nos deixou — disse Harry. — Acabaram de liberar o conteúdo do testamento.

Lá no jardim, os três objetos que Scrimgeour dera aos garotos passaram pelas mesas de mão em mão. Todos admiraram o desiluminador e *Os contos* de *Beedle, o bardo*, e lamentaram que Scrimgeour tivesse se recusado a entregar a espada, mas ninguém foi capaz de sugerir o motivo por que Dumbledore teria legado a Harry um velho pomo. Quando o sr. Weasley examinava o desiluminador pela terceira ou quarta vez, sua mulher arriscou um palpite:

— Harry, querido, estamos mortos de fome, não quisemos começar sem você... posso servir o jantar agora?

Todos comeram rapidamente e, ao terminarem de cantar um "parabéns para você" igualmente rápido e devorar o bolo, a festa foi encerrada. Hagrid, que tinha sido convidado para o casamento no dia seguinte, mas era grande demais para dormir n'A Toca superlotada, saiu para armar sua barraca em um campo vizinho.

— Encontre a gente lá em cima — sussurrou Harry para Hermione, enquanto ajudava a sra. Weasley a devolver o jardim à normalidade. — Depois que o pessoal for se deitar.

No quarto do sótão, Rony examinou seu desiluminador e Harry encheu a bolsa de briba que Hagrid lhe dera, não com ouro mas com os seus objetos mais preciosos, embora alguns aparentemente não valessem nada: o Mapa do Maroto, o caco do espelho de Sirius e o medalhão de R.A.B. Ele fechou bem os cordões e prendeu a bolsa ao pescoço, depois sentou, segurando o velho pomo e observando suas asinhas esvoaçarem debilmente. Finalmente, Hermione bateu à porta e entrou nas pontas dos pés.

— *Abaffiato* — sussurrou, acenando a varinha em direção à escada.

— Pensei que você não aprovasse esse feitiço — implicou Rony.

— Os tempos mudam — respondeu Hermione. — Agora mostre-nos aquele desiluminador.

Rony atendeu o seu pedido na mesma hora. Erguendo-o à frente, clicou o objeto. A única luz que brilhava no quarto se apagou imediatamente.

— A questão é — cochichou Hermione no escuro —, poderíamos ter obtido o mesmo efeito com aquele Pó Escurecedor Instantâneo do Peru.

Ouviu-se um leve estalo, e a chama da luz do candeeiro voou de volta ao teto e iluminou-os.

— Mesmo assim é legal — disse Rony na defensiva. — E, pelo que dizem, foi o próprio Dumbledore que o inventou!

— Eu sei, mas com certeza ele não teria mencionado você no testamento só para nos ajudar a apagar as luzes!

— Você acha que ele sabia que o Ministério confiscaria o testamento e examinaria tudo que nos deixou? — perguntou Harry.

— Sem a menor dúvida — respondeu Hermione. — Não podia nos dizer no testamento por que estava nos deixando essas coisas, ainda assim isso não explica...

— ... por que não poderia ter nos dado uma dica quando estava vivo? — indagou Rony.

— Exatamente — concordou Hermione, agora folheando *Os contos de Beedle, o bardo*. — Se esses objetos são suficientemente importantes para legá-los a nós bem debaixo do nariz do Ministério, seria de esperar que desse um jeito de nos informar o porquê... a não ser que achasse que era óbvio.

— Ele enganou-se, então, não foi? — disse Rony. — Eu sempre disse que ele era doido. Um gênio e tudo o mais, mas pirado. Deixar ao Harry um pomo velho... afinal o que é que é isso?

— Não faço ideia — disse Hermione. — Quando Scrimgeour fez você segurá-lo, Harry, estava certa de que alguma coisa ia acontecer!

— É, bem — disse Harry, seus batimentos se acelerando ao erguer o pomo entre os dedos. — Eu não ia me esforçar muito na frente de Scrimgeour, não é?

— Como assim? — perguntou Hermione.

— O pomo que eu capturei na primeira partida que joguei na vida? — disse Harry. — Você não lembra?

Hermione pareceu simplesmente aturdida. Rony, no entanto, soltou uma exclamação, apontando freneticamente de Harry para o pomo e de volta até recuperar a voz.

— Foi esse que você quase engoliu!

— Exatamente — disse Harry, e, com o coração disparado, encostou a boca no pomo.

O pequeno globo alado não se abriu. A frustração e o desapontamento o invadiram: ele baixou o pomo de ouro. Então, foi a vez de Hermione gritar:

— Letras! Tem uma coisa escrita nele, depressa, olhe!

Harry quase deixou cair o pomo, de surpresa e agitação. A amiga tinha razão. Gravadas na lisa superfície dourada, onde, apenas segundos antes, não existia nada, agora se viam três palavras, na caligrafia fina e inclinada que o garoto reconheceu ser a de Dumbledore:

Abro no fecho.

Mal acabara de ler, as palavras tornaram a desaparecer.

— *Abro no fecho...* Que será que isso significa?

Hermione e Rony balançaram a cabeça, perplexos.

— Abro no fecho... no *fecho*... Abro no fecho...

Contudo, por mais que repetissem as palavras, com diferentes inflexões, não foram capazes de extrair delas qualquer outro significado.

— E a espada — disse Rony, por fim, quando já tinham abandonado as tentativas de adivinhar o significado da inscrição no pomo. — Por que ele quis dar a espada ao Harry?

— E por que não pôde simplesmente me dizer? — comentou Harry, baixinho. — Estava lá, na parede do gabinete, bem à vista durante todas as nossas conversas no ano passado! Se queria deixá-la para mim, por que não me entregou a espada pessoalmente?

Ele teve a sensação de estar sentado, fazendo uma prova, diante de uma pergunta que seu cérebro lerdo e insensível devia ser capaz de responder. Havia alguma coisa que não entendera nas longas conversas com Dumbledore no ano anterior? Será que devia saber o que tudo aquilo significava? Dumbledore tinha esperado que ele entendesse?

— E quanto ao livro — disse Hermione — *Os contos de Beedle, o bardo*... eu nunca ouvi falar deles!

— Você nunca ouviu falar de *Os contos de Beedle, o bardo*? — perguntou Rony incrédulo. — Você está brincando, certo?

— Não, não estou! — respondeu Hermione surpresa. — Então, você os conhece?

— Claro que sim!

Harry ergueu os olhos se divertindo. Rony ter lido um livro que Hermione não conhecia era um fato sem precedentes. Rony, no entanto, parecia espantado com a surpresa dos amigos.

— Ah, gente, que é isso! Todas as histórias tradicionais para crianças são supostamente de Beedle, não? *A fonte da sorte*... *O bruxo e o caldeirão saltitante*... *Babbitty, a coelha, e o toco que cacarejava*...

— Perdão! — disse Hermione rindo. — Como é mesmo essa última?

— Ah, qual é! — exclamou Rony, olhando para os dois sem acreditar. — Vocês devem ter ouvido falar em *Babbitty, a coelha*...

— Rony, você sabe muito bem que Harry e eu fomos criados por trouxas! — lembrou Hermione. — Não ouvimos essas histórias quando éramos pequenos, ouvimos *Branca de neve e os sete anões* e *Cinderela*...

— Que é isso, uma doença? — perguntou Rony.

— Então são histórias para crianças? — perguntou Hermione, reexaminando as runas.

— É — respondeu Rony, inseguro —, quero dizer, é o que contavam para a gente, entende, e todas essas histórias antigas são do Beedle. Não sei como são na versão original.

— Mas por que Dumbledore achou que eu deveria lê-las?

Alguma coisa rangeu abaixo do sótão.

— Provavelmente é o Carlinhos. Agora que mamãe foi dormir, deve estar saindo escondido para fazer os cabelos crescerem — disse Rony nervoso.

— Mesmo que seja, devíamos voltar para a cama — sussurrou Hermione. — Não vai pegar bem a gente perder a hora amanhã.

— Não mesmo — concordou Rony. — A mãe do noivo cometer um homicídio triplo e brutal pode estragar o casamento. Vou acender as luzes.

E ele clicou o desiluminador mais uma vez enquanto Hermione ia saindo do quarto.

8

O CASAMENTO

Às três horas da tarde do dia seguinte, Harry, Rony, Fred e Jorge estavam parados diante da grande tenda branca no pomar, aguardando a chegada dos convidados para o casamento. Harry tomara uma boa dose de Poção Polissuco e virara o duplo de um trouxa ruivo, morador da aldeia local, Ottery St. Catchpole, de quem Fred roubara alguns fios de cabelo usando um Feitiço Convocatório. O plano era apresentar Harry como o "primo Barny" e confiar que o grande número de parentes dos Weasley o camuflasse.

Os quatro estavam segurando mapas da disposição das cadeiras para poder levar os convidados aos seus lugares. Uma legião de garçons vestidos de branco chegara uma hora antes, ao mesmo tempo que uma banda de paletós dourados. No momento, todos esses bruxos estavam sentados a uma pequena distância sob uma árvore; Harry viu uma nuvem azulada de fumaça de cachimbos se elevando do local.

Atrás do garoto, a entrada da tenda revelava filas e mais filas de frágeis cadeiras douradas dispostas nas laterais de um longo tapete roxo. Os postes de sustentação estavam enfeitados com guirlandas de flores brancas e douradas. Fred e Jorge tinham prendido um enorme buquê de balões dourados sobre o ponto exato em que Gui e Fleur em breve se tornariam marido e mulher. Fora da tenda, abelhas e borboletas pairavam preguiçosamente sobre a grama e a sebe. Harry se sentia bastante desconfortável. O garoto trouxa cuja aparência ele assumira era ligeiramente mais gordo, e suas próprias vestes a rigor estavam quentes e apertadas à claridade ofuscante do dia de verão.

— Quando eu me casar — disse Fred, repuxando a gola de suas vestes —, não vou me preocupar com nenhuma dessas bobagens. Vocês todos podem vestir o que quiserem, e lançarei um Feitiço do Corpo Preso na mamãe até terminar a cerimônia.

— Ela não esteve tão ruim assim hoje de manhã — comentou Jorge. — Chorou um pouco porque Percy não veio, mas quem queria a presença dele? Ah, caramba, se preparem... aí vêm eles, olhem.

Vultos muito coloridos vinham surgindo do ar, um a um, na distante divisa do quintal. Em minutos formou-se uma procissão, que começou a serpear pelo jardim em direção à tenda. Flores exóticas e pássaros enfeitiçados esvoaçavam nos chapéus das bruxas, e pedras preciosas cintilavam nas gravatas de muitos bruxos; o murmúrio das conversas animadas foi crescendo cada vez mais, abafando o zumbido das abelhas à medida que a multidão se aproximava da tenda.

– Excelente, acho que estou avistando algumas primas *veelas* – disse Jorge, espichando o pescoço para ver melhor. – Elas vão precisar de ajuda para entender os nossos costumes ingleses, podem deixar que eu cuido delas.

– Calma aí, seu mal-amado – disse Fred, passando como uma flecha pelo bando de bruxas de meia-idade que vinham à frente da procissão. – Por aqui, *permettez-moi* de *assister vous* – ofereceu-se ele a duas belas francesinhas, que aceitaram entre risadinhas, que ele as conduzisse à tenda. A Jorge, couberam as bruxas de meia-idade, Rony se encarregou de um velho colega do sr. Weasley no Ministério, Perkins, e, para Harry, sobrou um casal um tanto surdo.

– E aí, beleza? – disse uma voz conhecida quando Harry tornou a emergir da tenda e deparou com Tonks e Lupin à frente da fila. Ela virara loura para a ocasião. – Arthur disse que você era o de cabelos crespos. Desculpe pela noite passada – acrescentou a bruxa em um sussurro, enquanto o garoto os conduzia pelo corredor central da tenda. – No momento, o Ministério está se mostrando muito antilobisomem, e achamos que a nossa presença poderia prejudicar você.

– Tudo bem, eu entendo – respondeu Harry mais para Lupin do que para Tonks. O bruxo sorriu brevemente, mas, assim que os dois viraram as costas, o garoto percebeu que o rosto do ex-professor retomou as rugas de infelicidade. Ele não estava entendendo, mas não tinha tempo para aprofundar o assunto. Hagrid estava causando um certo tumulto. Tendo entendido mal a orientação que Fred lhe dera, acomodou-se, não na cadeira magicamente aumentada e reforçada que lhe prepararam na última fila, mas em cinco cadeiras que agora pareciam uma montanha de palitos dourados.

Enquanto o sr. Weasley reparava o dano e Hagrid gritava suas desculpas para quantos quisessem ouvi-lo, Harry voltou rapidamente à entrada e encontrou Rony diante de um bruxo excepcionalmente excêntrico. Um tanto vesgo, cabelos brancos que lembravam a textura do algodão-doce e lhe desciam pelos ombros, ele usava um barrete cuja borla balançava diante do seu nariz e era cor de gema de ovo tão berrante que fazia doer os olhos.

Um símbolo estranho, em forma de um olho triangular, brilhava em uma corrente de ouro pendurada ao seu pescoço.

— Xenofílio Lovegood — apresentou-se, estendendo a mão a Harry. — Minha filha e eu moramos ali atrás do morro, foi muita gentileza dos Weasley nos convidarem. Mas acho que conhece a minha Luna, não? — acrescentou para Rony.

— Conheço. Ela não veio com o senhor?

— Luna parou um instante naquele jardinzinho encantador para dizer alô aos gnomos, que gloriosa infestação! São muito poucos os bruxos que entendem o quanto podemos aprender com esses pequenos gnomos sábios, ou, para chamá-los pelo seu nome correto, os *Gernumbli gardensi*.

— Os nossos sabem realmente um tesouro de palavrões — acrescentou Rony —, mas acho que aprenderam com Fred e Jorge.

Dito isso, saiu para levar um grupo de bruxos à tenda no momento em que Luna os alcançava.

— Alô, Harry! — cumprimentou-o a garota.

— Ãh... meu nome é Barny — respondeu ele, surpreso.

— Ah, você trocou o nome também? — replicou Luna animada.

— Como soube...?

— Ah, a sua expressão.

Tal como o pai, a garota estava usando vestes amarelas berrantes, que complementara com um grande girassol nos cabelos. Uma vez que os olhos se acostumassem com o excesso de cor, o efeito geral era bem agradável. Pelo menos desta vez não trazia rabanetes pendurados nas orelhas.

Xenofílio, que estava absorto a conversar com um conhecido, perdera o diálogo entre Luna e Harry. Despedindo-se do bruxo, virou-se para a filha, que, erguendo o dedo, disse:

— Papai, olhe... um dos gnomos me mordeu!

— Que maravilha! A saliva de gnomo é extremamente benéfica! — comentou o sr. Lovegood, segurando o dedo que a filha lhe estendia e examinando os furinhos ensanguentados. — Luna, meu amor, se hoje você sentir um novo talento despontar, talvez uma inesperada vontade de cantar ópera ou de declamar em serêiaco, não se reprima! Talvez tenha recebido uma dádiva dos *Gernumblies*!

Rony, que cruzava por eles, desdenhou com uma risadinha.

— Rony, pode rir — comentou Luna serenamente, enquanto Harry conduzia ela e o sr. Lovegood aos seus lugares —, mas meu pai fez muitas pesquisas sobre a magia *Gernumbli*.

— Sério?! — exclamou Harry, que há muito tempo resolvera parar de questionar as excêntricas opiniões de Luna e seu pai. — Mas tem certeza que não quer pôr alguma coisa nessa mordida?

— Ah, não se preocupe — disse Luna, chupando o dedo, distraidamente, e medindo Harry de alto a baixo. — Você está elegante. Eu disse a papai que a maioria das pessoas provavelmente usaria vestes a rigor, mas ele acredita que se deve usar cores solares em um casamento, para dar sorte, entende.

Quando ela se afastou para acompanhar o pai, Rony reapareceu com uma bruxa idosa agarrada ao seu braço. Seu nariz curvo, os olhos de contornos vermelhos, e o chapéu rosa enfeitado com penas lhe davam a aparência de um flamingo mal-humorado.

— ... e os seus cabelos estão compridos demais, por um momento cheguei a pensar que você era a Ginevra. Pelas barbas de Merlim, que é que o Xenofílio está vestindo? Parece uma omelete. E quem é você? — perguntou rispidamente a Harry.

— Ah, sim, tia Muriel, esse é o nosso primo Barny.

— Mais um Weasley? Vocês se reproduzem como gnomos. E Harry Potter não está aqui? Eu tinha esperança de conhecê-lo. Pensei que fosse seu amigo, Ronald, ou você andou apenas se gabando?

— Não... ele não pôde vir...

— Humm. Deu uma desculpa, foi? Então, não é tão retardado quanto aparenta ser nas fotos da imprensa. Estive ensinando a noiva como é melhor usar a minha tiara — gritou para Harry. — Artesanato dos duendes, sabe, está na minha família há séculos. Ela é uma moça bonita, mas... *francesa*. Bem, bem, me arranje um bom lugar, Ronald, tenho cento e sete anos e não devo ficar em pé muito tempo.

Ao passar por Harry, Rony lançou-lhe um olhar significativo e não reapareceu por algum tempo; quando tornaram a se encontrar na entrada, Harry tinha levado mais de dez pessoas aos seus lugares. A tenda estava quase cheia agora e, pela primeira vez, não havia fila do lado de fora.

— Um pesadelo, essa Muriel! — exclamou Rony, enxugando a testa com a manga da roupa. — Costumava vir todo ano passar o Natal conosco, então, graças a Deus, se ofendeu porque Fred e Jorge estouraram uma bomba de bosta embaixo da cadeira dela na hora da ceia. Papai sempre comenta que ela deve ter riscado os dois do testamento, como se eles se importassem; nesse ritmo, eles vão acabar sendo os mais ricos da família... uau — acrescentou, pestanejando rapidamente quando viu Hermione vindo apressada ao encontro dos dois. — Que máximo!

— Sempre o tom de surpresa — respondeu Hermione, embora sorrisse. Usava um esvoaçante vestido lilás com sapatos altos da mesma cor; seus cabelos estavam lisos e sedosos. — Sua tia-avó Muriel não concorda, acabei de encontrá-la lá em cima entregando a tiara a Fleur: "Ai, não, essa é a menina que nasceu trouxa?", e em seguida "má postura e tornozelos finos demais".

— Não se ofenda, ela é grosseira com todo o mundo — disse Rony.

— Falando de Muriel? — perguntou Jorge, emergindo da tenda com Fred. — É, ela acabou de dizer que as minhas orelhas estão desiguais. Morcega velha. Mas eu gostaria que o tio Abílio ainda fosse vivo; ele era gargalhada certa em casamentos.

— Não foi ele que viu um Sinistro e morreu vinte e quatro horas depois? — perguntou Hermione.

— Bem, foi, ele ficou meio esquisito mais para o fim da vida — admitiu Jorge.

— Mas, antes de ficar caduco, ele era a alma das festas — comentou Fred. — Costumava beber uma garrafa inteira de uísque de fogo, depois ia para o meio do salão de dança, levantava as vestes e começava a tirar buquês de flores do...

— É, era realmente encantador — interrompeu-o Hermione, enquanto Harry se acabava de rir.

— Jamais casou, não sei por quê — disse Rony.

— Você me espanta — replicou Hermione.

Estavam rindo tanto que nenhum deles notou um convidado atrasado, um rapaz de cabelos escuros com um narigão curvo e grossas sobrancelhas pretas, até ele apresentar o convite a Rony e dizer, com os olhos em Hermione:

— Você está marravilhosa!

— Vítor! — exclamou ela, deixando cair a bolsinha de contas, que produziu um baque desproporcional ao tamanho. Ao se abaixar, corando, para recuperá-la, disse: — Eu não sabia que você foi... nossa... que prazer ver... como vai?

As orelhas de Rony tinham mais uma vez ficado muito vermelhas. Examinando o convite de Krum como se não acreditasse em uma palavra do que via escrito, falou, um pouco alto demais:

— Por que está aqui?

— Fleur me convidou — respondeu Krum, erguendo as sobrancelhas.

Harry, que não tinha nada contra o búlgaro, apertou a mão do rapaz; depois, sentindo que seria prudente retirá-lo das imediações de Rony, ofereceu-se para lhe mostrar onde sentar.

– O seu amigo não ficou satisfeito em me verr – comentou Krum, entrando na tenda agora inteiramente lotada. – Ou ele é seu parrente? – acrescentou, reparando nos cabelos ruivos e crespos de Harry.

– Primo – murmurou, mas Krum parara de escutar. Sua aparição estava causando certo rebuliço, particularmente entre as primas *veelas*: afinal, era um famoso jogador de quadribol. Enquanto as pessoas ainda se esticavam para dar uma boa olhada nele, Rony, Hermione, Fred e Jorge vieram, apressados, pelo corredor central.

– Hora de sentar – disse Fred a Harry – ou vamos ser atropelados pela noiva.

Harry, Rony e Hermione sentaram-se na segunda fila atrás de Fred e Jorge. A garota ainda estava muito rosada, e as orelhas de Rony continuavam escarlates. Passados alguns instantes, ele resmungou para Harry:

– Você viu a barbicha idiota que ele deixou crescer?

Harry respondeu com um grunhido indefinido.

Uma sensação de ansiedade perpassava a tenda quente, os murmúrios eram pontuados por ocasionais risadas de animação. O sr. e a sra. Weasley entraram no corredor sorrindo e acenando para os parentes; ela trajando um conjunto novo de vestes ametistas e um chapéu da mesma cor.

No momento seguinte, Gui e Carlinhos se postaram à frente da tenda, os dois de vestes a rigor com grandes rosas brancas nas botoeiras; Fred deu um assovio de aprovação, que foi acompanhado por nova erupção de risinhos das primas *veelas*.

Então a multidão fez silêncio e o volume da música foi aumentando, aparentemente vinda dos balões dourados.

– Aaaah! – exclamou Hermione virando-se na cadeira para olhar a entrada.

Um suspiro coletivo se ergueu dos bruxos e bruxas reunidos quando Monsieur Delacour e Fleur entraram pelo corredor, ela deslizando, ele balançando o corpo com um largo sorriso no rosto. A noiva usava um vestido branco simples e parecia desprender uma forte aura prateada. Embora, por comparação, sua radiância normalmente empanasse a de qualquer pessoa, hoje embelezava todos sobre quem incidia. Gina e Gabrielle, ambas usando trajes dourados, pareciam ainda mais bonitas do que de costume, e quando Fleur chegou aonde estava Gui, ele pareceu jamais ter enfrentado Lobo Greyback.

— Senhoras e senhores — anunciou uma voz ligeiramente cantada, e, com um leve choque, Harry reconheceu o mesmo bruxo franzino com cabelos em tufos que presidira o funeral de Dumbledore, agora diante de Gui e Fleur. — Estamos aqui reunidos para celebrar a união de dois fiéis...

— Decididamente, a minha tiara valoriza toda a cerimônia — comentou tia Muriel, com um poderoso sussurro. — Mas é preciso que se diga, o vestido de Ginevra está decotado demais.

Gina olhou para o lado, sorrindo, piscou para Harry e em seguida virou-se de novo para a frente. O pensamento de Harry transportou-se a grande distância da tenda, para as tardes em que passaram a sós em lugares isolados dos jardins da escola. Pareciam ter sido há tanto tempo; sempre bons demais para serem reais, como se ele tivesse furtado horas ensolaradas da vida de alguém normal, alguém sem cicatriz em forma de raio no meio da testa...

— Guilherme Arthur, você aceita Fleur Isabelle...?

Na primeira fila, a sra. Weasley e Madame Delacour choravam baixinho em lencinhos de renda. Sons de trombeta ao fundo da tenda anunciaram que Hagrid puxara do bolso um dos seus lenços tamanho-toalha. Hermione virou-se sorridente para Harry; seus olhos também estavam marejados de lágrimas.

— ... então eu os declaro unidos para toda a vida.

O bruxo de cabelos em tufos ergueu a varinha sobre as cabeças de Gui e Fleur e uma chuva de estrelas caiu sobre os noivos, envolvendo em espirais os seus corpos agora entrelaçados. Enquanto Fred e Jorge puxavam uma salva de palmas, os balões dourados no alto estouraram: flutuaram no ar aves do paraíso e minúsculos sinos de prata que somaram seus cantos e tinidos à zoada geral.

— Senhoras e senhores! — falou o bruxo de cabelos em tufos. — Por favor, queiram se levantar!

Todos obedeceram, tia Muriel resmungando audivelmente; ele acenou a varinha. As cadeiras em que as pessoas tinham estado sentadas se ergueram graciosamente no ar, ao mesmo tempo que as paredes da tenda desapareciam, deixando agora os convidados apenas sob o toldo sustentado pelos postes dourados, com uma vista gloriosa do pomar ensolarado e do campo ao redor. Em seguida, uma poça de ouro líquido se espalhou do centro para a periferia da tenda formando uma pista de dança reluzente; as cadeiras suspensas se agruparam em torno das mesinhas, cobertas com toalhas brancas, o conjunto flutuou suavemente de volta ao jardim, e a banda de paletós dourados marchou em direção a um pódio.

— Legal — aprovou Rony, enquanto os garçons surgiam de todos os lados, alguns trazendo bandejas de prata com suco de abóbora, cerveja amanteigada e uísque de fogo, outros equilibrando montanhas de tortinhas e sanduíches.

— Temos que ir cumprimentá-los! — disse Hermione, ficando nas pontas dos pés para localizar onde Gui e Fleur tinham desaparecido cercados por uma multidão que lhes desejava felicidades.

— Bem, teremos tempo depois — disse Rony dando de ombros, e, tirando três cervejas amanteigadas de uma bandeja que passava, entregou uma a Harry. — Hermione, é agora, vamos pegar uma mesa... ali não! O mais longe da Muriel...

Rony atravessou a pista de dança vazia, olhando para os lados: Harry teve certeza de que ele estava atento a Krum. Quando finalmente alcançaram o lado oposto do toldo, a maior parte das mesas já estava tomada: a mais vazia era a que Luna ocupava sozinha.

— Tudo bem se a gente sentar com você? — perguntou Rony.

— Ah, claro — respondeu ela contente. — Papai foi entregar a Gui e Fleur o nosso presente.

— Que é... um estoque de raízes-de-cuia para a vida toda? — perguntou Rony.

Hermione deu-lhe um pontapé por baixo da mesa, mas acertou em Harry. Com os olhos lacrimejando de dor, o garoto perdeu o fio da conversa por alguns momentos.

A banda começara a tocar. Gui e Fleur foram os primeiros na pista de dança, sob os aplausos gerais; passado um momento, o sr. Weasley chegou com Madame Delacour, no que foi seguido pela sra. Weasley com o pai de Fleur.

— Gosto dessa música — disse Luna, balançando-se no ritmo de uma valsa, e segundos depois ela se levantou e deslizou para a pista, onde dançou sem sair do lugar, sozinha, agitando os braços de olhos fechados.

— Ela é ótima, não é? — comentou Rony com admiração. — Sempre vale a pena olhar.

O sorriso, porém, apagou-se imediatamente do seu rosto: Vítor Krum havia sentado na cadeira desocupada por Luna. Hermione pareceu agradavelmente perturbada, mas desta vez Krum não viera cumprimentá-la. Com o rosto contraído, ele perguntou:

— Quem é aquele homem de amarelo?

– É o Xenofílio Lovegood, pai de uma amiga nossa – respondeu Rony. Seu tom agressivo indicava que eles não iriam rir de Xenofílio, apesar da clara provocação. – Vamos dançar – acrescentou ele, bruscamente, para Hermione.

Ela pareceu surpresa, mas também feliz, e se levantou: eles desapareceram na pista de dança que agora ia enchendo de dançarinos.

– Ah, eles estão juntos agora? – perguntou Krum, momentaneamente distraído.

– Ah... mais ou menos – respondeu Harry.

– E você quem é? – tornou Krum.

– Barny Weasley.

Eles se apertaram as mãos.

– Você, Barny... conhece bem esse tal Lovegood?

– Não, eu o conheci hoje. Por quê?

Krum franziu o cenho por cima da borda do copo de bebida, observando Xenofílio, que conversava com vários bruxos do lado oposto da pista de dança.

– Porrque – disse Krum –, se ele não fosse convidado da Fleur, eu o desafiarria parra um duelo aqui e agora, porr usarr aquele símbolo nojento no peito.

– Símbolo? – admirou-se Harry, olhando também para Xenofílio. O estranho olho triangular brilhava em seu peito. – Por quê? Qual é o problema?

– Grrindelvald. Aquele é o símbolo de Grrindelvald.

– Grindelwald... o bruxo das trevas que Dumbledore derrotou?

– Exatamente. – Os músculos do queixo de Krum se moveram como se estivesse mascando, e ele continuou: – Grrindelvald matou muitas pessoas, meu avô, porr exemplo. Naturralmente ele nunca foi muito poderroso em seu país, diziam que temia Dumbledorre: e com razão, sabendo como foi derrotado. Mas isto... – Ele apontou para Xenofílio. – Isto é o símbolo dele, reconheci na hora: Grrindelvald grravou-o em uma parrede de Durrmstrrang quando estudou lá. Alguns idiotas o copiarram nos livros e nas roupas, querrendo chocarr, se fazerr de imporrtantes, até que aqueles, como nós, que tínhamos perrdido familiarres porr culpa de Grrindelvald, demos uma lição neles.

Krum estalou as juntas dos dedos ameaçadoramente, amarrando a cara para Xenofílio. Harry ficou perplexo. Parecia-lhe extremamente improvável que o pai de Luna fosse um seguidor das Artes das Trevas, e ninguém mais na tenda parecia ter reconhecido o triângulo, cujo formato lembrava uma runa.

— Você tem, ah, certeza que é de Grindelwald...?

— Não estou enganado — replicou Krum com frieza. — Passei porr aquele símbolo durrante anos, conheço-o bem.

— Bem, tem uma probabilidade de que Xenofílio não saiba o que o símbolo realmente significa. Os Lovegood são muito... incomuns. Ele pode muito bem tê-lo comprado por aí, achando que é o corte transversal de uma cabeça de Bufadores de Chifre Enrugado ou outra coisa qualquer.

— Um corrte trransverrsal do quê?

— Bom, não sei muito bem o que são, mas aparentemente ele e a filha viajam nas férias para procurá-los...

Harry sentiu que não estava sendo muito convincente ao explicar Luna e o pai.

— É ela ali — disse apontando a garota, que ainda dançava sozinha, agitando os braços em torno da cabeça como quem tenta espantar maruins.

— Porr que ela está fazendo aquilo? — perguntou Krum.

— Provavelmente está tentando se livrar de um zonzóbulo — arriscou Harry, que reconheceu os sintomas.

Krum não soube dizer se Harry estava ou não gozando com a cara dele. Puxou a varinha de dentro das vestes e bateu-a ameaçadoramente na coxa; da ponta saltaram faíscas.

— Gregorovitch! — exclamou Harry em voz alta, e Krum se sobressaltou, mas o garoto estava animado demais para ligar: lembrara-se, afinal, ao ver a varinha de Krum: Olivaras a apanhara e examinara cuidadosamente antes do Torneio Tribruxo.

— Que tem ele? — perguntou Krum, desconfiado.

— É fabricante de varinhas!

— Eu sei.

— Fabricou sua varinha! Foi por isso que pensei... quadribol...

Krum parecia mais e mais desconfiado.

— Como sabe que foi Gregorovitch que fabrricou a minha varrinha?

— Li... li em algum lugar, acho. Em um... um fanzine — improvisou sem pensar, e Krum pareceu mais tranquilo.

— Eu não me lembrrava de ter jamais discutido minha varrinha com os fãs.

— Então... ah... onde anda Gregorovitch ultimamente?

Krum pareceu intrigado.

— Ele se aposentou faz anos. Fui um dos últimos a comprarr uma varrinha fabrricada porr ele. São as melhorres, embora eu saiba, é clarro, que os brritânicos dão grrande valorr a Olivarras.

Harry não respondeu. Fingiu observar, tal como Krum, os pares que dançavam, mas estava pensando com grande concentração. Então Voldemort estava procurando um célebre fabricante de varinhas, e o garoto não precisava ir muito longe para saber a razão: certamente era por causa da reação da varinha de Harry na noite em que ele o perseguira pelo céu. A varinha de azevinho e pena de fênix tinha vencido a que Voldemort tomara emprestada, algo que Olivaras não tinha previsto nem compreendia. Gregorovitch saberia explicar? Seria, de fato, mais qualificado que Olivaras? Conheceria segredos sobre varinhas que Olivaras ignorava?

— Essa garota é muito bonita — comentou Krum, fazendo Harry voltar ao presente. Krum estava apontando para Gina, que acabara de se juntar a Luna. — Também é sua parenta?

— É — informou Harry, repentinamente irritado —, e está namorando alguém. Um cara ciumento. Grandalhão. Você não iria querer atravessar o caminho dele.

Krum resmungou:

— Qual é — disse, esvaziando o copo e se pondo de pé — a vantagem de ser jogador internacional de quadribol se todas as moças bonitas já estão comprometidas?

E se afastou, deixando Harry, que, depois de apanhar um sanduíche com um garçom que ia passando, contornou a pista de dança apinhada. Queria achar Rony e lhe falar sobre Gregorovitch, mas o amigo estava dançando com Hermione no meio da multidão. Harry se encostou em um dos postes dourados e ficou observando Gina, que dançava com o amigo de Fred e Jorge, Lino Jordan, tentando não sentir raiva da promessa que fizera a Rony.

Ele nunca fora a um casamento antes, portanto não era capaz de avaliar as diferenças entre as celebrações dos bruxos e as dos trouxas, embora tivesse certeza de que essas últimas não teriam um bolo de casamento coroado por duas fênix falsas que levantaram voo quando os noivos cortaram a primeira fatia, nem garrafas de champanhe que flutuavam entre os convidados. A noite foi chegando e as mariposas começaram a mergulhar sob o toldo, agora iluminado por lanternas douradas suspensas no ar, e a festa foi se tornando mais descontraída. Fred e Jorge tinham desaparecido na escuridão, havia muito tempo, com duas primas de Fleur; Carlinhos, Hagrid e um bruxo atarracado com um chapéu de abas reviradas entoavam, a um canto, "Odo, o herói".

Andando entre os convidados para fugir de um tio bêbado de Rony que parecia não ter certeza se Harry era ou não seu filho, o garoto localizou um velho bruxo sentado sozinho a uma mesa. A nuvem de cabelos brancos que envolvia sua cabeça lhe dava a aparência de um diáfano dente-de-leão, encimado por um fez roído de traças. Achou-o vagamente familiar: vasculhando a memória, Harry de repente lembrou que era Elifas Doge, membro da Ordem da Fênix e autor do obituário de Dumbledore.

Harry se aproximou.

— Posso me sentar?

— Claro, claro — respondeu Doge. Tinha uma voz aguda e chiada.

Harry se inclinou para ele.

— Sr. Doge, sou Harry Potter.

Doge ofegou.

— Meu caro rapaz! Arthur me disse que você estava aqui disfarçado... É uma grande alegria e uma grande honra!

Em um arroubo de prazer e agitação, Doge serviu-lhe uma taça de champanhe.

— Pensei em lhe escrever — sussurrou o bruxo — depois que Dumbledore... o choque... e para você, tenho certeza...

Os olhinhos de Doge se encheram de repentinas lágrimas.

— Li o obituário que o senhor escreveu no *Profeta Diário*. Não sabia que o senhor conhecia o prof. Dumbledore tão bem.

— Tão bem quanto qualquer outro — replicou ele, secando as lágrimas com um guardanapo. — Com certeza conheci-o por mais tempo, se não contarmos o irmão Aberforth, que, por alguma razão, as pessoas parecem jamais levar em conta.

— Voltando ao *Profeta Diário*... Não sei se viu, sr. Doge...

— Ah, por favor me chame de Elifas, caro rapaz.

— Elifas, não sei se viu a entrevista que Rita Skeeter deu sobre Dumbledore.

Uma vermelhidão de cólera afluiu ao rosto de Doge.

— Ah, sim, Harry, vi. Aquela mulher, ou urubu seria um termo mais apropriado, decididamente me importunou para conversar com ela. Envergonho-me de dizer que fui grosseiro, chamei-a de metida, e o resultado, como você pôde ver, foram insinuações sobre a minha sanidade.

— Bem, naquela entrevista — continuou Harry —, Rita Skeeter sugeriu que, na juventude, o prof. Dumbledore se envolveu com as Artes das Trevas.

— Não acredite em uma palavra do que leu! — retrucou Doge na mesma hora. — Em nenhuma, Harry! Não deixe nada macular as lembranças que tem de Alvo Dumbledore!

Harry olhou para o rosto sério e atormentado de Doge e não se sentiu confiante, mas sim frustrado. Será que Doge realmente pensava que era fácil, que ele simplesmente poderia *decidir* não acreditar? Será que Doge não compreendia que Harry precisava ter certeza, *saber* de tudo?

Talvez Doge suspeitasse dos sentimentos de Harry, porque pareceu preocupado e se apressou a enfatizar:

— Harry, Rita Skeeter é uma horrenda...

Mas o bruxo foi interrompido por uma gargalhada aguda.

— Rita Skeeter? Ah, eu adoro aquela mulher, eu sempre leio o que ela escreve!

Harry e Doge ergueram os olhos e deram com a tia Muriel parada ali, as penas balançando no chapéu, uma taça de champanhe na mão.

— Ela escreveu um livro sobre Dumbledore, sabem!

— Olá, Muriel — cumprimentou-a Doge. — Sim, estávamos mesmo discutindo...

— Você aí! Me ceda a sua cadeira, tenho cento e sete anos!

Outro primo ruivo dos Weasley saltou de uma cadeira, assustado, e tia Muriel virou-a com surpreendente força e sentou-se entre Doge e Harry.

— Olá de novo, Barry, ou que nome tenha — disse ela para Harry. — Então, que estava dizendo sobre Rita Skeeter, Elifas? Já sabe que ela escreveu uma biografia de Dumbledore? Mal posso esperar para ler, preciso me lembrar de encomendá-la na Floreios e Borrões!

Doge se tornou frio e grave ao ouvir isso, mas tia Muriel esvaziou a taça que trazia e estalou os dedos ossudos para um garçom que ia passando. Tomou mais um grande gole, arrotou e acrescentou:

— Não precisam fazer cara de sapos empalhados! Antes de se tornar respeitado e respeitável e toda essa baboseira, correram boatos bem esquisitos sobre o Alvo!

— Calúnias sem fundamento — replicou Doge, ficando outra vez cor de rabanete.

— É bem o que você diria, Elifas — cacarejou tia Muriel. — Notei como você pulou os pontos controvertidos naquele seu obituário!

— Lamento que pense assim — disse Doge, com a maior frieza. — Posso lhe assegurar que escrevi com o coração.

— Ah, todo o mundo sabe que você venerava Dumbledore; ouso dizer que continuará a achá-lo um santo, mesmo se revelarem que ele matou aquela bruxa abortada que era a irmã dele.

— Muriel! — exclamou Doge.

Uma frialdade que não se devia ao champanhe gelado começou a invadir o peito de Harry.

— Como assim? — perguntou ele a Muriel. — Quem disse que a irmã dele era uma bruxa abortada? Pensei que fosse doente, não?

— Pois pensou errado, não foi, Barry?! — exclamou tia Muriel, parecendo satisfeita com o efeito que causara. — Enfim, como você poderia saber alguma coisa sobre isso? Aconteceu há muitos anos, antes mesmo que você fosse cogitado, meu caro, e a verdade é que nós que estávamos vivos à época nunca soubemos o que realmente aconteceu. É por isso que mal posso esperar para ler o que Skeeter desenterrou! Dumbledore guardou silêncio sobre aquela irmã por tempo demais!

— Não é verdade — chiou Doge. — Absolutamente não é verdade.

— Ele nunca me disse que teve uma irmã que era um aborto — disse Harry sem pensar, ainda frio por dentro.

— E por que lhe diria isso? — esganiçou-se Muriel, oscilando um pouco na cadeira, tentando focalizar Harry.

— A razão por que Alvo nunca falava em Ariana — começou Elifas, com a voz emocionada — é, imagino, muito clara. Ficou arrasado com a morte da irmã...

— Por que ninguém nunca a via, Elifas? — grasnou Muriel. — Por que metade de nós sequer soube que ela existia, até o caixão sair da casa para os funerais? Onde estava o santo Dumbledore, enquanto Ariana viveu trancada no porão? Estava brilhando em Hogwarts sem se importar com o que acontecia em sua própria casa!

— Como assim "trancada no porão"? — perguntou Harry. — Que quer dizer com isso?

Doge era a imagem da infelicidade. Tia Muriel tornou a responder a Harry com sua voz aguda.

— A mãe de Dumbledore era uma mulher apavorante, simplesmente apavorante. Nasceu trouxa, embora tenham me dito que ela fingia não ser...

— Ela nunca fingiu nada! Kendra era uma excelente mulher! — sussurrou Doge angustiado, mas tia Muriel não lhe deu atenção.

— ... orgulhosa e muito dominadora, o tipo de bruxa que se sentiria mortificada de produzir um aborto da natureza...

— Ariana não era um aborto da natureza! — chiou Doge.

— É o que você diz, Elifas, mas me explique, então, por que ela nunca frequentou Hogwarts! — E, voltando-se para Harry. — No nosso tempo, era comum as famílias esconderem os bruxos abortados. Embora chegar ao extremo de trancafiar uma menininha em casa e fingir que ela não existia...

— Estou lhe afirmando que não foi o que aconteceu! — retorquiu Doge, mas tia Muriel passou de rolo compressor e continuou a se dirigir a Harry.

— Os bruxos abortados normalmente iam para escolas de trouxas e eram incentivados a se integrarem na comunidade trouxa... muito mais caridoso do que tentar encontrar um lugar para eles no mundo bruxo, onde seriam sempre considerados inferiores; mas naturalmente Kendra Dumbledore não sonharia em deixar a filha frequentar uma escola trouxa.

— Ariana era delicada! — argumentou Doge desesperado. — A saúde dela sempre foi precária demais para lhe permitir...

— Permitir sair de casa? — cacarejou Muriel. — No entanto, ela jamais foi levada ao St. Mungus e nenhum curandeiro jamais foi chamado para atendê-la!

— Francamente, Muriel, como é possível você saber se...

— Para sua informação, Elifas, meu primo Lancelote era curandeiro no St. Mungus naquela época e contou à minha família, em confiança, que Ariana nunca fora vista por lá. Tudo muito suspeito, era o que o Lancelote pensava!

Doge parecia à beira das lágrimas. Tia Muriel, que parecia estar se divertindo imensamente, estalou os dedos para que lhe trouxessem mais champanhe. Sem sentir, Harry pensou nos Dursley e como, no passado, o tinham calado, trancado e mantido fora de vista, tudo pelo crime de ser bruxo. A irmã de Dumbledore teria sofrido o reverso do mesmo destino? Presa por lhe faltar magia? E Dumbledore teria realmente deixado a irmã entregue à própria sorte enquanto partia para Hogwarts, para provar sua genialidade e talento?

— Agora, se Kendra não tivesse morrido primeiro — retomou Muriel —, eu diria que foi ela quem liquidou Ariana...

— Como pode dizer isso, Muriel? — gemeu Doge. — Uma mãe matar a própria filha? Pense no que está dizendo!

— Se a mãe em questão fosse capaz de manter a filha presa durante anos, por que não? — retrucou Muriel sacudindo os ombros. — Mas, como digo, a história não se encaixa, porque Kendra morreu antes de Ariana, portanto, ninguém jamais soube direito...

— Ah, com certeza Ariana assassinou a mãe — replicou Doge, tentando corajosamente desdenhar. — Por que não?

— É, Ariana talvez tenha feito uma desesperada tentativa para se libertar e, no esforço, matou Kendra — concluiu tia Muriel, pensativa. — Pode balançar a cabeça o quanto quiser, Elifas! Você esteve nos funerais de Ariana, não esteve?

— Estive — confirmou Doge, com os lábios trêmulos. — E não me lembro de ocasião mais desesperadamente triste. Alvo estava com o coração despedaçado...

— E não era só o coração. Aberforth não quebrou o nariz de Dumbledore durante a encomendação do corpo?

Se Doge parecera horrorizado antes, não se comparava ao que demonstrava agora. Era como se Muriel o tivesse esfaqueado. A bruxa riu alto e tomou mais um gole de champanhe, que escorreu pelo seu queixo.

— Como você...?! — exclamou Doge rouco.

— Minha mãe era amiga da velha Batilda Bagshot — disse ela, alegre. — Batilda contou tudo a minha mãe, e eu ouvi atrás da porta. Uma briga ao lado do caixão. Pelo que Batilda descreveu, Aberforth gritou que era culpa de Alvo que Ariana tivesse morrido e, em seguida, deu-lhe um murro na cara. Ela contou ainda que Alvo nem sequer se defendeu, o que é estranho, porque poderia ter acabado com o irmão em um duelo com as mãos amarradas nas costas.

Muriel continuou bebendo champanhe. A enumeração desses velhos escândalos parecia animá-la tanto quanto horrorizava Doge. Harry não sabia o que pensar, em que acreditar: queria a verdade, contudo, Doge não reagia, apenas balia debilmente que Ariana adoecera. Harry não conseguia acreditar que Dumbledore não tivesse intervindo se estivesse ocorrendo uma crueldade daquelas em sua própria casa, mas, sem dúvida, havia alguma coisa estranha na história toda.

— E vou lhe dizer mais — continuou Muriel, com um leve soluço, baixando sua taça. — Acho que Batilda deu com a língua nos dentes para Rita Skeeter. Aquelas insinuações que ela fez na entrevista sobre uma importante fonte chegada aos Dumbledore... todos sabem que Batilda presenciou o que aconteceu com Ariana, e se encaixaria perfeitamente!

— Batilda jamais falaria com Rita Skeeter! — murmurou Doge.

— Batilda Bagshot? — indagou Harry. — A autora de *História da magia*?

O nome estava impresso na capa de um de seus livros de escola, embora o garoto reconhecesse que não era um dos que ele tivesse lido com muita atenção.

— É — confirmou Doge, agarrando-se à pergunta de Harry como um afogado se agarra a uma boia. — Uma talentosa historiadora da magia e uma velha amiga de Alvo.

— E ultimamente bem gagá, segundo ouvi dizer — acrescentou tia Muriel animada.

— Se isso é verdade, foi ainda mais desonroso Skeeter ter se aproveitado dela — disse Doge —, e ninguém pode confiar em nada que Batilda possa ter dito!

— Há maneiras de se recuperar lembranças, e tenho certeza de que Rita Skeeter conhece todas. Mas, mesmo que Batilda esteja completamente lelé, tenho certeza de que ainda guarda velhas fotos e talvez até cartas. Conheceu os Dumbledore durante anos... o que valeria uma viagem a Godric's Hollow, na minha opinião.

Harry, que estivera bebericando sua cerveja amanteigada, se engasgou. Doge deu-lhe palmadas nas costas enquanto o garoto tossia, olhando para tia Muriel com os olhos cheios de lágrimas. Quando recuperou a voz, perguntou:

— Batilda Bagshot mora em Godric's Hollow?

— Ah, sim, há uma eternidade! Os Dumbledore se mudaram para lá depois que Percival foi preso, e ela foi vizinha da família.

— Os Dumbledore moraram em Godric's Hollow?

— Sim, Barry, foi o que acabei de dizer — respondeu tia Muriel irritada.

Harry se sentiu esgotado, vazio. Nem uma vez, naqueles seis anos, Dumbledore lhe contara que os dois tinham morado e perdido familiares queridos em Godric's Hollow. Por quê? Seus pais teriam sido enterrados perto da mãe e da irmã de Dumbledore? Dumbledore teria visitado seus túmulos e, talvez, passado pelos de Lílian e Tiago a caminho? E jamais contara a Harry... jamais se preocupara em dizer...

E por que era tão importante, Harry não sabia explicar nem para si mesmo, contudo sentia que equivalia a uma mentira não ter mencionado que tinham aquele lugar e aquelas experiências em comum. O garoto ficou olhando duro em frente, mal notando o que estava acontecendo ao seu redor, e não percebeu que Hermione se destacara da multidão de convidados, até ela puxar uma cadeira e sentar ao seu lado.

— Simplesmente não consigo dançar mais — ofegou, tirando um dos sapatos e esfregando a sola de um pé. — Rony foi buscar mais cerveja amanteigada. Que coisa estranha, acabei de ver Vítor se afastando enfurecido do pai de Luna, parecia que estiveram discutindo... — Ela baixou a voz, olhando-o. — Harry, você está bem?

O garoto não sabia por onde começar, mas não fez diferença. Naquele momento, algo volumoso e prateado atravessou o toldo sobre a pista de dança. Gracioso e reluzente, o lince aterrissou com leveza entre os espantados convidados. Cabeças se viraram, e as pessoas que estavam mais próximas congelaram absurdamente em meio a passos de dança. Então a boca do Patrono se abriu desmesuradamente e ele anunciou na voz alta, grave e lenta de Kingsley Shacklebolt:

— *O Ministério caiu. Scrimgeour está morto. Eles estão vindo.*

9

UM ESCONDERIJO

A cena pareceu imprecisa e lenta. Harry e Hermione saltaram das cadeiras e empunharam suas varinhas. Muita gente começava apenas a entender que algo estranho acontecera; as cabeças se mantinham voltadas para o lince prateado enquanto ele sumia no ar. O silêncio se propagou em ondas frias desde o ponto em que o Patrono aterrissara. Então alguém gritou.

Harry e Hermione se precipitaram para a multidão em pânico. Os convidados disparavam em todas as direções; muitos estavam desaparatando; os feitiços que protegiam A Toca e seus arredores tinham sido anulados.

— Rony! — gritou Hermione. — Cadê você?

À medida que avançavam pela pista de dança, Harry viu vultos de capa e máscara surgirem na multidão; viu também Lupin e Tonks de varinhas erguidas, e ouviu ambos gritarem: "*Protego!*", um grito que ecoou por todos os lados...

— Rony! Rony! — chamava Hermione, quase soluçando, enquanto ela e Harry eram empurrados pelos convidados aterrorizados; o garoto agarrou a mão dela para garantir que não se separassem, ao mesmo tempo que um raio de luz passou por cima de suas cabeças; se era um feitiço de proteção ou algo mais sinistro eles não sabiam dizer...

Então Rony apareceu. Segurou o braço livre de Hermione, e Harry sentiu-a girar no mesmo lugar; visão e audição se extinguiram quando ele foi engolido pela escuridão; sua única sensação era a mão de Hermione ao ser comprimido no espaço e no tempo, distanciando-se d'A Toca, distanciando-se dos Comensais da Morte que desciam, talvez do próprio Voldemort...

— Onde estamos? — perguntou a voz de Rony.

Harry abriu os olhos. Por um momento pensou nem ter deixado o local do casamento: continuavam cercados de pessoas.

— Rua Tottenham Court — ofegou Hermione. — Ande, apenas ande, precisamos encontrar um lugar para você se trocar.

Harry obedeceu. Eles meio que andavam, meio que corriam pela larga rua escura, apinhada de gente que se divertia na noite, ladeada por lojas fechadas, as estrelas brilhando lá no alto. Um ônibus de dois andares passou, barulhento, e um alegre grupo de boêmios ficou olhando das janelas para eles; Harry e Rony ainda usavam vestes a rigor.

— Hermione, não temos roupas para trocar — comentou Rony, quando uma jovem caiu na risada ao vê-los.

— Por que não verifiquei se tinha trazido comigo a Capa da Invisibilidade? — perguntou Harry, xingando mentalmente a própria burrice. — Carreguei-a durante todo o ano passado e...

— Tudo bem, eu trouxe a capa, trouxe roupas para vocês dois — disse Hermione. — Tentem apenas agir com naturalidade até... aqui vai dar.

Ela os levou a uma rua lateral, e dali ao refúgio de uma travessa escura.

— Quando você diz que trouxe a capa e as roupas... — Harry começou a dizer, franzindo a testa para a amiga, que não levava nada nas mãos, exceto a bolsinha de contas, em cujo interior ela agora remexia.

— Isso mesmo, estão aqui — respondeu ela e, para espanto dos dois garotos, tirou da bolsa um jeans, uma camiseta, meias marrons e, finalmente, a Capa da Invisibilidade prateada.

— Caraca, como foi...?

— Feitiço Indetectável de Extensão — respondeu Hermione. — Complicado, mas acho que o executei corretamente; enfim, consegui enfiar aqui dentro tudo que precisamos. — Ela deu uma sacudidela na bolsinha frágil que ressoou como um porão de carga, quando dentro rolaram vários objetos pesados. — Ah, droga, devem ser os livros — disse Hermione dando uma espiada —, eu tinha empilhado todos por assunto... ah, bom... Harry, é melhor ficar com a Capa da Invisibilidade. Rony, depressa, se troca logo...

— Quando foi que você fez tudo isso? — perguntou Harry, enquanto Rony despia as vestes.

— Eu lhe falei n'A Toca que tinha empacotado o essencial, lembra, caso a gente precisasse sair correndo. Arrumei a sua mochila hoje de manhã, Harry, depois que você se trocou, e guardei tudo aqui... tive um pressentimento...

— Você é um assombro, só é! — exclamou Rony, lhe entregando as vestes enroladas.

— Obrigada — disse Hermione, se esforçando para sorrir ao guardar as vestes na bolsinha. — Por favor, Harry, cubra-se com a capa!

Harry atirou a capa sobre os ombros e puxou-a para a cabeça, desaparecendo de vista. Começava, enfim, a avaliar o que acontecera.

— Os outros... todo o mundo no casamento...

— Não podemos nos preocupar com isso agora — sussurrou Hermione. — É atrás de você que eles estão, Harry, e deixaremos todos em maior perigo se voltarmos.

— Ela tem razão — confirmou Rony, que pareceu perceber que Harry ia contra-argumentar, ainda que não pudesse ver o rosto do amigo. — A maior parte dos membros da Ordem estava presente, eles cuidarão de todos.

Harry assentiu, mas lembrou que os outros não podiam vê-lo e acrescentou:

— É. — Pensou, porém, em Gina, e o medo borbulhou como um ácido em seu estômago.

— Vamos, acho que temos de continuar andando — disse Hermione.

Os três tornaram a sair da rua lateral e entrar na principal, onde um grupo de homens cantava e acenava da calçada oposta.

— Só por curiosidade, por que a rua Tottenham Court? — perguntou Rony a Hermione.

— Não faço ideia, o nome simplesmente me ocorreu, mas tenho certeza de que estaremos mais seguros no mundo dos trouxas, não é onde eles esperam que estejamos.

— Verdade — concordou Rony, olhando para os lados —, mas você não se sente um pouco... exposta?

— Que outra opção nos resta? — perguntou Hermione, se encolhendo quando os homens do outro lado da rua começaram a assoviar para ela. — Não daria para reservar quartos no Caldeirão Furado, não é? E o largo Grimmauld está fora, se o Snape ainda pode entrar lá... suponho que poderíamos tentar a casa dos meus pais, embora seja provável que eles a revistem... ah, eu gostaria que eles calassem a boca!

— Tudo bem, querida? — gritou o mais bêbado dos homens na outra calçada. — Quer tomar um drinque? Larga esse ruivo pra lá e vem tomar uma cerveja!

— Vamos nos sentar em algum lugar — disse Hermione depressa, quando Rony abriu a boca para responder. — Olhe, esse serve, aí dentro!

Era um café pequeno e encardido aberto a noite toda. Uma leve camada de gordura cobria as mesas com tampo de fórmica, mas pelo menos estava vazio. Harry foi o primeiro a entrar no reservado, e Rony sentou ao seu lado, defronte a Hermione, que ficou de costas para a entrada e não gostou: espiava por cima do ombro com tanta frequência que parecia ter um tique nervoso. Harry também não gostou de ficar parado; andar lhe dera a ilusão de que tinham um objetivo. Sob a capa, ele sentia os últimos vestígios da Poção Polissuco se dispersarem, permitindo que suas mãos retomassem o comprimento e a forma normais. Ele tirou os óculos do bolso e colocou-os no rosto.

Passados uns dois minutos, Rony falou:

— Sabem, não estamos muito longe do Caldeirão Furado, é logo ali em Charing Cross...

— Rony, não podemos! — protestou Hermione imediatamente.

— Não para se hospedar lá, mas para descobrir o que está acontecendo!

— Você sabe o que está acontecendo! Voldemort tomou o Ministério, que mais você precisa saber?

— Tá, tá, foi só uma ideia.

Os garotos recaíram em um silêncio incômodo. A garçonete que mascava chiclete se arrastou até a mesa deles e Hermione pediu dois cappuccinos: como Harry estava invisível, teria parecido estranho encomendar um para ele. Dois operários corpulentos entraram no café e se espremeram no reservado contíguo. Hermione falou quase sussurrando:

— Sugiro que procuremos um lugar sem movimento para desaparatar e sair da cidade. Uma vez lá, poderíamos mandar uma mensagem para a Ordem.

— Então, você sabe fazer um Patrono que fala? — perguntou Rony.

— Andei praticando e acho que sei — respondeu a garota.

— Bem, desde que não cause problemas para eles, embora, a essa altura, quem sabe já foram presos. Deus, isso é repugnante — acrescentou Rony, depois de tomar um gole do café cinzento que fumegava. A garçonete ouviu; lançou a Rony um olhar feio e se arrastou para anotar o pedido dos novos fregueses. O maior dos dois operários, louro e avantajado, agora que Harry reparava nele, dispensou a garçonete. Ela o encarou indignada.

— Vamos andando, então, não quero beber essa água suja — disse Rony. — Hermione, você tem dinheiro trouxa para pagar a conta?

— Tenho, tirei tudo que tinha na poupança antes de ir para A Toca. Aposto como todos os trocados estão lá no fundo — suspirou a garota, apanhando a bolsinha de contas.

Os dois operários fizeram movimentos idênticos, e Harry inconscientemente os imitou: os três sacaram as varinhas. Rony, percebendo, com alguns segundos de atraso, o que estava acontecendo, atirou-se sobre a mesa, empurrando Hermione de lado sobre o banco. A força dos feitiços dos Comensais da Morte estilhaçou os azulejos da parede no ponto em que momentos antes estivera a cabeça de Rony, enquanto Harry, ainda invisível, ordenava: "*Estupefaça!*"

O louro grandalhão foi atingido no rosto pelo jato de luz vermelha, e desmontou para um lado, inconsciente. Seu companheiro, incapaz de ver quem lançara o feitiço, disparou outro contra Rony: reluzentes cordas pretas saíram da ponta de sua varinha e amarraram o garoto da cabeça aos pés – a garçonete saiu correndo aos berros em direção à porta –, Harry lançou outro Feitiço Estuporante no Comensal de cara torta que amarrara Rony, mas errou a pontaria e o feitiço, ricocheteando na janela, atingiu a garçonete que caiu junto à porta.

— Expulso! — berrou o Comensal da Morte, e a mesa em frente a Harry se desintegrou: a força da explosão atirou o garoto contra a parede e ele sentiu a varinha lhe escapar da mão e a capa escorregar do seu corpo.

— *Petrificus Totalus!* — berrou Hermione, escondida, e o Comensal tombou para a frente como uma estátua aterrissando com um baque sobre os destroços de louça, mesa e café. A garota engatinhou de baixo do banco, sacudindo os cacos de um cinzeiro de vidro dos cabelos, o corpo trêmulo.

— D... *Diffindo* — ordenou ela, apontando a varinha para Rony, que urrou de dor quando ela rasgou seu jeans no joelho, fazendo-lhe um corte fundo na perna. — Ah, me desculpe, Rony, minha mão está tremendo! *Diffindo!*

As cordas cortadas caíram. Rony levantou-se, sacudindo os braços para recuperar a sensibilidade. Harry apanhou sua varinha e passou por cima do entulho até o banco em que estava esparramado o Comensal da Morte louro.

— Eu devia ter reconhecido esse, estava lá quando Dumbledore morreu — disse. Ele virou o corpo do Comensal mais moreno com o pé; os olhos do homem correram de Harry para Rony e Hermione.

— É o Dolohov — disse Rony. — Eu o reconheci pelos cartazes dos criminosos procurados. Acho que o grandalhão é Thor Rowle.

— Não interessa qual é o nome deles! — exclamou Hermione, ligeiramente histérica. — Como foi que nos encontraram? Que vamos fazer?

De algum modo, o pânico da amiga clareou a cabeça de Harry.

— Tranque a porta — disse a Hermione —, e, Rony, apague as luzes.

Ele contemplou o paralisado Dolohov, pensando rápido enquanto a fechadura girava e Rony usava o desiluminador para mergulhar o bar na escuridão. Harry ouvia ao longe os homens que tinham mexido com Hermione mais cedo, gritando para outra moça.

— Que vamos fazer com eles? — sussurrou Rony para Harry no escuro; e em tom ainda mais baixo: — Matá-los? Eles nos matariam. E quase conseguiram agora há pouco.

Hermione estremeceu e recuou um passo. Harry sacudiu a cabeça.

— Só precisamos apagar a memória deles. É melhor assim, despistaremos os dois. Se os matarmos, ficaria óbvio que estivemos aqui.

— Você é quem manda — disse Rony, parecendo profundamente aliviado. — Mas nunca lancei um Feitiço de Memória.

— Nem eu — falou Hermione —, mas conheço a teoria.

Ela inspirou profundamente para se acalmar, apontou a varinha para a testa de Dolohov e ordenou:

— *Obliviate!*

Na mesma hora, os olhos do bruxo se tornaram desfocados e vagos.

— Genial — aplaudiu Harry, dando-lhe palmadinhas nas costas. — Cuide do outro e da garçonete, enquanto Rony e eu limpamos a bagunça.

— Limpar a bagunça?! — exclamou Rony correndo os olhos pelo bar parcialmente destruído. — Por quê?

— Você não acha que podem ficar imaginando o que aconteceu quando recuperarem a consciência e se virem em um lugar que parece que foi bombardeado?

— Ah, certo, é...

Rony teve um pouco de dificuldade para sacar a varinha do bolso.

— Não admira que eu não consiga puxar a varinha, Hermione, você trouxe o meu jeans velho, está pequeno.

— Ah, sinto muito — sibilou Hermione, enquanto arrastava a garçonete para um lugar em que não a vissem das janelas. Harry a ouviu resmungar onde Rony podia enfiar a varinha para ficar mais à mão.

Quando o bar voltou à condição anterior, eles levantaram os Comensais da Morte para recolocá-los no reservado e escoraram um de frente para o outro.

— Mas como foi que eles nos encontraram? — perguntou Hermione, olhando de um homem inerte para outro. — Como souberam onde estávamos?

Ela se virou para Harry.

— Será... será que você ainda está carregando o rastreador, Harry?

— Não pode estar — ponderou Rony. — O rastreador caduca quando se completa dezessete anos, é a lei bruxa, não se pode colocá-lo em um adulto.

— Até onde sabemos — respondeu Hermione. — Mas e se os Comensais da Morte encontraram um jeito de colocá-lo em um adulto?

— Mas Harry não esteve perto de um Comensal nas últimas vinte e quatro horas. Quem poderia ter recolocado um rastreador nele?

Hermione não respondeu. Harry sentiu-se contaminado, maculado: teria sido realmente assim que os Comensais encontraram os três?

— Se eu não posso usar magia e vocês não podem usar magia perto de mim, sem revelarmos a nossa posição... — começou ele.

— Não vamos nos separar! — retrucou Hermione com firmeza.

— Precisamos de um lugar seguro para nos esconder — lembrou Rony. — Nos dê um tempo para pensar.

— Largo Grimmauld — disse Harry.

Os outros dois ficaram pasmos.

— Não seja tolo, Harry, o Snape pode entrar lá.

— O pai de Rony disse que puseram na casa feitiços contra ele, e, mesmo que não tenham funcionado — continuou, vendo que Hermione começava a protestar —, e daí? Juro que não há nada que eu gostasse mais do que topar com o Snape!

— Mas...

— Hermione, que outro lugar nós temos? É a nossa melhor possibilidade. Snape é apenas um Comensal. Se ainda estou carregando o rastreador, teremos hordas deles atrás de nós aonde quer que formos.

A garota não teve argumentos, embora seu rosto dissesse que gostaria de ter tido. Enquanto destrancavam a porta do bar, Rony acionou o desiluminador para reacender as luzes do local. Então, quando Harry contou três, eles reverteram os feitiços nas três vítimas e, antes que a garçonete e os Comensais da Morte acabassem de despertar sonolentos, os garotos tinham mais uma vez girado e desaparecido na escuridão compressora.

Segundos mais tarde, os pulmões de Harry se expandiram agradecidos e ele abriu os olhos: estavam parados no meio do pequeno largo malcuidado que já conheciam. Casas altas e dilapidadas os cercavam de todos os lados. O número doze era visível aos garotos, porque tinham sabido de sua existência pela boca de Dumbledore, o fiel do segredo, e os três correram para a casa verificando, a intervalos, se não estavam sendo seguidos ou observados. Rapidamente galgaram os degraus de pedra e Harry tocou a porta uma vez com a varinha. Ouviram uma série de cliques metálicos e o barulho de uma corrente, por fim a porta se abriu, rangendo, e eles entraram depressa.

Quando Harry fechou a porta às suas costas, as velhas luminárias a gás se acenderam, lançando uma luz bruxuleante no corredor. O lugar tinha a aparência que ele lembrava: lúgubre, cheio de teias, os contornos das cabeças dos elfos penduradas na parede lançando sombras misteriosas sobre a escada. Compridas cortinas escuras ocultavam o retrato da mãe de Sirius. A única coisa fora do lugar era o porta-guarda-chuvas feito com perna de trasgo, que estava tombado de lado, como se Tonks tivesse acabado de derrubá-lo.

— Acho que alguém esteve aqui — sussurrou Hermione, apontando para o objeto.

— Isso pode ter acontecido quando a Ordem deixou a casa — murmurou Rony em resposta.

— Então, onde estão os feitiços que lançaram contra Snape? — perguntou Harry.

— Talvez só sejam ativados se ele aparecer, não? — arriscou Rony.

Eles permaneceram juntos ainda no capacho da entrada, com as costas voltadas para a porta, receando entrar no resto da casa.

— Bem, não podemos ficar aqui para sempre — disse Harry, dando um passo à frente.

— *Severo Snape?*

A voz de Olho-Tonto sussurrou no escuro, fazendo os três se sobressaltarem.

— Não somos Snape! — Harry ainda pôde responder com a voz rouca, mas uma espécie de jato de ar frio foi lançada contra ele e sua língua enrolou para trás, impedindo-o de continuar. Antes que tivesse tempo de sentir a boca por dentro, no entanto, a língua tornou a desenrolar.

Os outros dois pareciam ter experimentado a mesma sensação desagradável. Rony engulhava; Hermione gaguejou:

— Deve t-ter s-sido o F-feitiço da Língua Presa que Olho-Tonto armou contra o Snape!

Cauteloso, Harry deu mais um passo à frente. Alguma coisa se mexeu nas sombras do fim do corredor, e, sem lhes dar tempo de falar, um vulto se ergueu do tapete, alto, cor de poeira e ameaçador. Hermione gritou e foi acompanhada pela sra. Black, pois as cortinas pretas do retrato repentinamente se abriram; o vulto cinzento deslizou para eles, cada vez mais rápido, seus cabelos até a cintura e a barba esvoaçando às costas, o rosto fundo, descarnado, as órbitas vazias; horrivelmente familiar, pavorosamente mudado, ele ergueu um braço murcho e apontou-o para Harry.

— Não! — gritou o garoto, e, embora tivesse erguido a varinha, não lhe ocorreu nenhum feitiço. — Não, não fomos nós! Não o matamos...

À menção da palavra "matamos", o vulto explodiu formando uma grande nuvem de poeira: tossindo, os olhos lacrimejando, Harry olhou para os lados e viu Hermione agachada junto à porta, cobrindo a cabeça com os braços, e Rony, trêmulo da cabeça aos pés, lhe dando palmadinhas desajeitadas no ombro e dizendo:

— Está tudo b-bem... já p-passou...

A poeira rodopiava em torno de Harry como uma névoa, refletindo a luz azulada do gás, enquanto a sra. Black continuava a berrar.

— *Sangues ruins, lixo, estigmas de desonra, manchas de vergonha sobre a casa dos meus pais...*

— CALA A BOCA! — berrou Harry, apontando a varinha para ela, e, com um estampido e um clarão de faíscas vermelhas, a cortina tornou a se fechar silenciando a mulher.

— Aquele... aquele era... — choramingou Hermione, enquanto Rony a ajudava a se levantar.

— Era — confirmou Harry —, mas não era realmente ele, era? Só uma coisa para apavorar o Snape.

Teria dado resultado, perguntou-se Harry, ou Snape teria explodido a aparição horripilante, displicentemente, como fizera com o verdadeiro Dumbledore? Os nervos ainda vibrando, ele saiu à frente dos amigos pelo corredor, à espera de que um novo terror se revelasse, mas nada se mexeu exceto um camundongo correndo pelo rodapé.

— Antes de prosseguir, acho melhor fazer uma verificação — cochichou Hermione e, erguendo a varinha, ordenou: — *Homenum revelio!*

Nada aconteceu.

— Bem, você acabou de levar um grande susto — disse Rony gentilmente.

— Para que serviu esse feitiço?

— Serviu para o que eu queria que servisse! — respondeu Hermione, bastante zangada. — Era um feitiço para revelar presença humana, e não tem ninguém aqui exceto nós!

— E o velho Poeirão — acrescentou Rony, olhando para o lugar no tapete de onde saíra o espectro.

— Vamos subir — disse Hermione assustada, e, lançando um olhar para o mesmo ponto, subiu à frente a escada rangedeira para a sala de visitas no primeiro andar.

Ao chegar, acenou com a varinha para acender as velhas luminárias a gás. Então, estremecendo na sala ventosa, empoleirou-se no sofá com os braços apertados em volta do corpo. Rony foi à janela e afastou uns dois centímetros a pesada cortina de veludo.

— Não vejo ninguém lá fora — informou. — E eu diria que, se Harry ainda tivesse o rastreador, eles teriam nos seguido até aqui. Eu sei que não podem entrar na casa, mas... que foi, Harry?

O garoto soltara um grito de dor: sua cicatriz recomeçara a queimar ao mesmo tempo que algo lampejou por sua mente como uma luz forte incidindo sobre a água. Ele viu uma grande sombra e sentiu uma fúria que não era sua percorrer seu corpo, violenta e breve como um choque elétrico.

— Que foi que você viu? — perguntou Rony, avançando para o amigo. — Você o viu na minha casa?

— Não, eu só senti raiva, ele está realmente enraivecido...

— Mas isso poderia ser n'A Toca! — exclamou Rony em voz alta. — Que mais? Não viu mais nada? Ele estava amaldiçoando alguém?

— Não, eu só senti raiva... e não saberia dizer...

Harry se sentiu atormentado, confuso, e Hermione não ajudou muito ao perguntar amedrontada:

— A sua cicatriz novamente? Afinal, que está acontecendo? Pensei que essa ligação tivesse sido fechada!

— Fechou, por algum tempo — murmurou Harry; sua cicatriz ainda doía dificultando a concentração. — Acho que recomeçou a abrir, sempre que ele se descontrola, é como costumava...

— Então, você tem que fechar sua mente! — disse Hermione esganiçada. — Harry, Dumbledore não queria que você usasse essa ligação, queria que você a fechasse, é para isso que devia usar a Oclumência! Do contrário, Voldemort pode plantar falsas imagens em sua mente, lembra...

— Lembro, sim, obrigado — respondeu o garoto entre os dentes; não precisava que Hermione lhe dissesse que Voldemort já usara essa mesma ligação entre eles para atraí-lo a uma armadilha, nem que isso causara a morte de Sirius. Desejou que não tivesse contado aos amigos o que sentira e vira; isso tornara Voldemort mais ameaçador, como se ele estivesse forçando a janela da sala. A dor em sua cicatriz estava aumentando e ele a repelia: era como se resistisse ao impulso de enjoar.

Ele deu as costas a Rony e Hermione, fingindo examinar a velha tapeçaria com a árvore genealógica da família Black pendurada na parede. Então Hermione deu um grito agudo: Harry sacou a varinha e se virou, um Patrono prateado entrou pela janela da sala de visitas e aterrissou no chão diante deles, onde assumiu a forma de uma doninha e a voz do pai de Rony.

— *Família a salvo, não responda, estamos sendo vigiados.*

O Patrono se dissolveu no ar. Rony deixou escapar um som entre um choro e um gemido e se largou no sofá: Hermione sentou-se com ele, apertando seu braço.

— Eles estão bem, eles estão bem! — sussurrou ela, e Rony ao mesmo tempo ria e a abraçava.

— Harry — disse ele por cima do ombro de Hermione —, eu...

— Não tem problema — respondeu Harry nauseado de dor na cabeça. — É sua família, claro que está preocupado. Eu sentiria o mesmo. — Lembrou-se de Gina. — Eu sinto o mesmo.

A dor em sua cicatriz foi atingindo o auge, queimando como no jardim d'A Toca. Ao longe, ele ouviu Hermione dizer:

— Eu não quero ficar sozinha. Podemos usar os sacos de dormir que trouxemos e acampar aqui hoje à noite?

Ele ouviu Rony concordar. Não conseguiria resistir à dor por mais tempo: tinha que se entregar.

— Banheiro — murmurou e saiu da sala o mais depressa que pôde, sem correr.

Quase não chegou lá. Trancando a porta com as mãos trêmulas, ele agarrou a cabeça latejante e se largou no chão. Então, em uma explosão de agonia, sentiu a raiva que não lhe pertencia se apoderar de sua alma, viu uma sala comprida, iluminada apenas pela lareira, e o Comensal grandalhão e louro no chão, berrando e se contorcendo, e um vulto mais leve em pé ao lado dele, empunhando a varinha, e Harry falando com uma voz fria e cruel.

— Mais, Rowle, ou vamos encerrar logo e dar você para Nagini comer? Lorde Voldemort não tem certeza se desta vez irá lhe perdoar... Foi para isso que me chamou, para me dizer que Harry Potter tornou a escapar? Draco, dê a Rowle mais uma amostra do nosso desagrado... faça isso ou sinta pessoalmente a minha ira!

Uma tora de madeira caiu na lareira: as chamas se avivaram, sua claridade bateu no rosto pálido, aterrorizado e fino... com a sensação de emergir de águas profundas, Harry arquejou várias vezes e abriu os olhos.

Estava estatelado no frio piso de mármore preto, seu nariz a centímetros de um dos rabos de serpente prateados que sustentavam a grande banheira. Sentou-se. O rosto magro e petrificado de Malfoy parecia gravado em sua retina. Harry se sentiu nauseado com a cena que vira, com o uso que Voldemort estava fazendo de Draco.

Houve uma forte batida na porta e Harry se sobressaltou ao ouvir a voz de Hermione.

— Harry, você quer a sua escova de dentes? Eu a trouxe.

— Quero, beleza, obrigado — disse ele, procurando manter a voz descontraída ao se levantar para deixar a amiga entrar.

10

A HISTÓRIA DE MONSTRO

Harry acordou na manhã seguinte, dentro de um saco de dormir no chão da sala de visitas. Viu uma lasca de céu entre as pesadas cortinas: era um azul frio e claro de tinta aguada, entre a noite e a alvorada, e tudo estava silencioso, exceto pela respiração lenta e profunda de Hermione e Rony. Harry olhou para as sombras escuras que eles projetavam no chão ao seu lado. Rony teve um acesso de galanteria e insistiu que Hermione dormisse sobre as almofadas do sofá, por isso a silhueta dela estava acima da dele. O braço da garota formava um arco até o chão, seus dedos a centímetros dos de Rony. Harry ficou imaginando se teriam adormecido de mãos dadas. A ideia fez com que se sentisse estranhamente solitário.

Ele ergueu os olhos para o teto sombreado, o lustre coberto de teias de aranha. A menos de vinte e quatro horas, estivera parado à entrada ensolarada de uma tenda, aguardando para conduzir os convidados do casamento aos seus lugares. Parecia que tinha sido em outra vida. Que iria acontecer agora? Deitado ali no chão, ele pensou nas Horcruxes, na missão assustadora e complexa que Dumbledore lhe deixara... Dumbledore...

O pesar que o possuíra desde a morte do diretor agora era diferente. As acusações que ouvira de Muriel na festa pareciam ter se aninhado em seu cérebro, como coisas doentias que infectavam suas lembranças do bruxo que idolatrava. Teria Dumbledore deixado aquelas coisas acontecerem? Teria agido como Duda, contente em observar o abandono e o abuso desde que não o afetassem? Poderia ter dado as costas a uma irmã que estava presa e escondida?

Harry pensou em Godric's Hollow, nos túmulos que Dumbledore jamais mencionara; pensou nos objetos misteriosos deixados, sem explicação, no testamento do diretor, e o seu ressentimento cresceu na obscuridade. Por que Dumbledore não lhe contara? Por que não lhe explicara? Teria tido real afeição por ele? Ou Harry tinha sido apenas um instrumento a ser polido e afinado, sem, no entanto, merecer confiança ou confidências?

O garoto não suportou ficar deitado ali, tendo por companhia apenas seus pensamentos amargurados. Desesperado para arranjar o que fazer e se distrair, deslizou para fora do saco de dormir, apanhou a varinha e saiu furtivamente da sala. No corredor, sussurrou: "Lumus", e começou a subir a escada à luz da varinha.

No segundo patamar ficava o quarto em que ele e Rony tinham dormido na última vez que estiveram na casa; ele espiou para dentro. As portas dos guarda-roupas estavam abertas e as roupas de cama tinham sido arrancadas. Harry se lembrou da perna de trasgo caída no chão da entrada. Alguém revistara a casa desde que a Ordem a deixara. Snape? Ou talvez Mundungo, que afanara muita coisa antes e depois da morte de Sirius? O olhar de Harry vagueou até o porta-retratos onde por vezes aparecia Fineus Nigellus Black, o tetravô de Sirius, mas estava vazio, exibia apenas um pedaço de forro encardido. Era evidente que Fineus Nigellus estava passando a noite no gabinete do diretor de Hogwarts.

Harry continuou a subir a escada até o último patamar onde havia apenas duas portas. A que estava à sua frente tinha uma plaquinha em que se lia Sirius. O garoto jamais entrara no quarto do padrinho. Ele empurrou a porta, erguendo a varinha no alto para poder iluminar a maior área possível.

O quarto era espaçoso e, antigamente, devia ter sido bonito. Havia uma larga cama com a cabeceira de madeira entalhada, uma janela alta sombreada por compridas cortinas de veludo e um lustre coberto por uma espessa camada de pó, com tocos de velas ainda nos suportes, a cera grossa pendendo como pingos de gelo. Uma fina película de poeira cobria os quadros nas paredes e a cabeceira da cama; uma teia de aranha se estendia do lustre ao topo do grande guarda-roupa, e, quando Harry entrou no quarto, ouviu o tropel de camundongos assustados.

O adolescente Sirius tinha colado nas paredes tantos pôsteres e fotos que deixara visível muito pouco da seda cinza-prateado que a forrava. Harry só pôde supor que os pais de Sirius não tinham conseguido remover o Feitiço Adesivo Permanente que os mantinha colados à parede, porque dificilmente eles teriam apreciado o gosto do filho mais velho em matéria de decoração. Sirius parecia ter saído do caminho para aborrecer os pais. Havia uma coleção de grandes flâmulas da Grifinória, vermelho desbotado e ouro, somente para enfatizar como ele era diferente do resto da família Sonserina. Havia muitas fotos de motos trouxas e também (Harry tinha que admirar a coragem de Sirius) vários pôsteres de garotas trouxas de biquíni; Harry sabia que eram trouxas porque não se mexiam nas fotos, seus sorrisos eram desbotados e os olhos vidrados pareciam congelados no papel. Faziam um contraste com a única foto bruxa que havia nas paredes, a de quatro alunos de Hogwarts em pé, de braços dados, rindo para o fotógrafo.

Com um assomo de prazer, Harry reconheceu seu pai; com cabelos rebeldes no alto da cabeça como os dele, também usava óculos como ele. Ao lado, estava Sirius displicentemente bonito, seu rosto, ligeiramente arrogante, muito mais jovem e feliz do que Harry jamais o vira em vida. À direita de Sirius, estava Pettigrew, mais de uma cabeça mais baixo, gorducho, os olhos aguados, radiante de prazer por ser incluído em uma turma tão legal, com os rebeldes muito admirados que tinham sido Tiago e Sirius. À esquerda de Tiago estava Lupin, mesmo então malvestido, mas com o mesmo ar de prazerosa surpresa por se ver apreciado e incluído... ou seria simplesmente porque Harry sabia o que acontecera, que ele via tudo isso na foto? Tentou destacá-la da parede; afinal, agora lhe pertencia – Sirius lhe deixara tudo –, mas a foto não soltou. Seu padrinho não correra riscos para impedir que os pais redecorassem o seu quarto.

Harry olhou para o chão. O céu lá fora estava clareando: um raio de luz revelou pedacinhos de papel, livros e pequenos objetos espalhados pelo tapete. Era evidente que o quarto de Sirius também fora revistado, embora desse a impressão de que seu conteúdo fora considerado quase todo, se não todo, imprestável. Alguns dos livros tinham sido sacudidos o suficiente para soltarem as capas, e o chão estava juncado de páginas soltas.

Harry se abaixou, apanhou uns pedaços de papel e examinou-os. Reconheceu um deles como parte de uma velha edição de *História da magia*, de Batilda Bagshot, e outro como uma página de um manual de manutenção de motos. O terceiro estava escrito a mão e amassado: alisou-o.

Caro Almofadinhas,

Muito, muito obrigada pelo presente de aniversário que mandou para Harry! Foi o que ele mais gostou até agora. Um aninho de idade e já dispara pela casa montado em uma vassoura de brinquedo, tão vaidoso que estou enviando uma foto para você ver. Sabe, a vassoura só levanta uns sessenta centímetros do chão, mas ele quase matou o gato e quebrou um vaso horrível que Petúnia me mandou no Natal (nada contra). É claro que Tiago achou muito engraçado, diz que ele vai ser um grande jogador de quadribol, mas tivemos que guardar todos os enfeites da casa e dar um jeito de ficar sempre de olho nele quando brinca.

Tivemos um chá de aniversário muito tranquilo, só nós e a velha Batilda que sempre nos tratou com carinho e vive mimando o Harry. Ficamos com pena que você não tenha podido vir, mas a Ordem vem em primeiro lugar e Harry não tem idade para saber que está fazendo anos! Tiago está se sentindo um pouco frustrado trancado em casa, ele procura não demonstrar, mas eu percebo – além disso, Dumbledore ficou com a Capa da Invisibilidade dele, então não há possibilidade de pequenos passeios. Se você pudesse lhe fazer uma visita, isso o animaria muito. Rabicho esteve aqui no fim de semana passado, achei-o meio deprimido, mas provavelmente foram as notícias sobre os McKinnon; chorei a noite inteira quando soube.

Batilda passa por aqui quase todo dia, é uma velhota fascinante que conta as histórias mais surpreendentes sobre Dumbledore, não tenho muita certeza se ele gostaria disso caso soubesse! Fico em dúvida se devo realmente acreditar, porque me parece inacreditável que Dumbledore

As extremidades de Harry pareceram ter adormecido. Ele ficou muito quieto, segurando o milagroso papel em seus dedos desenervados enquanto, por dentro, uma espécie de erupção silenciosa fazia a felicidade e a dor irromperem em igual medida em suas veias. Atirando-se na cama, ele se sentou.

Releu a carta, mas não conseguiu assimilar mais significados do que da primeira vez, e foi reduzido a contemplar a caligrafia em si. Sua mãe fazia os gês iguais aos dele; ele os procurou um a um na carta, e cada um lhe pareceu uma marola amiga vislumbrada por trás de um véu. A carta era um incrível tesouro, prova de que Lílian Potter vivera, realmente vivera, que sua mão quente um dia percorrera aquele pergaminho, traçando aquelas letras, aquelas palavras, palavras a respeito dele, Harry, seu filho.

Afastando as lágrimas dos olhos, impaciente, ele releu a carta, desta vez concentrando-se mais no conteúdo. Era como ouvir uma voz parcialmente lembrada.

Eles tinham um gato... talvez ele tivesse morrido, como seus pais, em Godric's Hollow... ou talvez tivesse fugido quando não houve mais quem o alimentasse... Sirius comprara para ele a primeira vassoura... seus pais conheceram Batilda Bagshot; Dumbledore teria apresentado os três? *Dumbledore ficou com a Capa da Invisibilidade dele...* havia alguma coisa estranha ali...

Harry parou, refletindo sobre as palavras da mãe. Por que Dumbledore guardara a Capa da Invisibilidade de Tiago? Harry se lembrava nitidamente do diretor lhe dizendo, anos atrás: "*Não preciso de uma capa para ficar invisível.*" Talvez algum membro da Ordem menos talentoso tivesse precisado desse auxílio e Dumbledore servira de intermediário? Harry prosseguiu...

Rabicho esteve aqui... Pettigrew, o traidor, parecera "deprimido", é? Teria consciência de que estava vendo Tiago e Lílian vivos pela última vez?

E, por fim, retornamos a Batilda, que contava histórias inacreditáveis sobre Dumbledore: *parece inacreditável que Dumbledore...*

Que Dumbledore o quê? Havia, porém, uma quantidade de coisas que pareciam incríveis sobre Dumbledore; que um dia ele tivesse recebido as notas mais baixas em uma prova de Transfiguração, por exemplo, ou que tivesse enfeitiçado bodes como fazia Aberforth...

Harry levantou-se e esquadrinhou o chão: talvez o restante da carta estivesse por ali. Ele agarrou papéis, tratando-os, em sua ansiedade, com tão pouca consideração quanto a pessoa que os encontrara primeiro; abriu gavetas, sacudiu livros, subiu em uma cadeira para passar a mão em cima do guarda-roupa e entrou embaixo da cama e da poltrona.

Por fim, de cara no chão, localizou o que lhe pareceu um pedaço de papel rasgado embaixo da cômoda. Quando o resgatou, era a maior parte da foto que Lílian descrevera na carta. Um bebê de cabelos escuros voando para dentro e para fora do papel, montado em uma minúscula vassoura, às gargalhadas, e um par de pernas que deviam pertencer a Tiago correndo atrás dele. Harry guardou a foto e a carta da mãe no bolso, e continuou a procurar a segunda folha.

Passados mais uns quinze minutos, no entanto, foi forçado a concluir que o resto da carta já não existia. Teria simplesmente se perdido nos dezesseis anos transcorridos desde que fora escrita, ou fora levada pela pessoa que revistara o quarto? Harry tornou a ler a primeira folha, desta vez procurando pistas para o que poderia ter tornado a segunda folha valiosa. A vassoura de brinquedo não teria interesse algum para os Comensais... a única coisa potencialmente útil que via ali era a possível informação sobre Dumbledore. *Parece inacreditável que Dumbledore... o quê?*

— Harry! Harry! *Harry!*

— Estou aqui! – gritou ele. – Que aconteceu?

Ele ouviu uma zoada de passos do lado de fora, e Hermione irrompeu pelo quarto.

— Nós acordamos e não sabíamos onde você estava – disse ofegante. Virando-se, gritou por cima do ombro: – Rony! Encontrei ele!

A voz aborrecida de Rony ressoou a distância de vários andares abaixo.

— Ótimo! Então diga por mim que ele é um bobalhão!

— Harry, não desapareça assim, por favor, ficamos aterrorizados! Afinal, por que veio aqui em cima? — Ela percorreu com o olhar o quarto saqueado. — Que andou fazendo?

— Olhe o que acabei de encontrar.

E estendeu-lhe a carta de sua mãe. Hermione apanhou-a e leu-a observada pelo garoto. Quando chegou ao fim da folha, olhou para ele.

— Ah, Harry...

— E tem mais isso.

Entregou a foto rasgada, e Hermione sorriu para o bebê que entrava e saía montado na vassoura de brinquedo.

— Estive procurando o resto da carta — disse Harry —, mas não está aqui.

A amiga correu o olhar pelo quarto.

— Você fez essa bagunça toda, ou uma parte dela já estava feita quando você entrou?

— Alguém revistou o quarto antes de mim.

— Foi o que pensei. Todos os cômodos em que olhei a caminho daqui foram revirados. Que acha que estavam procurando?

— Informações sobre a Ordem, se foi o Snape.

— Mas seria de pensar que ele já tivesse tudo que precisava, quero dizer, ele fazia *parte* da Ordem, não é?

— Bem, então — disse Harry, ansioso para discutir sua teoria —, informações sobre Dumbledore? A segunda folha desta carta, por exemplo. Sabe essa Batilda que minha mãe menciona, sabe quem ela é?

— Quem?

— Batilda Bagshot, a autora de...

— *História da magia* — completou Hermione, mostrando interesse. — Então os seus pais a conheciam? Ela foi uma incrível historiadora da magia.

— E ainda está viva, e mora em Godric's Hollow, a tia Muriel, do Rony, esteve falando sobre ela no casamento. Ela conheceu a família de Dumbledore também. Seria bem interessante conversar com ela, não?

Para o gosto de Harry, houve um excesso de compreensão no sorriso de Hermione. Ele tirou a carta e a foto de suas mãos e guardou-as na bolsa pendurada ao pescoço, para não precisar olhar para a amiga e se trair.

— Eu entendo por que você gostaria de conversar com ela sobre sua mãe e seu pai, e Dumbledore também — disse Hermione. — Mas isto não iria realmente nos ajudar a achar as Horcruxes, não é? — Harry não respondeu e ela prosseguiu: — Harry, eu sei que você realmente quer ir a Godric's Hollow, mas estou com medo... estou com medo da facilidade com que aqueles Comensais da Morte nos encontraram ontem. Mais que nunca, isso me faz sentir que devemos evitar o lugar onde seus pais estão enterrados. Tenho certeza que estarão esperando a sua visita.

— Não é só isso — respondeu Harry, ainda evitando olhar para a amiga. — Muriel disse umas coisas sobre Dumbledore no casamento. E quero saber a verdade...

Ele contou, então, a Hermione tudo que Muriel dissera. Quando terminou, a garota comentou:

— É claro que entendo por que isso o perturbou, Harry...

— Não estou perturbado — mentiu. — Eu só gostaria de saber se é ou não verdade ou...

— Harry, você acha mesmo que vai chegar à verdade ouvindo fofocas maliciosas de uma velhota como a Muriel, ou de Rita Skeeter? Como pode acreditar nelas? Você conheceu Dumbledore!

— Pensei que conhecia — murmurou o garoto.

— Mas você sabe o quanto havia de verdade em tudo que a Rita escreveu sobre você! Doge está certo, como pode deixar essa gente macular as lembranças que você tem de Dumbledore?

Harry desviou o olhar, tentando não revelar o rancor que sentia. Ali estava outra vez o impasse: escolher no que acreditar. Ele queria a verdade. Por que estavam todos tão decididos a convencê-lo de que não devia procurá-la?

— Vamos descer para a cozinha? — sugeriu Hermione após uma breve pausa. — Arranjar alguma coisa para comer?

Ele concordou, mas de má vontade, e seguiu-a ao corredor onde passaram em frente a uma segunda porta. Harry notou que havia fundos arranhões na tinta sob um pequeno aviso que tinha passado despercebido no escuro. Parou, então, no alto da escada para lê-lo. Era um aviso breve e pomposo, caprichosamente escrito à mão, o tipo de coisa que Percy Weasley poderia ter colado na porta do próprio quarto.

Não entre
sem a expressa permissão de
Régulo Arturo Black

A agitação foi se infiltrando em Harry, mas ele não teve imediatamente certeza do porquê. Tornou a ler o aviso. Hermione já estava um lance de escada abaixo.

— Hermione — disse ele, surpreso que sua voz estivesse tão calma. — Volta aqui em cima.

— Que foi?

— R.A.B. Acho que o encontrei.

Ouviu-se uma exclamação, e Hermione correu escada acima.

— Na carta de sua mãe? Mas não vi...

Harry balançou a cabeça, apontando para o aviso na porta de Régulo. A garota leu-o e apertou o braço de Harry com tanta força que ele fez uma careta de dor.

— O irmão de Sirius? — sussurrou.

— Ele foi um Comensal da Morte, Sirius me contou a história dele, Régulo se alistou quando ainda era muito moço e depois se acovardou e tentou sair; então, eles o mataram.

— Isso faz sentido! — exclamou Hermione. — Se ele foi um Comensal da Morte, teve acesso a Voldemort, e quando se desencantou deve ter querido derrubar Voldemort!

Ela largou Harry, debruçou-se no corrimão da escada e berrou:

— Rony! RONY! Vem aqui em cima, depressa!

O garoto apareceu, ofegante, um minuto depois, empunhando a varinha.

— Que aconteceu? Se é outro ataque maciço de aranhas, eu quero o meu café da manhã antes de...

Ele franziu a testa ao ver o aviso na porta do quarto, para o qual Hermione apontava silenciosamente.

— Quê? Esse era o irmão de Sirius, não era? Régulo Arturo... Régulo... R.A.B.! O medalhão... você acha...?

— Vamos descobrir — disse Harry. Ele empurrou a porta; estava trancada à chave. Hermione apontou a varinha para a maçaneta e disse: — *Alohomora!*

— Ouviu-se um clique e a porta abriu.

Eles cruzaram o portal juntos, olhando para os lados. O quarto de Régulo era ligeiramente menor que o de Sirius, embora transmitisse a mesma sensação de antigo esplendor. Enquanto o irmão tinha procurado anunciar sua dessemelhança com o resto da família, Régulo tinha se esforçado para ressaltar o oposto. As cores da Sonserina, verde e prata, estavam por toda parte, guarnecendo a cama, as paredes e janelas. O brasão da família Black fora laboriosamente pintado por cima da cama com a divisa *Toujours Pur*. Abaixo uma coleção de recortes de jornal, presos uns aos outros formando uma colagem irregular. Hermione atravessou o quarto para examiná-los.

— São todos sobre Voldemort — disse ela. — Pelo visto, Régulo já era fã dele anos antes de se reunir aos Comensais da Morte...

Uma nuvenzinha de pó se ergueu da colcha da cama quando Hermione se sentou para ler os recortes. Nesse intervalo, Harry tinha reparado em uma foto: um time de quadribol de Hogwarts sorria e acenava do espaço emoldurado. Ele se aproximou mais um pouco e viu as serpentes nos brasões no peito dos garotos: Sonserinos. Régulo era instantaneamente reconhecível como o garoto que estava sentado no centro da primeira fileira: tinha os mesmos cabelos escuros e o ar ligeiramente arrogante do irmão, embora fosse menor, mais franzino e menos bonito do que Sirius.

— Ele jogava na posição de apanhador — comentou Harry.

— Quê?! — exclamou Hermione distraída; ela continuava absorta nos recortes sobre Voldemort.

— Ele está sentado no centro da primeira fila, é onde o apanhador... ah, esquece — falou Harry ao perceber que ninguém lhe prestava atenção; Rony estava de quatro procurando alguma coisa embaixo do armário. Harry olhou ao seu redor, procurando esconderijos prováveis, e se aproximou da escrivaninha. Mais uma vez, alguém já a revistara. O conteúdo das gavetas tinha sido revirado recentemente, a poeira deslocada, mas não havia nada de valor ali: penas velhas, livros de escola antiquados que exibiam os vestígios dos maus-tratos, um tinteiro recentemente quebrado, seu resíduo pegajoso derramado sobre os objetos na gaveta.

— Há um jeito mais fácil — disse Hermione, enquanto Harry limpava os dedos sujos de tinta no jeans. Ela ergueu a varinha e ordenou: — *Accio medalhão!*

Nada aconteceu. Rony, que estivera procurando nas dobras das cortinas desbotadas, pareceu desapontado.

— Então é isso? Não está aqui?

— Ah, poderia até estar aqui, mas protegido por contrafeitiços — respondeu a garota. — Feitiços para impedir que se possa convocá-lo por magia, entende.

— Como o que Voldemort lançou na bacia de pedra na caverna — afirmou Harry, lembrando que não conseguira convocar o falso medalhão.

— Como vamos encontrá-lo, então? — perguntou Rony.

— Procurando com as mãos — respondeu Hermione.

— É uma boa ideia — disse Rony, virando os olhos para o teto e retomando o exame das cortinas. Eles verificaram cada centímetro do quarto durante mais de uma hora, mas foram forçados a concluir que o medalhão não estava ali.

Agora o sol já nascera; a luz os ofuscava mesmo através das cortinas sujas dos corredores.

— Mas poderia estar em qualquer outro lugar da casa — sugeriu Hermione, em um tom de convocação, ao descerem as escadas. Enquanto os dois garotos tinham ficado mais desanimados, ela ficara mais decidida. — Quer ele tenha conseguido ou não destruir o medalhão, iria querer escondê-lo de Voldemort, não acham? Lembram aquelas lixarias todas de que precisamos nos livrar quando estivemos aqui na última vez? Aquele relógio que lançava raios e aquelas vestes velhas que tentaram estrangular Rony; Régulo talvez as tivesse posto lá para proteger o esconderijo do medalhão, ainda que a gente não tenha entendido à... à...

Harry e Rony olharam para Hermione. Ela estava parada com um pé no ar e a expressão abobada de alguém que acabou de ser obliviado; seus olhos tinham até saído de foco.

— ... à época — terminou ela em um sussurro.

— Algum problema? — perguntou Rony.

— Havia um medalhão.

— Quê?! — exclamaram os dois garotos ao mesmo tempo.

— No armário da sala de visitas. Ninguém conseguiu abri-lo. E nós... nós...

Harry teve a sensação de que um tijolo tinha escorregado do seu peito para o estômago. Lembrou-se: tinha até manuseado o objeto quando passou de mão em mão, todos experimentando abri-lo. Por fim, fora atirado em um saco de lixo, junto com a caixa de pó de verrugueira e a caixa de música que deixou todo mundo com sono...

— Monstro pegou montes dessas coisas escondido de nós — disse Harry. Era a única chance, a única e tênue esperança que lhes restava, e o garoto ia se apegar a ela até que fosse forçado a abandoná-la. — Ele tinha um verdadeiro tesouro escondido no armário da cozinha. Vamos.

Harry desceu correndo a escada de dois em dois degraus, com os amigos em sua cola fazendo a escada rebôar. O barulho foi tamanho que acordaram o retrato da mãe de Sirius ao atravessarem o corredor da entrada.

— Lixo! *Sangues ruins! Ralé!* — gritou a bruxa para os garotos quando desceram desembestados para a cozinha do porão e bateram a porta ao entrar.

Harry continuou sua corrida pelo aposento, parou derrapando à porta do armário de Monstro e abriu-o com violência. Lá estava o ninho de sujeira, as mantas velhas em que o elfo costumava dormir, mas o armário já não brilhava com as quinquilharias que Monstro salvara. Havia apenas um velho exemplar de *A nobreza natural: uma genealogia dos bruxos*. Recusando-se a crer no que via, Harry puxou as cobertas e sacudiu-as. Delas caiu um camundongo morto que rolou lugubremente pelo chão. Rony gemeu ao se atirar em uma cadeira da cozinha; Hermione fechou os olhos.

— Ainda não terminou – disse Harry, e erguendo a voz berrou: – Monstro!

Ouviram um forte estalo e o elfo doméstico, que relutantemente Harry herdara de Sirius, apareceu de repente diante da lareira vazia e fria: minúsculo, metade da altura de um homem, a pele pálida em pelancas, os cabelos brancos brotando em tufos das orelhas de morcego. Ainda usava os trapos imundos em que o tinham conhecido, e o olhar de desprezo que lançou a Harry demonstrou que sua atitude, com a transferência de dono, tal como os seus trajes, não havia mudado.

— Meu senhor – coaxou Monstro com a sua voz de rã-touro, e ele fez uma profunda reverência, resmungando para os próprios joelhos –, de volta à velha casa da minha senhora com o traidor do sangue Weasley e a sangue ruim...

— Proíbo você de chamar quem quer que seja de "traidor do sangue" ou de "sangue ruim" – rosnou Harry. Teria achado Monstro, com seu nariz trombudo e seus olhos injetados, um objeto decididamente repulsivo mesmo se o elfo não tivesse entregado Sirius a Voldemort.

— Tenho uma pergunta a lhe fazer – continuou Harry, o coração acelerando ao olhar para o elfo –, e ordeno que me responda a verdade. Entendeu?

— Sim, meu senhor – respondeu Monstro fazendo nova reverência: Harry viu seus lábios se moverem em silêncio, sem dúvida mastigando os insultos que fora proibido de proferir.

— Dois anos atrás – disse Harry, seu coração agora reboando nas costelas –, havia um medalhão de ouro na sala de visitas lá em cima. Nós o jogamos fora. Você o pegou de volta?

Houve um momento de silêncio em que Monstro se aprumou para encarar Harry. Em seguida respondeu:

— Peguei.

— Onde está o medalhão agora? – tornou o garoto exultando, sob o olhar animado de Rony e Hermione.

Monstro fechou os olhos como se não pudesse suportar ver aquelas reações à sua resposta.

— Foi-se.

— Foi-se? – repetiu Harry, a euforia se dissipando. – Que quer dizer com esse "foi-se"?

O elfo estremeceu. Cambaleou.

— Monstro — disse Harry ameaçador —, ordeno que você...

— Mundungo Fletcher roubou tudo: os retratos da srta. Bela e da srta. Ciça, as luvas da minha senhora, a Ordem de Merlim, Primeira Classe, as taças de vinho com o brasão da família e, e...

Monstro tentava recuperar o fôlego: seu peito cavado subia e descia rapidamente, então seus olhos se arregalaram e ele soltou um grito de congelar o sangue.

— ... e o medalhão, o medalhão do meu senhor Régulo, Monstro agiu mal, Monstro desobedeceu às ordens dele!

Harry reagiu instintivamente: quando Monstro mergulhou para apanhar o atiçador na grelha da lareira, ele se atirou sobre o elfo e achatou-o no chão. O grito de Hermione se misturou ao de Monstro, mas Harry berrou mais alto que os dois:

— Monstro, ordeno que você fique parado!

Ele sentiu o elfo se imobilizar e soltou-o. Monstro ficou estatelado no piso frio, as lágrimas saltando dos seus olhos empapuçados.

— Harry, deixe ele levantar! — sussurrou Hermione.

— Para ele poder se espancar com o atiçador? — bufou Harry, se ajoelhando ao lado do elfo. — Acho que não. Certo, Monstro, quero a verdade: como sabe que Mundungo Fletcher roubou o medalhão?

— Monstro viu! — exclamou ele, as lágrimas escorrendo do nariz para a boca cheia de dentes cinzentos. — Monstro viu ele saindo do armário, as mãos cheias com os tesouros de Monstro. Monstro mandou o larápio parar, mas Mundungo Fletcher riu e c-correu...

— Você disse que o medalhão era do seu senhor Régulo. Por quê? De onde veio o medalhão? Qual era a ligação de Régulo com ele? Monstro, sente-se e me conte tudo que sabe sobre aquele medalhão, tudo que o ligava a Régulo!

O elfo sentou, enroscado como uma bola, apoiou o rosto molhado entre os joelhos e começou a se balançar para a frente e para trás. Quando falou, sua voz saiu abafada, mas bastante clara no silêncio da cozinha vazia.

— Meu senhor Sirius fugiu, ainda bem, porque ele era um garoto ruim e despedaçou o coração da minha senhora com a sua rebeldia. Mas meu senhor Régulo tinha orgulho; sabia reverenciar o nome Black e a dignidade do seu sangue puro. Durante anos ele falou do Lorde das Trevas, que ia tirar os bruxos da clandestinidade e dominar os trouxas e os nascidos trouxas... e quando fez dezesseis anos, meu senhor Régulo se reuniu ao Lorde das Trevas. Tão orgulhoso, tão orgulhoso, tão feliz de servir...

"E um dia, um ano depois que se alistou, meu senhor Régulo veio à cozinha ver Monstro. Meu senhor Régulo sempre gostou de Monstro. E meu senhor Régulo disse... disse..."

O velho elfo balançou-se mais rápido que nunca.

– ... disse que o Lorde das Trevas precisava de um elfo.

– Voldemort precisava de um *elfo*? – repetiu Harry, olhando para Rony e Hermione, que pareceram tão intrigados quanto ele.

– Ah, foi – gemeu Monstro. – E meu senhor Régulo tinha oferecido Monstro. Era uma honra, disse meu senhor Régulo, uma honra para ele e para Monstro; que tinha de fazer tudo que o Lorde das Trevas mandasse... e depois v-voltar para casa.

Monstro balançou-se ainda mais rápido, expirando em soluços.

– Então Monstro foi procurar o Lorde das Trevas. O Lorde das Trevas não disse a Monstro o que iam fazer, mas levou Monstro com ele para uma caverna junto ao mar. E para além da caverna havia outra caverna, e na caverna havia um enorme lago preto...

Os pelinhos da nuca de Harry se eriçaram. A voz rouca de Monstro parecia chegar a ele vinda da outra margem daquela água escura. Ele viu o que acontecera tão claramente quanto se tivesse estado presente.

– ... havia um barco...

É claro que houvera um barco; Harry conhecia o barco, minúsculo e verde espectral, enfeitiçado para transportar um bruxo e uma vítima até a ilha no meio do lago. Então fora assim que Voldemort testara as defesas que cercavam a Horcrux; pedindo emprestada uma criatura dispensável, um elfo doméstico...

– Havia uma b-bacia cheia de poção na ilha. O Lorde das T-trevas fez Monstro beber...

O elfo tremeu da cabeça aos pés.

– Monstro bebeu e, enquanto bebia, viu coisas terríveis... As entranhas de Monstro queimaram... Monstro gritou para o senhor Régulo ir salvar ele, gritou por sua senhora Black, mas o Lorde das Trevas ria... ele fez Monstro beber a poção toda... ele pôs um medalhão na bacia vazia... tornou a encher a bacia com mais poção.

"Então o Lorde das Trevas foi embora e deixou Monstro na ilha..."

Harry via a cena se desenrolando. O rosto branco e serpentino de Voldemort desaparecendo na escuridão, aqueles olhos vermelhos cruelmente fixos no elfo que se debatia e cuja morte ocorreria dentro de minutos, quando ele sucumbisse à sede desesperada que a poção causticante causava na vítima...

mas daí em diante a imaginação de Harry não pôde prosseguir, porque não conseguiu visualizar como Monstro escapara.

— Monstro precisava de água, arrastou-se até a orla da ilha e bebeu a água do lago preto... e mãos, mãos mortas saíram da água e arrastaram Monstro para baixo...

— Como foi que você escapou? — perguntou Harry, e não se surpreendeu ao perceber que estava sussurrando.

Monstro ergueu a cabeça feia e encarou Harry com seus grandes olhos vermelhos.

— Meu senhor Régulo disse a Monstro para voltar.

— Eu sei... mas como você fugiu dos Inferi?

Monstro pareceu não entender.

— Meu senhor Régulo disse a Monstro para voltar — repetiu ele.

— Eu sei, mas...

— Ora é óbvio, não é, Harry? — interveio Rony. — Ele desaparatou!

— Mas... não se podia aparatar e desaparatar na caverna — disse Harry —, do contrário, Dumbledore...

— A magia dos elfos não é como a magia dos bruxos, é? — perguntou Rony. — Quero dizer, eles podem aparatar e desaparatar em Hogwarts e nós não.

Fez-se silêncio enquanto Harry digeria a informação. Como Voldemort poderia ter cometido um erro desse? Enquanto pensava, porém, Hermione falou, e sua voz estava gélida.

— É óbvio, Voldemort teria considerado os costumes dos elfos domésticos indignos de sua atenção, exatamente como os sangues puros que os tratam como animais. Nunca teria lhe ocorrido que eles pudessem ser capazes de uma magia que ele não dominasse.

— A lei máxima para um elfo doméstico é a ordem do seu senhor — entoou Monstro. — Mandaram Monstro voltar para casa, então Monstro voltou para casa.

— Bem, então você fazia o que lhe mandavam, não é? — disse Hermione bondosamente. — Não desobedicia a ordem alguma!

Monstro fez que não com a cabeça, se balançando furiosamente.

— Então que aconteceu quando você voltou? — perguntou Harry. — Que disse Régulo quando você contou o que tinha acontecido?

— Meu senhor Régulo ficou muito preocupado, muito preocupado — crocitou Monstro. — Meu senhor Régulo mandou Monstro ficar escondido e não sair de casa. E então... foi um pouco depois disso... meu senhor Régulo veio procurar Monstro no armário uma noite, e meu senhor Régulo estava esquisito, fora do normal, perturbado, Monstro percebeu... e ele pediu a Monstro para levá-lo até a caverna, a caverna onde Monstro tinha ido com o Lorde das Trevas...

E então tinham partido. Harry pôde visualizá-los muito claramente, o velho elfo amedrontado e o apanhador magro e moreno que tanto se parecera com Sirius... Monstro sabia como abrir a entrada oculta para a caverna subterrânea, sabia como erguer o barquinho; desta vez foi o seu amado Régulo quem o acompanhou à ilha com a bacia de veneno...

— E ele fez você beber a poção? — perguntou Harry enojado.

Monstro, porém, sacudiu a cabeça e chorou. Hermione levou as mãos à boca: parecia ter compreendido alguma coisa.

— M-meu senhor Régulo tirou do bolso um medalhão igual ao que o Lorde das Trevas tinha — disse Monstro, as lágrimas escorrendo pelos lados do seu nariz trombudo. — E ele disse a Monstro para pegar e, quando a bacia estivesse vazia, trocar os medalhões...

Os soluços de Monstro agora saíam em grandes guinchos; Harry precisou se concentrar para entendê-lo.

— E ele deu ordem... para Monstro ir embora... sem ele. E ele disse a Monstro... para ir para casa... e nunca contar à minha senhora... o que ele tinha feito... mas para destruir... o primeiro medalhão. E ele bebeu... a poção toda... e Monstro trocou os medalhões... e ficou olhando... meu senhor Régulo... ele foi arrastado para baixo d'água... e...

— Ah, Monstro! — gemeu Hermione, que estava chorando. Ela caiu de joelhos ao lado do elfo e tentou abraçá-lo. Na mesma hora, ele ficou de pé, fugiu dela, deixando óbvia a sua repulsa.

— A sangue ruim encostou em Monstro, ele não vai permitir, que iria dizer a senhora dele?

— Eu lhe disse para não chamá-la de "sangue ruim"! — vociferou Harry, mas o elfo já estava se castigando: atirou-se ao chão e bateu com a cabeça repetidamente.

— Faça ele parar, faça ele parar! — exclamou Hermione. — Ah, está vendo agora como isso é doentio, a obrigação que eles têm de obedecer?

— Monstro: para, para! — gritou Harry.

O elfo ficou deitado no chão, ofegando e tremendo, uma secreção verde brilhando em torno do nariz, um hematoma já se formando na testa pálida no ponto em que a batera, seus olhos inchados e injetados transbordando lágrimas. Harry nunca vira nada tão digno de pena.

— Então você trouxe o medalhão para casa — disse ele inflexível, porque estava resolvido a conhecer a história completa. — E tentou destruí-lo?

— Nada que Monstro tentou fez mossa no medalhão — lamentou-se o elfo. — Monstro tentou tudo, tudo que sabia, mas nada, nada adiantou... de tão poderosos os feitiços que estavam nele. Monstro tinha certeza que, para destruir o medalhão, precisava chegar dentro dele, mas ele não abria... Monstro se castigou, tentou outra vez, se castigou, tentou outra vez. Monstro não conseguiu obedecer à ordem, Monstro não conseguiu destruir o medalhão! E sua senhora enlouqueceu de tristeza, porque meu senhor Régulo desapareceu, e Monstro não pôde contar a ela o que tinha acontecido, não, porque meu senhor Régulo tinha p-proibido Monstro de contar para a f-família o que tinha acontecido na c-caverna...

Monstro começou a soluçar tanto que suas palavras deixaram de fazer sentido. As lágrimas escorriam pelo rosto de Hermione, que observava Monstro, mas ela não se atreveu a tocá-lo novamente. Até Rony, que não era fã do elfo, parecia perturbado. Harry se recostou e sacudiu a cabeça, tentando clarear os pensamentos.

— Não estou entendendo você, Monstro — disse ele finalmente. — Voldemort tentou matar você, Régulo morreu para derrubar Voldemort, ainda assim você ficou feliz em entregar Sirius a Voldemort? Ficou feliz em procurar Narcisa e Belatriz e por meio delas passar informações a Voldemort...

— Harry, não é assim que Monstro raciocina — disse Hermione enxugando as lágrimas com o dorso da mão. — Ele é um escravo; elfos domésticos estão acostumados a ser maltratados e até brutalizados; o que Voldemort fez a Monstro não foi muito diferente disso. Que significam as guerras bruxas para um elfo como Monstro? Ele é leal àqueles que são bons para ele, e a sra. Black deve ter sido boa, e Régulo certamente o foi, portanto ele os servia de boa vontade e repetia as crenças deles. Sei o que você vai me dizer — continuou ela, quando Harry começou a protestar —, que Régulo mudou de ideia... mas, pelo visto, ele não explicou isso a Monstro, não é? E acho que sei a razão. Monstro e a família de Régulo estariam mais seguros se continuassem fiéis ao velho conceito do sangue puro. Régulo estava tentando proteger a todos.

— Sirius...

— Sirius era muito mau com Monstro, Harry, e não adianta me olhar assim, você sabe que é verdade. Monstro tinha passado muito tempo sozinho quando Sirius veio morar aqui, e provavelmente estava faminto por alguma afeição. Tenho certeza que a "srta. Ciça" e a "srta. Bela" eram absolutamente simpáticas com Monstro quando ele aparecia por lá, então ele lhes fazia um favor e contava tudo que queriam saber. Sempre disse que os bruxos um dia iriam pagar pelo modo com que tratam os elfos domésticos. Bem, Voldemort pagou... e Sirius também.

Harry não teve o que retorquir. Enquanto observava Monstro aos soluços no chão, ele se lembrou do que Dumbledore lhe dissera, poucas horas antes de Sirius morrer: *"Acho que Sirius nunca encarou Monstro como um ser com sentimentos tão sutis quanto os de um ser humano..."*

— Monstro — disse Harry, algum tempo depois —, quando tiver vontade, ãh... por favor, se sente.

Passaram-se vários minutos até Monstro calar seus soluços. Sentou então, esfregando os olhos com os nós dos dedos, como uma criancinha.

— Monstro, vou lhe pedir para fazer uma coisa — disse-lhe Harry. E olhou para Hermione pedindo ajuda: queria dar uma ordem gentilmente, mas ao mesmo tempo não poderia fingir que não era uma ordem. Contudo, a mudança no seu tom de voz parecia ter recebido a aprovação da amiga: ela sorriu encorajando-o.

"Monstro, eu quero que você, por favor, encontre Mundungo Fletcher. Precisamos descobrir onde o medalhão, o medalhão do seu senhor Régulo, está. É realmente importante. Queremos terminar a tarefa que o seu senhor Régulo começou, queremos... ãh... garantir que ele não tenha morrido em vão."

Monstro baixou os punhos e ergueu os olhos para Harry Potter.

— Encontrar Mundungo Fletcher? — repetiu rouco.

— E trazê-lo aqui, ao largo Grimmauld — acrescentou Harry. — Você acha que poderia fazer isso para nós?

Ao ver Monstro assentir e ficar em pé, o garoto teve uma súbita inspiração. Apanhou a bolsa que Hagrid lhe dera e tirou a falsa Horcrux, o medalhão substituto em que Régulo colocara o bilhete para Voldemort.

— Monstro, eu... ãh... gostaria que você ficasse com isso — disse, colocando o medalhão nas mãos do elfo. — Isto pertenceu a Régulo, e tenho certeza que ele gostaria de lhe dar como prova de gratidão pelo que você...

— Destruiu, colega — disse Rony, quando o elfo, dando uma olhada no medalhão, deixou escapar um uivo de choque e desespero e tornou a se atirar ao chão.

Levaram quase meia hora para acalmar Monstro, que ficou tão comovido em receber de presente uma herança da família Black que sentiu os joelhos fracos demais para se manter em pé. Quando finalmente pôde dar alguns passos, os garotos o acompanharam ao seu armário, viram-no guardar o medalhão nas cobertas sujas, e tranquilizaram o elfo de que a proteção do objeto seria sua maior prioridade enquanto ele estivesse ausente. Então Monstro fez duas reverências profundas para Rony e Harry, e até uma leve contração gaiata em direção a Hermione que talvez fosse uma tentativa de saudá-la respeitosamente, antes de desaparatar com o costumeiro estalo.

11

O SUBORNO

Se Monstro podia escapar de um lago cheio de Inferi, Harry confiava que a captura de Mundungo levaria no máximo algumas horas, e ele andou pela casa a manhã inteira em estado de grande expectativa. Contudo, Monstro não voltou aquela manhã nem à tarde. Quando anoiteceu, Harry se sentiu desanimado e ansioso, e o jantar composto principalmente de pão bolorento, no qual Hermione tentara uma variedade de malsucedidas transfigurações, não ajudou em nada.

Monstro não retornou no dia seguinte, nem no próximo. Apareceram, no entanto, dois homens de capa no largo em frente ao número doze, e ali permaneceram noite adentro, olhando em direção a casa que não podiam ver.

– Na certa, Comensais da Morte – disse Rony, enquanto ele, Harry e Hermione observavam das janelas da sala de visitas. – Acham que eles sabem que estamos aqui?

– Acho que não – respondeu Hermione, embora parecesse amedrontada –, ou teriam mandado Snape atrás de nós, não?

– Vocês acham que ele esteve aqui e o feitiço de Moody prendeu a língua dele? – sugeriu Rony.

– Acho – respondeu Hermione –, do contrário, teria podido contar àquele bando como entrar, não? Mas eles provavelmente estão vigiando para ver se aparecemos. Sabem que a casa é do Harry.

– Como puderam...? – começou Harry.

– Os testamentos bruxos são examinados pelo Ministério, lembram? Saberão que Sirius deixou a casa para você.

A presença de Comensais da Morte ali fora intensificou a atmosfera agourenta no número doze. Os garotos não tinham ouvido nada de pessoa alguma fora do largo Grimmauld desde o Patrono do sr. Weasley, e a tensão estava começando a se manifestar. Inquieto e irritável, Rony tinha desenvolvido o incômodo hábito de brincar com o desiluminador dentro do bolso: isto enfurecia particularmente Hermione, que passava o tempo em que aguardavam Monstro estudando Os contos de Beedle, o bardo e não estava gostando que as luzes piscassem.

– Quer parar com isso! – exclamou, na terceira noite da ausência de Monstro, quando a luz da sala de visitas foi apagada mais uma vez.

– Desculpe, desculpe! – disse Rony, acionando o desiluminador e acendendo as luzes. – Não estou fazendo isso conscientemente!

– Bem, não pode procurar alguma coisa útil para se ocupar?

– O quê, ler histórias escritas para criancinhas?

– Dumbledore me deixou o livro, Rony...

– ... e me deixou o desiluminador, quem sabe esperava que eu o usasse!

Incapaz de suportar essas briguinhas, Harry saiu da sala sem os dois perceberem. Desceu à cozinha, que ele não parava de visitar, porque tinha certeza de que era ali que Monstro provavelmente reapareceria. No meio da escada para a entrada, no entanto, ele ouviu uma batida na porta da frente, e em seguida cliques metálicos e a corrente.

Sentiu cada nervo do seu corpo se retesar: sacou a varinha e se ocultou nas sombras ao lado das cabeças dos elfos decapitados, onde ficou aguardando. A porta abriu: ele entreviu o largo iluminado e um vulto de capa entrou sorrateiro na casa e fechou a porta. O intruso deu um passo à frente e a voz de Moody perguntou:

– *Severo Snape?*

Então, o vulto de pó se ergueu no final do corredor e avançou para ele, a mão cadavérica erguida.

– Não fui eu que o matei, Alvo – respondeu a voz baixa.

O feitiço se desfez, o vulto de pó explodiu e foi impossível ver o recém-chegado através da densa nuvem cinzenta que o espectro deixou ao desaparecer.

Harry apontou a varinha para o meio da nuvem.

– Não se mexa!

Ele esquecera, porém, o retrato da sra. Black: ao som de sua ordem, as cortinas que a ocultavam se abriram repentinamente e a bruxa começou a gritar:

– *Sangues ruins e escória desonrando minha casa...*

Rony e Hermione desceram atrás de Harry reboando pela escada, as varinhas apontadas para o estranho no corredor, as mãos para o alto.

– Guardem as varinhas, sou eu, Remo!

— Ah, graças aos céus! — exclamou Hermione em voz baixa, dirigindo a varinha para a sra. Black; com um estampido, as cortinas tornaram a fechar e fez-se silêncio. Rony também baixou a varinha, mas Harry não.

— Apareça! — falou.

Lupin deu um passo para a luz, as mãos ainda no alto em um gesto de rendição.

— Sou Remo João Lupin, lobisomem, também conhecido como Aluado, um dos quatro criadores do mapa do maroto, casado com Ninfadora, mais conhecida como Tonks, e o ensinei a produzir um Patrono, Harry, que assume a forma de um veado.

— Ah, tudo bem — disse Harry, baixando a varinha —, mas eu tinha que verificar, não?

— Na qualidade de seu antigo professor de Defesa Contra as Artes das Trevas, concordo plenamente que precisasse verificar. Rony, Hermione, vocês não deviam ter baixado a guarda tão rapidamente.

Os garotos desceram o resto da escada e correram para o recém-chegado. Protegido por uma grossa capa de viagem preta, ele parecia exausto, mas satisfeito em revê-los.

— Então, nem sinal de Severo? — perguntou.

— Não — respondeu Harry. — Que está acontecendo? Estão todos bem?

— Estão — confirmou Lupin —, mas vigiados. Há uns dois Comensais da Morte no largo aí em frente...

— ... sabemos...

— ... precisei aparatar exatamente no último degrau à frente da porta para garantir que não me vissem. Não sabem que vocês estão aqui, ou tenho certeza que postariam mais gente lá fora; estão tocaiando todos os lugares que têm alguma ligação com você, Harry. Vamos descer, tenho muito que lhes contar e quero saber o que aconteceu depois que saíram d'A Toca.

Eles desceram à cozinha, onde Hermione apontou a varinha para a lareira. As chamas subiram instantaneamente: deram a ilusão de aconchego às frias paredes de pedra e se refletiram na superfície da mesa de madeira. Lupin tirou algumas cervejas amanteigadas debaixo da capa de viagem, e todos se sentaram.

— Eu teria chegado aqui há três dias, mas precisei me livrar do Comensal que estava me seguindo — comentou Lupin. — Então, vocês vieram direto para cá depois do casamento?

— Não — respondeu Harry —, só depois de toparmos com dois Comensais em um bar na Tottenham Court.

Lupin derramou quase toda a cerveja no peito.

— Quê?

Os garotos explicaram o que havia acontecido; quando terminaram, Lupin estava horrorizado.

— Mas como encontraram vocês tão depressa? É impossível rastrear uma pessoa que aparata, a não ser que a agarrem antes de desaparecer!

— E é pouco provável que estivessem apenas passeando pela Tottenham Court na hora, concorda? – comentou Harry.

— Pensamos – arriscou Hermione – que talvez Harry ainda tivesse o rastreador, que acha?

— Impossível – respondeu Lupin. Rony fez cara de quem acertou, e Harry se sentiu imensamente aliviado. – Sem me aprofundar, se Harry ainda carregasse o rastreador, eles teriam certeza absoluta de sua presença aqui, não é mesmo? Mas não vejo como poderiam ter seguido vocês a Tottenham Court, e isso me preocupa, realmente me preocupa.

Ele pareceu perturbado, mas, se dependesse de Harry, a pergunta poderia esperar.

— Conte o que aconteceu depois que saímos, não soubemos de nada desde que o pai de Rony nos avisou que a família estava bem.

— Bem, Kingsley nos salvou – disse Lupin. – Graças ao seu aviso, a maior parte dos convidados pôde desaparatar antes da invasão.

— Eram Comensais da Morte ou gente do Ministério? – interrompeu-o Hermione.

— Os dois; para todos os efeitos, agora os dois são a mesma coisa – disse Lupin. – Eram uns doze, mas não sabiam que você estava lá, Harry. Arthur ouviu um boato que procuraram descobrir o seu paradeiro, torturando Scrimgeour antes de matá-lo; se for verdade, ele não o traiu.

Harry olhou para Rony e Hermione; seus rostos refletiam a mescla de choque e gratidão que ele sentia. Jamais gostara muito de Scrimgeour, mas, se o que Lupin dizia fosse verdade, o último gesto do homem fora protegê-lo.

— Os Comensais revistaram A Toca de cima a baixo – continuou Lupin. – Encontraram o vampiro, mas não quiseram chegar muito perto; depois interrogaram horas seguidas os que permaneceram na casa. Estavam querendo obter informações sobre você, Harry, mas, naturalmente, ninguém mais além dos membros da Ordem sabia que você tinha estado lá.

"Ao mesmo tempo que acabavam com o casamento, outros Comensais estavam invadindo as casas no campo que tinham ligação com a Ordem. Não mataram ninguém", acrescentou, depressa, prevendo a pergunta, "mas foram violentos. Queimaram a casa de Dédalo Diggle, mas, como você sabe, ele não estava, e usaram a Maldição Cruciatus na família de Tonks, tentando descobrir aonde você tinha ido depois de visitá-los. Eles estão bem... obviamente abalados... mas, sob outros aspectos, bem."

— Os Comensais da Morte romperam todos os feitiços de proteção? — perguntou Harry, lembrando-se de sua eficácia na noite em que ele se acidentara no jardim dos Tonks.

— O que você precisa compreender, Harry, é que os Comensais agora têm o Ministério todo na mão — disse Lupin. —Têm o poder de usar feitiços cruéis sem medo de serem identificados ou presos. Conseguiram penetrar cada feitiço defensivo que lançamos contra eles e, uma vez dentro, agiram abertamente.

— E por que estão se dando o trabalho de inventar desculpas para descobrir o paradeiro de Harry por meio de tortura? — perguntou Hermione, com um fio de irritação na voz.

— Bem... — começou Lupin. Hesitou um momento, então tirou da capa um exemplar dobrado do *Profeta Diário*. — Leia — disse, empurrando o jornal para Harry do outro lado da mesa —, você irá saber mais cedo ou mais tarde. É o pretexto que estão usando para procurar você.

Harry abriu o jornal. Uma enorme fotografia sua ocupava a primeira página. Leu a manchete.

PROCURADO PARA DEPOR SOBRE A MORTE DE
ALVO DUMBLEDORE

Rony e Hermione gritaram indignados, mas Harry ficou calado. Empurrou o jornal para longe; não queria ler mais nada: sabia o que dizia. Ninguém, exceto os que estavam no alto da torre quando Dumbledore morreu, sabia quem realmente o matara, e, como Rita Skeeter já divulgara para o mundo bruxo, Harry fora visto fugindo do local momentos depois da queda de Dumbledore.

— Lamento, Harry — disse Lupin.

— Então os Comensais da Morte tomaram o *Profeta Diário* também? — perguntou Hermione, furiosa.

Lupin assentiu.

— Mas com certeza as pessoas percebem o que está acontecendo, não?

— O golpe foi hábil e virtualmente silencioso — respondeu Lupin. — A versão oficial para o assassinato de Scrimgeour é que ele renunciou; foi substituído por Pio Thicknesse, que está sob a influência da Maldição Imperius.

— Por que Voldemort não se declarou ministro da Magia? — perguntou Rony.

Lupin riu.

— Não precisa, Rony. Ele é *de fato* o ministro da Magia, então, para que iria se sentar atrás de uma mesa no Ministério? Seu fantoche, Thicknesse, está cuidando da burocracia diária, deixando Voldemort livre para estender sua influência para além do Ministério.

"Naturalmente muitas pessoas deduziram o que aconteceu: nos últimos dias houve uma acentuada mudança na diretriz ministerial, e muitos estão murmurando que Voldemort deve estar por trás disso. Contudo, aí reside o problema: murmuram apenas. Não ousam trocar confidências, não sabem em quem confiar; têm medo de se manifestar, porque suas suspeitas podem se confirmar e suas famílias serem atingidas. Sim, Voldemort está fazendo um jogo inteligente. Expor-se poderia ter provocado uma rebelião aberta: nos bastidores, criou confusão, incerteza e medo."

— E essa mudança acentuada na diretriz ministerial — indagou Harry — inclui alertar o mundo bruxo contra mim, e não contra Voldemort?

— Com certeza, e é um golpe de mestre. Agora que Dumbledore morreu, você, O-Menino-Que-Sobreviveu, certamente seria o símbolo e o núcleo de qualquer resistência contra Voldemort. Mas, ao sugerir que você participou na morte do velho herói, ele não só pôs a sua cabeça a prêmio como também semeou a dúvida e o medo entre aqueles que o teriam defendido.

"Nesse meio-tempo, o Ministério saiu em campo contra os nascidos trouxas."

Lupin apontou para o *Profeta Diário*.

— Vejam a página dois.

Hermione virou as páginas do jornal com a mesma expressão de nojo com que segurara os *Segredos das artes mais tenebrosas*. E leu em voz alta:

— *Registro para os Nascidos Trouxas*

"*O Ministério da Magia está procedendo a um censo dos chamados 'nascidos trouxas' para melhor compreender como se tornaram detentores de segredos da magia.*

"*Pesquisas recentes feitas pelo Departamento de Mistérios revelam que a magia só pode ser transmitida de uma pessoa a outra quando os bruxos procriam. Portanto, nos casos em que não há comprovação de ancestralidade bruxa, os chamados nascidos trouxas provavelmente obtiveram seus poderes por meio do roubo ou uso de força.*

"O Ministério tomou a decisão de extirpar esses usurpadores da magia e, com essa finalidade, enviou um convite para que se apresentem a uma entrevista com a recém-nomeada Comissão de Registro dos Nascidos Trouxas."

– As pessoas não vão deixar isso acontecer – disse Rony.

– Já está acontecendo – informou Lupin. – Os nascidos trouxas estão sendo arrebanhados, por assim dizer.

– Mas como supõem que eles possam ter "roubado" a magia? Isso é pura burrice, se fosse possível roubar magia não haveria bruxos abortados, não acham?

– Concordo – disse Lupin. – Contudo, a não ser que você possa provar que tem, no mínimo, um parente próximo que seja bruxo, concluirão que obteve o seu poder ilegalmente e será passível de punição.

Rony olhou para Hermione e disse:

– E se os sangues-puros e os mestiços jurarem que um nascido trouxa faz parte da família? Eu direi a todo mundo que Hermione é minha prima...

Hermione pôs a mão sobre a mão de Rony e apertou-a.

– Obrigada Rony, mas eu não poderia deixar...

– Você não terá escolha – disse Rony impetuosamente, segurando a mão dela. – Eu a ensino a reconhecer a minha árvore genealógica e você poderá responder às perguntas deles.

Hermione deu uma risada gostosa.

– Rony, como estamos fugindo com Harry, a pessoa mais procurada deste país, acho que isso não tem importância. Se eu fosse voltar para a escola seria diferente. E quais são os planos de Voldemort para Hogwarts? – perguntou ela a Lupin.

– A frequência agora é obrigatória para todas as crianças bruxas. Anunciaram ontem. É uma mudança, porque antes nunca foi obrigatória. Naturalmente quase todos os bruxos da Grã-Bretanha foram educados em Hogwarts, mas os pais tinham o direito de ensinar-lhes em casa ou mandá-los estudar no exterior, se preferissem. Com isso, Voldemort terá toda a população bruxa sob vigilância desde muito jovem. E é outra maneira de extirpar os nascidos trouxas, porque os alunos devem receber um registro sanguíneo, indicando que provaram ao Ministério sua ascendência bruxa, antes de poderem se matricular.

Harry sentiu repugnância e raiva: naquele momento crianças de onze anos animadas estariam examinando pilhas de livros de feitiços recém-comprados, sem saber que jamais veriam Hogwarts ou talvez nem as próprias famílias.

— É... é... — murmurou, tentando encontrar palavras que fizessem justiça aos pensamentos horripilantes que lhe passavam pela cabeça, mas Lupin disse-lhe brandamente:

— Eu sei.

O ex-professor hesitou.

— Eu compreenderei se você não puder confirmar, Harry, mas a Ordem está desconfiada de que Dumbledore lhe confiou uma missão.

— Confiou, e Rony e Hermione a conhecem e vão me acompanhar.

— Você pode me contar qual é a missão?

Harry encarou aquele rosto prematuramente enrugado, com a sua moldura de cabelos bastos, mas grisalhos, e desejou que pudesse lhe dar uma resposta diferente.

— Não posso, Remo, lamento. Se Dumbledore não lhe revelou, acho que também não posso.

— Supus que essa seria a sua resposta — disse Lupin, desapontado. — Ainda assim, eu poderia lhe ser útil. Você me conhece e sabe o que sou capaz de fazer. Eu poderia acompanhá-lo para lhe fornecer proteção. Não haveria necessidade de me dizer exatamente o que pretendem.

Harry hesitou. Era uma oferta tentadora, embora ele não conseguisse imaginar como iriam poder guardar segredo se Lupin estivesse com eles todo o tempo.

Hermione, no entanto, pareceu intrigada.

— E Tonks? — perguntou.

— Que tem ela?

— Bem — tornou Hermione, enrugando a testa —, vocês são casados! O que ela está achando dessa sua viagem conosco?

— Tonks estará perfeitamente segura. Na casa dos pais dela.

O tom de Lupin foi estranho; quase frio. Havia algo esquisito na ideia de Tonks ficar escondida na casa dos pais; afinal, ela era membro da Ordem e, pelo que Harry conhecia, a auror provavelmente iria querer participar da ação.

— Remo — perguntou Hermione hesitante —, está tudo bem... entende... entre você e...

— Tudo está ótimo, obrigado — respondeu ele, enfaticamente. Hermione corou.

Houve uma segunda pausa, inoportuna e constrangedora, então Lupin acrescentou com ar de quem era forçado a admitir algo desagradável:

— Tonks vai ter um bebê.

– Ah, que maravilhoso! – guinchou Hermione.

– Excelente! – disse Rony, entusiasmado.

– Parabéns – acrescentou Harry.

Lupin lançou aos garotos um sorriso forçado, mais parecia uma careta, antes de perguntar:

– Então... aceitam a minha oferta? Os três poderão ser quatro? Não acredito que Dumbledore desaprovasse, afinal foi ele que me nomeou professor de Defesa Contra as Artes das Trevas. E, confesso, creio que estamos enfrentando uma magia que muitos de nós jamais encontraram ou imaginaram existir.

Rony e Hermione olharam para Harry.

– Só... só para deixar bem claro – disse o garoto. – Você quer deixar Tonks na casa dos pais e nos acompanhar?

– Tonks estará perfeitamente segura, eles cuidarão dela – respondeu Lupin, com uma firmeza que beirava a indiferença. – Harry, tenho certeza que Tiago iria querer que eu estivesse ao seu lado.

– Bem – disse Harry, lentamente –, eu não. Tenho certeza que o meu pai iria querer saber por que você não vai ficar ao lado do seu próprio filho.

A cor sumiu do rosto de Lupin. A temperatura da cozinha parecia ter caído dez graus. Rony correu o olhar pelo aposento como se o tivessem mandado memorizar cada detalhe, enquanto os olhos de Hermione iam e vinham de Harry para Lupin.

– Você não entende – disse Lupin, finalmente.

– Explique, então.

Lupin engoliu em seco.

– Cometi um grave erro me casando com Tonks. Agi contrariando o meu bom-senso, e tenho me arrependido muito desde então.

– Entendo, então você vai simplesmente abandonar a moça e o filho e fugir conosco?

Lupin se pôs repentinamente de pé: a cadeira tombou para trás e ele encarou os garotos com tanta ferocidade que Harry viu, pela primeira vez na vida, a sombra do lobo em seu rosto humano.

– Você não entende o que fiz à minha mulher e ao meu filho que vai nascer? Eu jamais devia ter casado com Tonks, eu a transformei em uma pária! – Lupin chutou para o lado a cadeira que derrubara.

"Você até hoje só me viu na Ordem, ou sob a proteção de Dumbledore, em Hogwarts! Você não sabe como a maioria do mundo bruxo encara as criaturas como eu! Quando descobrem a minha desgraça, nem conseguem mais falar comigo! Você não percebe o que eu fiz? Até a família dela se desgostou com o nosso casamento, que pais querem ver a única filha casada com um lobisomem? E o filho... o filho..."

Lupin chegou a arrancar tufos dos próprios cabelos; parecia muito descontrolado.

— A minha espécie normalmente não procria! Ele será como eu, estou convencido. Como poderei me perdoar, quando conscientemente corri o risco de transmitir a minha deficiência a uma criança inocente? E se, por milagre, ela não for como eu, então estará melhor, mil vezes melhor sem um pai do qual sempre se envergonhará!

— Remo! — sussurrou Hermione, os olhos marejados de lágrimas. — Não diga isso, como uma criança poderia ter vergonha de você?

— Ah, não sei, Hermione — disse Harry. — Eu teria muita vergonha dele.

Ele não sabia de onde vinha a sua raiva, mas o sentimento o fizera se levantar também. A expressão de Lupin era a de quem tinha sido esbofeteado por Harry.

— Se o novo regime acha que os que nasceram trouxas são criminosos, que fará com um mestiço de lobisomem cujo pai pertence à Ordem? Meu pai morreu tentando proteger a mim e minha mãe, e você acha que ele lhe diria para abandonar seu filho e nos acompanhar em uma aventura?

— Como... como se atreve? — disse Lupin. — Não se trata de um desejo de... correr riscos ou obter glória pessoal... como se atreve a insinuar uma...

— Acho que você está sendo audacioso — disse Harry. — Querendo ocupar o lugar de Sirius...

— Harry, não! — suplicou Hermione, mas ele continuou a encarar o rosto lívido de Lupin.

— Eu nunca teria acreditado — continuou Harry. — O homem que me ensinou a combater dementadores... um covarde.

Lupin sacou a varinha tão rápido que Harry mal teve tempo de apanhar a própria; seguiu-se um forte estampido e ele se sentiu arremessado para trás como se tivesse levado um murro; ao bater contra a parede da cozinha e escorregar para o chão, viu a ponta da capa de Lupin desaparecer pela porta.

— Remo, Remo, volte! — gritou Hermione, mas Lupin não respondeu. Instantes depois ouviram a porta da frente bater. — Harry! — gritou, chorosa. — Como pôde fazer isso?

— Foi fácil — respondeu Harry.

Ele se levantou; sentiu um galo crescendo no lugar em que sua cabeça batera na parede. Sua raiva era tanta que o fazia tremer.

— Não olhe para mim desse jeito! — disse rispidamente a Hermione.

— Não se vire contra ela! — rosnou Rony.

— Não... não... não devemos brigar! — disse Hermione atirando-se entre os dois.

— Você não devia ter dito aquilo a Lupin — disse Rony a Harry.

— Ele estava pedindo — respondeu Harry. Imagens fragmentadas sobrepunham-se celeremente em sua mente: Sirius atravessando o véu; Dumbledore suspenso, desconjuntado, no ar; um lampejo de luz verde e a voz de sua mãe pedindo misericórdia...

— Os pais — disse Harry — não devem abandonar os filhos, a não ser... a não ser que não possam evitar.

— Harry... — disse Hermione, esticando a mão para consolá-lo, mas ele repeliu-a e se afastou, fixando as chamas que a garota tinha conjurado. Uma vez falara com Lupin por aquela lareira, buscando consolo por causa do pai, e o professor o ajudara. Agora o rosto torturado e pálido de Lupin parecia flutuar diante de seus olhos. Ele sentiu uma onda nauseante de remorso. Nem Rony nem Hermione falaram, mas ele tinha certeza de que estavam se entreolhando às suas costas, comunicando-se em silêncio.

Harry se virou e surpreendeu-os voltando rapidamente as costas um para o outro.

— Sei que não devia tê-lo chamado de covarde.

— Não, não devia — concordou Rony, imediatamente.

— Mas é como ele está agindo.

— Mesmo assim... — disse Hermione.

— Eu sei. Mas se isto o fizer voltar para Tonks, terá valido a pena, não?

Ele não pôde evitar o tom de súplica em sua voz. Hermione pareceu receptiva, Rony, inseguro. Harry olhou para os próprios pés pensando no pai. Tiago teria apoiado o que ele dissera a Lupin ou teria se zangado com o filho pelo modo com que tratara seu velho amigo?

A cozinha silenciosa pareceu vibrar com o impacto da cena recente e a reprovação muda de Rony e Hermione. O *Profeta Diário* que Lupin trouxera continuava sobre a mesa, a foto de Harry na primeira página virada para o teto. Ele se aproximou e se sentou, abriu o jornal a esmo e fingiu ler. Não conseguia entender as palavras, sua mente ainda arrebatada pelo confronto com Lupin. Sabia que Rony e Hermione tinham retomado sua comunicação silenciosa por trás do *Profeta*. Ele virou a página com violência, e o nome de Dumbledore saltou aos seus olhos. Harry levou alguns instantes para entender o significado da foto em que havia uma família. Sob a foto a legenda:

A família Dumbledore: da esquerda para a direita, Alvo, Percival, segurando Ariana recém-nascida, Kendra e Aberforth.

Atento, Harry parou para examinar a foto. O pai de Dumbledore, Percival, era um homem bonito, com olhos que pareciam cintilar mesmo na velha foto desbotada. O bebê, Ariana, era pouco maior que uma fôrma de pão e igualmente desprovido de traços marcantes. A mãe, Kendra, tinha cabelos muito escuros presos em um coque. Seu rosto parecia esculpido. Apesar do vestido de seda de gola alta que usava, Harry lembrou-se de nativos americanos ao estudar seus olhos escuros, malares altos e nariz reto. Alvo e Aberforth usavam paletós iguais com gola de renda e cortes idênticos nos cabelos até os ombros. Alvo parecia vários anos mais velho, mas sob outros aspectos, os dois meninos eram muito semelhantes, porque a foto fora tirada antes de Alvo ter o nariz fraturado ou começar a usar óculos.

A família parecia bem feliz e normal e sorria serenamente. O bebê acenava, sem direção, com o braço fora da manta. Harry olhou para o alto da foto e leu a manchete:

TRECHO EXCLUSIVO DA BIOGRAFIA DE ALVO DUMBLEDORE
A SER LANÇADA EM BREVE por Rita Skeeter

Pensando que não poderia se sentir pior do que já se sentia, Harry começou a ler:

> Orgulhosa e arrogante, Kendra Dumbledore não poderia suportar permanecer em Mould-on-the-Wold depois da comentada detenção do marido Percival e sua prisão em Azkaban. Ela decidiu, portanto, cortar esses laços e se mudar para Godric's Hollow, a aldeia que anos mais tarde se tornaria famosa como cenário do ataque de Você-Sabe-Quem a Harry Potter e da inexplicável sobrevivência do menino.
> Godric's Hollow, tal como Mould-on-the-Wold, era o refúgio de muitas famílias bruxas, mas, não as conhecendo, Kendra estaria a salvo da curiosidade que o crime de Percival despertara em sua antiga aldeia. Repelindo as tentativas de aproximação dos vizinhos bruxos, em pouco tempo ela garantiu que sua família fosse deixada em paz.
> "Kendra bateu a porta na minha cara quando passei para lhe dar as boas-vindas levando um tabuleiro de bolos de caldeirão", conta Batilda Bagshot. "No primeiro ano em que moraram lá, só vi os dois meninos. Não saberia que havia uma filha se não estivesse colhendo plangentinas ao luar

no inverno depois da mudança e visse Kendra saindo com Ariana para o jardim dos fundos. Deu uma volta com a criança segurando-a com firmeza, depois tornou a entrar. Eu nem soube o que pensar daquilo."

Aparentemente, Kendra achou que mudar para Godric's Hollow seria a oportunidade perfeita de esconder Ariana para sempre, coisa que provavelmente vinha planejando havia anos. O momento era oportuno. Ariana ainda não completara sete anos quando deixou de ser vista, e sete anos é a idade em que, se existir, a magia se revelará, segundo a maioria dos estudiosos. Nenhuma das pessoas ainda vivas se lembra de Ariana demonstrar o menor pendor para a magia. Parece evidente, portanto, que Kendra tenha decidido esconder a existência da filha para não sofrer a vergonha de admitir que dera à luz uma bruxa abortada. Afastar-se dos amigos e vizinhos que conheciam Ariana, naturalmente, tornaria a sua prisão em casa tanto mais fácil. O pequeno número de pessoas que a partir daí conheceram sua existência guardaria o segredo, inclusive seus dois irmãos, que contornavam as perguntas embaraçosas com a resposta que a mãe lhes ensinara: "Minha irmã é muito doentinha para frequentar a escola."

Na próxima semana: Alvo Dumbledore em Hogwarts – os prêmios e o fingimento.

Harry tinha se enganado: o que acabara de ler fez com que se sentisse pior. Ele tornou a contemplar a foto da família aparentemente feliz. Seria verdade? Como poderia descobrir? Queria ir a Godric's Hollow, ainda que Batilda não estivesse em condições de conversar com ele; queria visitar o lugar em que ele e Dumbledore tinham perdido entes queridos. Já estava baixando o jornal, para perguntar a opinião de Rony e Hermione, quando um estalo ensurdecedor ecoou pela cozinha.

Pela primeira vez em três dias, Harry tinha esquecido Monstro completamente. No primeiro momento, pensou que Lupin estivesse irrompendo de volta ao aposento e, por uma fração de segundo, não percebeu o número de pernas que apareceram se debatendo na cozinha ao lado de sua cadeira. Ergueu-se de um salto enquanto Monstro, que se desvencilhava e lhe fazia uma profunda reverência, crocitou:

— Monstro retornou com o ladrão Mundungo Fletcher, meu senhor.

Mundungo levantou-se com dificuldade e sacou a varinha; Hermione, no entanto, foi mais rápida que ele.

— Expelliarmus!

A varinha de Mundungo saiu voando pelo ar e a garota a recolheu. De olhos arregalados, o bruxo se atirou em direção à escada: Rony derrubou-o e Mundungo bateu no piso de pedra com um ruído abafado.

– Quê? – berrou, contorcendo-se em tentativas para se livrar das garras de Rony. – Que foi que eu fiz? Mandando um desgraçado de um elfo doméstico atrás de mim, que brincadeira é essa, que foi que eu fiz, me solte, me solte, ou...

– Você não está em posição de fazer ameaças – disse Harry. E, atirando o jornal para o lado, atravessou a cozinha em poucos passos e se ajoelhou ao lado de Mundungo, que parou de lutar aterrorizado. Rony se levantou, ofegando, e ficou observando Harry apontar deliberadamente a varinha para o nariz do bruxo. Mundungo fedia a suor velho e fumaça de tabaco: seus cabelos estavam embaraçados e as vestes manchadas.

– Monstro pede desculpas pela demora em trazer o ladrão, meu senhor – crocitou o elfo. – Fletcher sabe como evitar ser capturado, tem muitos esconderijos e cúmplices. Mesmo assim, Monstro acabou encurralando o ladrão.

– Você fez um ótimo serviço, Monstro – disse Harry, e o elfo fez nova reverência.

"Certo, temos algumas perguntas a lhe fazer", disse Harry a Mundungo, que imediatamente gritou:

– Entrei em pânico, o.k.? Nunca quis ir, sem querer ofender, colega, nunca me ofereci para morrer por você, e o infeliz do Você-Sabe-Quem veio voando direto para mim, qualquer pessoa teria se mandado, eu disse o tempo todo que não queria fazer...

– Para sua informação, nenhum dos outros desaparatou – interrompeu-o Hermione.

– Ora, vocês são metidos a heróis, é o que são, mas eu nunca fingi que pretendia me matar...

– Não estamos interessados em suas razões para abandonar Olho-Tonto – disse Harry, chegando a varinha mais perto dos olhos empapuçados e vermelhos do bruxo. – Nós já sabíamos que você não prestava.

– Então, por que diabos estou sendo caçado por elfos domésticos? Ou é aquela história das taças novamente? Não tenho mais nenhuma comigo, senão você poderia ficar com elas...

– Também não queremos falar de taças, embora você esteja esquentando. Cale a boca e ouça – disse Harry.

Era uma sensação maravilhosa ter o que fazer, ter alguém de quem exigir uma pequena parcela de verdade. A varinha de Harry agora estava tão próxima da ponte do nariz de Mundungo que o bruxo ficara vesgo tentando não perdê-la de vista.

— Quando você limpou esta casa de tudo que tinha valor... — começou Harry, mas Mundungo interrompeu-o outra vez.

— Sirius nunca ligou para aquela lixaria...

Ouviram um som de pezinhos apressados, um lampejo de cobre reluzente, uma batida metálica e ressonante e um grito de dor: Monstro tinha corrido até Mundungo, acertando-o na cabeça com uma caçarola.

— Tira ele daí, tira ele daí, ele devia ser preso! — berrou o bruxo, se encolhendo quando Monstro tornou a erguer a caçarola de fundo pesado.

— Monstro, não! — gritou Harry.

Os braços finos de Monstro estremeceram sob o peso da caçarola que segurava no alto.

— Só mais uma vez, meu senhor Harry, para dar sorte.

Rony riu.

— Precisamos dele consciente, Monstro, mas, se houver necessidade de persuadi-lo, você fará as honras da casa — disse Harry.

— Muito, muito obrigado, meu senhor — disse Monstro com uma reverência, e recuou alguns passos, seus grandes olhos claros ainda pregados em Mundungo, com repugnância.

— Quando você limpou esta casa de todos os valores que conseguiu encontrar — começou Harry novamente —, levou um monte de coisas do armário da cozinha. Havia ali um medalhão. — A boca de Harry ficou repentinamente seca: ele sentiu a tensão e a animação em Rony e Hermione. — Que foi que você fez com ele?

— Por quê? — perguntou Mundungo. — Tinha valor?

— Você o guardou! — gritou Hermione.

— Não, não guardou — disse Rony com perspicácia. — Ele está imaginando se poderia ter pedido mais dinheiro por ele.

— Mais? — respondeu o bruxo. — Pô, teria sido difícil... entreguei aquele troço de graça. Não tive escolha.

— Como assim?

— Estava vendendo coisas no Beco Diagonal e a mulher chega pra mim e pergunta se eu tenho licença para negociar artefatos mágicos. Uma desgraçada metida. Ia me multar, mas gostou do medalhão e disse que ia levar e deixar barato daquela vez e que eu me desse por feliz.

– Quem era a mulher? – perguntou Harry.
– Não sei, uma megera do Ministério.
Mundungo parou para pensar um instante, enrugando a testa.
– Mulher pequena. Laço de fita na cabeça.
Ele franziu mais um pouco a testa e acrescentou:
– Cara de sapa.

Harry deixou cair a varinha: o objeto bateu no nariz de Mundungo e soltou faíscas vermelhas nas sobrancelhas dele, que pegaram fogo.

– *Aguamenti*! – gritou Hermione, e um jato de água saiu de sua varinha e cobriu o bruxo, que cuspia água e se engasgava. Harry ergueu os olhos e viu o seu próprio choque refletido nos rostos de Rony e Hermione. As cicatrizes no dorso de sua mão direita pareciam estar formigando outra vez.

12

MAGIA
É PODER

À medida que agosto foi passando, o quadrado de capim alto no meio do largo Grimmauld foi secando ao sol até se tornar marrom e quebradiço. Os habitantes do número doze nunca eram vistos por ninguém das casas vizinhas, nem o número doze em si. Os trouxas que moravam no largo havia muito tempo tinham aceitado o divertido erro de numeração que deixara o número onze ao lado do número treze.

E, no entanto, o largo, aos poucos, vinha atraindo visitantes que pareciam achar a anomalia muito curiosa. Não se passava um dia sem que uma ou duas pessoas chegassem ao lugar sem outro objetivo, ou assim parecia, que não o de se debruçar nas grades diante dos números onze e treze, para observar a emenda das duas casas. Não eram sempre os mesmos, dois dias seguidos, embora se parecessem na aversão por roupas comuns. A maioria dos londrinos que passavam pelos visitantes estavam acostumados a trajes excêntricos e nem reparavam, ainda que, ocasionalmente, um deles pudesse olhar para trás imaginando por que alguém usaria capas tão compridas naquele calor.

Os curiosos não pareciam extrair grande satisfação de sua vigília. Por vezes, um deles partia em direção a casa, agitado, como se, enfim, tivesse visto algo interessante, apenas para acabar recuando, desapontado.

No primeiro dia de setembro, havia mais pessoas rondando o largo do que jamais houvera. Meia dúzia de homens com longas capas pararam atentos e silenciosos, observando, como sempre, as casas onze e treze, mas a coisa que esperavam ver continuava a lhes escapar. À medida que a noite foi caindo e trazendo, pela primeira vez em semanas, inesperadas rajadas de chuva fria, ocorreu um desses momentos inexplicáveis em que eles tiveram a impressão de ter visto algo interessante. O homem de cara torta apontou-o para o companheiro mais próximo, um homem pálido e gorducho, e ambos avançaram, mas, momentos depois, retomaram a descontraída inatividade anterior, com um ar de contrariedade e decepção.

Entrementes, no interior do número doze, Harry acabara de entrar no corredor. Quase perdera o equilíbrio quando aparatou no degrau à frente da porta, e achou que os Comensais da Morte pudessem ter percebido o seu cotovelo momentaneamente à mostra. Fechando com cuidado a porta ao passar, tirou a Capa da Invisibilidade, pendurou-a no braço e correu pelo corredor lúgubre em direção ao porão, apertando na mão o exemplar do *Profeta Diário* que roubara.

O sussurro habitual de *"Severo Snape?"* saudou-o, o vento gelado passou por ele e sua língua enrolou por um instante.

— Eu não o matei — respondeu, quando pôde, e prendeu a respiração enquanto o espectro poeirento explodia. Aguardou até alcançar a metade da escada da cozinha, fora do alcance da sra. Black e da nuvem de poeira, para gritar: — Trouxe notícias, e vocês não vão gostar.

A cozinha estava quase irreconhecível. Todas as superfícies agora brilhavam: as panelas e tachos de cobre tinham sido polidos até adquirirem um brilho rosado, o tampo da mesa de madeira luzia, as taças e pratos, já postos para o jantar, cintilavam à luz das chamas vivas que dançavam na lareira, onde fumegava um caldeirão. Nada no aposento, porém, apresentava uma mudança mais dramática do que o elfo doméstico, que agora veio correndo receber Harry, vestido com uma alvíssima toalha, os pelos de sua orelha limpos e fofos como algodão, o medalhão de Régulo balançando no peito magro.

— Tire os sapatos, por favor, meu senhor Harry, e lave as mãos antes do jantar — crocitou Monstro, apanhando a Capa da Invisibilidade e sacudindo-a para pendurar em um gancho na parede, ao lado de várias vestes antiquadas recém-lavadas.

— Que aconteceu? — perguntou Rony, apreensivo. Ele e Hermione estiveram estudando um maço de anotações e mapas feitos à mão, e que cobriam uma das extremidades da longa mesa da cozinha. Agora, no entanto, pararam para observar a aproximação de Harry, que atirou o jornal em cima dos pergaminhos espalhados.

Uma grande foto de um homem de cabelos pretos, nariz curvo, muito conhecido dos três, encarou-os sob a manchete: SEVERO SNAPE CONFIRMADO DIRETOR DE HOGWARTS.

— Não! — exclamaram Rony e Hermione.

A garota foi mais rápida; agarrou o jornal e começou a ler a notícia em voz alta.

— Severo Snape, há anos professor de Poções na Escola de Magia e Bruxaria de Hogwarts, foi hoje nomeado diretor na mudança mais importante entre as que foram realizadas no corpo docente da tradicional escola. Aleto Carrow assumirá a função de professora de Estudo dos Trouxas em face do pedido de demissão da titular, enquanto seu irmão, Amico, ocupará o posto de professor de Defesa Contra as Artes das Trevas.

"Agradeço a oportunidade de defender os melhores valores e tradições bruxos..."

— Suponho que sejam matar e cortar orelhas! Snape, diretor! Snape no gabinete de Dumbledore: pelas calças de Merlim! — guinchou Hermione, sobressaltando Harry e Rony. Ela se levantou da mesa de um salto e se precipitou para fora da cozinha, gritando: — Volto em um minuto!

— Pelas calças de Merlim? — repetiu Rony, achando graça. — Ela deve estar bem perturbada.

Ele puxou o jornal para perto e correu os olhos pelo artigo sobre Snape.

— Os outros professores não vão aceitar isso. McGonagall, Flitwick e Sprout sabem a verdade, sabem como Dumbledore morreu. Não vão aceitar Snape como diretor. E quem são esses Carrow?

— Comensais da Morte — respondeu Harry. — Tem fotos deles aí dentro. Estavam no alto da torre quando Snape matou Dumbledore, é a reunião dos amigos. E — continuou Harry, amargurado, puxando uma cadeira — não vejo opção para os outros professores senão permanecerem nos cargos. Se o Ministério e Voldemort estão apoiando Snape, terão de escolher entre ficar e ensinar ou passar uns aninhos em Azkaban, isto é, se tiverem sorte. Calculo que ficarão, para tentar proteger os alunos.

Monstro veio apressado em direção à mesa, trazendo uma grande terrina nas mãos, e serviu a sopa nos pratos imaculados, assoviando entre os dentes.

— Obrigado, Monstro — disse Harry, fechando o *Profeta* para não precisar olhar para a cara de Snape. — Bem, pelo menos sabemos exatamente onde ele está agora.

Harry começou a levar a colher de sopa à boca. A qualidade da culinária de Monstro tinha melhorado drasticamente desde que ganhara o medalhão de Régulo: a sopa de cebola de hoje era a melhor que Harry já provara.

— Ainda tem uma pá de Comensais da Morte vigiando a casa — disse ele a Rony enquanto comia —, mais do que de costume. É como se estivessem esperando que a gente saísse carregando os malões da escola para tomar o Expresso de Hogwarts.

Rony consultou o relógio.

— Estive pensando nisso o dia todo. O expresso partiu faz umas seis horas. É esquisito não estar a bordo, não é?

Harry pareceu rever em imaginação a maria-fumaça, quando ele e Rony a seguiram pelo ar, tremeluzindo por campos e montanhas, uma lagarta vermelha ondulando sobre trilhos. Tinha certeza de que Gina, Neville e Luna estavam sentados juntos neste momento, talvez se perguntando onde ele, Rony e Hermione estariam, ou discutindo a melhor maneira de sabotar o novo regime de Snape.

— Eles quase me viram voltando para casa, agora há pouco — disse Harry. — Aterrissei de mau jeito no degrau da porta, e a capa escorregou um pouco.

— Faço isso todas as vezes. Ah, aí vem ela — acrescentou Rony, esticando-se na cadeira para ver Hermione entrando na cozinha. — E em nome dos cuecões folgados de Merlim, que aconteceu?

— Me lembrei disto aqui. — Hermione ofegava.

Trazia nas mãos um enorme retrato emoldurado, que apoiou no chão antes de apanhar a bolsinha de contas no aparador da cozinha. Abrindo-a, tentou forçar o quadro para dentro, e, embora ele fosse visivelmente grande demais para caber naquela bolsinha minúscula, em segundos desapareceu, como tantas outras coisas, em suas amplas profundezas.

— Fineus Nigellus — explicou Hermione, atirando a bolsa na mesa da cozinha, com o estrondo metálico habitual.

— Desculpe? — perguntou Rony, mas Harry entendeu. A imagem de Fineus Nigellus era capaz de sair do retrato no largo Grimmauld e visitar o outro que havia pendurado no gabinete do diretor de Hogwarts: a sala circular no alto da torre onde, sem dúvida, Snape estava sentado neste momento, na posse triunfal da coleção de delicados objetos mágicos de prata que pertencera a Dumbledore: a Penseira, o Chapéu Seletor e, a não ser que a tivessem levado para outro lugar, a espada de Gryffindor.

— Snape poderia mandar Fineus Nigellus dar uma olhada aqui em casa para ele — explicou Hermione a Rony, tornando a ocupar o seu lugar à mesa. — Que experimente fazer isso agora, só o que Fineus vai ver é o interior da minha bolsa.

— Bem pensado! — exclamou Rony, impressionado.

— Obrigada. — Sorriu Hermione, puxando o prato de sopa para perto.

— Então, Harry, que mais aconteceu hoje?

— Nada. Vigiei a entrada do Ministério durante sete horas. Nem sinal dela. Mas vi seu pai, Rony. Está com ótima aparência.

Rony agradeceu, com a cabeça, a notícia. Eles tinham concordado que era perigoso demais tentar se comunicar com o sr. Weasley entrando ou saindo do Ministério, porque estava sempre cercado por outros funcionários. Tranquilizava, porém, vê-lo nesses rápidos relances, mesmo que parecesse muito ansioso e esgotado.

– Papai nos contou que a maioria dos funcionários do Ministério usa a Rede de Flu para ir trabalhar – disse Rony. – É por isso que não temos visto a Umbridge, que jamais andaria a pé. Ela se acha muito importante.

– E aquela velha bruxa engraçada e o bruxo miúdo de vestes azul-marinho? – perguntou Hermione.

– Ah, é, o cara da Manutenção Mágica – respondeu Rony.

– Como sabe que ele trabalha na Manutenção Mágica? – tornou Hermione, com a colher de sopa suspensa no ar.

– Papai falou que todo o mundo que trabalha no departamento usa vestes azul-marinho.

– Mas você nunca nos disse isso!

Hermione largou a colher e puxou para perto o maço de anotações e mapas que ela e Rony estavam examinando quando Harry entrou na cozinha.

– Não há nada aqui que fale em vestes azul-marinho, nada! – disse ela, folheando os papéis febrilmente.

– Ora, faz mesmo diferença?

– Rony, *tudo* faz diferença! Se vamos entrar no Ministério sem nos trair, sabendo que eles estão superatentos aos intrusos, cada detalhezinho faz diferença! Já repassamos isso mil vezes, quero dizer, de que adiantam todas essas viagens de reconhecimento se você nem se dá o trabalho de nos dizer...

– Caramba, Hermione, esqueci uma coisinha...

– Você entende, não, que no momento é provável que não exista lugar mais perigoso para nós no mundo do que o Ministério da...

– Acho que devíamos agir amanhã – disse Harry.

Hermione parou de falar, o queixo caído; Rony engasgou-se um pouco com a sopa.

– Amanhã? – respondeu Hermione. – Você não está falando sério, Harry!

– Estou. Acho que não estaremos melhor preparados do que estamos, mesmo se continuarmos a rondar a entrada do Ministério mais um mês. Quanto mais adiarmos, mais distante o medalhão ficará. E sempre há uma boa chance de que a Umbridge o tenha jogado fora; a coisa não abre.

— A não ser — lembrou Rony — que ela tenha arranjado um jeito de abrir e esteja possuída.

— Não faria a menor diferença, ela já era maligna desde o começo — disse Harry, sacudindo os ombros.

Hermione mordia os lábios, absorta em seus pensamentos.

— Já sabemos tudo que é importante — continuou Harry, dirigindo-se à amiga. — Sabemos que pararam de aparatar e desaparatar no Ministério. Sabemos que só os funcionários mais graduados podem ter suas casas ligadas à Rede de Flu, porque Rony ouviu aqueles dois inomináveis reclamando. E sabemos, mais ou menos, onde fica a sala da Umbridge, por aquela conversa que você ouviu do cara com o colega...

— "Estarei no Nível um, a Dolores quer me ver" — repetiu-a Hermione imediatamente.

— Exato — disse Harry. — E sabemos que eles entram usando umas moedas engraçadas, ou fichas, ou o que sejam, porque vi aquela bruxa pedindo uma emprestada à amiga...

— Mas não temos nenhuma!

— Se o plano funcionar, arranjaremos — continuou Harry, calmamente.

— Não sei não, Harry... tem um montão de coisas que podem dar errado, são tantas as que dependem da sorte...

— Isso não vai mudar, mesmo que a gente gaste mais três meses se preparando — replicou Harry. — A hora é essa.

Ele percebeu pelas caras de Rony e Hermione que os amigos estavam amedrontados; e ele próprio não se sentia tão confiante assim, mas tinha certeza de que chegara a hora de pôr o plano em ação.

Tinham gastado as quatro semanas anteriores se revezando sob a Capa da Invisibilidade para espionar a entrada oficial do Ministério, que Rony, graças ao sr. Weasley, conhecia desde a infância. Os garotos tinham seguido funcionários a caminho do Ministério, ouvido suas conversas e descoberto, através de cuidadosa observação, quais deles apareciam infalivelmente sozinhos, à mesma hora todos os dias. De vez em quando, tinham tido oportunidade de furtar um *Profeta Diário* da pasta de alguém. Aos poucos, foram preparando os diagramas e anotações agora empilhados diante de Hermione.

— Tudo bem — disse Rony, lentamente —, digamos que a gente tente amanhã... acho que devíamos ir só o Harry e eu.

— Ah, não comece com isso outra vez! — suspirou Hermione. — Pensei que isso já estava decidido.

— Uma coisa é ficar parado nas entradas protegido pela capa, mas desta vez a coisa é diferente, Hermione. — Rony apontou para um exemplar do *Profeta Diário* de dez dias antes. — Você está na lista dos nascidos trouxas que não se apresentaram para o interrogatório!

— E você supostamente está morrendo de sarapintose n'A Toca! Se alguém deve ficar, é o Harry, anunciaram um prêmio de dez mil galeões pela cabeça dele...

— Ótimo, ficarei aqui. Não se esqueçam de me avisar se conseguirem derrotar Voldemort, tá?

Enquanto Rony e Hermione riam, a dor atravessou a cicatriz em sua testa. Harry ergueu subitamente a mão: viu a amiga apertar os olhos, e tentou disfarçar o movimento, afastando os cabelos da testa.

— Bem, se nós três formos, teremos que desaparatar separados — Rony foi dizendo. — Não cabemos mais embaixo da capa juntos.

A dor na cicatriz de Harry foi se intensificando. Ele se levantou. Na mesma hora, Monstro correu para ele.

— O meu senhor não terminou a sopa, o meu senhor prefere um ensopado gostoso, ou então a torta de caramelo que o meu senhor gosta tanto?

— Obrigado, Monstro, mas voltarei em um minuto... ãh... banheiro.

Consciente de que Hermione o observava desconfiada, Harry subiu correndo a escada até o corredor de entrada e dali ao primeiro andar, onde embarafustou pelo banheiro e trancou a porta. Gemendo de dor, debruçou-se na pia preta com torneiras em forma de serpentes de bocas escancaradas e fechou os olhos...

Ele estava deslizando por uma rua ao crepúsculo. De cada lado, os prédios tinham telhados altos de duas águas; pareciam casas de biscoitos.

Ao se aproximar de um deles viu a brancura da própria mão de dedos longos encostar na porta. Bateu. Sentiu uma crescente agitação...

A porta abriu: à entrada, surgiu uma mulher sorridente. Seu rosto aparentou desapontamento ao ver Harry, o bom humor sumiu substituído pelo terror...

— Gregorovitch? — disse a voz aguda e fria.

A mulher sacudiu a cabeça: estava tentando fechar a porta. A mão branca segurou-a com firmeza, impedindo que a mulher o deixasse de fora...

— Procuro Gregorovitch.

— *Er wohnt hier nicht mehr!* — exclamou ela, balançando a cabeça. — Ele não morar aqui! Ele não morar aqui! Não conhecer ele!

Abandonando a tentativa de fechar a porta, ela começou a recuar para o hall escuro, e Harry entrou, deslizando ao seu encontro; as mãos de longos dedos sacaram a varinha.

— Onde está ele?

— Das weiss ich nicht! Ele mudar! Não saber, não saber!

Ele ergueu a varinha. Ela gritou. Duas crianças entraram correndo no hall. Ela tentou protegê-las com os braços. Houve um lampejo de luz verde...

— Harry! HARRY!

Ele abriu os olhos; desfalecera no chão. Hermione batia com força na porta.

— Harry, abra!

Tinha berrado, sabia que sim. Levantou-se e destrancou a porta; Hermione entrou aos tropeços, recuperou o equilíbrio e olhou para os lados, desconfiada. Rony vinha logo atrás, parecendo nervoso ao apontar a varinha para os cantos do banheiro gelado.

— Que estava fazendo? — perguntou Hermione com severidade.

— Que acha que eu estava fazendo? — respondeu Harry em uma débil tentativa de desafio.

— Você estava aos berros! — explicou Rony.

— Ah sim... devo ter cochilado ou...

— Harry, por favor não insulte a nossa inteligência — tornou Hermione, inspirando profundamente várias vezes. — Sabemos que a sua cicatriz doeu lá embaixo, e você está branco feito cal.

Harry se sentou na borda da banheira.

— Ótimo. Acabei de ver Voldemort matando uma mulher. A essa altura, ele provavelmente já matou a família toda. E não precisava. Foi a morte de Cedrico revivida, as pessoas estavam ali...

— Harry, você não devia deixar isso acontecer mais! — exclamou Hermione, sua voz ecoando pelo banheiro. — Dumbledore queria que você usasse a Oclumência! Ele achou que a ligação era perigosa: Voldemort pode usá-la, Harry! Que pode haver de bom em vê-lo matar e torturar, de que lhe adianta isso?

— Mostra o que ele anda fazendo — respondeu Harry.

— Então, você não vai nem ao menos *tentar* fechar a ligação?

— Hermione, não consigo. Você sabe que sou péssimo em Oclumência, nunca aprendi direito.

— Você nunca tentou de verdade! — retrucou a menina exaltada. — Eu não entendo, Harry, você *gosta* de ter essa ligação, ou relação especial, ou seja lá o que for...

Ela vacilou sob o olhar que o amigo lhe lançou ao se levantar do chão.

— Gosto? — disse em voz baixa. — *Você* gostaria?

— Eu... não... desculpe, Harry, não quis...

— Odeio, odeio que ele seja capaz de penetrar minha mente, que eu tenha de observá-lo quando é mais perigoso. Mas vou usar isso.

— Dumbledore...

— Esqueça Dumbledore. A escolha é minha, de mais ninguém. Quero saber por que está atrás de Gregorovitch.

— Quem?

— Um fabricante estrangeiro de varinhas. Foi quem fabricou a varinha de Krum, e Krum o considera genial.

— Mas, segundo você — lembrou Rony —, Voldemort mantém Olivaras preso em algum lugar. E, se já tem um fabricante de varinhas, para que ele quer outro?

— Talvez ele concorde com Krum, talvez pense que Gregorovitch é melhor... ou talvez pense que Gregorovitch seja capaz de explicar o que a minha varinha fez quando ele me perseguiu, uma vez que Olivaras não foi.

Harry olhou para o espelho partido e empoeirado e viu Rony e Hermione trocando olhares céticos às suas costas.

— Harry, você fala o tempo todo do que a sua varinha fez — disse Hermione —, mas foi *você* que fez aquilo acontecer! Por que teima tanto em rejeitar a responsabilidade por seu próprio poder?

— Porque sei que não fui eu! E Voldemort também sabe, Hermione! Nós dois sabemos o que realmente aconteceu!

Os dois se encararam. Harry sabia que não convencera Hermione e que ela se preparava para contra-argumentar suas teorias: sobre a própria varinha e a insistência em ver a mente de Voldemort. Para seu alívio, Rony interveio.

— Deixa pra lá — aconselhou-a. — Ele é quem decide. E, se vamos ao Ministério amanhã, não acha bom repassarmos o plano?

Com uma relutância visível, Hermione parou de discutir, embora Harry estivesse seguro de que ela voltaria a atacar na primeira oportunidade. Nesse meio-tempo, eles voltaram à cozinha, onde Monstro serviu a todos o ensopado e a torta de caramelo.

Os três só foram dormir tarde da noite, depois de passarem horas revendo e tornando a rever o plano, até serem capazes de repeti-lo, uns para os outros, sem erros. Harry, que agora ocupava o quarto de Sirius, deitou-se e ficou apontando a luz da varinha para a velha foto de seu pai, Sirius, Lupin e Pettigrew, e gastou mais dez minutos murmurando o plano para si mesmo. Ao apagar a varinha, no entanto, não estava pensando na Poção Polissuco, nem nas Vomitilhas, nem nas vestes azul-marinho da Manutenção Mágica; pensava em Gregorovitch, o fabricante de varinhas, e por quanto tempo ele teria esperança de se esconder de Voldemort, que o procurava com tanta determinação.

O amanhecer se seguiu à meia-noite com indecente rapidez.

– Você está com uma cara horrível. – Foi o cumprimento de Rony quando entrou no quarto para acordar Harry.

– Não será por muito tempo – respondeu ele, bocejando.

Os dois encontraram Hermione na cozinha. Monstro lhe servia café com pães frescos, e a garota tinha no rosto aquela expressão maníaca que Harry associava às revisões para as provas.

– Vestes... – disse ela baixinho, registrando a presença dos dois com um aceno de cabeça nervoso e continuando a mexer na bolsinha de contas – Poção Polissuco... Capa da Invisibilidade... Detonadores-Chamariz... levem uns dois por precaução... Vomitilhas, Nugá Sangra-Nariz, Orelhas Extensíveis...

Os garotos engoliram o café da manhã e tornaram a subir, Monstro lhes fazendo reverências e prometendo esperá-los com um empadão de carne e rins.

– Abençoado seja – disse Rony, carinhosamente –, e pensar que já imaginei decepar a cabeça dele e pendurá-la na parede!

Eles se dirigiram ao degrau da porta com imenso cuidado: dali viram uns dois Comensais da Morte de olhos inchados vigiando a casa do outro lado do largo enevoado. Hermione desaparatou com Rony primeiro, em seguida, voltou para apanhar Harry.

Passada a momentânea escuridão e quase sufocação de sempre, Harry se viu em uma minúscula travessa onde deviam executar a primeira parte do plano. Ainda estava vazia, exceto por dois latões de lixo; os primeiros funcionários do Ministério, em geral, não apareciam ali antes das oito da manhã.

– Certo, então – disse Hermione, consultando o relógio. – Ela deve chegar dentro de cinco minutos. Depois que eu a estuporar...

– Hermione, já sabemos – disse Rony com rispidez. – E pensei que íamos abrir a porta antes de a bruxa chegar, não?

Hermione deu um gritinho agudo.

– Quase me esqueci! Para trás...

Ela apontou a varinha para a porta de incêndio a um lado, fechada a cadeado e totalmente rabiscada, e ela se abriu com estrondo. O corredor escuro à mostra conduzia, como haviam registrado em suas cuidadosas viagens de reconhecimento, a um teatro vazio. Hermione tornou a puxar a porta para fazer parecer que continuava fechada.

— Agora — continuou, virando-se para encarar os amigos na travessa —, nos cobrimos novamente com a capa...

— ... e esperamos — completou Rony, atirando-a sobre a cabeça de Hermione, como se fosse uma capa para gaiola de periquito-australiano, e revirando os olhos.

Um minuto depois ou pouco mais, ouviram um estalido mínimo e uma bruxa miúda do Ministério, com os cabelos grisalhos revoltos, desaparatou a meio metro, piscando um pouco na claridade repentina; o sol acabara de sair de trás de uma nuvem. Ela, no entanto, não teve tempo de aproveitar o inesperado calor, porque logo o silencioso Feitiço Estuporante de Hermione a atingiu no peito, e ela desabou.

— Perfeito, Hermione — disse Rony, emergindo de trás de um latão à porta do teatro, enquanto Harry despia a Capa da Invisibilidade. Juntos, eles carregaram a bruxa para o corredor escuro que levava aos bastidores do palco. Hermione arrancou-lhe uns fios de cabelo da cabeça e adicionou-os a um frasco com a parda Poção Polissuco que tirara da bolsinha de contas. Rony procurou alguma coisa na bolsa da bruxa.

— É Mafalda Hopkirk — informou ele, lendo um pequeno crachá que identificava a vítima como assistente da Seção de Controle do Uso Indevido da Magia. — É melhor você levar isso, Hermione, e tome as fichas.

Ele lhe entregou umas pequenas fichas douradas que retirara da bolsa da bruxa, onde havia gravadas as letras M.O.M.

Hermione bebeu a Poção Polissuco, agora em um belo tom de heliotrópio, e em segundos surgiu diante dos garotos um duplo de Mafalda Hopkirk. Quando ela retirou os óculos da bruxa e colocou-os no rosto, Harry verificou o relógio.

— Está ficando tarde, o sr. Manutenção Mágica vai chegar a qualquer segundo.

Eles se apressaram em fechar a porta para esconder a verdadeira Mafalda; Harry e Rony se cobriram com a Capa da Invisibilidade, mas Hermione ficou à vista, aguardando. Segundos depois, ouviram um novo *pop*, e um bruxo franzino com cara de furão apareceu diante deles.

— Ah, olá, Mafalda.

— Alô! — respondeu Hermione com uma voz trêmula. — Como estamos hoje?

— Nada bem, para ser franco — replicou o bruxo, que parecia extremamente deprimido.

Hermione e o bruxo rumaram para a rua principal, Harry e Rony em sua cola.

— Lamento saber que não está bem — falou Hermione com firmeza por cima da cabeça do bruxo, quando ele começou a explicar os seus problemas; era essencial detê-lo antes de chegarem à rua. — Tome, coma uma bala.

— Eh? Ah, não, obrigado...

— Eu insisto! — tornou Hermione agressivamente, sacudindo o saco de pastilhas em seu rosto. Com um ar assustado, o bruxo franzino se serviu de uma.

O efeito foi instantâneo. Assim que a colocou sobre a língua, ele começou a vomitar tanto que nem reparou quando Hermione lhe arrancou um punhado de cabelos do alto da cabeça.

— Ah, coitado! — exclamou ela, enquanto o bruxo sujava a travessa de vômito. — Talvez seja melhor tirar o dia de folga!

— Não... não! — O homem tinha engasgos e ânsias, tentando prosseguir embora estivesse incapaz de andar direito. — Tenho que... hoje... tenho que ir...

— Mas isso é uma tolice! — disse Hermione alarmada. — Você não pode trabalhar nesse estado: acho que devia ir ao St. Mungus e pedir para darem um jeito em você!

O bruxo caíra de quatro, arquejante, ainda tentando chegar à rua principal.

— Você simplesmente não pode ir trabalhar assim! — exclamou Hermione.

Por fim, ele pareceu aceitar que a colega tinha razão. Agarrando-se a uma Hermione enojada para se pôr de pé, ele rodopiou e desapareceu sem deixar nada exceto a pasta que Rony tirara de sua mão enquanto ele andava com alguns pedaços de vômito no ar.

— Arrrre! — exclamou Hermione, levantando a saia das vestes para evitar as poças de vômito. — A sujeira teria sido bem menor se eu tivesse estuporado ele também.

— É — falou Rony, saindo debaixo da capa com a pasta do bruxo —, mas ainda acho que um monte de gente desacordada teria chamado mais atenção. Ele gosta muito de trabalhar, não? Então, joga logo essa poção com o cabelo.

Em dois minutos, Rony estava diante deles, franzino e com cara de furão como o bruxo, trajando as vestes azul-marinho que estavam dobradas dentro da pasta dele.

— Esquisito que ele não estivesse usando as vestes hoje, não, pela ansiedade que demonstrava em chegar ao trabalho. Enfim, sou Reg Cattermole, segundo a etiqueta nas minhas costas.

— Agora, espere aqui — disse Hermione a Harry, que continuava sob a Capa da Invisibilidade —, voltaremos com alguns cabelos para você.

O garoto teve que esperar dez minutos, que lhe pareceram bem mais longos, rondando sozinho a travessa suja de vômito, ao lado da porta que ocultava a Mafalda estuporada. Finalmente, Rony e Hermione reapareceram.

— Não sabemos quem ele é — disse Hermione, entregando a Harry vários fios de cabelos crespos e pretos —, mas foi para casa com um horrível sangramento no nariz! Tome aqui, ele é bem alto, você vai precisar de vestes maiores...

Ela tirou da bolsa um conjunto de vestes antigas que Monstro lavara para eles, e Harry se retirou para tomar a poção e se trocar.

Uma vez completada a dolorosa transformação, Harry passou a medir mais de um metro e oitenta e, pelo que pôde sentir pelos seus braços musculosos, tinha um físico avantajado. Tinha também uma barba. Guardando a Capa da Invisibilidade e os óculos sob as novas vestes, ele se reuniu aos outros dois.

— Caramba, isso é assustador! — exclamou Rony, erguendo a cabeça para Harry, agora mais alto que ele.

— Apanhe uma das fichas da Mafalda — disse Hermione a Harry —, e vamos logo, são quase nove horas.

Eles saíram da travessa juntos. A uns cinquenta metros na calçada apinhada, havia grades pontiagudas e pretas ladeando duas escadas, uma destinada a Cavalheiros e outra a Damas.

— Então, vejo vocês daqui a pouco — disse Hermione nervosa, e desceu hesitante a escada para o banheiro feminino. Harry e Rony se juntaram a vários homens com roupas estranhas que desciam para o que parecia ser um simples banheiro público de metrô, azulejado em preto e branco encardido.

— Dia, Reg! — cumprimentou outro bruxo de vestes azul-marinho ao inserir a ficha dourada na ranhura da porta de um cubículo onde entrou.

— Um pé no saco, hein? Obrigar a gente a entrar no Ministério dessa maneira! Quem estão esperando que apareça, Harry Potter?

O bruxo deu gargalhadas com a própria piada. Rony forçou uma risada.

— É, é muita imbecilidade, não?

E ele e Harry entraram em cubículos contíguos. À esquerda e à direita, Harry ouviu barulho de descargas. Agachou-se e espiou pelo vão inferior do cubículo em tempo de ver as botas de alguém entrando no vaso ao lado. Olhou para a esquerda e viu Rony piscando para ele.

— Temos que dar descarga para entrar? — sussurrou.

— É o que parece — sussurrou Harry em resposta; sua voz saiu grave e solene.

Os dois se levantaram. Sentindo-se excepcionalmente tolo, Harry entrou no vaso.

Percebeu imediatamente que fizera a coisa certa; embora parecesse estar dentro da água, seus sapatos, pés e vestes continuaram secos. Ele esticou o braço, puxou a corrente e, no momento seguinte, desceu veloz por um cano curto e emergiu em uma lareira no Ministério da Magia.

Levantou-se desajeitado; agora tinha muito mais corpo do que estava acostumado. O grande átrio pareceu mais sombrio do que Harry se lembrava. Antigamente, uma grande fonte dourada ocupava o centro do saguão, projetando focos tremeluzentes no soalho e nas paredes de madeira lustrosa. Agora, uma gigantesca estátua de pedra preta dominava o ambiente. Era um tanto apavorante essa enorme escultura de uma bruxa e um bruxo sentados em tronos entalhados, contemplando os funcionários ejetados das lareiras abaixo.

Gravadas em letras de trinta centímetros de altura na base da estátua, havia as palavras: MAGIA É PODER.

Harry recebeu uma forte pancada atrás das pernas: outro bruxo acabara de voar para fora da lareira às suas costas.

— Sai do caminho, não... ah, desculpe, Runcorn!

Visivelmente assustado, o bruxo careca afastou-se depressa. Aparentemente o homem de quem Harry usurpara a identidade, Runcorn, intimidava os outros.

— Psiu! — ouviu ele e, ao olhar para os lados, avistou uma bruxa miudinha e um bruxo da Manutenção Mágica com cara de furão gesticulando para ele do outro lado da estátua. Rápido, Harry foi se reunir aos dois.

— Você entendeu tudo, então? — cochichou Hermione para ele.

— Não, Harry ainda está preso na bosta — disse Rony.

— Ah, muito engraçado... é horrível não é? — comentou ela para Harry, que estudava a estátua. — Você viu no que eles estão sentados?

Harry olhou com mais atenção e percebeu que aquilo que imaginou serem tronos ornamentados eram, na realidade, esculturas humanas: centenas de corpos nus, homens, mulheres e crianças, todos com feições idiotas e feias, torcidos e comprimidos para sustentar os bruxos com belos trajes.

— Trouxas — sussurrou Hermione. — No lugar que realmente lhes cabe. Andem, vamos indo.

Eles se juntaram ao fluxo de bruxos e bruxas que se dirigiam para as grades douradas no fim do saguão, espiando a toda volta o mais discretamente possível, mas não viram sinal do vulto característico de Dolores Umbridge. Passaram pelos portões e entraram em um hall, onde se formavam filas diante das vinte grades douradas que encerravam igual número de elevadores. Tinham acabado de entrar na mais próxima, quando uma voz chamou:

— Cattermole!

Olharam: o estômago de Harry revirou. Um dos Comensais da Morte que presenciara a morte de Dumbledore vinha a largos passos em sua direção. Os funcionários do Ministério, próximos aos garotos, ficaram em silêncio, de olhos baixos; Harry sentiu o medo que perpassava por eles, em ondas. O rosto carrancudo e ligeiramente abrutalhado do homem destoava de suas vestes magníficas e amplas, bordadas com fios de ouro. Alguém na multidão à volta dos elevadores cumprimentou-o, bajulador:

— Dia, Yaxley! — O homem ignorou todos.

— Pedi alguém da Manutenção Mágica para dar um jeito na minha sala, Cattermole. Ainda está chovendo lá dentro.

Rony olhou para os lados como se esperasse que mais alguém interviesse, mas ninguém falou.

— Chovendo... na sua sala? Isso... é mau, não?

Rony deu uma risada nervosa. Os olhos de Yaxley se arregalaram.

— Você está achando graça, Cattermole, é?

Umas duas bruxas saíram da fila do elevador e se afastaram afobadas.

— Não — respondeu Rony —, é claro que não...

— Você se dá conta de que estou descendo para interrogar sua mulher, Cattermole? Na verdade, estou muito surpreso que você não esteja lá embaixo segurando a mão dela enquanto espera. Já desistiu de ajudá-la porque se convenceu de que não vale a pena? Provavelmente tem razão. Da próxima vez, certifique-se de que está casando com alguém de sangue puro.

Hermione deixou escapar um gritinho de horror. Yaxley virou-se. Ela tossiu baixinho e se afastou.

— Eu... eu... — gaguejou Rony.

— Mas se *minha* mulher fosse acusada de ter sangue ruim — disse Yaxley —, não que alguma mulher com quem eu tenha casado pudesse ser confundida com essa ralé, e o chefe do Departamento de Execução das Leis da Magia precisasse de um serviço, eu daria prioridade a esse serviço, Cattermole. Você está me entendendo?

— Estou.

— Então vá cuidar disso, Cattermole, e se minha sala não estiver completamente seca dentro de uma hora, o Registro Sanguíneo de sua mulher estará sob uma dúvida maior do que já está.

A grade dourada diante deles abriu estrepitosamente. Com um aceno de cabeça e um sorriso desagradável a Harry, que ele evidentemente esperava que apreciasse o tratamento dispensado a Cattermole, Yaxley saiu majestosamente em direção a outro elevador. Harry, Rony e Hermione entraram no outro, que aguardavam, mas ninguém os acompanhou: parecia que tinham uma doença contagiosa. As grades se fecharam com um ruído metálico e o elevador começou a subir.

— Que vou fazer? — perguntou Rony, na mesma hora, aos outros dois; ele parecia incapacitado. — Se apareço, minha mulher, quero dizer, a mulher de Cattermole...

— Iremos com você, devemos ficar juntos... — começou Harry, mas Rony sacudiu a cabeça febrilmente.

— Isso é loucura, não temos tanto tempo assim. Vocês dois vão procurar a Umbridge, e eu vou resolver o problema na sala de Yaxley... mas como vou fazer parar de chover?

— Experimente *Finite Incantatem* — respondeu Hermione, imediatamente. — Isso deve fazer parar a chuva, se ela for um feitiço; se não parar, é porque deu defeito em algum Feitiço Atmosférico, o que será mais difícil de consertar. Então, experimente *Impervius*, para proteger os pertences dele provisoriamente...

— Repete isso, devagar — disse Rony procurando, desesperado, uma pena nos bolsos, mas naquele momento o elevador parou com um tranco. Uma voz feminina incorpórea anunciou: "*Nível quatro, Departamento para Regulamentação e Controle das Criaturas Mágicas, que inclui as Divisões de Feras, Seres e Espíritos, Seção de Ligação com os Duendes, Escritório de Orientação sobre Pragas*"; as grades tornaram a se abrir e entraram dois bruxos e vários aviões de papel lilás-claro que esvoaçaram em torno da luz no teto do elevador.

— Dia, Alberto — cumprimentou um homem de costeletas peludas, sorrindo para Harry. Ele deu uma olhada em Hermione e Rony quando o elevador recomeçou a subir rangendo; Hermione agora cochichava, freneticamente, instruções para Rony. O bruxo se curvou para Harry, malicioso, e murmurou: — Dirk Cresswell, hein? Da Ligação com os Duendes? Uma boa divisão, Alberto. Agora estou seguro de que vou conseguir o emprego dele!

O bruxo deu uma piscadela. Harry retribuiu o sorriso, esperando que fosse suficiente. O elevador parou; as grades se abriram. "Nível dois, Departamento de Execução das Leis da Magia, que inclui a Seção de Controle do Uso Indevido da Magia, o Quartel-General dos Aurores e Serviços Administrativos da Suprema Corte dos Bruxos", anunciou a voz incorpórea.

Harry viu Hermione dar um discreto empurrão em Rony e o amigo saiu logo do elevador seguido por outros bruxos, deixando os dois a sós. No momento em que a porta dourada fechou, Hermione disse depressa:

— Harry, acho que é melhor eu ir atrás dele, acho que Rony não sabe o que está fazendo e, se for apanhado, o plano todo...

"Nível um, ministro da Magia e Serviços Auxiliares."

As grades douradas tornaram a se abrir e Hermione ofegou. Viram quatro bruxos à sua frente, dois absortos em conversa; um bruxo de cabelos longos trajando magníficas vestes pretas e douradas e uma bruxa atarracada, com cara de sapo e um laço de veludo nos cabelos curtos, segurando uma prancheta ao peito.

13

A COMISSÃO DE REGISTRO DOS NASCIDOS TROUXAS

— Ah, Mafalda! — exclamou Umbridge, olhando para Hermione. — Travers mandou-a?

— F-foi — chiou Hermione.

— Que bom, você servirá perfeitamente. — Umbridge se dirigiu ao bruxo em ouro e preto. — Aquele problema está resolvido, Ministro, se Mafalda puder ser dispensada para secretariar a sessão, poderemos começar imediatamente. — Ela consultou a prancheta. — Dez pessoas hoje, e uma delas mulher de um funcionário do Ministério! Tsc, tsc... até aqui, no coração do Ministério! — Umbridge entrou no elevador com Hermione, e o mesmo fizeram os dois bruxos que tinham estado atentos à conversa dela com o ministro. — Vamos descer direto, Mafalda, você encontrará tudo que precisa no tribunal. Bom dia, Alberto, você não vai sair?

— Vou, é claro — respondeu Harry, na voz grave de Runcorn.

O garoto saiu do elevador. As grades douradas fecharam ruidosamente às suas costas. Olhando por cima do ombro, ele viu o rosto ansioso de Hermione desaparecer de vista, um bruxo alto de cada lado dela, o laço de veludo na cabeça de Umbridge à altura do seu ombro.

— O que o traz aqui em cima, Runcorn? — perguntou o novo ministro da Magia. Seus longos cabelos e barba pretos eram raiados de fios prateados e a grande testa proeminente sombreava seus olhos brilhantes, lembrando a Harry um caranguejo espiando debaixo de uma pedra.

— Precisava dar uma palavrinha com — Harry hesitou por uma fração de segundo — Arthur Weasley. Alguém me informou que ele estaria aqui no Nível um.

— Ah — disse Pio Thicknesse. — Apanharam-no contatando um Indesejável?

— Não — respondeu Harry, com a garganta seca. — Não, nada disso.

– Ah. É só uma questão de tempo – comentou Thicknesse. – Se quer a minha opinião, os traidores do sangue são tão nocivos quanto os sangues ruins. Bom dia, Runcorn.

– Bom dia, Ministro.

Harry observou o bruxo se afastar pelo espesso carpete do corredor. No momento em que ele desapareceu, o garoto puxou a Capa da Invisibilidade de sob a pesada capa preta, atirou-a sobre o corpo e saiu em direção oposta a do ministro. Runcorn era tão alto que Harry foi forçado a se curvar para garantir que seus enormes pés ficassem cobertos.

O pânico vibrava na boca do seu estômago. Ao passar pela sequência de portas de madeira envernizadas, cada uma com uma plaquinha indicando o nome do ocupante e a respectiva função, o poder do Ministério, sua complexidade, sua impenetrabilidade pareceram esmagá-lo, fazendo com que o plano que estivera cuidadosamente preparando com Rony e Hermione, nas últimas quatro semanas, parecesse risivelmente infantil. Tinham concentrado todos os seus esforços na tática para entrar sem serem pegos: não tinham dedicado um instante sequer a pensar no que fariam se fossem obrigados a se separar. Agora Hermione estava presa em uma sessão do tribunal, que, sem dúvida, demoraria horas; Rony estava se esfalfando para fazer uma mágica, que, Harry tinha certeza, estava acima de sua capacidade – e, possivelmente, a liberdade de uma mulher dependia do resultado que obtivesse –; e ele, Harry, estava vagueando pelo último andar, sabendo perfeitamente que sua presa acabara de descer no elevador.

Ele parou de caminhar, encostou-se na parede e tentou resolver o que fazer. O silêncio o oprimiu: ali não havia movimento, nem conversas, nem passos apressados; os corredores acarpetados de roxo eram silenciosos como se um *Abaffiato* tivesse sido lançado sobre o local.

A sala dela deve ser aqui em cima, pensou Harry.

Era muito improvável que Umbridge guardasse as joias em sua sala; por outro lado, parecia tolice não dar uma busca para se certificar. O garoto, portanto, recomeçou a andar pelo corredor, sem encontrar ninguém, exceto um bruxo de testa franzida, murmurando instruções para uma pena que flutuava à sua frente, escrevendo em um longo pergaminho.

Agora, prestando atenção aos nomes nas portas, Harry virou um canto. Na metade do corredor seguinte, desembocou em um espaço aberto, onde uma dúzia de bruxos e bruxas estavam sentados a pequenas escrivaninhas enfileiradas que lembravam as da escola, embora muito mais lustrosas e sem rabiscos. Harry parou para observá-los, porque o efeito era hipnotizante. Em sincronia, eles gesticulavam com as varinhas fazendo quadrados de papel colorido voarem em todas as direções como pequenas pipas cor-de-rosa. Após alguns segundos, Harry percebeu que havia ritmo nessa coreografia, que os papéis formavam o mesmo desenho, e, em seguida, percebeu que a cena que observava era a produção de panfletos, que os quadrados de papel eram folhas que, quando reunidas, dobradas e baixadas magicamente, caíam em pilhas ordenadas ao lado de cada funcionário.

Harry se aproximou, embora os funcionários estivessem tão concentrados naquele serviço que ele duvidava que notassem passos abafados pelo tapete, e fez deslizar um panfleto pronto da pilha de uma jovem bruxa. Examinou-o por baixo da Capa da Invisibilidade. A capa cor-de-rosa do panfleto estava adornada com um título dourado:

SANGUES RUINS
e os perigos que oferecem a uma sociedade pacífica de sangues puros

Sob o título, havia a foto de uma rosa vermelha, e, entre suas pétalas, um rosto afetando um sorriso estrangulado por uma erva verde com presas e aspecto feroz. Não havia nome de autor no panfleto, mas as cicatrizes no dorso de sua mão direita pareceram novamente formigar quando ele o examinou. Então, a jovem bruxa ao seu lado confirmou suas suspeitas ao perguntar, ainda acenando e girando a varinha:

– Alguém sabe dizer se a bruxa velha vai passar o dia inteiro interrogando sangues ruins?

– Cuidado – disse o bruxo mais próximo, olhando nervoso para os lados; uma de suas folhas escorregou e caiu no chão.

– Será que agora, além do olho, ela tem orelhas mágicas também?

A bruxa olhou para a lustrosa porta de mogno defronte ao espaço que ocupavam; Harry acompanhou seu olhar, e a raiva se ergueu em seu peito como uma serpente armando o bote. No lugar em que haveria um olho mágico na porta de uma casa trouxa, fora embutido, na madeira, um grande olho redondo com uma brilhante íris azul; um olho escandalosamente familiar a quem tivesse conhecido Alastor Moody.

Por uma fração de segundo, Harry esqueceu quem era e o que estava fazendo ali: esqueceu até que estava invisível. Dirigiu-se à porta para examinar o olho. Estava imóvel: virado para o alto, congelado. Na placa, sob o olho, lia-se:

Dolores Umbridge
Subsecretária Sênior do Ministro

Abaixo, uma plaqueta nova um pouco mais reluzente informava:

Chefe da Comissão de Registro dos Nascidos Trouxas

Harry se virou para olhar o grupo de produtores de panfletos: embora concentrados no que faziam, eles dificilmente deixariam de notar se a porta de um escritório vazio se abrisse à sua frente. Por isso, apanhou em um bolso interno um estranho objeto com perninhas que sacudiam e um chifre bulboso de borracha à guisa de corpo. Agachando-se sob a capa, colocou o Detonador-Chamariz no chão.

No mesmo instante, o objeto saiu correndo entre as pernas dos bruxos na sala. Depois, enquanto Harry aguardava com a mão na maçaneta, ouviu-se um forte estampido e elevou-se uma nuvem de fumaça acre e escura a um canto. A jovem bruxa na primeira fila soltou um grito: folhas cor-de-rosa voaram para os lados quando todos, sobressaltados, procuravam à volta a origem do tumulto. Harry girou a maçaneta, entrou na sala de Umbridge e fechou a porta.

Teve a sensação de regredir no tempo. A sala era exatamente igual ao escritório da bruxa em Hogwarts: cortinas de renda, paninhos bordados e flores secas cobriam todas as superfícies disponíveis. As paredes exibiam os mesmos pratos ornamentais, cada um deles com um gato muito colorido e laçarote de fita, aos saltos e cambalhotas, enjoativamente bonitinho. Sobre a escrivaninha, havia uma toalha florida arrematada com babados. Por trás do olho de Olho-Tonto, um acessório telescópico permitia a Umbridge espionar os funcionários do outro lado da porta. Harry deu uma olhada e viu que ainda rodeavam o Detonador-Chamariz. Ele arrancou o telescópio da porta, deixando um buraco, soltou o olho e guardou-o no bolso. Tornou, então, a se virar para a sala, ergueu a varinha e murmurou:

— *Accio medalhão.*

Nada aconteceu, mas ele não esperara que acontecesse; sem dúvida, Umbridge conhecia todos os feitiços de proteção que havia. Portanto, correu à escrivaninha e começou a abrir as gavetas. Viu penas, cadernos e magidesivo; clipes encantados que serpeavam para fora da gaveta feito cobras e só voltavam a tapa; uma caixinha de renda contendo laçarotes e presilhas para os cabelos; mas nem sinal de medalhão.

Havia um arquivo atrás da escrivaninha: Harry começou a revistá-lo. Tal como o arquivo de Filch, em Hogwarts, estava cheio de pastas, cada uma com um nome na etiqueta. Somente quando Harry chegou à última gaveta, viu algo que o distraiu de sua busca: a pasta do sr. Weasley.

Puxou-a para fora e abriu-a.

ARTHUR WEASLEY

Registro Sanguíneo:	*Sangue puro, mas com inaceitáveis inclinações pró-trouxas. Membro notório da Ordem da Fênix.*
Família:	*Mulher (sangue puro), sete filhos, os dois menores em Hogwarts. NB: O filho mais jovem no momento em casa acamado com grave doença, confirmada por inspetores do Ministério.*
Segurança:	*RASTREADO. Todos os seus movimentos estão sendo monitorados. Forte probabilidade que Indesejável nº 1 o contate (hospedou-se com a família Weasley anteriormente).*

— Indesejável Número Um — murmurou Harry com seus botões, ao repor a pasta do sr. Weasley e fechar a gaveta. Tinha ideia de que sabia quem seria e, com efeito, ao se erguer e correr o olhar pela sala à procura de outros esconderijos, viu na parede um pôster com sua imagem e as palavras INDESEJÁVEL Nº 1 gravadas no peito. Nele havia preso um bilhetinho rosa com um gatinho no canto. Harry aproximou-se para lê-lo e viu que Umbridge tinha escrito *"A ser punido"*.

Mais enraivecido que nunca, começou a apalpar os fundos dos vasos e das cestas de flores secas, mas não se surpreendeu que o medalhão não estivesse ali. Deu uma última olhada na sala, e seu coração parou de bater por um segundo. Dumbledore o fitava de um pequeno espelho retangular, apoiado em uma estante de livros ao lado da escrivaninha.

Harry atravessou a sala correndo e agarrou-o, mas percebeu, no momento em que seus dedos o tocaram, que não era um espelho. Dumbledore sorria melancolicamente da capa acetinada de um livro. Harry não notara imediatamente o rebuscado título em verde sobre seu chapéu: *A vida e as mentiras de Alvo Dumbledore*, nem nos dizeres ligeiramente menores sobre o seu peito: *de Rita Skeeter, autora do bestseller* Armando Dippet: prócer ou palerma?

Harry abriu o livro a esmo e viu uma foto de página inteira de dois adolescentes abraçados, às gargalhadas. Dumbledore, então com os cabelos na altura dos cotovelos, tinha deixado crescer uma barba rala que lembrava a de Krum, que tanto irritara Rony. O garoto que gargalhava em silêncio ao lado de Dumbledore tinha um ar alegre e rebelde. Seus cabelos louros caíam em cachos sobre os ombros. Harry ficou imaginando se seria o jovem Doge, mas, antes que pudesse ler a legenda, a porta do escritório se abriu.

Se Thicknesse não estivesse espiando por cima do ombro ao entrar, Harry não teria tido tempo de se cobrir com a Capa da Invisibilidade. Nas circunstâncias, pareceu-lhe que o ministro talvez tivesse percebido algum movimento, porque por um momento o bruxo parou muito quieto, observando, curioso, o lugar onde Harry acabara de sumir. Concluindo, talvez, que tivesse visto apenas Dumbledore coçando o nariz na capa do livro que Harry repusera rapidamente na prateleira, o bruxo finalmente foi até a escrivaninha e apontou a varinha para a pena mergulhada no tinteiro. A pena saltou e começou a escrever um bilhete para Umbridge. Muito devagar, mal se atrevendo a respirar, Harry foi recuando para fora da sala, de volta ao espaço aberto em frente.

Os produtores de panfletos continuavam agrupados em torno dos restos do Detonador-Chamariz, ainda apitando fracamente e soltando fumaça. Harry correu pelo corredor e ouviu a bruxa jovem comentar:

— Aposto que veio, sem ninguém saber, dos Feitiços Experimentais, eles são tão descuidados, lembram aquele pato venenoso?

Na corrida para os elevadores, Harry reviu suas opções. Sempre fora improvável que o medalhão estivesse no Ministério, e não havia esperança de descobrir, por magia, o seu paradeiro, enquanto Umbridge estivesse sentada em um tribunal lotado. A prioridade deles agora era sair do Ministério antes que os descobrissem e tentar novamente em outro dia. O primeiro passo era encontrar Rony, então poderiam combinar um modo de tirar Hermione do tribunal.

O elevador estava vazio quando chegou. Harry entrou rápido e tirou a Capa da Invisibilidade quando o veículo começou a descer. Para seu imenso alívio, quando o elevador parou aos trancos no Nível dois, entrou um Rony encharcado e de olhos arregalados.

— Dia — gaguejou para Harry, quando o elevador tornou a se pôr em movimento.

— Rony, sou eu, Harry!

— Harry! Caramba, esqueci a sua cara... por que Hermione não está com você?

— Teve que ir ao tribunal com a Umbridge, não pôde recusar e...

Antes que Harry pudesse terminar a frase, o elevador tornara a parar: as portas se abriram e o sr. Weasley entrou, conversando com uma velha bruxa, cujos cabelos louros estavam tão eriçados para o alto que lembravam um formigueiro.

— ... entendo bem o que está dizendo, Wakanda, mas acho que não poderei me envolver com...

O sr. Weasley parou de falar; reparara em Harry. Era muito esquisito ver o sr. Weasley olhar para ele com tanta antipatia. As portas do elevador se fecharam e os quatro recomeçaram a descer.

— Ah, olá, Reg — disse o sr. Weasley, virando-se ao ouvir a água escorrendo sem parar das vestes de Rony. — Sua mulher não veio ao Ministério hoje para o interrogatório? Ah... que aconteceu com você? Por que está tão molhado?

— Está chovendo na sala de Yaxley — respondeu ele em direção ao ombro do sr. Weasley, e Harry entendeu que o amigo receava que o pai pudesse reconhecê-lo se os seus olhos se encontrassem. — Não consegui estancar, então me mandaram buscar Bernie... Pillsworth, acho que foi esse o nome...

— Ultimamente tem chovido em muitos escritórios — disse o sr. Weasley. — Você experimentou o *meteolojinx recanto*? Funcionou na sala do Bletchley.

— *Meteolojinx recanto?* — sussurrou Rony. — Não, não experimentei. Obrigado, p..., quero dizer, Arthur.

As portas do elevador abriram; a velha bruxa com o penteado de formigueiro saiu, e Rony disparou atrás dela e desapareceu de vista. Harry fez menção de segui-lo, mas viu seu caminho bloqueado pela entrada de Percy Weasley, de nariz enterrado em uns papéis que estava lendo.

Só depois que as portas fecharam foi que Percy percebeu que estava no elevador com o pai. Ergueu os olhos, viu o sr. Weasley, ficou vermelho como um pimentão e desembarcou no instante em que as portas reabriram. Pela segunda vez, Harry tentou sair, mas, agora, sua saída foi bloqueada pelo braço do sr. Weasley.

— Um momento, Runcorn.

Quando as portas do elevador fecharam e eles desceram, sacudindo, mais um andar, o sr. Weasley falou:

— Ouvi dizer que você denunciou Dirk Cresswell.

Harry teve a impressão de que o breve encontro com Percy não diminuíra a ira do sr. Weasley. Concluiu que sua melhor chance era se fazer de desentendido.

— Desculpe?

— Não finja, Runcorn — retorquiu o sr. Weasley, com ferocidade. — Você capturou o bruxo que falsificou a árvore genealógica dele, não foi?

— Eu... e se capturei? — desafiou Harry.

— Dirk Cresswell é dez vezes mais bruxo que você — disse o sr. Weasley em voz baixa, enquanto o elevador continuava a descer. — E, se sobreviver a Azkaban, você terá contas a prestar a ele, isso sem falar à mulher, aos filhos e aos amigos...

— Arthur — Harry interrompeu-o —, você sabe que está sendo monitorado, não sabe?

— Isso é uma ameaça, Runcorn? — interpelou-o o sr. Weasley.

— Não — disse Harry —, é um fato! Estão vigiando todos os seus movimentos...

As portas do elevador abriram. Tinham chegado ao átrio. O sr. Weasley lançou a Harry um olhar fulminante e saiu rápido do elevador. Harry ficou ali, tremendo. Gostaria de ter assumido o papel de outro bruxo que não Runcorn... as portas do elevador fecharam com o fragor habitual.

Harry apanhou a Capa da Invisibilidade e vestiu-a. Tentaria livrar Hermione sozinho, enquanto Rony resolvia o problema da sala em que chovia. Quando as portas reabriram, ele desembarcou em um corredor com piso de pedra, iluminado por archotes, muito diferente dos corredores com painéis de madeira e carpetes, nos níveis acima. Quando o elevador partiu chocalhando, Harry sentiu um leve arrepio ao avistar, ao longe, a porta preta que assinalava a entrada para o Departamento de Mistérios.

Ele foi andando, seu destino não era a porta preta, mas o portal à esquerda, que, segundo lembrava, levava à escada e às câmaras dos tribunais. Ao descer, debateu mentalmente suas possibilidades: ainda tinha uns dois Detonadores-Chamariz, mas talvez fosse melhor bater na porta do tribunal, entrar como Runcorn e pedir para dar uma palavrinha rápida com Mafalda. Naturalmente, ele ignorava se o bruxo seria suficientemente importante para agir assim, e mesmo que ele, Harry, fosse bem-sucedido, a prolongada ausência de Hermione poderia desencadear uma busca, antes que pudessem deixar o Ministério...

Absorto em seus pensamentos, ele não registrou imediatamente o frio anormal que começou a envolvê-lo como se penetrasse um nevoeiro. E foi se tornando mais forte a cada passo que dava: um frio que entrava por sua garganta e forçava seus pulmões. Então sobreveio aquela sensação sub-reptícia de desespero, uma desesperança que foi se expandindo dentro dele...

Dementadores, pensou.

Quando alcançou o pé da escada e virou à direita, deparou com uma cena pavorosa. O corredor escuro ao longo das câmaras judiciais estava repleto de vultos altos e encapuzados, seus rostos completamente ocultos, sua respiração entrecortada o único som que se ouvia. Paralisados de terror, os nascidos trouxas trazidos para interrogatório tremiam apertados nos bancos duros de madeira. A maioria escondia os rostos nas mãos, num gesto instintivo para se proteger das bocas vorazes dos dementadores. Alguns estavam em companhia da família, outros sentavam-se sozinhos. Os dementadores deslizavam de um lado para outro diante deles, e o frio e a desesperança que impregnavam o local atingiram Harry como uma maldição...

Resista, disse a si mesmo, mas sabia que não poderia conjurar um Patrono, ali, sem revelar instantaneamente sua identidade. Então, continuou avançando, o mais silenciosamente que pôde, e, a cada passo, a dormência parecia se apoderar furtivamente do seu cérebro. Ele fazia um esforço para pensar em Hermione e Rony, que precisavam dele.

Caminhar entre os altos vultos sombrios era aterrador: os rostos sem olhos, ocultos sob os capuzes, se viraram quando ele passou, dando-lhe a certeza de que o sentiam, sentiam talvez uma presença humana que ainda possuía esperança, resiliência...

Então, de modo abrupto e chocante, no silêncio gelado, uma das portas da masmorra, à esquerda, abriu-se violentamente, deixando ecoar os gritos em seu interior.

– Não, não, sou mestiço, sou mestiço, estou lhes dizendo! Meu pai era bruxo, *era*, verifiquem, Arkie Alderton, um conhecido projetista de vassouras, verifiquem, estou lhes dizendo, tirem as mãos de mim, tirem as mãos de...

– Este é o seu último aviso. – Ouviu-se a voz suave de Umbridge, magicamente amplificada de modo a se sobrepor com clareza aos gritos desesperados do homem. – Se resistir, será submetido ao beijo do dementador.

Os gritos do homem cessaram, mas seus soluços secos continuaram a ecoar pelo corredor.

– Levem-no – ordenou Umbridge.

Dois dementadores apareceram à porta da câmara, suas mãos podres e encrostadas apertando os braços do bruxo que parecia desfalecer. Deslizaram pelo corredor com o prisioneiro, e a escuridão que deixaram em seu rastro engoliu o homem fazendo-o desaparecer.

— Próximo: Maria Cattermole — chamou Umbridge.

Uma mulher miúda se ergueu; tremia da cabeça aos pés. Seus cabelos pretos estavam puxados para trás em um coque e ela usava vestes longas e simples. Seu rosto estava completamente exangue. Ao passar pelos dementadores, Harry a viu estremecer.

Ele agiu instintivamente, sem plano formado, porque detestou vê-la entrar sozinha na masmorra: quando a porta começou a se fechar, escorregou para dentro do recinto.

Não era a mesma sala em que ele fora interrogado por uso impróprio da magia. Era bem menor; embora o teto tivesse igual altura, deu-lhe a sensação claustrofóbica de estar preso no fundo de um comprido poço.

Havia outros dementadores ali, cobrindo o local com sua aura congelante; estavam postados como sentinelas sem rosto nos cantos mais afastados da imponente plataforma. Ali, atrás de uma balaustrada, sentava-se Umbridge com Yaxley, de um lado, e Hermione, com o rosto quase tão lívido quanto o da sra. Cattermole, do outro. Ao pé da plataforma, um gato de pelos longos e prateados andava de um lado para outro, e Harry percebeu que sua função era proteger os promotores do desespero que emanava dos dementadores: aquilo era para afetar os acusados, e não os acusadores.

— Sente-se — disse Umbridge, com sua voz suave e sedosa.

A sra. Cattermole encaminhou-se aos tropeços para o único assento no centro da sala abaixo da plataforma. No momento em que se sentou, as correntes tilintaram nos braços da cadeira e a prenderam.

— Você é Maria Elizabeth Cattermole? — indagou Umbridge.

A mulher acenou uma única vez com a cabeça trêmula.

— É casada com Reginald Cattermole, do Departamento de Manutenção Mágica?

A sra. Cattermole caiu no choro.

— Não sei onde ele está, devia ter vindo se encontrar comigo aqui!

Umbridge ignorou-a.

— É mãe de Maisie, Élia e Alfredo Cattermole?

A mulher soluçou ainda mais.

— Eles estão apavorados, acham que eu talvez não volte para casa...

— Poupe-nos — disse Yaxley, com rispidez. — Os pirralhos dos sangues ruins não nos inspiram simpatia.

Os soluços da sra. Cattermole mascararam os passos de Harry, que se dirigia cautelosamente aos degraus da plataforma. No momento em que ele passou pelo lugar que o gato Patrono patrulhava, sentiu a mudança de temperatura: ali era cálido e confortável. O Patrono certamente era de Umbridge, e brilhava intensamente, porque a bruxa estava muito feliz, em seu elemento, aplicando leis deturpadas que ela própria ajudara a redigir. Lenta, mas cuidadosamente, Harry contornou a plataforma por trás de Umbridge, Yaxley e Hermione, e se sentou às costas da amiga. Estava preocupado em não sobressaltá-la. Pensou em lançar um *Abaffiato* em Umbridge e Yaxley, mas até mesmo o murmúrio do encantamento poderia fazer Hermione se assustar. Então Umbridge alteou a voz para se dirigir à sra. Cattermole, e Harry aproveitou a oportunidade.

– Estou atrás de você – sussurrou ao ouvido de Hermione.

Conforme previra, ela levou um susto tão violento que quase derrubou o tinteiro que devia usar para registrar o interrogatório, mas os dois bruxos estavam concentrados na sra. Cattermole e o movimento brusco lhes passou despercebido.

– A varinha que tinha em seu poder quando chegou hoje ao Ministério, sra. Cattermole, foi confiscada – ia dizendo Umbridge. – Vinte e dois centímetros e dois décimos, cerejeira, núcleo de pelo de unicórnio. Reconhece a descrição?

A sra. Cattermole assentiu, enxugando os olhos na manga.

– Pode, por favor, nos dizer de que bruxa ou bruxo tirou essa varinha?

– T-tirei? – soluçou a sra. Cattermole. – Não t-tirei de ninguém. Comprei-a aos onze anos de idade. Ela... ela... ela me *escolheu*.

E chorou ainda mais.

Umbridge deu uma risadinha suave e infantil que fez Harry ter vontade de atacá-la. Inclinou-se para o balaústre, para melhor observar sua vítima, e um objeto dourado balançou para a frente e ficou flutuando no espaço: o medalhão.

Hermione o viu e deixou escapar um gritinho, mas Umbridge e Yaxley, ainda atentos à sua presa, estavam surdos a todo o resto.

– Não – replicou Umbridge –, não, acho que não, sra. Cattermole. Varinhas só escolhem bruxos. A senhora não é bruxa. Tenho aqui as respostas ao questionário que lhe foi enviado; Mafalda, passe-as para mim.

Umbridge estendeu a mão pequena: ela parecia tão batráquia naquele momento que Harry se surpreendeu com a ausência de membranas entre seus dedos curtos. As mãos de Hermione tremiam de espanto. Ela procurou em uma pilha de documentos equilibrados em uma cadeira ao seu lado, e, por fim, retirou um rolo de pergaminho com o nome da sra. Cattermole.

– Que... que bonito, Dolores – comentou Hermione, apontando para o medalhão que brilhava entre os babados da blusa de Umbridge.

— Quê?! — exclamou Umbridge abruptamente, baixando os olhos. — Ah, sim: uma velha herança de família — disse, levando a mão ao medalhão sobre o busto avantajado. — O "S" é de Selwyn... sou parenta dos Selwyn... na verdade, há poucas famílias de sangue puro com quem eu não seja aparentada... uma pena — continuou ela em voz mais alta, folheando o questionário da sra. Cattermole — que não se possa dizer o mesmo sobre a senhora. Profissão dos pais: verdureiros.

Yaxley deu uma risada de desdém. Embaixo, o peludo gato prateado patrulhava de lá para cá, e os dementadores aguardavam postados nos cantos.

Foi a mentira de Umbridge que fez o sangue subir à cabeça de Harry e obliterar toda a sua cautela; que ela estivesse usando o medalhão que achacara de um marginalzinho para legitimar suas credenciais de sangue puro. Ele ergueu a varinha, sem se dar o trabalho de ocultá-la sob a Capa da Invisibilidade, e ordenou:

— Estupefaça!

Houve um clarão vermelho: Umbridge desmontou e bateu com a testa na borda do balaústre; os papéis da sra. Cattermole escorregaram do seu colo no chão e, embaixo, o gato prateado desapareceu. Um ar gélido atingiu-os como se fosse uma ventania. Yaxley, aturdido, olhou para os lados, à procura da origem do problema e viu a mão incorpórea de Harry apontando uma varinha em sua direção. Tentou sacar a própria varinha, mas tarde demais.

— Estupefaça!

Yaxley escorregou da cadeira e caiu dobrado no chão.

— Harry!

— Hermione, se você acha que eu ia ficar parado aqui vendo ela fingir...

— Harry, a sra. Cattermole!

O garoto se virou, arrancando a Capa da Invisibilidade; embaixo os dementadores saíram dos seus cantos; deslizavam para a mulher acorrentada: fosse porque o Patrono desaparecera, fosse porque seus senhores não estavam mais no comando, pareciam ter abandonado o comedimento. A sra. Cattermole deixou escapar um terrível grito de medo quando a mão pegajosa e encrostada agarrou seu queixo e empurrou sua cabeça para trás.

— EXPECTO PATRONUM!

O veado prateado voou da ponta da varinha de Harry e avançou contra os dementadores, que recuaram e tornaram a se fundir com as sombras. A luz do veado, mais forte e mais quente do que a proteção do gato, encheu toda a masmorra ao correr repetidamente pelo seu perímetro.

— Apanhe a Horcrux — disse Harry a Hermione.

Desceu, então, os degraus, correndo, enquanto guardava a Capa da Invisibilidade em sua pasta, e se aproximou da sra. Cattermole.

— Você? — sussurrou ela, fitando-o no rosto. — Mas... Reg disse que foi você que me denunciou para ser interrogada!

— Fiz isso? — murmurou Harry, puxando as correntes que prendiam os braços da mulher. — Bem, mudei de opinião. *Diffindo!* — Nada aconteceu. — Hermione, como me livro dessas correntes?

— Espere, estou tentando uma coisa aqui em cima...

— Hermione, estamos cercados por dementadores!

— Eu sei, Harry, mas se Umbridge acordar e o medalhão tiver desaparecido... preciso fazer uma duplicata... *Geminio!* Pronto... isto deve enganá-la...

Hermione desceu da plataforma correndo.

— Vejamos... *Relaxo!*

As correntes retiniram e soltaram os braços da cadeira. A sra. Cattermole parecia tão amedrontada quanto estivera antes.

— Não estou entendendo — sussurrou.

— A senhora vai sair daqui conosco — disse Harry, erguendo-a da cadeira. — Volte para casa, apanhe seus filhos e vá embora, saia do país, se for preciso. Disfarcem-se e fujam. A senhora já viu como é, aqui não terá nem meia audiência imparcial.

— Harry — perguntou Hermione —, como vamos sair daqui com todos esses dementadores no corredor?

— Patronos — respondeu o garoto, apontando a varinha para o seu próprio: o veado parou de correr e se encaminhou, ainda brilhando intensamente, para a porta. — Todos que pudermos reunir; conjure o seu, Hermione.

— Expec-expecto *patronum* — disse a garota. Nada aconteceu.

— É o único feitiço com que ela sempre teve problema — disse Harry à sra. Cattermole completamente bestificada. — É realmente uma pena... anda logo Hermione...

— *Expecto patronum!*

Uma lontra prateada irrompeu da ponta da varinha da garota e flutuou graciosamente no ar para se juntar ao veado.

— Vamos — chamou ele, e conduziu Hermione e a sra. Cattermole para a porta.

Quando os Patronos deslizaram para o corredor, ouviram-se gritos assustados das pessoas que aguardavam ali. Harry olhou: os dementadores começavam a recuar de ambos os lados, fundindo-se com a escuridão, dispersando-se ante o avanço das criaturas prateadas.

— Ficou decidido que vocês devem voltar para casa e entrar na clandestinidade com suas famílias — disse Harry aos nascidos trouxas ofuscados pelo brilho dos Patronos e ainda levemente encolhidos de medo. — Vão para o exterior, se puderem. Fiquem bem longe do Ministério. Essa é... ah... a nova posição oficial. Agora, se acompanharem os Patronos, poderão sair pelo átrio.

O grupo conseguiu subir a escada de pedra sem ser interceptado, mas, ao se aproximar dos elevadores, Harry começou a ficar apreensivo. Percebeu que, se chegassem ao átrio com um veado de prata, uma lontra voando a seu lado e vinte e tantas pessoas, metade delas acusadas de terem nascido trouxas, eles atrairiam uma indesejável atenção. Acabara de chegar a essa desagradável conclusão quando o elevador parou com um tranco diante deles.

— Reg! — gritou a sra. Cattermole se atirando nos braços de Rony. — Runcorn me tirou daqui, ele atacou Umbridge e Yaxley e nos disse para fugirmos do país, acho que é o melhor a fazer, Reg, acho mesmo. Vamos depressa para casa apanhar as crianças e... por que está tão molhado?

— Água — resmungou Rony, desvencilhando-se. — Harry, eles sabem que há intrusos no Ministério, estão falando alguma coisa sobre um buraco na porta da Umbridge, calculo que temos cinco minutos, se tanto...

O Patrono de Hermione desapareceu com um estalo quando ela virou o rosto horrorizado para Harry.

— Harry, estamos presos aqui...!

— Não estaremos se nos mexermos depressa. — Ele se dirigiu às pessoas silenciosas que os acompanhavam boquiabertas. — Quem tem varinha?

Metade delas levantou as mãos.

— O.k., cada um de vocês que não tem varinha precisa acompanhar alguém que tenha. Precisamos ser rápidos: antes que nos detenham. Vamos.

Eles conseguiram se apertar em dois elevadores. O Patrono de Harry montou guarda diante das grades douradas enquanto elas se fechavam, e os elevadores começavam a subir.

"*Nível oito*", disse a voz tranquila da bruxa. "*Átrio.*"

Harry percebeu imediatamente que estavam encrencados. O átrio estava cheio de gente correndo de uma lareira à outra para lacrá-las.

— Harry! — guinchou Hermione. — Que vamos...?

— PAREM! — trovejou Harry, e a voz potente de Runcorn ecoou pelo átrio: os bruxos que estavam lacrando as lareiras se imobilizaram. — Venham comigo — sussurrou ele para os nascidos trouxas aterrorizados que se adiantaram juntos, pastoreados por Rony e Hermione.

— Que aconteceu, Alberto? — perguntou o mesmo bruxo careca que saíra com Harry da lareira mais cedo. Parecia nervoso.

— Esse pessoal precisa sair antes de vocês lacrarem as saídas — disse Harry, com toda a autoridade que conseguiu reunir.

O grupo de bruxos do Ministério se entreolhou.

— Mandaram lacrar todas as saídas e não deixar ninguém...

— *Você está me contradizendo?* — vociferou Harry. — Quer que eu mande examinar a árvore genealógica de sua família, como fiz com a de Dirk Cresswell?

— Desculpe! — ofegou o bruxo careca, recuando. — Não quis ofender, Alberto, mas pensei... pensei que eles estavam aqui para ser interrogados e...

— O sangue deles é puro — disse Harry, e sua voz grave ecoou impressionantemente pelo átrio. — Diria que mais puro do que o de muitos de vocês. Agora vão saindo — trovejou ele para os nascidos trouxas, que correram para as lareiras e começaram a sumir aos pares. Os bruxos do Ministério se mantiveram afastados, alguns parecendo confusos, outros expressando medo ou raiva. Então...

— Maria!

A sra. Cattermole olhou por cima do ombro. O verdadeiro Reg Cattermole, que parara de vomitar, mas continuava pálido e fraco, acabara de sair correndo de um elevador.

— R-Reg? — Ela olhou do marido para Rony, que soltou um sonoro palavrão.

O bruxo careca ficou de boca aberta, sua cabeça girando absurdamente de um Reg Cattermole para outro.

— Ei... que está acontecendo? Que é isso?

— Lacrem as saídas! LACREM!

Yaxley irrompera de outro elevador e agora vinha correndo para o grupo junto às lareiras pelas quais os nascidos trouxas, exceto a sra. Cattermole, haviam desaparecido. Quando o bruxo careca empunhou a varinha, Harry ergueu seu punho enorme e arremessou-o longe com um murro.

— Ele esteve ajudando os nascidos trouxas a fugir, Yaxley! — gritou Harry.

Os colegas do bruxo careca protestaram aos gritos, mas, aproveitando a confusão, Rony agarrou a sra. Cattermole, puxou-a para dentro da lareira ainda aberta e sumiu. Aturdido, Yaxley olhava de Harry para o bruxo esmurrado, enquanto o verdadeiro Reg Cattermole berrava:

— Minha mulher! Quem era aquele com a minha mulher? Que está acontecendo?

Harry viu Yaxley girar a cabeça, e a percepção da verdade começar a se espalhar naquele rosto brutal.

— Vamos! — berrou Harry para Hermione; agarrou a mão dela e juntos pularam dentro da lareira no momento em que a maldição de Yaxley passava por cima de sua cabeça. Os dois rodopiaram por alguns segundos antes de emergir no vaso do cubículo. Harry escancarou a porta; encontrou Rony diante das pias, ainda se debatendo com a sra. Cattermole.

— Reg, não estou entendendo...

— Me largue, não sou o seu marido, a senhora tem que ir para casa!

Ouviu-se um barulho no cubículo às costas deles; Harry olhou; Yaxley acabara de aparecer.

— VAMOS! — berrou. Ele agarrou Hermione pela mão e Rony pelo braço e rodopiou.

A escuridão engolfou-os ao mesmo tempo que a sensação de compressão, mas alguma coisa estava errada... a mão de Hermione parecia estar escorregando da sua...

Harry pensou que ia sufocar, não conseguia respirar nem enxergar e as únicas coisas sólidas no mundo eram o braço de Rony e os dedos de Hermione, que lentamente iam lhe fugindo...

Então ele viu a porta de número doze, no largo Grimmauld, com a aldraba em forma de serpente, mas, antes que pudesse tomar fôlego, ouviu um grito seguido de um clarão roxo; a mão de Hermione prendeu-o com firmeza e tudo escureceu.

14

O LADRÃO

Harry abriu os olhos e se sentiu ofuscado por uma claridade ouro e verde; não tinha ideia do que acontecera, só sabia que estava deitado no que lhe pareciam folhas e gravetos. Lutando para insuflar ar nos pulmões que sentia achatados, ele piscou os olhos e compreendeu que a luminosidade excessiva vinha do sol se infiltrando por um dossel de folhas. Então, um objeto se mexeu próximo ao seu rosto. Ele se apoiou nas mãos e nos joelhos, pronto para enfrentar um animal pequeno e feroz, mas viu que era apenas o pé de Rony. Olhando ao redor, percebeu que os três estavam deitados no chão de uma floresta, aparentemente sozinhos.

O primeiro pensamento de Harry foi a Floresta Proibida e, por um momento, mesmo sabendo como seria tolo e perigoso aparecerem nos terrenos de Hogwarts, seu coração pulou de alegria à ideia de atravessá-la furtivamente até a cabana de Hagrid. Contudo, nos poucos instantes que Rony levou para gemer baixinho e Harry começar a rastejar até o amigo, ele notou que não era a Floresta Proibida: as árvores pareciam mais jovens, mais espaçadas e o chão mais limpo.

Deparou com Hermione, também de quatro, junto à cabeça de Rony. Quando seu olhar recaiu sobre o amigo, todas as outras preocupações fugiram de sua mente, porque o sangue encharcava todo o lado esquerdo de Rony e seu rosto se destacava, branco-acinzentado, na terra forrada de folhas. A Poção Polissuco ia se dissipando agora: na aparência, Rony era um meio-termo entre Cattermole e ele próprio, seus cabelos cada vez mais ruivos e o rosto perdendo a pouca cor que lhe restava.

– Que aconteceu com ele?

– Estrunchou – respondeu Hermione, os dedos ocupados com a manga do amigo, onde o sangue estava mais profuso e escuro.

Harry observou-a, horrorizado, rasgar a camisa de Rony. Sempre pensara no estrunchamento como algo cômico, mas isso... suas entranhas se contorceram desagradavelmente ao ver Hermione expor parte do braço de

Rony onde faltava um naco de carne, removido por inteiro como se o tivessem cortado a faca.

— Harry, depressa, na minha bolsa, tem um frasquinho com a etiqueta *Essência de Ditamno*...

— Bolsa... certo...

Harry correu para o lugar onde Hermione aterrissara, apanhou a bolsinha de contas e enfiou a mão nela. Na mesma hora, objetos após objetos começaram a se apresentar ao seu toque: ele sentiu as lombadas de couro dos livros, as mangas de lã dos suéteres, saltos de sapatos...

— *Depressa!*

Ele apanhou sua varinha no chão e, apontando para o fundo da bolsa mágica, ordenou:

— *Accio ditamno!*

Um frasquinho marrom voou da bolsa; ele o aparou e voltou correndo para Hermione e Rony, cujos olhos agora estavam semicerrados: traços de córneas brancas era tudo o que se via entre suas pálpebras.

— Ele desmaiou — disse Hermione, que também estava muito pálida; já não se parecia com Mafalda, embora seus cabelos ainda conservassem algumas mechas grisalhas. — Destampe-o para mim, Harry, minhas mãos estão tremendo.

O garoto arrancou a tampa do frasquinho e entregou-o a Hermione, que aplicou três gotas da poção na ferida ensanguentada. Ergueu-se uma nuvem de fumaça esverdeada e, quando se dissipou, Harry viu que o sangramento cessara. O ferimento agora parecia ter ocorrido há vários dias; uma pele nova se estendia sobre a carne antes exposta.

— Uau! — exclamou Harry.

— É só o que consigo fazer sem correr riscos — disse Hermione, trêmula. — Há feitiços que o deixariam novo em folha, mas não me atrevo a usá-los por medo de errar e causar mais estrago... ele já perdeu muito sangue...

— Como foi que ele se machucou? Quero dizer — Harry sacudiu a cabeça, tentando clarear as ideias e compreender seja lá o que tivesse acontecido —, por que estamos aqui? Pensei que estávamos voltando para o largo Grimmauld, não?

Hermione inspirou profundamente. Parecia à beira das lágrimas.

— Harry, acho que não podemos voltar para lá.

— Que foi que você...?

— Quando desaparatamos, Yaxley me agarrou e não pude me livrar dele, foi mais forte e continuava me segurando quando chegamos ao largo Grimmauld, aí... bem, acho que ele deve ter visto a porta, e pensou que fôssemos entrar, então afrouxou a mão e consegui me desvencilhar, e trouxe todos para cá!

— Mas cadê ele? Espere aí... você não quer dizer que Yaxley está no largo Grimmauld? Ele não pode entrar lá, pode?

Os olhos da garota cintilaram com as lágrimas acumuladas quando assentiu.

— Harry, acho que ele pode. Eu... eu o forcei a me largar com um Feitiço Repelente, mas já o deixara penetrar a proteção do Feitiço Fidelius. Desde que Dumbledore faleceu, somos fiéis do segredo, portanto entreguei a ele o segredo, não?

Era impossível fingir. Harry sabia que a amiga tinha razão. O golpe era acachapante. Se Yaxley agora podia entrar na casa, não havia como regressarem. Naquele exato momento, ele poderia estar levando outros Comensais da Morte por aparatação. Embora a casa fosse sombria e deprimente, fora seu único refúgio: e, agora que Monstro estava mais feliz e amigo, uma espécie de lar. Com uma pontada de pesar que não estava ligada propriamente à comida, Harry imaginou o elfo doméstico ocupado em preparar o empadão de carne e rins que Harry, Rony e Hermione jamais provariam.

— Harry, sinto muito, sinto muito!

— Não seja idiota, não foi sua culpa! Se foi de alguém, foi minha...

Harry levou a mão ao bolso e tirou o olho mágico de Olho-Tonto. Hermione se encolheu, horrorizada.

— Umbridge tinha cravado o olho na porta da sala para espiar as pessoas. Eu não podia deixá-lo lá... mas foi assim que eles souberam que havia intrusos.

Antes que Hermione pudesse responder, Rony gemeu e abriu os olhos. Continuava cinzento, e o suor brilhava em seu rosto.

— Como está se sentindo? — sussurrou Hermione.

— Péssimo — respondeu Rony rouco, fazendo uma careta ao tocar o braço ferido. — Onde estamos?

— Na floresta onde foi realizada a Copa Mundial de Quadribol — informou Hermione. — Eu queria um lugar fechado, escondido e esse foi...

— ... o primeiro em que pensou. — Harry terminou a frase por ela, correndo os olhos pela clareira aparentemente deserta. Não pôde deixar de lembrar o que acontecera na última vez que tinham aparatado no primeiro lugar que ocorrera a Hermione; como tinham sido encontrados pelos Comensais da Morte em poucos minutos. Teria sido Legilimência? Voldemort ou os seus capangas já saberiam onde Hermione os levara?

— Você acha que devemos ir para outro lugar? – perguntou Rony a Harry, que percebeu no rosto do amigo que lhe ocorrera o mesmo pensamento.

— Não sei.

Rony ainda estava pálido e suado. Não tinha feito a menor tentativa de sentar e, pelo seu aspecto, parecia fraco demais para tentar. A perspectiva de removê-lo era assustadora.

— Por enquanto, vamos ficar aqui – respondeu Harry.

Com uma expressão de alívio, Hermione se pôs de pé.

— Aonde está indo? – perguntou Rony.

— Se vamos ficar aqui, devíamos lançar alguns feitiços de proteção ao nosso redor – replicou ela e, erguendo a varinha, começou a caminhar em um amplo círculo em torno de Harry e Rony, murmurando encantamentos. O garoto observou pequenas turbulências no ar em torno; era como se Hermione tivesse lançado uma névoa de calor sobre a clareira.

— *Salvio hexia... Protego totalum... Repello trouxatum... Abaffiato...* Você podia ir apanhando a barraca, Harry...

— Barraca?

— Na bolsa!

— Na... é claro – disse ele.

Desta vez, ele não se deu o trabalho de meter a mão na bolsa, mas usou outro Feitiço Convocatório. A barraca saiu em um disforme bolo de lona, corda e paus. Harry reconheceu, em parte pelo cheiro de gatos, que era a mesma barraca em que tinham dormido na noite da Taça Mundial de Quadribol.

— Pensei que pertencesse àquele cara do Ministério, o Perkins.

— Aparentemente ele não a quis mais, seu lumbago está doendo demais – respondeu Hermione, executando com a varinha uma figura complicada em oito movimentos –, então o pai de Rony disse que eu podia pegar emprestada. *Erecto!* – acrescentou ela, apontando a varinha para o amontoado de lona, que, em um movimento fluido, se ergueu no ar e se acomodou, inteiramente montado, no chão diante do surpreso Harry, de cuja mão voou um espeque que aterrissou com um baque final na ponta de uma corda.

"*Cave inimicum*", terminou Hermione, com um floreio para o alto. "Isso é o máximo que sei fazer. No mínimo, nos avisarão da chegada deles; não posso garantir que impedirão a entrada de Vol..."

— Não diga o nome! – interrompeu-a Rony, rispidamente.

Harry e Hermione se entreolharam.

— Desculpem — tornou ele, gemendo um pouco ao se erguer para encarar os amigos —, mas dá uma sensação de... azaração ou coisa parecida. Será que não podemos chamá-lo de Você-Sabe-Quem... por favor?

— Dumbledore dizia que o temor de um nome... — começou Harry.

— Caso você não tenha reparado, colega, chamar Você-Sabe-Quem pelo nome, afinal, não deu muito certo para Dumbledore — retrucou Rony. — Quer... quer... pelo menos demonstrar algum respeito por Você-Sabe-Quem?

— *Respeito?* — repetiu Harry, mas Hermione lhe lançou um olhar avisando-o para não discutir com Rony enquanto o amigo estivesse tão fraco.

Harry e Hermione carregaram e, ao mesmo tempo, arrastaram Rony pela entrada da barraca. O interior era exatamente o que Harry lembrava: um pequeno apartamento, completo, com banheiro e uma minicozinha. Ele empurrou uma velha poltrona para o lado e depositou o amigo com cuidado na cama de baixo de um beliche. Mesmo esse percurso tão pequeno deixara Rony ainda mais pálido, e, quando terminaram de acomodá-lo no colchão, ele tornou a fechar os olhos e ficou algum tempo calado.

— Vou preparar um pouco de chá — disse Hermione, sem fôlego, tirando uma chaleira e canecas do fundo da bolsa e se dirigindo à cozinha.

Harry achou a bebida quente tão providencial quanto o uísque de fogo na noite em que Olho-Tonto tinha morrido; pareceu queimar um pouco o medo que se agitava em seu peito. Minutos depois, Rony quebrou o silêncio.

— Que acham que aconteceu com os Cattermole?

— Com um pouco de sorte, terão conseguido fugir — disse Hermione, apertando a caneca para se tranquilizar. — Desde que tenha mantido a presença de espírito por algum tempo, o sr. Cattermole terá transportado a mulher por Aparatação Acompanhada e estarão fugindo do país com as crianças neste exato momento. Foi esse o conselho de Harry à mulher.

— Caramba, espero que tenham escapado — disse Rony, tornando a baixar a cabeça nos travesseiros. O chá parecia estar lhe fazendo bem; recuperara um arzinho de cor. — Mas tive a impressão de que Reg Cattermole não era muito inteligente, pela maneira com que as pessoas se dirigiam a mim enquanto fui ele. Deus, espero que tenham conseguido... se eles acabarem em Azkaban por nossa causa...

Harry olhou para Hermione e a pergunta que tinha na ponta da língua — se a falta de varinha impediria a sra. Cattermole de aparatar com o marido — morreu em sua boca. Hermione estava vendo Rony se preocupar com o destino dos Cattermole, e havia tanta ternura em seu rosto que Harry teve a sensação de quase surpreendê-la beijando o amigo.

— Então, pegou? — perguntou Harry, em parte para lembrar Hermione de sua presença.

— Pegou... pegou o quê? — perguntou ela, um pouquinho assustada.

— Para que foi que passamos por tudo isso? O medalhão! Onde está o medalhão?

— *Você pegou?* — gritou Rony, erguendo-se um pouco mais nos travesseiros. — Ninguém me conta nada! Caramba, podiam ter falado!

— Ora, estivemos correndo dos dementadores para não morrer, não foi? — justificou-se Hermione. — Tome aqui.

E, tirando o medalhão do bolso das vestes, entregou-o a Rony.

Era grande como um ovo de galinha. Uma letra "S" floreada, engastada com pedrinhas verdes, lampejou sombriamente à luz difusa que se infiltrava pelo teto de lona da barraca.

— Há alguma chance de alguém tê-la destruído desde que esteve na posse de Monstro? — perguntou Rony esperançoso. — Quero dizer, temos certeza de que continua a ser uma Horcrux?

— Acho que sim — respondeu Hermione, retomando o medalhão das mãos dele e examinando-o atentamente. — Haveria algum sinal de dano se o conteúdo tivesse sido magicamente destruído.

Ela passou-o a Harry, que virou e revirou o medalhão nos dedos. O objeto parecia perfeito, intacto. Lembrou-se dos restos estraçalhados do diário e da pedra no anel-Horcrux que fendera ao ser destruída por Dumbledore.

— Acho que Monstro tinha razão. Temos que descobrir como abrir essa coisa para podermos destruí-la.

A súbita consciência do que segurava, do que estava vivo por trás das portinhas de ouro, atingiu Harry enquanto falava. Mesmo depois de todos os esforços para encontrá-lo, ele sentiu um violento impulso de arremessar longe o medalhão. Controlando-se, tentou abri-lo com os dedos, depois experimentou o feitiço que Hermione usara para abrir a porta do quarto de Régulo. Nenhum dos dois deu resultado. Devolveu, então, o medalhão a Rony e Hermione, cada um fez o que pôde, mas não tiveram maior sucesso.

— Mas você consegue sentir? — perguntou Rony com a voz abafada, ao apertar o objeto na mão.

— Como assim?

Rony passou-lhe a Horcrux. Instantes depois, Harry pensou ter entendido o que ele queria dizer. Estaria sentindo o sangue pulsar em suas veias, ou havia alguma coisa no medalhão batendo como um minúsculo coração metálico?

— Que vai fazer com isso? — perguntou Hermione.

— Guardá-lo em segurança até descobrirmos como destruí-lo — respondeu Harry e, por menos que isso lhe agradasse, prendeu a corrente ao pescoço, deixando o medalhão pender, oculto, sob suas vestes, onde repousou sobre seu peito, ao lado da bolsa que Hagrid lhe dera.

— Acho que devíamos nos revezar para vigiar a barraca por fora — acrescentou Hermione, se pondo de pé e se espreguiçando. — E também teremos que pensar em alguma coisa para comer. Você fica aqui — acrescentou, rapidamente, quando Rony tentou se levantar e seu rosto adquiriu um feio tom verdoso.

Equilibrando com cuidado sobre a barraca o bisbilhoscópio que Hermione dera de presente a Harry em seu aniversário, os dois passaram o resto do dia dividindo os turnos de vigia. O bisbilhoscópio, no entanto, permaneceu silencioso e parado o tempo todo, e, fosse por causa dos feitiços de proteção e Feitiços Antitrouxas que Hermione lançara ao redor, ou porque as pessoas raramente se aventuravam naquelas paragens, a clareira permaneceu deserta exceto por raros pássaros e esquilos. A noite não trouxe alteração alguma; Harry acendeu a varinha ao substituir Hermione às dez horas e contemplou uma paisagem deserta, registrando os morcegos que voavam muito alto no retalho de céu estrelado que se avistava da clareira protegida.

Sentia fome, agora, e um pouco de tontura. Hermione não estocara alimentos na bolsinha mágica, pois supusera que eles fossem retornar ao largo Grimmauld naquela noite. Não havia, portanto, comida, exceto alguns cogumelos silvestres que a garota colhera entre as árvores mais próximas e cozinhara em uma vasilha. Depois de comer dois bocados, Rony afastara sua porção, parecendo enjoado; Harry só persistira para não magoar Hermione.

O silêncio circundante era quebrado por sons indistintos ocasionais e, talvez, gravetos estalando. Harry achou que fossem produzidos por animais e não por gente, contudo, empunhou com firmeza a varinha, pronta para uso. Suas entranhas, já avariadas pela porção insuficiente de cogumelos borrachudos, tremiam, causando-lhe mal-estar.

Pensara que sentiria euforia se conseguissem reaver a Horcrux, mas por alguma razão isso não acontecera; tudo que sentia, sentado naquela escuridão, da qual sua varinha iluminava uma ínfima parte, era apreensão pelo que aconteceria a seguir. Parecia que estivera se precipitando velozmente até aquele lugar durante semanas, meses, talvez anos, mas agora estacara abruptamente, era o fim da estrada.

Havia outras Horcruxes lá fora em algum lugar, mas ele não fazia a menor ideia de onde poderiam estar. Nem mesmo sabia o que eram. Nesse meio-tempo, não lhe ocorria como destruir a única que encontrara: a Horcrux que, no momento, jazia sobre seu peito nu. Curiosamente, o objeto não roubara calor do seu corpo, estava tão frio ali, sobre sua pele, que poderia ter saído da água gelada. De vez em quando, Harry pensava, ou talvez imaginasse, que podia sentir um batimento de coração mínimo, no mesmo compasso que o seu.

Pressentimentos inomináveis o assaltavam, ali no escuro: tentava resistir-lhes, afastá-los, contudo eles recorriam sem descanso. *Nenhum poderá viver enquanto o outro sobreviver.* Rony e Hermione, agora conversando baixinho na barraca às suas costas, poderiam ir embora se quisessem: ele não poderia. E parecia-lhe, naquela imobilidade em que tentava dominar o medo e a exaustão, que a Horcrux sobre seu peito marcava o tempo que lhe restava... *Que ideia idiota,* disse a si mesmo, *não pense isso...*

Sua cicatriz estava recomeçando a formigar. Receava que estivesse provocando aquilo ao entreter tais pensamentos, e tentou redirecioná-los. Pensou no pobre Monstro, esperando a chegada deles em casa e, em vez disso, recebendo Yaxley. O elfo guardaria silêncio ou contaria ao Comensal da Morte tudo que sabia? Harry queria acreditar que Monstro mudara sua relação com ele durante o mês que passara, que se manteria leal, mas quem sabia o que iria acontecer? E se os Comensais da Morte torturassem o elfo? Imagens tétricas fervilharam em sua mente e ele tentou afastá-las também, porque não havia nada que pudesse fazer por Monstro: ele e Hermione já tinham decidido não convocá-lo; e se alguém do Ministério viesse junto? Eles não podiam contar que a aparatação de elfos fosse isenta da falha que levara Yaxley ao largo Grimmauld agarrado à manga de Hermione.

A cicatriz de Harry agora queimava. Lembrou que havia tanta coisa que ignoravam: Lupin estava certo quando falara em magia que jamais tinham enfrentado ou imaginado. Por que Dumbledore não lhe explicara mais? Teria pensado que haveria tempo; que viveria anos, séculos talvez, como seu amigo Nicolau Flamel? Se assim fosse, enganara-se... Snape se encarregara disso... Snape, a serpente adormecida, que atacara no alto da Torre...

E Dumbledore caíra... caíra...

— Entregue-me, Gregorovitch.

A voz de Harry saiu aguda, clara e fria: sua varinha estendida à frente por uma mão branca de dedos longos. O homem para quem apontava estava suspenso no ar de cabeça para baixo, embora não houvesse cordas segurando-o; ele balançava, invisível e sinistramente preso, os membros enrolados no corpo, seu rosto aterrorizado, no mesmo nível que o de Harry, vermelho por causa do sangue que lhe afluíra à cabeça. Tinha cabelos absolutamente brancos e uma barba cerrada de pelos espessos: um Papai Noel no espeto.

— Não a tenho, não a tenho mais! Roubaram-me há muitos anos!

— Não minta para Lorde Voldemort, Gregorovitch. Ele sabe... ele sempre sabe.

As pupilas do homem pendurado estavam grandes, dilatadas de medo, e pareciam inchar, cada vez mais, até que sua escuridão engoliu Harry inteiro...

E agora ele se via correndo por um corredor escuro atrás do atarracado Gregorovitch, que segurava uma lanterna no alto: o bruxo adentrou um aposento no final do corredor e sua lanterna iluminou o que lhe pareceu uma oficina; aparas de madeira e ouro reluziam no foco trêmulo de luz, e ali, no peitoril da janela, achava-se, empoleirado, como uma grande ave, um jovem de cabelos dourados. Na fração de segundo que a luz da lanterna incidiu nele, Harry viu prazer em seu belo rosto, então o intruso lançou um Feitiço Estuporante de sua varinha e saltou, de costas, do peitoril com um grito de triunfo.

E Harry se viu recuando velozmente daquelas pupilas enormes como túneis, o rosto de Gregorovitch aterrorizado.

— Quem foi o ladrão, Gregorovitch? — perguntou a voz aguda e fria.

— Não sei, nunca soube, um jovem... não... por favor... POR FAVOR!

Um grito interminável seguido de um lampejo verde...

— Harry!

Ele abriu os olhos, ofegante, a testa latejando. Tinha desmaiado contra a parede da barraca: escorregara de lado pela lona e se estatelara no chão. Ergueu os olhos para Hermione, cujos cabelos cheios obscureciam o retalhinho de céu visível através da escura ramagem acima.

— Sonho — disse ele, sentando-se depressa e tentando enfrentar a carranca de Hermione com um ar de inocência. — Devo ter cochilado, desculpe.

— Sei que foi a sua cicatriz! Percebo no seu rosto! Você estava espiando a mente de Vol...

— Não diga esse nome! — Ouviram a voz irritada de Rony vinda das profundezas da barraca.

— Ótimo — retorquiu Hermione. — Então, a mente de Você-Sabe-Quem!

— Não quis que acontecesse! — defendeu-se Harry. — Foi um sonho! Você consegue controlar o que sonha, Hermione?

— Se você ao menos tivesse aprendido a usar a Oclumência...

Harry, porém, não estava interessado em levar uma descompostura de Hermione; queria discutir o que acabara de ver.

— Ele encontrou Gregorovitch, Hermione, e acho que o matou, mas, antes de matar, leu a mente do homem e vi...
— Acho que é melhor eu assumir a vigia, se o seu cansaço é tanto que você está cochilando — disse Hermione friamente.
— Eu posso terminar a vigia!
— Não, obviamente você está exausto. Vá se deitar.
Ela se largou na entrada da barraca, decidida. Aborrecido, mas querendo evitar uma briga, Harry entrou.
O rosto ainda pálido de Rony se ergueu, curioso, do beliche; Harry subiu na cama de cima, deitou-se e ficou olhando para o teto escuro de lona. Passados vários minutos, Rony falou muito baixinho para Hermione não ouvir, encolhida na entrada.
— Que é que Você-Sabe-Quem está fazendo?
Harry apertou os olhos se esforçando para recordar cada detalhe, então sussurrou no escuro:
— Encontrou Gregorovitch. Amarrou-o e estava torturando o homem.
— Como é que Gregorovitch vai fazer uma nova varinha para ele se está amarrado?
— Não sei... é esquisito, não é?
Harry fechou os olhos, pensando em tudo que vira e ouvira. Quanto mais lembrava, menos sentido fazia... Voldemort não tinha dito nada sobre a varinha de Harry, nada sobre os núcleos gêmeos, nada sobre a ideia de mandar Gregorovitch fazer uma varinha nova e mais poderosa para derrotar a de Harry...
— Queria alguma coisa de Gregorovitch — disse Harry, ainda com os olhos bem fechados. — Pediu que lhe entregasse, mas Gregorovitch disse que tinham lhe roubado... e então... então...
Harry lembrou como ele, no corpo de Voldemort, parecera invadir os olhos de Gregorovitch até sua memória...
— Leu a mente de Gregorovitch e viu um rapaz louro, empoleirado no peitoril da janela, que lançou um feitiço em Gregorovitch e, dando um salto para trás, desapareceu. Ele roubou, roubou seja o que for que Você-Sabe-Quem procura. E eu... eu acho que já vi o rapaz em algum lugar...
Harry desejou poder dar mais uma olhada naquele rosto risonho. O roubo acontecera havia muitos anos, segundo Gregorovitch. Por que o jovem ladrão lhe parecia familiar?
Os ruídos da mata soavam abafados no interior da barraca; só o que Harry escutava era a respiração do amigo. Passado algum tempo, Rony sussurrou:

— Você não viu o que o ladrão estava segurando?
— Não... devia ser alguma coisa pequena.
— Harry?

As ripas de madeira da cama de Rony rangeram quando ele mudou de posição.

— Harry, você não acha que Você-Sabe-Quem estava atrás de outro objeto para transformar em Horcrux?

— Não sei — respondeu ele, lentamente. — Talvez. Mas não seria perigoso criar mais uma? Hermione não disse que ele já tinha forçado a alma ao máximo?

— É, mas ele talvez não saiba disso.

— É... talvez — disse Harry.

Tivera certeza de que Voldemort andava procurando uma maneira de contornar o problema dos núcleos gêmeos, certeza de que buscava uma solução com o velho fabricante de varinhas... contudo, matara-o, aparentemente sem lhe fazer uma única pergunta sobre varinhas.

Que é que Voldemort estava tentando encontrar? Por que, com o Ministério da Magia e o mundo bruxo a seus pés, ele foi para longe, decidido a encontrar um objeto que no passado pertenceu a Gregorovitch e lhe foi roubado por um ladrão desconhecido?

Harry ainda via o rosto do rapaz louro, era alegre e rebelde; havia nele um ar à la Fred e Jorge e seus bem-sucedidos logros. Ele voara do peitoril da janela como um pássaro, e Harry já o vira antes, mas não conseguia lembrar onde...

Com Gregorovitch morto, era um ladrão de rosto alegre que agora corria perigo, e foi nele que se detiveram os pensamentos de Harry quando os roncos de Rony começaram a ecoar da cama de baixo e ele próprio recomeçou lentamente a adormecer.

15

A VINGANÇA DO DUENDE

Cedo na manhã seguinte, antes que os outros acordassem, Harry deixou a barraca em busca da árvore mais antiga e de aparência mais nodosa e elástica que pudesse encontrar. Ali, à sua sombra, ele enterrou o olho de Olho-Tonto Moody e marcou o local gravando, com a sua varinha, uma pequena cruz na casca. Não era muita coisa, mas Harry sentiu que Olho-Tonto teria preferido isso a ficar engastado na porta de Dolores Umbridge. Voltou, então, à barraca e esperou os outros acordarem para discutir o que fariam a seguir.

Harry e Hermione acharam que era melhor não pararem em lugar algum muito tempo, e Rony concordou, com a única ressalva de que o próximo deslocamento os deixasse próximos a um sanduíche de bacon. Hermione desfez, portanto, os feitiços que lançara sobre a clareira, enquanto os dois amigos apagavam todas as marcas e impressões no solo que pudessem indicar que haviam acampado ali. Em seguida, desaparataram para a periferia de uma pequena cidade comercial.

Depois de armarem a barraca ao abrigo de um pequeno arvoredo que cercaram com feitiços defensivos, Harry arriscou uma surtida sob a Capa da Invisibilidade para procurar alimentos. Sua tentativa, porém, não saiu conforme planejara. Mal acabara de entrar na cidade quando um frio anormal, uma névoa baixa e um repentino escurecimento do céu o fizeram estacar, congelado.

— Mas você sabe conjurar um Patrono genial! — protestou Rony, quando Harry voltou à barraca de mãos vazias, sem fôlego, dizendo uma única palavra: "dementadores".

— Não consegui... produzir um. — Arquejou, comprimindo uma pontada no lado do corpo. — Não quis... aparecer.

As expressões de pesar e desapontamento dos amigos deixaram-no envergonhado. Fora uma experiência aterrorizante ver ao longe os dementadores deslizando da névoa, e compreender, quando o frio paralisante obstruiu os seus pulmões e gritos distantes encheram seus ouvidos, que ele não ia conseguir se proteger. Harry precisou de toda a sua força de vontade para se despregar do chão e correr, deixando os dementadores sem olhos se deslocarem entre os trouxas que talvez não os vissem, mas que, certamente, sentiriam o desespero que eles lançavam por onde quer que passassem.

– Continuamos, então, sem comida.

– Cala a boca, Rony – cortou-o Hermione. – Harry, que aconteceu? Por que acha que não conseguiu conjurar o seu Patrono? Ontem você fez isso perfeitamente!

– Não sei.

Harry afundou-se em uma das velhas poltronas de Perkins, sentindo-se, a cada momento, mais humilhado. Receava que alguma coisa tivesse desabilitado dentro dele. O dia de ontem parecia ter sido muitos séculos atrás: hoje, sentia-se novamente com treze anos, o único garoto que desmaiara no Expresso de Hogwarts.

Rony chutou o pé de uma cadeira.

– Quê? – rosnou para Hermione. – Estou morrendo de fome! Depois que quase morri de tanto sangrar, só comi uns dois cogumelos!

– Então vá e abra caminho à força entre os dementadores – retrucou Harry, mordido.

– Eu iria, mas estou com um braço na tipoia, caso você não tenha reparado!

– Muito conveniente.

– E que quer dizer...

– É claro! – exclamou Hermione, dando um tapinha na testa e fazendo os dois se calarem de susto. – Harry, me dá o medalhão! – pediu impaciente, estalando os dedos para o garoto ao ver que não reagira. – Você ainda está usando a Horcrux!

Ela estendeu as mãos e Harry tirou a corrente de ouro pela cabeça. No momento em que o objeto desencostou de sua pele, o garoto se sentiu livre e estranhamente leve. Não tinha percebido que estava suado e que havia um peso comprimindo seu estômago até as duas sensações desaparecerem.

– Melhor? – perguntou Hermione.

– Nossa, muito melhor!

– Harry – tornou ela, agachando-se à sua frente e usando um tom de voz que o garoto associava a visitas a gente muito doente –, você não acha que foi possuído, acha?

— Quê? Não! — exclamou ele, na defensiva. — Lembro-me de tudo que fizemos enquanto estive usando o medalhão. Eu não saberia o que fiz se estivesse possuído, não é? Gina me contou que, às vezes, ela não conseguia se lembrar de nada.

— Hum — disse Hermione, contemplando o pesado medalhão. — Bem, talvez seja melhor não o usarmos. Podemos simplesmente guardá-lo aqui na barraca.

— Não vamos deixar essa Horcrux por aí — disse Harry, com firmeza. — Se a perdermos, se a roubarem...

— Ah, tá bem, tá bem — respondeu ela, colocando o medalhão no próprio pescoço e escondendo-o por baixo da blusa. — Mas vamos nos revezar, assim ninguém irá usá-la por muito tempo.

— Ótimo — disse Rony, irritado —, e agora que já acertamos isso, será que podemos comer alguma coisa?

— Tudo bem, mas vamos procurar em outro lugar — propôs Hermione, lançando um olhar rápido para Harry. — Não tem sentido ficar aqui, sabendo que os dementadores estão atacando.

Eles acabaram pernoitando em um extenso campo de uma propriedade rural isolada, na qual obtiveram ovos e pão.

— Não estamos roubando, não é? — perguntou Hermione, em tom preocupado, enquanto devoravam ovos mexidos com torrada. — Não se eu deixei um dinheiro no galinheiro, concordam?

Rony virou os olhos para o alto e disse com a boca estufada:

— Er-mi-ne, cê precupa demais. Elaxa!

E, de fato, ficou muito mais fácil relaxar depois de estarem bem alimentados: a discussão sobre os dementadores foi esquecida entre risos, e Harry se sentiu animado, e até esperançoso, quando assumiu a primeira das três vigias da noite.

Esta foi a primeira vez que constataram que uma barriga cheia gera bom humor; e, uma vazia, desentendimento e tristeza. A Harry, isso não surpreendeu muito, porque chegara várias vezes à beira da inanição na casa dos Dursley. Hermione suportou razoavelmente bem as noites em que só conseguiam arranjar frutinhas e biscoitos velhos, sua paciência talvez um pouco mais curta do que o normal e seus silêncios melancólicos. Rony, no entanto, fora acostumado a três deliciosas refeições por dia, cortesia de sua mãe ou dos elfos domésticos de Hogwarts, e a fome o tornava irracional e irascível. Sempre que a falta de comida coincidia com sua vez de usar a Horcrux, ele se tornava decididamente desagradável.

— E agora? — Era o seu constante refrão. Não parecia ter ideias a contribuir, mas esperava que Harry e Hermione sugerissem planos, enquanto ele ficava parado, remoendo a escassez de comida. Assim, Harry e Hermione passavam horas infrutíferas, tentando decidir onde procurar as outras Horcruxes e como destruir a que tinham em seu poder, suas conversas se tornando cada vez mais repetitivas, pois não tinham novas informações.

Uma vez que Dumbledore dissera a Harry que acreditava que Voldemort tivesse escondido as Horcruxes em lugares que julgava importantes, os dois não paravam de desfiar, em uma espécie de ladainha enfadonha, os lugares onde sabiam que o lorde vivera ou visitara. O orfanato onde nascera e crescera, Hogwarts, onde fora educado, Borgin & Burkes, onde trabalhara ao terminar a escola, depois a Albânia, onde passara os anos de exílio: essa era a base de suas especulações.

— É, vamos à Albânia. Não vamos gastar mais do que uma tarde para vasculhar o país inteiro — disse Rony, sarcasticamente.

— Não pode haver nada lá. Ele já tinha criado cinco das Horcruxes quando foi para o exílio, e Dumbledore tinha certeza de que a cobra era a sexta — contrapôs Hermione. — Sabemos que a cobra não está na Albânia, normalmente acompanha Vol...

— *Eu não pedi para você parar de dizer isso?*

— Ótimo! A cobra normalmente está com *Você-Sabe-Quem*... feliz agora?

— Nem tanto.

— Não consigo vê-lo escondendo nada na Borgin & Burkes — disse Harry, que já defendera esse ponto de vista muitas vezes, mas repetiu-o apenas para quebrar o incômodo silêncio. — Borgin e Burke eram especialistas em objetos das trevas, teriam reconhecido uma Horcrux imediatamente.

Rony bocejou acintosamente. Reprimindo um forte impulso de atirar alguma coisa no amigo, Harry continuou:

— Ainda acho que ele poderia ter escondido alguma coisa em Hogwarts.

Hermione suspirou.

— Mas Dumbledore a teria encontrado, Harry!

O garoto repetiu o argumento que sempre trazia à baila em favor de sua teoria.

— Dumbledore confessou a mim que nunca presumiu conhecer todos os segredos de Hogwarts. E estou lhe dizendo que se havia um lugar que Vol...

— Oi!

— VOCÊ-SABE-QUEM, então! — gritou Harry, irritado além da conta. — Se havia um lugar que Você-Sabe-Quem considerava realmente importante era Hogwarts!

— Ah, corta essa — caçoou Rony. — A *escola* dele?

— É, a escola dele! Foi o primeiro lar verdadeiro que ele teve, o lugar que o tornava especial, que significava tudo para ele, e mesmo depois que saiu...

— É de Você-Sabe-Quem que estamos falando, certo? Não é de você, é? — indagou Rony. Puxava a corrente da Horcrux em seu pescoço: Harry foi assaltado pelo desejo de agarrar a corrente e usá-la para estrangular o amigo.

— Você nos contou que Você-Sabe-Quem pediu a Dumbledore para lhe dar emprego depois que saiu da escola — disse Hermione.

— Isso.

— E Dumbledore achou que ele só queria voltar para procurar alguma coisa, provavelmente um objeto de outro dos fundadores para transformá-lo em uma Horcrux?

— É.

— Mas ele não conseguiu o emprego, certo? — conferiu Hermione. — Então, ele nunca teve oportunidade de procurar lá o objeto de um fundador e escondê-lo na escola!

— O.k., então — concordou Harry, vencido. — Esqueça Hogwarts.

Sem outras pistas, eles viajaram a Londres e, protegidos pela Capa da Invisibilidade, procuraram o orfanato onde Voldemort fora criado. Hermione entrou escondida em uma biblioteca e descobriu, pelos registros, que o estabelecimento fora demolido havia anos. Visitaram o local e depararam com uma torre de escritórios.

— Poderíamos tentar cavar nas fundações? — sugeriu Hermione sem muita convicção.

— Ele não teria escondido uma Horcrux aqui — disse Harry, que, na verdade, sempre soubera disso: o orfanato fora o lugar de que Voldemort estava decido a fugir; ele jamais teria escondido uma parte da alma lá. Dumbledore mostrara a Harry que o lorde buscava grandiosidade ou misticismo na escolha de seus esconderijos; esse canto desolado e cinzento de Londres nem de longe poderia lembrar Hogwarts ou o Ministério ou um edifício como Gringotes, o banco dos bruxos, com suas portas de ouro e seus pisos de mármore.

Mesmo sem novas ideias, eles continuaram a viajar pelo campo, a cada noite armando a barraca em um lugar diferente, por medida de segurança.

Toda manhã, eles se certificavam de ter removido as pistas de sua presença, então partiam em busca de outro lugar isolado e protegido, deslocando-se por aparatação a outras matas, a fendas sombrias em rochedos junto ao mar, a charnecas arroxeadas, a encostas de montanhas cobertas de tojos e, uma vez, a uma enseada pedregosa. A cada doze horas, mais ou menos, eles passavam a Horcrux de um para outro, como se estivessem jogando em câmara lenta uma partida perversa de passar o anel, temendo a hora em que, se errassem, a prenda seriam doze horas de mais ansiedade e medo.

A cicatriz de Harry não parava de formigar. Acontecia com maior frequência, segundo observou, quando estava usando a Horcrux. Por vezes, ele não conseguia evitar demonstrar a dor.

— Quê? Que foi que você viu? — indagava Rony, sempre que via Harry fazer caretas.

— Um rosto — murmurava Harry, todas as vezes. — O mesmo rosto. O ladrão que roubou Gregorovitch.

E Rony lhe dava as costas sem fazer esforço algum para esconder o seu desapontamento. Harry sabia que o amigo estava esperando notícias de sua família ou dos membros restantes da Ordem da Fênix, mas, afinal, ele, Harry, não era uma antena de televisão; só podia ver o que Voldemort estava pensando no momento, e não sintonizar o que lhe agradasse. E, pelo que via, o lorde estava refletindo demoradamente sobre o jovem desconhecido de rosto sorridente, cujo nome e paradeiro Harry tinha certeza de que Voldemort sabia tanto quanto ele. Uma vez que sua cicatriz continuava a arder e o rapaz sorridente de cabelos dourados tantalizava sua memória, ele aprendeu a reprimir qualquer sinal de dor ou mal-estar, porque os outros dois manifestavam impaciência à simples menção do ladrão. Não podia culpá-los inteiramente, vendo-os tão desesperados para encontrar uma pista que os levasse às Horcruxes.

À medida que os dias se alongavam em semanas, Harry começou a suspeitar que Rony e Hermione estivessem conversando sem ele e sobre ele. Várias vezes tinham parado abruptamente de falar quando ele entrara na barraca, e, em outras duas, Harry os encontrara por acaso, conversando em segredo a uma pequena distância, as cabeças juntas, falando rapidamente; em ambas, os amigos tinham se calado ao perceber sua aproximação e se apressado a fingir que estavam ocupados em apanhar lenha ou água.

Harry não podia deixar de se perguntar se teriam concordado em acompanhá-lo nessa viagem, que agora julgavam sem objetivo e errática, apenas porque pensaram que tinha um plano secreto de que eles tomariam conhecimento no devido tempo. Rony não estava fazendo o menor esforço para esconder o seu mau humor, e Harry começava a recear que Hermione também estivesse desapontada com a sua falta de liderança. Desesperado, ele tentou pensar em outros locais para Horcruxes, mas o único que continuava a lhe ocorrer era Hogwarts, e, como os amigos não achavam que fosse provável, ele parou de sugeri-lo.

O outono foi desdobrando-se sobre os campos à medida que eles se deslocavam: agora, estavam montando a barraca sobre palhas secas e folhas caídas. Névoas naturais se misturavam àquelas lançadas pelos dementadores; o vento e a chuva aumentavam seus problemas. O fato de que Hermione estivesse identificando melhor os cogumelos comestíveis não chegava a compensar inteiramente o seu isolamento contínuo, a falta da companhia de outras pessoas, ou sua total ignorância sobre o que estava acontecendo na guerra contra Voldemort.

– Minha mãe – disse Rony certa noite, quando se achavam na barraca, à margem de um rio em Gales – é capaz de conjurar do nada uma comida gostosa.

Ele cutucava, rabugento, os pedaços de peixe carbonizado em seu prato. Harry olhou automaticamente para o pescoço de Rony e viu, conforme esperava, o brilho da corrente de ouro da Horcrux. Conseguiu refrear o impulso de xingar o amigo, cuja atitude melhoraria um pouco no momento em que tirasse o medalhão.

– Sua mãe não conjura comida do nada – disse Hermione. – Ninguém pode fazer isso. Comida é a primeira das cinco principais exceções à Lei de Gamp sobre a Transfiguração Elemen...

– Ah, vê se fala em língua de gente, tá! – retorquiu Rony, extraindo uma espinha de peixe presa entre os dentes

– É impossível preparar comida boa do nada! Você pode convocá-la se souber onde achar, você pode transformá-la, você pode aumentar a quantidade se já tem alguma...

– ... pois não se dê o trabalho de aumentar esta aqui, tá uma porcaria – retrucou ele.

– Harry apanhou o peixe e eu fiz o melhor que pude! Estou notando que sempre sou eu que acabo resolvendo o problema da comida; porque sou uma *menina*, suponho!

– Não, porque a gente supõe que você seja melhor em magia! – disparou Rony.

Hermione se levantou de repente e os pedaços de peixe assado escorregaram do seu prato de estanho para o chão.

— *Você* pode cozinhar amanhã, Rony, *você* pode procurar os ingredientes e tentar transformá-los em alguma coisa que valha a pena comer, e eu vou me sentar aqui e fazer cara feia e reclamar e você vai poder ver...

— Calem a boca! — exclamou Harry, levantando-se de um salto e erguendo as mãos. — Calem já a boca!

Hermione fez cara de indignação.

— Como você pode apoiar o Rony? Ele quase nunca cozinha...

— Hermione, fica quieta, estou ouvindo alguém!

Harry ficou muito atento, as mãos ainda erguidas, alertando-os para não falarem. Então, sobrepondo-se à correnteza do rio escuro ao lado, ele tornou a ouvir vozes. Virou-se para o bisbilhoscópio. Não se mexera.

— Você lançou o *Abaffiato* sobre nós, certo? — sussurrou ele para Hermione.

— Lancei tudo — sussurrou ela em resposta —, o *Abaffiato*, o Antitrouxas e o da Desilusão, todos. Sejam quem for, não devem poder nos ver nem ouvir.

Passos arrastando e atritando no solo, somados ao ruído de gravetos e pedras deslocados, indicavam que várias pessoas desciam a encosta íngreme e arborizada em direção ao estreito barranco do rio, onde os garotos tinham armado a barraca. Eles apanharam as varinhas e aguardaram. Os feitiços que tinham lançado ao redor deviam bastar na escuridão quase total para protegê-los da curiosidade dos trouxas e dos bruxos normais. Se esses fossem Comensais da Morte, então, pela primeira vez, suas defesas iriam ser testadas pelas Artes das Trevas.

As vozes foram alteando, mas continuaram ininteligíveis à medida que os homens alcançavam a margem. Harry estimava que seus donos estivessem a menos de seis metros de distância, mas o rio encachoeirado os impedia de ter certeza. Hermione passou a mão na bolsinha de contas e começou a remexer nela; um momento depois, puxou três Orelhas Extensíveis e jogou uma para cada garoto, que imediatamente inseriu as pontas dos fios cor da pele nos ouvidos e pôs as outras pontas fora da entrada da barraca.

Em segundos, Harry ouviu uma preocupada voz masculina.

— Devia haver salmão aqui ou acham que ainda está muito no início da temporada? *Accio salmon!*

Ouviram-se claramente os peixes espadanando e, em seguida, batendo contra corpos. Alguém resmungou apreciativamente. Harry empurrou a Orelha Extensível mais fundo no ouvido: acima do murmúrio do rio, distinguiu outras vozes, mas não estavam falando inglês nem outro idioma que ele já tivesse ouvido. Era uma língua dura e pouco melodiosa, uma sequência de ruídos rascantes e guturais, e, aparentemente, havia dois homens, um com a voz ligeiramente mais grave e lenta que a do outro.

Uma fogueira foi acendida do outro lado da lona; grandes sombras passaram entre a barraca e as chamas. O aroma delicioso de salmão assado flutuou torturante em sua direção. Em seguida, ouviram o tinido de talheres sobre pratos, e o primeiro homem tornou a falar.

— Tome aqui, Grampo, Gornope.

— *Duendes!* — articulou Hermione, silenciosamente, para Harry, que apenas assentiu.

— Obrigado — agradeceram os duendes, ao mesmo tempo, em inglês.

— Então, há quanto tempo vocês três estão fugindo? — ouviram uma nova voz melodiosa e agradável; era vagamente familiar a Harry, que imaginou um homem barrigudo de rosto jovial.

— Seis semanas... sete... não lembro — disse o homem cansado. — Topei com Grampo nos primeiros dois dias e unimos forças com Gornope logo depois. É bom ter alguma companhia. — Houve uma pausa, enquanto os talheres raspavam os pratos e canecas eram erguidas e repostas no chão. — O que o fez fugir, Ted? — continuou o homem.

— Sabia que vinham me prender — respondeu Ted, o homem de voz melodiosa, e Harry repentinamente identificou-o: era o pai de Tonks. — Tinha ouvido falar que os Comensais da Morte estavam na área a semana passada, e concluí que era melhor sumir. Recusei-me a fazer o registro para nascidos trouxas por princípio, entende, portanto sabia que era uma questão de tempo, sabia que, no final, teria que partir. Minha mulher deve estar bem, ela tem sangue puro. Encontrei, então, o Dino há, o quê, alguns dias, filho?

— É — confirmou outra voz, e Harry, Rony e Hermione se entreolharam em silêncio, mas transbordando de contentamento ao reconhecerem, sem sombra de dúvida, a voz de Dino Thomas, seu colega na Grifinória.

— Nascido trouxa, hein? — perguntou o primeiro homem.

— Não tenho certeza — respondeu Dino. — Meu pai abandonou minha mãe quando eu era pequeno. Não tenho prova de que ele fosse bruxo.

O grupo ficou em silêncio por um tempo, exceto pelos ruídos de mastigação; então Ted tornou a falar.

— Devo confessar, Dirk, estou surpreso de encontrar você. Satisfeito, mas surpreso. Correu a notícia de que você tinha sido preso.

— Fui. Estava a caminho de Azkaban quando tentei fugir, estuporei Dawlish e roubei a vassoura dele. Foi mais fácil do que se poderia esperar. Acho que ele não está muito normal no momento. Talvez tenha sido confundido. Se foi, eu gostaria de apertar a mão do bruxo que fez isso, porque provavelmente salvou a minha vida.

Houve mais uma pausa em que a fogueira estalejou e o rio correu em cachoeira. Então, Ted perguntou:

— E vocês dois como se encaixam? Eu, ah, tive a impressão de que a maioria dos duendes apoiava Você-Sabe-Quem.

— Teve uma impressão falsa — disse o duende de voz mais aguda. — Não tomamos partido. É uma guerra de bruxos.

— Por que estão na clandestinidade, então?

— Por prudência — respondeu o duende de voz mais grave. — Recusei um pedido que considerei impertinente, e percebi que tinha posto em risco a minha segurança pessoal.

— Qual foi o pedido que lhe fizeram? — retornou Ted.

— Tarefas que não são condizentes com a dignidade da minha raça — informou o duende, sua voz mais áspera e menos humana quando acrescentou: — Não sou um elfo doméstico.

— E você, Grampo?

— Razões semelhantes — disse o duende de voz mais aguda. — O Gringotes não está mais sob o controle total da minha raça. Não reconheço senhores bruxos.

E acrescentou alguma coisa entre dentes, em grugulês, que fez Gornope rir.

— Qual foi a piada? — perguntou Dino.

— Ele disse — respondeu Dirk — que há coisas que os bruxos também não reconhecem.

Fez-se um breve silêncio.

— Não entendi — tornou Dino.

— Fui à forra antes de partir — disse Grampo, em inglês.

— Grande homem... grande duende, melhor dizendo — emendou Ted, rapidamente. — Conseguiu prender um Comensal da Morte em uma das caixas-fortes, imagino.

— Se tivesse conseguido, a espada não o teria ajudado a sair — replicou Grampo. Gornope tornou a rir e até Dirk deu uma risada seca.

— Dino e eu não estamos entendendo muito bem — disse Ted.

— Severo Snape também não, embora ele não saiba disso — afirmou Grampo, e os dois duendes soltaram gargalhadas maliciosas.

Na barraca, a respiração de Harry saía ofegante de animação: ele e Hermione se entreolhavam, prestando a maior atenção possível.

— Você não ouviu essa história, Ted? — admirou-se Dirk. — Dos garotos que tentaram roubar a espada de Gryffindor do gabinete de Snape em Hogwarts?

Uma corrente elétrica pareceu atravessar Harry, fazendo vibrar cada nervo do seu corpo pregado no chão.

— Nunca ouvi uma palavra. Não saiu no *Profeta*, saiu?

— Dificilmente sairia — comentou Dirk, entre risadinhas. — O Grampo aqui me contou, soube pelo Gui Weasley, que trabalha no banco. Um dos jovens que tentou se apossar da espada foi a irmã mais nova dele.

Harry olhou para Hermione e Rony, que estavam agarrados às Orelhas Extensíveis como se fossem cordas salva-vidas.

— Ela e uns dois amigos entraram no gabinete de Snape e quebraram a redoma de vidro em que ele, aparentemente, guardava a espada. Snape agarrou-os quando desciam a escada tentando levá-la.

— Ah, que Deus os abençoe! — exclamou Ted. — Que pensavam fazer, usar a espada contra Você-Sabe-Quem? Ou contra o próprio Snape?

— Bem, seja o que for que pensaram, Snape decidiu que a espada não estava segura em Hogwarts — contou Dirk. — Uns dois dias mais tarde, quando recebeu permissão de Você-Sabe-Quem, imagino, enviou-a a Londres, para ser guardada no Gringotes.

Os duendes recomeçaram a rir.

— Ainda não estou entendendo a graça — disse Ted.

— É uma imitação — explicou Grampo, rouco.

— A espada de Gryffindor!

— Sim, senhor. É uma cópia: uma excelente cópia, é verdade, mas fabricada por bruxos. A original foi forjada séculos atrás pelos duendes e tem certas propriedades que somente as armas fabricadas por nós possuem. Seja onde for que esteja, a espada verdadeira de Gryffindor não está na caixa-forte do Banco de Gringotes.

— Entendi — disse Ted. — E acho que não se deram o trabalho de informar isso aos Comensais da Morte.

— Não vi nenhuma razão para incomodá-los com essa informação — comentou Grampo, presunçoso, e agora Ted e Dino fizeram coro às risadas de Gornope e Dirk.

No interior da barraca, Harry fechou os olhos, desejando que alguém fizesse a pergunta que precisava ser respondida, e, decorrido mais um minuto que lhe pareceram dez, Dino lhe fez esse favor: o garoto também tinha sido (lembrou-se Harry, assustado) namorado de Gina.

– Que aconteceu com Gina e os outros? Os que tentaram roubar a espada?

– Ah, foram castigados, e cruelmente – respondeu Grampo com indiferença.

– Mas eles estão o.k., não? – perguntou Ted, em seguida. – Quero dizer, os Weasley não precisam de mais um filho aleijado, não é?

– Eles não sofreram nenhum ferimento grave, pelo que sei – tornou Grampo.

– Sorte a deles. Com o histórico de Snape, suponho que devemos nos alegrar que ainda estejam vivos.

– Você acredita nessa história, então, Ted? – perguntou Dirk. – Você acredita que Snape matou Dumbledore?

– Claro que sim. Você não vai ficar aí me dizendo que Potter teve alguma participação nisso, vai?

– É difícil hoje em dia saber no que acreditar – resmungou Dirk.

– Conheço Harry Potter – disse Dino. – E considero que ele é autêntico, o Eleito, ou o nome que quiserem lhe dar.

– É, tem muita gente que gostaria de acreditar que é, filho – replicou Dirk. – Eu, inclusive. Mas cadê ele? Fugiu para se salvar, pelo que parece. Eu diria que, se ele soubesse alguma coisa que ignoramos, ou tivesse algum dom especial, estaria aí lutando, convocando a resistência, em vez de se esconder. E, como você sabe, o *Profeta* fez acusações bem plausíveis contra ele...

– O *Profeta*? – caçoou Ted. – Você merece que lhe mintam, se ainda lê aquele lixo, Dirk. Se quer saber dos fatos, experimente ler O *Pasquim*.

Houve uma súbita explosão de engasgos e engulhos, e muitas batidas de pés; pelo barulho, Dirk engolira uma espinha de peixe. Por fim, engrolou:

– O *Pasquim*?, aquela revistinha delirante do Xeno Lovegood?

– Não está tão delirante, ultimamente. Você está precisando dar uma lida. Xeno está publicando tudo que o *Profeta* tem omitido, e não fez uma única menção a Bufadores de Chifre Enrugado na última edição. Mas, entenda, quanto tempo vão deixá-lo livre para fazer isso, não sei. Xeno diz, na primeira página de toda edição, que a prioridade número um de qualquer bruxo contrário a Você-Sabe-Quem deveria ser ajudar Harry Potter.

– É difícil ajudar um garoto que desapareceu da face da Terra – disse Dirk.

– Escutem, o fato de não o terem apanhado ainda, caramba, é um feito e tanto – defendeu-o Ted. – Eu teria prazer em receber umas dicas. É isso que estamos tentando fazer, não é, continuar livres?

— É, bem, você tem razão — concedeu Dirk. — Com o Ministério em peso e todos os informantes procurando por ele, era de esperar que já o tivessem capturado. Mas, veja bem, quem pode afirmar que já não o tenham prendido e matado na surdina?

— Ah, não diga isso, Dirk — murmurou Ted.

Houve outra longa pausa preenchida pelo ruído dos talheres. Quando alguém recomeçou a falar foi para discutir se deviam dormir no barranco ou recuar para uma área arborizada na encosta. Decidindo que as árvores lhes ofereceriam maior proteção, eles apagaram a fogueira e tornaram a subir o morro, suas vozes morrendo ao longe.

Harry, Rony e Hermione enrolaram as Orelhas Extensíveis. Harry, que achara a necessidade de ficar calado mais difícil quanto mais escutava, agora só foi capaz de dizer:

— Gina... a espada...

— Eu sei! — disse Hermione.

E se precipitou para a bolsinha de contas, desta vez enfiando nela o braço inteiro até a axila.

— Pronto... pronto... aqui... — disse ela com os dentes cerrados, e tirou um objeto que evidentemente estava no fundo da bolsa. Lentamente, surgiu a borda de uma moldura ornamentada. Harry correu a ajudá-la. Ao desenredarem da bolsa a moldura vazia do retrato de Fineus Nigellus, Hermione apontou a varinha para o quadro, pronta para entrar em ação a qualquer momento.

"Se alguém trocou a espada verdadeira por uma falsa quando estava no escritório de Dumbledore", ofegou ela, enquanto o quadro era aprumado na parede da barraca, "Fineus Nigellus teria visto, porque está pendurado bem ao lado da redoma!"

— A não ser que estivesse dormindo — lembrou Harry, mas ainda prendendo a respiração; Hermione se ajoelhou diante da tela vazia, para cujo centro apontava a varinha, pigarreou e disse:

— Ah... Fineus? Fineus Nigellus?

Nada aconteceu.

— Fineus Nigellus! — repetiu ela. — Professor Black? Por favor, poderíamos falar com o senhor? Por favor?

— "Por favor" sempre ajuda — disse uma voz fria e depreciativa, e Fineus Nigellus deslizou para a tela. No mesmo instante, Hermione exclamou:

— *Obscuro!*

Uma venda preta apareceu sobre os olhos escuros e inteligentes do bruxo, fazendo-o bater contra a moldura e gritar de dor.

— Quê... como se atreve... que é que você...?

— Sinto muito, prof. Black — disse Hermione —, mas é uma precaução necessária!

— Remova esse acréscimo nojento imediatamente! Remova-o, estou dizendo! Você está estragando uma grande obra de arte! Onde estou! Que está acontecendo?

— Não faz diferença onde estamos — respondeu Harry, e Fineus congelou, abandonando suas tentativas de remover a venda pintada.

— Será possível que seja a voz do intangível sr. Potter?

— Talvez — respondeu Harry, sabendo que isto manteria seu interesse. — Temos umas perguntas para lhe fazer sobre a espada de Gryffindor.

— Ah — disse Fineus Nigellus, agora virando a cabeça para cá e para lá, esforçando-se para vislumbrar Harry —, sim. Aquela tolinha foi muito imprudente...

— Não fale da minha irmã — disse Rony, rispidamente. Fineus Nigellus ergueu as sobrancelhas com superioridade.

— Quem mais está aí? — perguntou, virando a cabeça para os lados. — O seu tom de voz me desagrada. Aquela menina e seus amigos foram extremamente temerários. Roubar um diretor!

— Não estavam roubando — argumentou Harry. — Aquela espada não pertence ao Snape.

— Pertence à escola do prof. Snape — corrigiu o bruxo. — Exatamente qual era o direito da menina Weasley sobre a espada? Ela mereceu o castigo que recebeu, bem como o idiota Longbottom e a esquisita Lovegood!

— Neville não é idiota e Luna não é esquisita! — protestou Hermione.

— Afinal, onde estou? — repetiu Fineus Nigellus, recomeçando a se debater com a venda. — Onde me trouxeram? Por que me tiraram da casa dos meus antepassados?

— Isso não faz diferença! Que castigo Snape deu a Gina, Neville e Luna? — perguntou Harry, ansioso.

— O professor Snape mandou-os para a Floresta Proibida, para fazer um serviço com o imbecil do Hagrid.

— Hagrid não é imbecil! — esganiçou-se Hermione.

— E Snape talvez tenha pensado que isso fosse castigo — disse Harry —, mas Gina, Neville e Luna provavelmente deram boas gargalhadas com Hagrid. A Floresta Proibida... eles já enfrentaram coisa muito pior do que a Floresta Proibida, grande coisa!

O garoto se sentiu aliviado; estivera imaginando horrores, no mínimo a Maldição Cruciatus.

— O que realmente queríamos saber, prof. Black, é se mais alguém, hum, algum dia retirou a espada do gabinete? Talvez a tenham levado para ser limpa ou... outra coisa assim? — disse Hermione.

Fineus Nigellus fez nova pausa em seus esforços para ver e deu uma risadinha.

— *Gente nascida trouxa* — desdenhou. — As armas fabricadas por duendes não precisam de limpeza, menina simplória. A prata dos duendes repele a sujeira mundana, absorve apenas o que a fortalece.

— Não chame Hermione de simplória — protestou Harry.

— As contradições me cansam — reclamou Fineus. — Talvez seja hora de eu voltar ao gabinete do diretor, não?

Ainda de olhos vendados, ele começou a tatear pela moldura, procurando sair desse quadro e retornar ao de Hogwarts. Harry teve uma súbita inspiração.

— Dumbledore! O senhor pode nos trazer Dumbledore?

— Perdão?! — exclamou Fineus Nigellus.

— O retrato do prof. Dumbledore... não poderia trazê-lo consigo para a mesma moldura?

Fineus Nigellus virou o rosto na direção da voz de Harry.

— Evidentemente não são apenas os nascidos trouxas que são ignorantes, Potter. Os retratos de Hogwarts podem se comunicar uns com os outros, mas não podem viajar para fora do castelo, exceto para visitar o próprio retrato pendurado em outro lugar. Dumbledore não pode vir comigo, e, depois do tratamento que recebi em suas mãos, posso lhe assegurar que não farei uma nova visita!

Ligeiramente desconcertado, Harry observou Fineus Nigellus redobrar seus esforços para abandonar a moldura.

— Prof. Black — disse Hermione —, o senhor poderia nos dizer, *por favor*, qual foi a última vez que a espada foi retirada da redoma? Antes de Gina tê-la apanhado, quero dizer?

Fineus bufou impaciente.

— Creio que a última vez que vi a espada de Gryffindor sair da redoma foi quando o prof. Dumbledore a usou para rachar um anel.

Hermione virou-se para olhar Harry. Nenhum dos dois ousou dizer mais nada diante de Fineus Nigellus, que, finalmente, conseguira localizar a saída.

— Bem, boa noite para vocês — disse o bruxo, um tanto irascível, e começou a desaparecer mais uma vez. Somente um pedacinho da aba do seu chapéu ainda era visível quando Harry soltou subitamente um grito.

— Espere! O senhor disse a Snape que viu isso?

O bruxo tornou a enfiar a cabeça com a venda na moldura.

— O prof. Snape tem coisas mais importantes em que pensar do que as muitas excentricidades de Alvo Dumbledore. *Adeus*, Potter!

E dizendo isso, sumiu inteiramente, deixando atrás apenas o fundo encardido do retrato.

— Harry! — exclamou Hermione.

— Eu sei! — gritou Harry, em resposta. Incapaz de se conter, ele deu um soco no ar: era mais do que se atrevera a esperar. Andou de um lado para o outro na barraca, sentindo que poderia ter corrido dois quilômetros; já nem sentia fome. Hermione estava comprimindo o quadro de Fineus Nigellus outra vez na bolsinha de contas; depois de fechá-la, atirou a bolsa para o lado e ergueu um rosto radiante para Harry.

— A espada pode destruir Horcruxes! Lâminas fabricadas por duendes só absorvem o que as fortalece: Harry, aquela espada está impregnada de veneno de basilisco!

— E Dumbledore não a entregou a mim porque ainda precisava dela, queria usá-la no medalhão...

— ... e deve ter percebido que não deixariam você ficar com ela se a incluísse no testamento...

— ... então fez uma cópia...

— ... e colocou a falsa na redoma...

— ... e deixou a verdadeira... onde?

Eles se entreolharam; Harry sentiu que a resposta pairava, invisível, sobre suas cabeças, terrivelmente próxima. Por que Dumbledore não lhe dissera? Ou, na realidade, dissera, mas Harry, na hora, não tinha entendido?

— Pense! — sussurrou Hermione. — Pense! Onde a teria deixado?

— Não em Hogwarts — afirmou Harry, recomeçando a andar.

— Algum lugar em Hogsmeade? — sugeriu Hermione.

— Na Casa dos Gritos? — arriscou Harry. — Ninguém nunca vai lá.

— Mas Snape sabe como entrar, não seria um pouco arriscado?

— Dumbledore confiava em Snape — lembrou Harry.

— Não o suficiente para lhe contar que tinha trocado as espadas.

— É, você tem razão! — disse Harry, sentindo-se ainda mais animado em pensar que Dumbledore fizera ressalvas, ainda que mínimas, à confiabilidade de Snape. — Teria, então, escondido a espada bem longe de Hogsmeade? Que acha, Rony? Rony?

Harry olhou em volta. Desnorteado por um instante, pensou que o amigo tivesse saído da barraca, então viu que estava deitado no beliche, à sombra da cama de cima, parecendo chapado.

— Ah, se lembraram de mim, foi? — respondeu ele.

— Quê?

Rony bufou, com os olhos fixos no fundo da cama do alto.

— Você dois podem continuar. Não quero estragar o seu prazer.

Perplexo, Harry olhou para Hermione pedindo ajuda, mas ela abanou a cabeça, aparentemente tão pasma quanto ele.

— Qual é o problema? — perguntou Harry.

— Problema? Não tem problema — replicou Rony, recusando-se a olhar para o amigo. — Pelo menos você não acha que tenha.

Ouviram vários *ploques* no teto de lona da barraca. Começara a chover.

— Bem, obviamente você tem — disse Harry. — Quer desembuchar de uma vez?

Rony girou as longas pernas para fora da cama e sentou. Parecia hostil, diferente do normal.

— Muito bem, vou desembuchar. Não esperem que eu fique dando saltinhos na barraca porque tem mais uma droga que a gente precisa procurar. É só juntar mais essa à lista do que você ignora.

— Eu ignoro? — respondeu Harry. — Eu é que ignoro?

Ploque, ploque, ploque: a chuva caía mais forte e pesada; chapinhava no rio e na margem coberta de folhas a toda volta, matraqueando pela escuridão. O medo arrefeceu o grande contentamento de Harry: Rony estava dizendo exatamente o que Harry suspeitara e receara que estivesse pensando.

— Não é que eu não esteja me divertindo a valer aqui — replicou Rony. — Sabem, com esse braço aleijado e nada para comer, e o rabo congelando toda noite. Eu só esperava, entende, depois de ficar andando em círculos algumas semanas, que a gente tivesse conseguido alguma coisa.

— Rony — disse Hermione, mas em voz tão baixa que o garoto poderia fingir que não tinha ouvido por causa da forte percussão da chuva na lona da barraca.

— Pensei que você soubesse no que estava se engajando — disse Harry.

— É, eu também pensei.

— Então, qual é a parte que não está correspondendo às suas expectativas? — perguntou Harry. A raiva sobreveio agora em sua defesa. — Você achou que íamos nos hospedar em hotéis cinco estrelas? Encontrar uma Horcrux por dia? Achou que voltaria para passar o Natal com mamãe e papai?

— Pensamos que você soubesse o que estava fazendo! — berrou Rony, se pondo de pé; e suas palavras atingiram Harry como facas em brasa. — Pensamos que Dumbledore tivesse lhe dito o que fazer, pensamos que você tivesse um plano de verdade!

— Rony! — chamou Hermione, desta vez claramente audível, apesar da chuva retumbando no teto da barraca, mas novamente ele a ignorou.

— Bem, lamento desapontar você — disse Harry, a voz calma, embora ele se sentisse vazio e inepto. — Fui franco com você desde o início, lhe contei tudo que Dumbledore me disse. E, caso você não tenha reparado, achamos uma Horcrux...

— É, e estamos tão próximos de nos livrar dela como estamos de encontrar as outras: em outras palavras, não estamos próximos de nenhuma!

— Tire o medalhão, Rony — disse Hermione, sua voz anormalmente alta. — Por favor, tire. Você não estaria falando assim se não o estivesse usando o dia todo.

— Estaria, sim — retorquiu Harry, que não queria que ela arranjasse desculpas para Rony. — Vocês acham que não notei os dois cochichando às minhas costas? Acham que eu não percebi que era isso que pensavam?

— Harry, não estávamos...

— Não minta! — Rony jogou na cara de Hermione. — Você também disse, disse que estava desapontada, disse que pensou que ele tivesse mais em que se basear do que...

— Não disse isso assim... Harry, não disse! — gritou ela.

A chuva martelava a barraca, as lágrimas escorriam pelo rosto de Hermione, e a animação de minutos antes desaparecera como se nunca tivesse existido, um fogo de artifício de curta duração que espoucara e morrera, deixando tudo escuro, molhado e frio. A espada de Gryffindor estava escondida e desconheciam onde, eram três adolescentes, em uma barraca, cujo único feito, até o momento, era não terem morrido.

— Então, por que ainda está aqui? — Harry interpelou Rony.

— Não tenho a mínima ideia.

— Então, volte para casa.

— É, eu talvez volte! — gritou Rony, e deu vários passos em direção a Harry, que não recuou. — Você não ouviu o que disseram sobre minha irmã? Mas você não está nem aí, não é, é só a Floresta Proibida, Harry Já-Enfrentou-Pior Potter não se importa com o que acontecer a Gina lá, pois eu me importo, tá, aranhas gigantes e piração...

— Eu só quis dizer que... ela estava com os outros, e estavam com Hagrid...

— ... é, entendo, você não se importa! E com o resto da minha família, "os Weasley não precisam de outro filho aleijado", você ouviu?

— Ouvi, eu...

— Mas não se preocupou com o significado disso, não é?

— Rony! — disse Hermione, se interpondo aos dois à força. — Acho que não significa que tenha acontecido nada de novo, nada que a gente não saiba; pense, Rony, Gui já está cheio de cicatrizes, a essa altura muita gente deve ter visto que Jorge perdeu uma orelha, e você, supostamente, está morrendo de sarapintose, tenho certeza de que foi a isso que ele se referiu...

— Ah, você tem certeza, não é? Então, está bem, não vou me preocupar com eles. Tudo bem para vocês dois, não é, com os seus pais em segurança e fora do caminho...

— Meus pais estão *mortos*! — berrou Harry.

— E os meus podem estar indo pelo mesmo caminho! — berrou Rony.

— Então VAI! — urrou Harry. — Volte para eles, finja que se curou da sua sarapintose e mamãe poderá enchê-lo de comida e...

Rony fez um movimento repentino: Harry reagiu, mas, antes que eles sacassem as varinhas dos bolsos, Hermione já erguera a dela.

— *Protego*! — ordenou, e um escudo invisível se expandiu entre ela e Harry, de um lado, e Rony do outro; todos foram forçados a recuar alguns passos, por força do feitiço, e os garotos se encararam cada um de um lado da barreira como se estivessem se vendo claramente pela primeira vez. Harry sentiu um ódio corrosivo de Rony: alguma coisa se rompera entre eles.

— Deixe a Horcrux — lembrou Harry.

Rony arrancou a corrente pela cabeça e atirou o medalhão sobre uma cadeira próxima. Virou-se para Hermione.

— Que vai fazer?

— Como assim?

— Você vai ficar, ou o quê?

— Eu... — Ela pareceu angustiada. — Vou... vou sim. Rony, nós dissemos que viríamos com Harry, dissemos que ajudaríamos...

— Entendi. Você escolhe ficar com ele.

— Rony, não... por favor... volte aqui, volte aqui!

Ela foi impedida pelo próprio Feitiço Escudo; até removê-lo, o garoto já saíra furioso noite adentro. Harry ficou muito quieto e silencioso, escutando Hermione soluçar e chamar por Rony entre as árvores.

Decorrido algum tempo, ela voltou, os cabelos escorrendo, colados no rosto.

— Ele f-f-foi embora! Desaparatou!

Ela se atirou em uma poltrona, se enroscou e caiu no choro.

Harry se sentiu aturdido. Abaixou-se, recolheu a Horcrux e colocou-a em torno do próprio pescoço. Puxou os cobertores da cama de Rony e cobriu Hermione. Depois subiu no beliche de cima e ficou olhando para a lona escura do teto, escutando a chuva bater.

16

GODRIC'S HOLLOW

Quando Harry acordou no dia seguinte, levou vários segundos até lembrar o que acontecera. Depois desejou, infantilmente, que tivesse sonhado, que Rony continuasse ali e jamais tivesse partido. Contudo, ao virar a cabeça no travesseiro, viu a cama do amigo vazia. Ela parecia atrair o seu olhar como um cadáver o faria. Harry pulou de sua cama, evitando olhar a de Rony. Hermione, já ocupada na cozinha, não desejou a Harry um bom dia, mas virou depressa o rosto quando ele passou.

Ele partiu, disse Harry de si para si. *Ele partiu.* Sentiu necessidade de repetir a frase mentalmente, enquanto se lavava e se vestia, como se com isso pudesse embotar o abalo que sofrera. *Ele partiu e não vai voltar.* E essa era a verdade pura e simples. Harry sabia que os feitiços de proteção impossibilitariam que Rony os reencontrasse, quando saíssem desse lugar.

Ele e Hermione tomaram café em silêncio. Os olhos dela estavam inchados e vermelhos; parecia não ter dormido. Depois, eles guardaram seus pertences, Hermione demorando-se. Harry sabia por que a amiga queria prolongar o tempo à margem do rio; viu-a várias vezes erguer a cabeça, esperançosa, e teve certeza de que se iludia, pensando que ouvira passos apesar da chuva pesada, mas ninguém de cabelos ruivos aparecera entre as árvores. Toda vez que Harry a imitava, olhando para os lados (pois não podia deixar de alimentar esperanças), e nada via exceto a mata lavada pela chuva, outra pequena parcela de fúria explodia em seu peito. Ouvia Rony dizendo: "*Pensamos que você soubesse o que estava fazendo!*", e retomava a arrumação das coisas sentindo um bolo na boca do estômago.

O rio barrento ao lado estava subindo rapidamente, e logo transbordaria pelo barranco. Demoraram-se uma boa hora além do horário em que normalmente deixariam o acampamento. Por fim, tendo rearrumado a bolsinha de contas três vezes, Hermione pareceu incapaz de encontrar outras razões para retardar a partida: ela e Harry se deram as mãos e desaparataram, reaparecendo em um urzal, na encosta de um morro assolado pelo vento.

No instante em que chegaram, Hermione largou a mão dele e se afastou, sentando-se, por fim, em um pedregulho, o rosto nos joelhos, o corpo sacudindo, Harry sabia, por soluços. Parou para observá-la, imaginando que deveria consolar a amiga, mas alguma coisa o manteve pregado no chão. Por dentro, sentia-se frio e tenso: revia a expressão de desprezo no rosto de Rony. Saiu, então, caminhando pelo urzal, descrevendo um largo círculo em torno da aflita Hermione, lançando os feitiços de que ela normalmente se encarregava para garantir a proteção de todos.

Nos dias que se seguiram, eles não falaram em Rony. Harry estava decidido a jamais voltar a mencionar o nome dele, e Hermione parecia entender que não adiantava forçar o assunto, embora, por vezes, à noite, quando achava que Harry estava dormindo, ele a ouvisse chorar. Nesse meio-tempo, ele se habituou a tirar da mochila o mapa do maroto e examiná-lo à luz da varinha. Esperava o momento em que o pontinho com o nome de Rony reapareceria nos corredores de Hogwarts, comprovando que retornara ao confortável castelo, protegido por sua condição de sangue puro. Contudo, Rony não aparecia e, passado algum tempo, Harry viu-se examinando o mapa simplesmente para ver o nome de Gina no dormitório feminino, se perguntando se a intensidade com que o fitava poderia penetrar o sono da garota, se de alguma forma ela poderia saber que estava pensando nela, desejando que estivesse bem.

Durante o dia, eles se ocupavam com tentativas para determinar os possíveis esconderijos da espada de Gryffindor, mas quanto mais discutiam onde Dumbledore poderia tê-la guardado, tanto mais desesperadas e improváveis se tornavam as suas especulações. Por mais que vasculhasse o cérebro, Harry não conseguia se lembrar de Dumbledore mencionando algum lugar onde pudesse esconder alguma coisa. Havia momentos em que ele não sabia se estava mais zangado com Rony ou com Dumbledore. *Pensamos que você soubesse o que estava fazendo... pensamos que Dumbledore tivesse lhe dito o que fazer... pensamos que você tivesse um plano de verdade!*

Harry não podia esconder de si mesmo: Rony tinha razão. Dumbledore não lhe deixara virtualmente nada. Tinham descoberto uma Horcrux, mas não os meios para destruí-la; as outras continuavam tão inatingíveis como sempre tinham estado. A desesperança ameaçava engolfá-lo. Espantava-se, agora, ao pensar em sua presunção quando aceitou o oferecimento dos amigos para acompanhá-lo nessa viagem tortuosa e inútil. Nada sabia, nada lhe ocorria, e estava constante e dolorosamente alerta ao menor sinal de que Hermione também estivesse prestes a lhe dizer que estava farta, que ia embora.

Passavam muitas noites praticamente em silêncio, e Hermione adquiriu o hábito de tirar o retrato de Fineus Nigellus e aprumá-lo em uma cadeira, como se ele pudesse preencher uma parte do enorme vazio que a partida de Rony deixara. Apesar da afirmação anterior de que jamais tornaria a visitá-los, Fineus Nigellus parecia incapaz de resistir à oportunidade de descobrir mais sobre as atividades de Harry, e consentia em reaparecer, de olhos vendados, a intervalos irregulares. O garoto sentia-se até satisfeito de vê-lo, porque era uma companhia, ainda que do tipo depreciativo e sarcástico. Tinham prazer em saber o que estava acontecendo em Hogwarts, embora Fineus não fosse o informante ideal. Venerava Snape, o primeiro diretor da Sonserina, depois dele próprio, a assumir a escola, e os garotos precisavam se cuidar para não criticar nem fazer perguntas impertinentes sobre Snape, ou Fineus abandonaria imediatamente o retrato.

Contudo, ele deixava fragmentos de notícias. Pelo visto, Snape estava enfrentando uma insubordinação menor, mas constante, de um núcleo de alunos irredutíveis. Gina fora proibida de ir a Hogsmeade. Snape restabelecera o velho decreto de Umbridge de proibir reuniões de três ou mais alunos ou quaisquer associações estudantis informais.

De tudo isso, Harry deduzia que Gina e, provavelmente, Neville e Luna estavam fazendo o possível para dar continuidade à Armada de Dumbledore. Essas mínimas notícias faziam Harry desejar rever Gina com tanta intensidade que chegava a lhe doer o estômago; mas o faziam também pensar em Rony, e em Dumbledore, e na própria Hogwarts, da qual sentia tanta falta quanto da ex-namorada. De fato, quando Fineus Nigellus falava das medidas radicais do diretor, Harry sentia uma loucura, que durava uma fração de segundo, em que simplesmente imaginava voltar à escola para se engajar na desestabilização do regime de Snape: ser alimentado, ter uma cama macia e outros no comando parecia-lhe, no momento, a perspectiva mais maravilhosa do mundo. Lembrava-se, então, de que era o Indesejável Número Um, que havia um prêmio de dez mil galeões por sua captura, e que entrar em Hogwarts esses dias era tão perigoso quanto entrar no Ministério da Magia. Na verdade, Fineus Nigellus enfatizava esse fato involuntariamente quando inseria perguntas importantes sobre o paradeiro de Harry e Hermione. Sempre que fazia isso, a garota enfiava-o na bolsinha de contas. Fineus Nigellus, invariavelmente, se recusava a reaparecer por vários dias depois dessas despedidas pouco cerimoniosas.

O clima foi esfriando gradativamente. Por não ousarem permanecer em área alguma por muito tempo, em vez de acamparem no sul da Inglaterra, onde o congelamento do solo seria a pior de suas preocupações, eles continuaram a viajar em zigue-zague pelo país, enfrentando uma encosta montanhosa, onde o granizo açoitava a barraca, um brejo plano, onde a barraca foi inundada por água gelada, e uma minúscula ilha no meio de um lago escocês, onde a neve soterrou metade da barraca durante a noite.

Eles já haviam encontrado árvores de Natal piscando nas janelas de salas das visitas, antes da noite em que Harry resolveu sugerir, mais uma vez, a única avenida inexplorada que lhes restava. Tinham acabado de comer uma refeição excepcionalmente boa: Hermione fora a um supermercado com a Capa da Invisibilidade (e, ao sair, escrupulosamente deixara o pagamento em uma caixa aberta) e Harry achou que ela poderia ser mais persuasível com a barriga cheia de espaguete à bolonhesa e peras enlatadas. Tomara também a precaução de sugerir que, durante algumas horas, não usassem a Horcrux, que penduraram no beliche ao lado dele.

– Hermione?

– Hum? – Ela estava enroscada em uma das poltronas fundas lendo *Os contos de Beedle, o bardo*. Harry não conseguia imaginar o quanto mais a amiga poderia extrair daquele livro, que, afinal, nem era tão longo; mas era evidente que estava decifrando alguma coisa, porque tinha o *Silabário de Spellman* aberto sobre o braço da poltrona.

Harry pigarreou. Sentiu-se repetindo exatamente o que fizera quando, vários anos antes, perguntara à prof[a] McGonagall se poderia ir a Hogsmeade, apesar de não ter conseguido persuadir os Dursley a assinarem a permissão.

– Hermione, estive pensando e...

– Harry, você poderia me ajudar aqui?

Aparentemente, ela não o escutara. Curvou-se para a frente e estendeu-lhe o livro.

– Olhe esse símbolo – disse, apontando para o alto da página. Acima do que Harry supôs ser o título do conto (não podia afirmar, pois não sabia ler runas), havia um símbolo que lembrava um olho triangular, a pupila cortada por uma linha.

– Eu nunca estudei Runas Antigas, Hermione.

– Sei disso, mas não é uma runa e não consta no silabário, tampouco. Todo esse tempo pensei que fosse um olho, mas acho que não é! Foi feito à tinta, olhe, alguém o desenhou aqui, não faz realmente parte do livro. Pense, você já viu isso antes?

– Não... não, espere aí. – Harry olhou mais atentamente. – Não é o mesmo símbolo que o pai de Luna estava usando pendurado ao pescoço?

— Bem, foi isso que pensei também!
— Então é a marca de Grindelwald.
Ela encarou-o, boquiaberta.
— Quê?
— Krum me contou que...
Harry repetiu a história que Vítor Krum lhe contara no casamento. Ela pareceu perplexa.
— A marca de *Grindelwald*?
Hermione olhou de Harry para o estranho símbolo e novamente para ele.
— Nunca soube que Grindelwald tivesse uma marca. Não vi isso mencionado em nada que tenha lido a respeito dele.
— Bem, como eu disse, Krum falou que esse símbolo foi gravado em uma parede de Durmstrang e que achava que Grindelwald o teria posto lá.
— É muito esquisito. Se for um símbolo das Artes das Trevas, que estará fazendo em um livro de histórias para crianças?
— É, é bizarro — concordou Harry. — E seria de esperar que Scrimgeour o reconhecesse. Era ministro, tinha que ser especialista em magia das trevas.
— Eu sei... talvez ele achasse que era apenas um olho, exatamente como eu. Todos os outros contos têm pequenos desenhos sobre os títulos. — Ela se calou e continuou a examinar a estranha marca. Harry fez nova tentativa.
— Hermione?
— Hum?
— Estive pensando. Quero... quero ir a Godric's Hollow.
Ela ergueu a cabeça, mas tinha os olhos desfocados e isso deu a Harry a certeza de que ainda estava pensando na misteriosa marca.
— Sim. Sim, estive pensando nisso também. Acho realmente que teremos de ir.
— Você me ouviu direito?
— Claro que ouvi. Você quer ir a Godric's Hollow. Concordo. Acho que devíamos. Isto é, também não consigo pensar em mais nenhum lugar onde possa estar. Será perigoso, mas, quanto mais penso, mais provável me parece que esteja lá.
— Ah... o *quê* está lá? — perguntou Harry.
Ao ouvir isso, Hermione pareceu tão confusa quanto ele.
— Bem, a espada, Harry! Dumbledore certamente sabia que você iria querer voltar lá, quero dizer, Godric's Hollow foi onde Godrico Gryffindor nasceu...

— Sério? Gryffindor era de Godric's Hollow?
— Harry, algum dia você ao menos abriu *História da magia*?
— Ãh — disse ele, sentindo que sorria pela primeira vez em meses: os músculos do seu rosto lhe pareceram estranhamente rígidos. — Eu talvez tenha aberto, sabe, quando o comprei... só uma vez...
— Bem, como a aldeia tem o nome dele, imaginei que você talvez tivesse feito a ligação — retrucou Hermione. Seu tom de voz agora estava muito mais parecido com o da velha Hermione do que ultimamente; Harry quase esperou que ela anunciasse que ia à biblioteca. — No livro, tem um trechinho sobre a aldeia, espere aí...

Ela abriu a bolsinha de contas e procurou um momento, por fim, tirou o seu exemplar do livro-texto de Batilda Bagshot, pelo qual correu o polegar até encontrar a página que queria.

— *Com a assinatura do Estatuto Internacional de Sigilo em Magia em 1689, os bruxos entraram para sempre na clandestinidade. Talvez fosse natural que formassem pequenas comunidades dentro de uma comunidade. Muitas aldeias e pequenos povoados atraíram várias famílias bruxas que se uniram para mútuo apoio e proteção. As aldeias de Tinworth na Cornualha, Upper Flagley em Yorkshire e Ottery St. Catchpole na costa sul da Inglaterra destacaram-se como lar para grupos de famílias bruxas que conviviam com trouxas tolerantes e por vezes confundidos. O mais famoso desses lugares semibruxos talvez seja Godric's Hollow, uma aldeia no oeste da Inglaterra onde nasceu o grande mago Godrico Gryffindor e onde Bowman Wright, um ferreiro bruxo, fabricou o primeiro pomo de ouro. O cemitério local está repleto de nomes de antigas famílias bruxas, e isto, sem dúvida, explica as histórias de assombrações que há séculos assolam sua pequena igreja.*

— Você e seus pais não são mencionados — disse Hermione, fechando o livro —, porque a professora Bagshot aborda apenas os eventos até o fim do século XIX. Mas você está entendendo? Godric's Hollow, Godrico Gryffindor, a espada de Gryffindor; você não acha que Dumbledore teria esperado que você fizesse a ligação?
— Ah, é...

Harry não quis admitir que nem sequer pensara na espada quando sugeriu que fossem a Godric's Hollow. Para ele, a atração da aldeia residia nos túmulos de seus pais, a casa onde, por um triz, ele escapara da morte, e na pessoa de Batilda Bagshot.

— Lembra-se do que a Muriel disse? — perguntou ele, após algum tempo.

— Quem?

— Você sabe. — Harry hesitou: não queria mencionar o nome de Rony. — A tia-avó de Gina. No casamento. A que falou que você tinha tornozelos finos demais.

— Ah — disse Hermione.

Foi um momento difícil: Harry sabia que ela pressentira a menção do nome de Rony. Continuou depressa:

— Muriel disse que Batilda Bagshot ainda vive em Godric's Hollow.

— Batilda Bagshot — murmurou Hermione, passando o dedo indicador pelo nome da escritora em relevo na capa do livro de história da magia.

— Bem, suponhamos...

Ela ofegou tão fortemente que as entranhas de Harry deram uma cambalhota; ele sacou a varinha, olhando para a entrada, quase esperando ver uma mão forçando a aba de lona da barraca, mas não havia nada ali.

— Quê?! — exclamou ele, entre zangado e aliviado. — Por que fez isso? Pensei que, no mínimo, tivesse visto um Comensal da Morte abrindo o zíper da barraca...

— Harry, *e se Batilda tiver a espada?* E se Dumbledore a confiou a ela?

Harry considerou a possibilidade. A essa altura, ela estaria extremamente idosa e, segundo Muriel, gagá. Seria provável que Dumbledore escondesse a espada de Gryffindor com ela? Nesse caso, ele achava que Dumbledore relegara muita coisa ao acaso: jamais revelara que tivesse substituído a espada por uma falsificação, e tampouco mencionara sua amizade com Batilda. Agora, porém, não era o momento de lançar dúvidas sobre a teoria de Hermione, não quando estava disposta, de modo surpreendente, a concordar com o seu maior desejo.

— É possível. Então vamos a Godric's Hollow?

— Vamos, mas teremos que planejar a viagem com muito cuidado. — Hermione empertigou-se na poltrona, e Harry percebeu que a perspectiva de ter novamente um objetivo definido melhorara o ânimo dela tanto quanto o dele. — Para começar, precisamos praticar desaparatação a dois sob a Capa da Invisibilidade e, por prudência, uns Feitiços da Desilusão também, a não ser que você ache que devemos botar para quebrar e usar a Poção Polissuco. Nesse caso precisaríamos recolher fios de cabelos de alguém. Na verdade, acho que isso seria melhor, Harry, quanto mais impenetráveis os nossos disfarces, melhor...

Harry deixou-a falar, assentindo e concordando sempre que havia uma pausa, mas sua mente se alheara da conversa. Pela primeira vez desde que descobrira que a espada no Gringotes era falsa, sentia-se estimulado.

Estava em vias de ir à sua terra, em vias de retornar ao lugar onde tivera uma família. Se não fosse por Voldemort, em Godric's Hollow ele teria crescido e passado todas as férias escolares. Poderia ter convidado amigos a sua casa... poderia até ter tido irmãos e irmãs... sua mãe é que teria feito o seu bolo de dezessete anos. A vida que ele perdera nunca lhe parecera tão real como neste momento, em que sabia estar prestes a conhecer o lugar em que tudo aquilo lhe fora roubado. Aquela noite, depois que Hermione foi se deitar, silenciosamente Harry tirou a mochila da bolsinha de contas e apanhou o álbum de fotografias que Hagrid lhe dera tantos anos atrás. Pela primeira vez em meses, examinou em detalhe as velhas fotos dos seus pais, sorrindo e acenando para ele em imagem, que era só o que lhe restava deles.

Harry teria, de bom grado, partido para Godric's Hollow no dia seguinte, mas Hermione tinha outras ideias. Convencida de que Voldemort esperaria que Harry voltasse à cena da morte dos pais, ela decidira que só viajariam depois de assegurar que tivessem os melhores disfarces possíveis. Portanto, só uma semana mais tarde – após obterem fios de cabelos de trouxas inocentes que faziam compras de Natal, e praticar aparatação e desaparatação sob a Capa da Invisibilidade –, Hermione concordou em viajar.

Deviam aparatar até a aldeia protegidos pela escuridão da noite, portanto, a tarde ia adiantada quando finalmente beberam a Poção Polissuco, e Harry se transformou em um trouxa de meia-idade, com os cabelos rareando, e Hermione em uma esposa pequena e apagada. A bolsinha de contas com todos os seus pertences (afora a Horcrux que Harry usava ao pescoço) estava guardada no bolso interno do casaco de Hermione, abotoado até em cima. Harry cobriu-os com a Capa da Invisibilidade, e eles penetraram mais uma vez na sufocante escuridão.

Sentindo o coração bater na garganta, Harry abriu os olhos. Achavam-se parados de mãos dadas em uma estradinha coberta de neve, sob um céu azul-escuro em que as primeiras estrelas da noite começavam a piscar palidamente. Havia chalés de ambos os lados da via estreita, e decorações de Natal cintilavam às janelas. Um pouco adiante, um clarão dourado de lampiões de rua indicava o centro da aldeia.

— Quanta neve! — sussurrou Hermione sob a capa. — Por que não pensamos na neve? Depois de todas as precauções que tomamos, vamos deixar pegadas! Temos que nos livrar delas: você vai na frente e eu cuido disso...

Harry não queria entrar na aldeia como um cavalo de pantomima, tentando mantê-los invisíveis ao mesmo tempo em que ocultavam magicamente os vestígios de sua passagem.

— Vamos tirar a capa — sugeriu Harry e, ao ver o rosto amedrontado de Hermione, completou: — Ah, vamos, não parecemos nós mesmos e não há ninguém por aqui.

Ele guardou a capa sob o paletó e prosseguiram desembaraçados, o ar gélido beliscando seu rosto ao passarem por outros chalés: qualquer um deles poderia ser aquele em que Tiago e Lílian tinham vivido ou o que Batilda vivia agora. Harry observou as portas, os tetos carregados de neve, os pórticos, imaginando se ainda se lembraria de algum deles, sabendo, intimamente, que era impossível, tinha pouco mais de um ano quando deixara a aldeia para sempre. Não sabia ao certo se conseguiria ver o chalé; nem o que acontecia quando os portadores do Feitiço Fidelius morriam. Então, a estradinha em que iam fez uma curva para a esquerda, e o coração da aldeia, uma pracinha, surgiu aos seus olhos.

A todo redor havia lâmpadas coloridas penduradas, e, no centro, o que lhe pareceu um memorial de guerra, parcialmente sombreado por uma árvore de Natal sacudida pelo vento. Havia diversas lojas, um correio, um bar e uma igrejinha cujos vitrais brilhavam como joias do lado oposto da praça. A neve ali se compactara: estava dura e escorregadia por onde as pessoas tinham passado o dia todo. Aldeões cruzavam a sua frente em todas as direções, seus vultos brevemente iluminados pelos lampiões de rua. Eles ouviram fragmentos de risos e música pop quando a porta do bar se abriu e fechou; depois ouviram um coral natalino começando a cantar na igreja.

— Harry, acho que é noite de Natal! — exclamou Hermione.
— É?

Perdera a noção da data; havia semanas que não viam um jornal.

— Tenho certeza de que é — tornou Hermione, com os olhos na igreja. — Eles... eles estarão lá, não? Sua mãe e seu pai? Estou vendo o cemitério paroquial.

Harry sentiu uma emoção indefinida que transcendia a animação, assemelhava-se mais ao medo. Agora, tão perto, estava em dúvida se queria mesmo ver. Talvez Hermione soubesse o que ele estava sentindo, porque pegou-o pela mão e assumiu a liderança pela primeira vez, puxando-o para prosseguir. No meio da praça, no entanto, ela parou subitamente.

— Harry, olha!
Ela apontava para o memorial de guerra. Ao passarem pelo monumento, ele se transformara. Em vez de um obelisco coberto de nomes, havia uma estátua de três pessoas: um homem de cabelos rebeldes e óculos, uma mulher de cabelos longos e rosto bonito e bondoso, e um menininho aninhado nos braços dela. A neve se depositara em suas cabeças, como gorros brancos e fofos.

Harry aproximou-se fitando os rostos dos pais. Nunca imaginara que haveria uma estátua... como era estranho ver-se representado em pedra, um menininho feliz sem cicatriz na testa...

— Vamos — disse Harry, ao se dar por satisfeito, e os dois retomaram o caminho para a igreja. Ao atravessarem a rua, ele espiou por cima do ombro: a estátua se transformara mais uma vez em um memorial de guerra.

A cantoria foi se elevando à medida que se aproximavam. Harry sentiu a garganta apertar, lembrou-se com tanta intensidade de Hogwarts, de Pirraça berrando paródias grosseiras das canções de dentro das armaduras, das doze árvores de Natal no Salão Principal, de Dumbledore usando a touca que ganhara em uma bala de estalo, de Rony com o suéter tricotado à mão...

Havia um portão que dava passagem a uma pessoa por vez, na entrada do cemitério. Hermione o abriu, o mais silenciosamente possível, e os dois entraram de lado. Nas laterais do caminho escorregadio que levava às portas da igreja, a neve estava alta e intocada. Eles atravessaram a neve, deixando profundas valas ao contornarem o prédio, mantendo-se à sombra das janelas iluminadas.

No adro da igreja, fileiras e mais fileiras de túmulos nevados emergiam de um manto azul muito claro com ofuscantes malhas vermelhas, amarelas e verdes, que eram a luz dos vitrais incidindo sobre a neve. Apertando a varinha no bolso do paletó, Harry se dirigiu ao túmulo mais próximo.

— Olhe esse, é de um Abbott, talvez seja um parente da Ana falecido há muito tempo!

— Fale baixo — pediu Hermione.

Eles foram se embrenhando no cemitério, cavando, ao passar, pegadas escuras na neve, inclinando-se para espiar as inscrições nas velhas lápides, apertando de vez em quando os olhos para enxergar na escuridão circundante e se certificar plenamente de que estavam sozinhos.

— Harry, aqui!

Hermione estava a duas fileiras de distância; ele precisou voltar até a amiga, seu coração decididamente ribombando no peito.

— É...?

— Não, mas venha ver!

Ela apontou para uma pedra escura. Harry se abaixou e viu, no granito congelado e manchado de liquens, as palavras *Kendra Dumbledore*, e abaixo das datas de seu nascimento e morte, *e sua filha Ariana*. Havia também uma citação:

Porque onde estiver o vosso tesouro, aí estará também o vosso coração.

Então Rita Skeeter e Muriel tinham entendido alguns fatos corretamente. A família Dumbledore vivera realmente ali, e parte dela morrera ali.

Ver o túmulo era pior do que ouvir falar nele. Harry não pôde deixar de pensar que Dumbledore e ele tinham profundas raízes neste cemitério, e que o diretor devia ter lhe dito isso; entretanto, jamais pensara em partilhar tal conexão. Poderiam ter visitado o lugar juntos; por um momento, Harry se imaginou vindo ali com o diretor, o vínculo que teriam formado, o quanto isto teria significado para ele. Parecia, porém, que, para Dumbledore, o fato de suas famílias jazerem lado a lado no mesmo cemitério fosse uma coincidência insignificante, irrelevante, talvez, para o trabalho que desejava ver Harry realizar.

Hermione observava-o, e Harry ficou contente que as sombras ocultassem seu rosto. Ele tornou a ler as palavras na lápide. *Porque onde estiver o vosso tesouro, aí estará também o vosso coração.* Não compreendia o que significavam. Com certeza tinham sido escolhidas por Dumbledore, por ser o membro mais velho da família após a morte da mãe.

— Você tem certeza de que ele nunca mencionou...? — começou Hermione.

— Não — respondeu Harry, secamente, e em seguida: — Vamos continuar olhando. — E lhe deu as costas, desejando não ter visto a lápide; não queria que a sua intensa vibração fosse contaminada pelo rancor.

— Aqui! — tornou a exclamar Hermione, da escuridão, instantes depois. — Ah, não, desculpe! Pensei ter lido Potter.

Ela estava esfregando uma lápide esfarelada, coberta de musgo, e a estudava com uma pequena ruga no rosto.

— Harry, volte aqui um momento.

Ele não queria ser novamente desviado de sua busca e foi resmungando que retornou pela neve até Hermione.

— Quê?

— Olhe só isso!

O túmulo era extraordinariamente velho, desintegrado pelas intempéries, e ele quase não conseguia enxergar o nome. Hermione mostrou-lhe o símbolo logo abaixo.

— Harry, é a marca que estava no livro!

Ele olhou para o ponto que a amiga indicava: a pedra estava tão gasta que era difícil ver a gravação, embora parecesse haver uma marca triangular sob o nome quase ilegível.

— É... poderia ser...

Hermione acendeu a varinha e iluminou o nome na lápide.

— Diz aqui Ig-Ignoto, acho...

— Vou continuar procurando os meus pais, tá? — respondeu Harry, com certa rispidez na voz, e tornou a se afastar, deixando-a agachada ao lado do velho túmulo.

De vez em quando, ele reconhecia um sobrenome que, como Abbott, encontrara em Hogwarts. Às vezes havia várias gerações da mesma família bruxa representadas no cemitério; Harry percebia pelas datas que a família ou se extinguira ou seus membros atuais tinham se mudado de Godric's Hollow. E prosseguia avançando entre os túmulos e, cada vez que encontrava uma lápide nova, sentia um aperto de apreensão ou de expectativa.

A escuridão e o silêncio pareceram se tornar, de repente, muito mais profundos. Harry olhou ao redor preocupado, pensando nos dementadores, e se deu conta de que o coral havia terminado, que a conversa e o alvoroço dos fiéis iam morrendo à medida que se dirigiam à praça. Alguém na igreja acabara de apagar as luzes.

Então, das trevas, veio a voz de Hermione pela terceira vez, alta e clara, a poucos metros de distância.

— Harry, eles estão aqui... bem aqui.

E ele soube pelo seu tom de voz que desta vez eram os seus pais: aproximou-se sentindo que um peso comprimia-lhe o peito, a mesma sensação que tivera logo depois da morte de Dumbledore, uma dor que chegava a pesar em seu coração e seus pulmões.

A lápide estava apenas duas fileiras atrás da de Kendra e Ariana. Era de mármore, tal como a de Dumbledore, e isso facilitava a leitura, pois parecia brilhar no escuro. Harry não precisou se ajoelhar nem chegar muito perto para ler as palavras ali gravadas.

Tiago Potter, nascido 27 de março 1960, falecido 31 de outubro 1981
Lílian Potter, nascida 30 de janeiro 1960, falecida 31 de outubro 1981

Ora, o último inimigo que há de ser aniquilado é a morte.

Harry leu as palavras devagar, como se fosse ter uma única chance de entender seu significado, e leu as últimas em voz alta.

— "Ora, o último inimigo que há de ser aniquilado é a morte"... — Ocorreu-lhe um pensamento horrível, acompanhado de uma espécie de pânico. — Essa não é a ideia dos dementadores? Por que está ali?

— Não significa aniquilar a morte como querem os dementadores, Harry — disse Hermione, em tom meigo. — Significa... entende... viver além da morte. Viver após a morte.

Eles, entretanto, não estavam vivos, pensou Harry: estavam mortos. As palavras vazias não podiam disfarçar que os restos dos seus pais jaziam sob a neve e o mármore, indiferentes, inconscientes. E as lágrimas vieram antes que ele pudesse contê-las, escaldantes e instantaneamente congeladas em seu rosto, de que adiantava enxugá-las ou fingir? Deixou-as cair, seus lábios contraídos, os olhos fixos na neve espessa que ocultava o lugar em que jaziam os despojos dos seus pais, agora, certamente apenas ossos ou pó, sem saberem nem se importarem que seu filho sobrevivente se achasse tão perto, seu coração ainda palpitando, vivo por causa do seu sacrifício e quase desejando, neste momento, que estivesse dormindo com eles sob a neve.

Hermione pegara sua mão e a apertava com força. Ele não conseguia fitá-la, mas retribuiu o aperto, e agora inspirava haustos profundos e cortantes do ar noturno, tentando suportar, tentando se controlar. Ele deveria ter trazido alguma coisa para lhes oferecer e não pensara nisso, e todas as plantas no cemitério estavam desfolhadas e congeladas. Hermione, porém, ergueu a varinha, fez um círculo no ar e, diante dos seus olhos, fez brotar uma coroa de heléboros. Harry apanhou-a e depositou-a no túmulo dos pais.

Assim que se levantou, quis ir embora: achava que não aguentaria ficar ali nem mais um minuto. Harry passou o braço pelos ombros de Hermione, e ela passou o dela por sua cintura, viraram-se em silêncio, se afastaram pela neve, deixando para trás o túmulo da mãe e da irmã de Dumbledore, e voltaram em direção à igreja e ao portão estreito e pouco visível.

17

O SEGREDO DE BATILDA

— **H**ARRY, PARE.
— Que foi?

Tinham acabado de alcançar o túmulo do Abbott desconhecido.

— Tem alguém ali. Alguém nos observando. Sinto. Ali, perto dos arbustos.

Eles ficaram muito quietos, abraçados, olhando a densa sebe escura em torno do cemitério. Harry não conseguia enxergar nada.

— Tem certeza?
— Vi uma coisa se mexer. Poderia jurar que vi...

Ela o largou para deixar livre a mão da varinha.

— Estamos parecendo trouxas — lembrou Harry.
— Trouxas que acabaram de depositar flores no túmulo dos pais! Harry, tenho certeza de que há alguém ali!

Harry pensou no *História da magia*; diziam que o cemitério era mal-assombrado: e se...? Então, ele ouviu um ruído abafado e viu um montinho de neve deslocada no arbusto para o qual Hermione apontara. Fantasmas não deslocam neve.

— É um gato — disse Harry, após alguns segundos — ou um pássaro. Se fosse um Comensal da Morte já estaríamos mortos. Mas vamos sair daqui e poderemos tornar a vestir a capa.

Eles olharam para trás várias vezes enquanto se dirigiam à saída do cemitério. Harry, que não se sentia tão corajoso quanto fingia estar quando tranquilizou Hermione, ficou feliz de alcançar o portão e a calçada escorregadia. Tornaram, então, a se cobrir com a Capa da Invisibilidade. O bar estava mais cheio do que antes: vozes em seu interior agora cantavam a canção natalina que tinham ouvido ao se aproximar da igreja. Por um momento, Harry pensou em sugerir que se refugiassem ali, mas, antes que pudesse falar, Hermione murmurou:

— Vamos por aqui. — E puxou-o pela rua escura, que saía da aldeia, na direção oposta àquela da qual tinham vindo. Harry divisou ao longe o ponto em que os chalés terminavam e a estradinha entrava em campo aberto. Eles caminharam o mais rápido que ousaram, passaram por outras tantas janelas em que cintilavam luzes multicoloridas, os contornos de árvores de Natal erguendo sombras através das cortinas.

— Como vamos encontrar a casa da Batilda? — perguntou Hermione, que tremia um pouco e não parava de espiar por cima do ombro. — Harry? Que acha? Harry?

Ela puxou-o pelo braço, mas Harry não a escutara. Estava olhando para uma massa escura onde acabavam as casas. No momento seguinte, ele acelerou o passo, arrastando Hermione; ela escorregou um pouco no gelo.

— Harry...

— Olhe... olhe aquilo, Hermione...

— Não estou... ah!

Ele estava vendo; o Feitiço Fidelius devia ter se extinguido com Tiago e Lílian. A sebe crescera livremente nos dezesseis anos desde que Hagrid retirara Harry dos escombros ainda espalhados pelo capim, que chegava à cintura. A maior parte do chalé permanecia de pé, embora inteiramente coberta de hera escura e neve, mas o lado direito do andar superior explodira; por ali, Harry estava seguro, o feitiço se voltara contra quem o lançara. Ele e Hermione pararam ao portão, contemplando as ruínas do que tinha sido, no passado, uma casa exatamente como as vizinhas.

— Por que será que ninguém a reconstruiu? — sussurrou Hermione.

— Talvez não se possa reconstruí-la? Talvez seja como os ferimentos produzidos pelas Artes das Trevas que não são curáveis?

Ele passou a mão para fora da capa e segurou o portão muito enferrujado e coberto de neve, sem querer abri-lo, mas tentando, simplesmente, tocar alguma parte da casa.

— Você não vai entrar, vai? Parece perigoso, pode... ah, Harry, olhe!

Seu toque no portão parecia ter bastado. Erguera-se uma placa diante deles, através do emaranhado de urtigas e ervas daninhas, como uma flor bizarra que crescesse instantaneamente e, na inscrição dourada na madeira, ele leu:

Neste local, na noite de 31 de outubro de 1981,
Lílian e Tiago Potter perderam a vida.
Seu filho, Harry, é o único bruxo

a ter sobrevivido à Maldição da Morte. Esta casa, invisível aos trouxas, foi mantida em ruínas como um monumento aos Potter e uma lembrança da violência que destruiu sua família.

A toda volta desse texto conciso, havia rabiscos feitos por outros bruxos que tinham visitado o local em que O-Menino-Que-Sobreviveu realizara tal feito. Alguns assinaram seus nomes em tinta perpétua; outros gravaram as iniciais na madeira, outros, ainda, deixaram mensagens. As mais recentes, que se destacavam, reluzentes, sobre os dezesseis anos de grafitos mágicos, diziam mais ou menos o mesmo:

"Boa sorte, Harry, onde quer que esteja." "Se ler esta mensagem, Harry, saiba que estamos com você!" "Viva Harry Potter."

– Eles não deviam ter rabiscado a placa! – comentou Hermione, indignada.
Harry, porém, sorriu para ela.
– É genial. Fico feliz que tenham escrito. Eu...
E se calou. Um vulto muito agasalhado capengava pela estradinha em sua direção, recortado pela iluminação clara, na praça ao longe. Harry achou, embora fosse difícil julgar, que era o vulto de uma mulher. Ela se movia com lentidão, possivelmente receosa de escorregar no chão nevado. Suas costas curvadas, sua corpulência, seu andar arrastado, tudo indicava uma idade muito avançada. Eles observaram sua aproximação em silêncio. Harry estava aguardando para ver se ela entraria em um dos chalés pelo caminho, mas sabia, instintivamente, que não faria isso. Por fim, ela parou a uns poucos metros dos dois e, simplesmente, ficou ali no meio da rua congelada, encarando-os.

Ele não precisou que Hermione beliscasse seu braço. Praticamente não havia chance de que a mulher fosse trouxa: estava parada de olhos pregados em uma casa que lhe seria inteiramente invisível se não fosse bruxa. Mesmo supondo que fosse uma bruxa, no entanto, era um comportamento estranho sair em uma noite tão fria, simplesmente para contemplar uma velha ruína. Pelas regras da magia normal, ela não deveria poder vê-los. Contudo, Harry tinha a estranha impressão de que sabia da presença deles ali, e também sabia quem eram. No momento em que ele chegou a essa inquietante conclusão, a mulher ergueu a mão enluvada e fez sinal para que se aproximassem.

Hermione se achegou a Harry sob a capa, seu braço comprimindo o dele.

— Como é que ela sabe?

Ele sacudiu a cabeça. A mulher tornou a chamá-los, mais energicamente.

Harry poderia pensar em muitas razões para não obedecer, contudo, suas suspeitas a respeito da identidade dela tornavam-se mais fortes a cada segundo em que continuavam parados, se encarando na rua deserta. Seria possível que estivesse esperando por eles todos esses longos meses? Que Dumbledore lhe tivesse dito para esperar porque Harry acabaria aparecendo? Não seria provável que fosse a coisa que se mexera nas sombras do cemitério e os seguira até ali? Até a sua capacidade de senti-los sugeria um poder à la Dumbledore, que ele jamais encontrara. Harry, por fim, falou, fazendo Hermione ofegar sobressaltada.

— A senhora é Batilda?

O vulto agasalhado assentiu e tornou a lhes fazer sinal para se aproximarem.

Sob a capa, Harry e Hermione se entreolharam. Ele ergueu as sobrancelhas; Hermione fez um aceno breve e nervoso com a cabeça.

Os dois foram ao encontro da mulher e, na mesma hora, ela deu meia-volta e saiu manquejando pelo caminho que viera. Conduzindo-os pela fileira de casas, entrou por um portão. Os garotos a seguiram por um caminho ladeado por um jardim quase tão crescido quanto o que tinham acabado de deixar. Ela se atrapalhou um instante com a chave à porta, abriu-a e se afastou para deixá-los entrar.

A bruxa cheirava mal, ou talvez fosse a casa: Harry torceu o nariz ao passarem por ela, e tirou a capa. Agora ao seu lado, o garoto percebeu como era miúda; curvada pela idade, mal alcançava o seu peito. A bruxa fechou a porta, as juntas dos dedos azuis e manchados contra a tinta descascada, então se virou e espiou o rosto de Harry. Seus olhos tinham cataratas e pregas fundas de pele transparente, e todo o seu rosto era riscado de pequenas veias rompidas e manchas marrons. Ele ficou em dúvida se a mulher realmente poderia vê-lo; e, mesmo que pudesse, o que veria se não o trouxa careca cuja identidade ele roubara?

O odor de velhice, de poeira, de roupas sujas e de comida rançosa piorou quando ela retirou o xale preto roído de traças, revelando uma cabeleira branca e rala que deixava visível o couro cabeludo.

— Batilda? — repetiu Harry.

Ela tornou a assentir. Harry percebeu a presença do medalhão contra sua pele; a coisa ali dentro, que por vezes batia, acabara de despertar; ele a sentia pulsar através do ouro frio. Será que entendia que a coisa que a destruiria estava tão perto?

Batilda passou por eles arrastando os pés, empurrando Hermione para o lado como se não a tivesse visto, e desapareceu, provavelmente em uma sala de visitas.

— Harry, não me sinto muito segura — sussurrou Hermione.

— Olhe o tamanho dela; acho que poderíamos dominá-la, se fosse preciso — comentou Harry. — Escute, devia ter lhe dito, eu já sabia que não está batendo bem da bola. Muriel chamou-a de gagá.

— Entre! — convidou Batilda da sala vizinha.

Hermione se assustou e agarrou o braço de Harry.

— Tudo bem — disse ele, tranquilizando-a, e entrou à sua frente.

Batilda andava vacilante pela sala, acendendo velas, mas o lugar continuava muito escuro, para não falar de sua extrema sujeira. Os pés de Harry esmagavam uma grossa camada de poeira e seu nariz sentia, sob o odor de mofo e umidade, algo pior, talvez carne estragada. Perguntou-se quando teria sido a última vez que alguém viera à casa de Batilda para verificar se estava tudo bem. Ela parecia ter esquecido seus dotes de magia, porque se atrapalhava acendendo as velas, seus punhos de renda em constante risco de pegar fogo.

— Deixe-me ajudá-la — ofereceu-se Harry, tirando os fósforos de sua mão. Ela o observou terminar de acender os tocos de vela sobre pires por toda a sala, precariamente equilibrados sobre pilhas de livros e mesinhas laterais cheias de copos rachados e bolorentos.

A última superfície em que Harry localizou uma vela foi uma cômoda *bombée*, em que havia um grande número de fotografias. Ao acender a vela, a chama se refletiu nos vidros e porta-retratos de prata empoeirados. Ele viu as fotos se mexerem brevemente. Enquanto Batilda apanhava umas achas de lenha para a lareira, Harry murmurou "*Tergeo*". A poeira desapareceu das fotos e ele viu imediatamente que faltava uma meia dúzia delas nos porta-retratos mais trabalhados. Ficou em dúvida se Batilda ou outra pessoa as teria removido. Então, a visão de uma foto mais ao fundo da coleção atraiu sua atenção, e ele a apanhou.

Era o ladrão de cabelos dourados e rosto risonho, o rapaz que se empoleirara no peitoril da janela de Gregorovitch, sorrindo indolentemente para Harry, em seu porta-retrato de prata. E ocorreu-lhe instantaneamente onde

o vira antes: em *A vida e as mentiras de Alvo Dumbledore* de braço dado com Dumbledore, e devia ser lá que estavam as fotos desaparecidas: no livro de Rita.
— Sra... srta. Bagshot? — disse ele, e sua voz tremeu um pouco. — Quem é ele?
Batilda estava parada no meio da sala observando Hermione acender o fogo para ela.
— Srta. Bagshot? — repetiu Harry, e adiantou-se com a foto nas mãos, no instante em que as achas pegavam fogo na lareira. Batilda ergueu os olhos ao ouvi-lo, e a Horcrux bateu mais rápido em seu peito.
"Quem é esse rapaz?", perguntou Harry, estendendo a foto.
Batilda olhou solenemente para a foto e em seguida para Harry.
— A senhorita sabe quem é? — insistiu em um tom mais lento e alto do que o normal. — Esse rapaz? A senhorita o conhece? Como é o nome dele?
Batilda tinha um ar hesitante. Harry sentiu uma horrível frustração. Como Rita fizera aflorar as lembranças da bruxa?
— Quem é esse rapaz? — perguntou, mais uma vez, em voz alta.
— Harry, que está fazendo? — indagou Hermione.
— A foto, Hermione, é do ladrão, o ladrão que roubou Gregorovitch! Por favor! — pediu ele a Batilda. — Quem é?
Ela, porém, continuou olhando calada.
— Por que a senhora nos pediu para acompanhá-la, sra... srta... Bagshot? — perguntou Hermione, também alteando a voz. — A senhora queria nos dizer alguma coisa?
Sem dar sinal de ter ouvido Hermione, Batilda agora se adiantou para Harry. Com um pequeno movimento de cabeça, ela espiou para o hall de entrada.
— Quer que a gente vá embora? — perguntou ele.
Ela repetiu o gesto, desta vez apontando primeiro para ele, depois para si mesma e, em seguida, para o teto.
— Ah, certo... Hermione, acho que ela quer que eu suba com ela.
— Está bem, vamos.
Quando, porém, Hermione começou a andar, Batilda sacudiu a cabeça com surpreendente energia, e mais uma vez apontou para Harry, depois para si mesma.
— Quer que eu vá com ela, sozinho.
— Por quê? — perguntou Hermione, e sua voz soou alta e ríspida na sala iluminada a velas; a velha sacudiu levemente a cabeça de leve ao ouvir o barulho.

—Talvez Dumbledore tenha dito para entregar a espada a mim e somente a mim?

—Você realmente acha que ela sabe quem você é?

—Acho — respondeu Harry, olhando para os olhos esbranquiçados fixos nos dele. — Acho que sabe.

—Bem, então o.k., mas seja rápido, Harry.

—Vá na frente — disse Harry a Batilda.

Ela pareceu entender, porque passou por ele e se encaminhou para a porta. Harry olhou para trás e sorriu querendo tranquilizar Hermione, mas não sabia se a amiga teria visto o seu gesto; ela parou apertando o corpo com os braços em meio à sujeira iluminada a velas, o olhar na estante. Quando Harry foi saindo da sala, sem que Hermione ou Batilda vissem, ele guardou, no paletó, o porta-retrato de prata com a foto do ladrão desconhecido.

Os degraus eram altos e estreitos: Harry se sentiu tentado a colocar as mãos nas nádegas da corpulenta Batilda para garantir que não caísse de costas por cima dele, o que parecia extremamente provável. Devagar, arquejando um pouco, ela subiu ao primeiro andar, virou à direita e levou-o para um quarto de teto baixo.

Estava muito escuro e fedia horrivelmente: Harry acabara de divisar a borda de um penico embaixo da cama quando Batilda fechou a porta e até isso foi engolido pela escuridão.

— Lumos — disse Harry, e sua varinha acendeu. Levou um susto: Batilda se aproximara dele naqueles segundos de escuridão, e ele nem a ouvira.

—Você é Potter? — sussurrou ela.

— Sim, sou.

Ela assentiu lenta e solenemente. Harry sentiu a Horcrux batendo depressa, mais depressa do que o seu próprio coração: foi uma sensação desagradável e enervante.

— A senhora tem alguma coisa para mim? — perguntou Harry, mas a bruxa pareceu se distrair com a ponta acesa de sua varinha.

"A senhora tem alguma coisa para mim?", repetiu ele.

Então, ela fechou os olhos e várias coisas aconteceram ao mesmo tempo: a cicatriz de Harry ardeu dolorosamente; a Horcrux vibrou tanto que o peito do suéter do garoto chegou a mexer; o quarto escuro e fétido se dissolveu momentaneamente. Ele sentiu uma súbita sensação de alegria e falou com uma voz aguda e fria: *segure-o!*

Harry oscilou sem sair do lugar: o quarto escuro e malcheiroso pareceu tornar a se fechar ao seu redor; ele não sabia o que acabara de acontecer.

— A senhora tem alguma coisa para mim? — perguntou, pela terceira vez, bem mais alto.

— Aqui — sussurrou ela, apontando para um canto. Harry ergueu a varinha e viu os contornos de uma penteadeira muito cheia sob uma janela com cortinas.

Desta vez, Batilda não foi à frente. Harry passou entre ela e a cama desfeita, a varinha erguida. Não queria tirar os olhos dela.

— Que é? — indagou ao chegar à penteadeira em que havia uma pilha de alguma coisa que, pelo cheiro e aspecto, parecia roupa de cama suja.

— Ali — disse ela apontando para a massa informe.

E, no instante em que ele virou a cabeça e varreu com o olhar o amontoado confuso à procura de um punho de espada, um rubi, ela fez um movimento estranho: Harry percebeu-o pelo canto do olho; o pânico fez com que se voltasse e o horror o paralisou ao ver o velho corpo se despojar e uma grande cobra sair do lugar onde fora o pescoço da bruxa.

A cobra atacou-o quando ele ergueu a varinha: a força da mordida em seu braço fez a varinha girar para o alto em direção ao teto, sua luz rodopiou sem direção pelo quarto e se apagou: então, um poderoso golpe de cauda em seu diafragma deixou-o completamente sem ar: ele tombou de costas sobre a penteadeira, no meio do monte de roupa imunda...

Harry rolou para o lado, evitando, por um triz, o rabo da cobra, que golpeava a penteadeira onde ele estivera um segundo antes; cacos da superfície de vidro choveram sobre ele quando bateu no chão. Lá de baixo, ele ouviu Hermione chamar:

— Harry?

Não conseguiu, porém, repor ar suficiente nos pulmões para responder: então uma massa lisa e pesada esmagou-o contra o chão e ele a sentiu deslizar por cima dele, forte, musculosa...

— Não! — ofegou, preso ao chão.

— Sim — sussurrou a voz. — Sssim... *seguro você... seguro você...*

— *Accio... Accio varinha...*

Nada aconteceu, porém, e ele precisava das mãos para tentar empurrar para longe a cobra que se enrolava em torno do seu tronco, tirando-lhe o ar, comprimindo a Horcrux contra seu peito, um círculo de gelo que pulsava de vida, a centímetros do seu próprio coração disparado, e seu cérebro se inundava de luz branca e fria, obliterando todo pensamento, sua respiração sufocada, passos distantes, tudo indo...

Um coração de metal batia fora do seu peito, e agora ele estava voando, voando sentindo o triunfo em seu coração, sem precisar de vassoura nem de testrálio...

Harry foi bruscamente acordado na escuridão fedorenta; Nagini o soltara. Ele se levantou com ajuda dos braços e viu a cobra recortada contra a luz do corredor: ela atacou, e Hermione atirou-se para o lado com um grito. Seu feitiço se desviou e bateu na janela cortinada, despedaçando-a. O ar gelado encheu o quarto no momento em que Harry mergulhou para evitar mais uma chuva de cacos de vidro e seu pé escorregou em um objeto cilíndrico – sua varinha...

Ele se abaixou e apanhou-a, mas agora o quarto estava dominado pela cobra, que golpeava com o rabo; Hermione não estava à vista e, por um momento, Harry pensou o pior, mas ouviu, então, um estampido alto e um clarão vermelho, e a cobra voou pelo ar atingindo com força o rosto do garoto; ao subir, volta a volta, o animal foi desenrolando, em direção ao teto. Harry ergueu a varinha, mas, ao fazê-lo, sua cicatriz queimou mais dolorosamente, mais intensamente do que fizera em anos.

– Ele está vindo! *Hermione, ele está vindo!*

Enquanto Harry berrava, a cobra caiu, sibilando ferozmente. Instaurou-se o caos: a cobra destruiu as prateleiras na parede e cacos de porcelana voaram para todo lado no momento em que Harry saltava por cima da cama e agarrava a forma escura que ele sabia ser Hermione...

Ela gritou de dor ao ser puxada por cima da cama: a cobra tornou a armar um bote, mas Harry sabia que algo pior do que o animal estava a caminho, talvez já estivesse no portão, sua cabeça ia rachar de dor na cicatriz...

A cobra avançou quando ele deu um salto veloz, arrastando Hermione junto; quando Nagini atacou, Hermione gritou: "*Confringo!*", e o feitiço voou pelo quarto, explodindo o espelho do guarda-roupa e ricocheteando contra eles, quicando do chão ao teto; Harry sentiu o calor do feitiço queimar o dorso de sua mão. Cacos do espelho cortaram-lhe a face no momento em que, puxando Hermione, saltou da cama para a penteadeira desmantelada e, dali, direto para a janela estilhaçada e o vácuo, o grito dela ecoando pela noite enquanto rodopiavam pelo ar...

Então, sua cicatriz se rompeu e ele era Voldemort e estava correndo pelo quarto fétido, as mãos longas e brancas agarrando o peitoril da janela ao vislumbrar o homem careca e a mulher miúda girarem e desaparecerem, e ele gritou enfurecido, um grito que se fundiu ao da garota e ecoou pelos jardins escuros e se sobrepôs ao repique dos sinos da igreja no dia de Natal.

E seu grito foi o grito de Harry, sua dor, a dor de Harry... que pudesse acontecer ali, onde acontecera antes... ali, à vista da casa onde ele chegara tão perto de saber o que era morrer... morrer... a dor era tão terrível... irrompia do seu corpo... mas, se não tinha corpo, por que sua cabeça doía tanto, se estava morto, como poderia senti-la de forma tão insuportável, a dor não cessava com a morte, não ia...

A noite úmida de ventania, duas crianças vestidas de abóboras atravessavam a praça bamboleando, e as vitrines das lojas cobertas de aranhas de papel, todos os adornos baratos e kitsch dos trouxas simbolizando um mundo em que eles não acreditavam... e ele seguia deslizando, aquele senso de propósito e poder e correção que sempre experimentava nessas ocasiões... não raiva... isso era para almas mais fracas que ele... mas triunfo, sim... esperara por isso, desejara isso...

— Bonita fantasia, moço!

Ele viu o sorriso do menino vacilar quando se aproximou o suficiente para espiar sob o capuz da capa, viu o medo anuviar o rostinho pintado: então a criança deu meia-volta e fugiu correndo... por baixo da veste, ele acariciou o punho da varinha... um simples movimento e a criança jamais chegaria à mãe... mas desnecessário, muito desnecessário...

E, ao longo de uma rua mais escura, ele caminhou, e agora seu destino estava finalmente à vista, o Feitiço Fidelius desfeito, embora os moradores ainda não soubessem... e ele fez menos ruído do que as folhas mortas que esvoaçavam pela calçada quando se emparelhou com a sebe escura e espiou por cima...

Eles não tinham fechado as cortinas, viu-os claramente na pequena sala de visitas, o homem alto de cabelos pretos e óculos, fazendo baforadas de fumaça colorida saírem de sua varinha para divertir o menininho de cabelos pretos e pijama azul. A criança ria e tentava pegar a fumaça, segurá-la em sua mãozinha fechada...

Uma porta abriu e a mãe entrou, dizendo palavras que ele não pôde ouvir, seus longos cabelos acaju caindo pelo rosto. O pai ergueu o filho do chão e entregou-o à mãe. Atirou a varinha sobre o sofá e se espreguiçou, bocejando...

O portão rangeu um pouco quando ele o abriu, mas Tiago Potter não ouviu. Sua mão branca tirou a varinha de sob a capa e apontou-a para a porta que se abriu com violência.

Já cruzara a porta quando Tiago chegou correndo ao hall. Foi fácil, fácil demais, ele nem chegara a apanhar a varinha...

— Lílian, pegue Harry e vá! É ele! Vá! Corra! Eu o atraso...

Detê-lo, sem uma varinha na mão!... Ele riu antes de lançar a maldição...

— Avada Kedavra!

O clarão verde inundou o hall apertado, iluminou o carrinho de bebê encostado à parede, fez os balaústres da escada lampejarem como raios e Tiago Potter caiu como uma marionete cujos cordões tivessem sido cortados...

Ele ouviu a mulher gritar no primeiro andar, encurralada, mas, enquanto tivesse bom-senso, ela, pelo menos, nada teria a temer... ele subiu a escada, achando graça nos esforços que ela fazia para se entrincheirar no... ela também não tinha varinha... como eram idiotas e confiantes em julgar que sua segurança eram os amigos, que as armas poderiam ser postas de lado mesmo por instantes...

Ele arrombou a porta, atirou para o lado a cadeira e as caixas apressadamente empilhadas para defendê-la com um displicente aceno da varinha... e ali estava ela, a criança nos braços. Ao vê-lo, Lílian largou o filho no berço às suas costas e abriu bem os braços, como se isso pudesse adiantar, como se ocultando-o esperasse ser escolhida como alvo...

— O Harry não, o Harry não, por favor, o Harry não!

— Afaste-se, sua tola... afaste-se, agora...

— Harry não, por favor, não, me leve, me mate no lugar dele...

— Este é o meu último aviso...

— Harry não! Por favor... tenha piedade... tenha piedade... Harry não! Harry não! Por favor... farei qualquer coisa...

— Afaste-se... afaste-se, garota...

Ele poderia tê-la afastado do berço à força, mas lhe pareceu mais prudente liquidar todos... O clarão verde lampejou pelo quarto e ela tombou como o marido. Todo esse tempo, a criança não gritara: sabia ficar em pé segurando as grades do berço, e ergueu os olhos para o rosto do intruso com uma espécie de vivo interesse, talvez achando que fosse seu pai escondido sob a capa, e que ele produziria mais luzes bonitas, e sua mãe reapareceria a qualquer momento, rindo...

Ele apontou a varinha certeiramente para o rosto do menino: queria ver acontecer, a destruição desse perigo inexplicável. A criança começou a chorar: notara que ele não era Tiago. Não gostava de bebê chorando, nunca fora capaz de suportar as criancinhas choramingando no orfanato...

— Avada Kedavra!

Então ele sucumbiu: não era mais nada exceto dor e terror e precisava se esconder, não aqui nos destroços da casa em ruínas, onde a criança estava presa, aos berros, mas longe... longe...

— Não — gemeu ele.

A cobra se arrastou pelo chão imundo e atravancado, e ele matara o garoto, contudo ele era o garoto...

— Não...

Agora estava parado à janela estilhaçada da casa de Batilda, absorto nas lembranças de sua maior perda, e a seus pés a enorme cobra rastejava pelos cacos de porcelana e vidro... ele baixou os olhos e viu algo... algo inacreditável...

— Não...

— Harry, está tudo bem, você está bem?

Ele se abaixou e apanhou a foto amassada. Ali estava ele, o ladrão desconhecido, o ladrão que ele estava procurando...

— Não... eu a deixei cair... eu a deixei cair...
— Harry, tudo bem, acorde, acorde!

Ele era Harry... Harry, e não Voldemort... e a coisa que fazia o ruído abafado não era uma cobra.

Abriu os olhos.

— Harry — sussurrou Hermione. — Você está se sentindo... bem?
— Estou — mentiu ele.

Estava na barraca, deitado em uma das camas baixas do beliche, sob uma montanha de cobertores. Percebia que era quase manhã pela quietude e friagem, a luz pálida além do teto da barraca. Ele estava encharcado de suor; sentia o suor nos lençóis e cobertores.

— Escapamos.
— Sim — disse Hermione. — Precisei usar o Feitiço de Levitação para deitar você no beliche, não consegui levantá-lo. Você esteve... bem, você não esteve muito...

Havia olheiras arroxeadas sob seus olhos castanhos e ele viu uma pequena esponja em sua mão: Hermione estivera enxugando o rosto dele.

— Você esteve doente — ela terminou a frase. — Muito doente.
— Quanto tempo faz que partimos?
— Horas. Está quase amanhecendo.
— E eu estive... o quê, inconsciente?
— Não, exatamente — respondeu Hermione constrangida. — Esteve gritando e gemendo e... coisas — acrescentou em um tom que deixou Harry inquieto. Que teria feito? Berrara maldições como Voldemort; chorara como o bebê no berço?

"Não consegui retirar a Horcrux de você", disse Hermione, e ele percebeu que a amiga queria mudar de assunto. "Ficou presa, presa no seu peito. Deixou uma marca; lamento. Tive de usar o Feitiço de Corte para soltá-la. A cobra também o mordeu, mas limpei o ferimento e apliquei um pouco de ditamno..."

Ele arrancou do corpo a camiseta suada que usava e olhou para baixo. Havia uma oval escarlate sobre seu coração, onde o medalhão o queimara. Viu também as marcas de furos quase cicatrizadas em seu braço.

— Onde guardou a Horcrux?
— Na minha bolsa. Acho que não devíamos usá-la por um tempo.

Ele se recostou nos travesseiros e fitou o rosto atormentado e cinzento de Hermione.

— Não devíamos ter ido a Godric's Hollow. Foi minha culpa, minha inteira culpa, sinto muito.

— Não foi sua culpa. Eu quis ir também; realmente pensei que Dumbledore tivesse deixado a espada lá para você.

— É, bem... entendemos mal, não foi?

— Que aconteceu, Harry? Que aconteceu quando ela o levou pra cima? A cobra estava escondida em algum lugar? E simplesmente saiu e a matou e atacou você?

— Não. Ela era a cobra... ou a cobra era ela... todo o tempo.

— Q-quê?

Ele fechou os olhos. Ainda podia sentir o cheiro da casa de Batilda em seu corpo: isso tornava o episódio pavoroso vívido.

— Batilda devia estar morta havia algum tempo. A cobra estava... estava dentro dela. Você-Sabe-Quem levou-a para Godric's Hollow para esperar. Você tinha razão. Ele sabia que eu voltaria.

— A cobra estava *dentro* dela?

Ele reabriu os olhos: Hermione parecia revoltada, nauseada.

— Lupin disse que haveria magia que jamais imagináramos existir — respondeu Harry. — Ela não quis falar na sua frente porque era a linguagem das cobras, pura ofidioglossia, e não percebi, mas é claro que a entendi. Uma vez no quarto, a cobra mandou uma mensagem a Você-Sabe-Quem, ouvi a transmissão em minha cabeça, senti-o animado, disse para me segurar lá... então...

Lembrou-se da cobra saindo do pescoço de Batilda: Hermione não precisava conhecer os detalhes.

— ... ela se transformou, se transformou em uma cobra e me atacou.

Harry baixou os olhos para as marcas dos furos.

— Não era para me matar, só para me segurar ali até Você-Sabe-Quem chegar.

Se ele ao menos tivesse conseguido matar a cobra, teria valido a pena tudo... Desgostoso, sentou-se e atirou as cobertas para o lado.

— Harry, não, tenho certeza que precisa descansar!

— Você é que precisa dormir. Sem querer ofender, você está com uma cara horrível. Estou ótimo. Vou fazer a vigia por um tempo. Onde está minha varinha?

Ela não respondeu, olhou-o apenas.

— Onde está minha varinha?

Ela mordeu os lábios e as lágrimas encheram seus olhos.

— Harry...
— *Onde está minha varinha?*

Hermione se abaixou para apanhá-la ao lado da cama e entregou-a. A varinha de azevinho e fênix estava quase partida ao meio. Um frágil fio de pena de fênix mantinha as metades penduradas. A madeira rachara inteiramente. Harry apanhou o objeto como se fosse um organismo vivo que tivesse sofrido um grave ferimento. Não conseguiu pensar direito: tudo pareceu uma fusão de pânico e medo. Estendeu, então, a varinha para Hermione.

— Conserte-a. Por favor.
— Harry, acho que quando se parte assim...
— Por favor, Hermione, tente!
— *R-reparo.*

A parte pendurada da varinha tornou a emendar. Harry empunhou-a.

— *Lumus!*

A varinha soltou uma faisquinha e se apagou. Harry apontou-a para Hermione.

— *Expelliarmus!*

A varinha de Hermione sacudiu, mas não se soltou de sua mão. A fraca tentativa de magia foi demais para a varinha, que tornou a se partir em dois. Harry contemplou-a, consternado, incapaz de absorver o que estava vendo... a varinha que sobrevivera a tanto...

— Harry — Hermione sussurrou tão baixinho que ele quase não pôde ouvi-la. — Sinto muito mesmo. Acho que fui eu. Quando estávamos indo embora, entende, a cobra avançou para nós, então lancei um Feitiço Detonador e ele ricocheteou para todo lado e deve ter... deve ter atingido...

— Foi um acidente — disse Harry, maquinalmente. Sentia-se vazio, atordoado. — Encontraremos... encontraremos um jeito de consertá-la.

— Harry, acho que não conseguiremos — disse Hermione, as lágrimas escorrendo pelo rosto. — Lembra... lembra o Rony? Quando partiu a varinha no acidente com o carro? Nunca mais foi a mesma, ele teve que comprar uma nova.

Harry pensou em Olivaras, sequestrado e refém de Voldemort, em Gregorovitch, que estava morto. Como iria encontrar uma varinha nova?

— Bem — replicou Harry, em um tom falsamente objetivo —, bem, acho que por ora precisarei pedir a sua emprestada. Enquanto vigio.

O rosto brilhando de lágrimas, Hermione entregou a varinha e Harry saiu, deixando-a sentada junto à cama dele, nada mais desejando senão ficar longe da amiga.

18

A VIDA E AS MENTIRAS DE ALVO DUMBLEDORE

O sol estava nascendo: a imensidão descolorida do céu se estendia sobre Harry, indiferente a ele e ao seu sofrimento. Sentou-se à entrada da barraca e inspirou profundamente o ar limpo. O simples fato de estar vivo para ver o sol subir a encosta coberta de neve cintilante deveria ser o maior tesouro da terra, contudo não conseguia apreciá-lo: seus sentidos tinham sido bloqueados pela calamidade que era a perda de sua varinha. Contemplou o vale coberto de neve, os sinos de igreja ecoando distantes no esplendoroso silêncio.

Sem perceber, Harry estava enterrando os dedos nos braços como se tentasse resistir à dor física. Derramara seu sangue mais vezes do que poderia contar; perdera todos os ossos do braço direito uma vez; essa viagem já lhe rendera cicatrizes no peito e nos braços para se somar às da mão e da testa, mas nunca, até aquele momento, sentira-se tão letalmente enfraquecido, vulnerável e nu, como se lhe tivessem arrancado a melhor parte do seu poder em magia. Sabia exatamente o que Hermione diria se ele expressasse qualquer desses pensamentos: a varinha é tão boa quanto o bruxo. Ela, no entanto, estava enganada; em seu caso, era diferente. Ela não sentira a varinha girar como a agulha de uma bússola e disparar labaredas douradas contra o inimigo. Harry perdera a proteção dos núcleos gêmeos, e só agora, que já não existia, ele entendia o quanto se fiara nela.

Tirou do bolso os pedaços da varinha partida e, sem olhar, guardou-os na bolsa de Hagrid, que levava pendurada ao seu pescoço. Estava, agora, demasiado cheia de objetos quebrados e inúteis para receber mais um. Através do couro de briba, sua mão roçou pelo velho pomo e, por um momento, precisou resistir à tentação de apanhar o objeto e atirá-lo longe. Impenetrável, adverso, inútil como todo o resto que Dumbledore deixara...

A fúria contra o diretor irrompeu nele como lava, queimando-o por dentro, eliminando qualquer outro sentimento. Por absoluto desespero, eles tinham acreditado que Godric's Hollow guardava as respostas e se convencido de que deviam retornar, que tudo fazia parte de um caminho secreto traçado por Dumbledore; mas não havia mapa nem plano. Dumbledore os deixara às cegas no escuro, para enfrentar terrores desconhecidos e não sonhados, sozinhos e desamparados: nada lhes foi explicado, nada oferecido voluntariamente, não tinham espada e Harry não tinha mais varinha. Deixara cair a foto do ladrão, e, sem dúvida, agora seria fácil Voldemort descobrir quem ele era... agora tinha todas as informações.

— Harry?

Hermione parecia receosa de que ele pudesse enfeitiçá-la com sua própria varinha. O rosto riscado de lágrimas, ela se agachou do lado dele, duas xícaras de chá tremendo em suas mãos e alguma coisa volumosa sob o braço.

— Obrigado — disse ele, apanhando uma das xícaras.

— Posso falar com você?

— Pode — respondeu ele, porque não queria magoá-la.

— Harry, você queria saber quem era o homem na foto. Bem... lhe trouxe o livro.

Timidamente, empurrou-o para o colo dele, um exemplar intacto de *A vida e as mentiras de Alvo Dumbledore*.

— Onde... como...

— Estava na sala de visitas de Batilda, à vista... esse bilhete saindo entre as folhas, na parte de cima do livro.

Hermione leu em voz alta as poucas linhas em tinta verde-ácido e letra garranchosa.

— *Querida Batty, obrigada por sua ajuda. Envio-lhe um exemplar do livro, espero que goste. Você me contou tudo, mesmo que não se lembre. Rita.* Acho que deve ter chegado quando a verdadeira Batilda ainda estava viva, mas talvez ela não estivesse em condições de lê-lo.

— Não, provavelmente não estava.

Harry contemplou com desprezo o rosto de Dumbledore e experimentou uma onda de selvagem prazer: agora iria conhecer tudo que o diretor nunca pensara que valeria a pena lhe contar, quer ele quisesse ou não.

— Você continua realmente aborrecido comigo, não? — perguntou Hermione; Harry ergueu os olhos e viu novas lágrimas escorrendo dos olhos da garota, e percebeu que a ira devia estar evidente em seu rosto.

— Não — respondeu, baixinho. — Não, Hermione, sei que foi um acidente. Estava tentando nos tirar de lá, vivos, e você foi incrível. Eu estaria morto se você não tivesse estado lá para me ajudar.

Ele tentou retribuir o sorriso lacrimoso de Hermione e voltou sua atenção para o livro. A lombada estava rígida; era óbvio que nunca fora aberto antes. Harry virou rapidamente as páginas, procurando as fotografias. Encontrou a que procurava quase instantaneamente, o jovem Dumbledore e seu belo companheiro, às gargalhadas por causa de uma piada havia muito esquecida. Harry baixou os olhos para a legenda. *Dumbledore pouco depois da morte da mãe com seu amigo Gerardo Grindelwald.*

Harry boquiabriu-se com a última palavra da frase durante longos momentos. Grindelwald. Seu amigo, Grindelwald. Olhou de esguelha para Hermione, que continuava a fixar o nome como se não conseguisse acreditar no que via. Lentamente, virou-se para Harry.

— Grindelwald?

Desconsiderando as fotografias restantes, Harry procurou nas páginas próximas uma recorrência do nome fatídico. Logo descobriu-a e leu vorazmente, mas se perdeu: precisaria ler os parágrafos anteriores para a informação fazer algum sentido e, finalmente, se viu no início de um capítulo intitulado "O Bem Maior". Juntos, ele e Hermione começaram a ler...

> Próximo ao seu aniversário de dezoito anos, Dumbledore deixou Hogwarts cercado de glórias — monitor-chefe, monitor, detentor do prêmio Barnabus Finkley por excepcional proficiência em feitiços, representante da juventude britânica na Suprema Corte dos Bruxos, medalha de ouro por contribuição pioneira à Conferência Internacional de Alquimia no Cairo. Dumbledore pretendia, então, fazer uma grande viagem com Elifas "Bafo de Cão" Doge, o dedicado mas pouco inteligente colega com quem se associara na escola.
>
> Os dois jovens estavam hospedados no Caldeirão Furado, em Londres, preparando-se para partir para a Grécia na manhã seguinte, quando chegou uma coruja trazendo a notícia do falecimento da mãe de Dumbledore. "Bafo de Cão" Doge, que se recusou a dar depoimento para este livro, publicou sua versão sentimental do que aconteceu a seguir. Descreveu a morte de Kendra como um golpe trágico, e a decisão tomada por Dumbledore de cancelar sua viagem como um ato de nobre abnegação.
>
> Sem dúvida, Dumbledore retornou imediatamente a Godric's Hollow, presume-se que para "cuidar" do irmão e da irmã mais jovens. Entretanto, qual foi o cuidado que realmente dispensou aos dois?

"Ele não batia bem, aquele Aberforth", diz Enid Smeek, cuja família vivia nos arredores de Godric's Hollow, à época. "Vivia solto. Claro que, sem mãe nem pai, eu teria me condoído dele, mas o garoto não parava de atirar excremento de bode na minha cabeça. Não creio que Alvo se preocupasse com ele, enfim, nunca os vi juntos."

Então, que fazia Alvo, se não estava consolando seu selvagem irmão mais moço? A resposta, pelo visto, é: continuava a manter a irmã presa. Embora seu primeiro carcereiro tivesse morrido, não houve alteração na lamentável situação de Ariana Dumbledore. Sua existência continuava a ser conhecida apenas por estranhos confiáveis como "Bafo de Cão" Doge, capazes de acreditar na história da "saúde precária".

Outro amigo da família facilmente persuasível foi Batilda Bagshot, a famosa historiadora da magia que há muitos anos vive em Godric's Hollow. Kendra, naturalmente, repelira suas primeiras tentativas de dar as boas-vindas à família. Entretanto, anos mais tarde, a autora enviou uma coruja a Alvo em Hogwarts, favoravelmente impressionada por seu ensaio sobre a transformação de transespécies na Transfiguração Hoje. Este contato inicial levou-a a conhecer toda a família Dumbledore. Quando Kendra faleceu, Batilda era a única pessoa em Godric's Hollow que falava com a mãe de Dumbledore.

Infelizmente, o brilho intelectual demonstrado por Batilda em épocas anteriores hoje está morrendo. "O fogão está aceso, mas o caldeirão está vazio", me disse Ivor Dillonsby, ou na frase um pouco mais literal de Enid Smeek: "Ela está completamente caduca." Ainda assim, a combinação de técnicas de reportagem comprovadamente eficazes me permitiu obter suficientes pérolas para montar um colar de escândalos.

Tal como a maioria do mundo bruxo, Batilda atribui a morte prematura de Kendra a um "feitiço que ricocheteou", uma história repetida por Alvo e Aberforth anos mais tarde. Batilda também repete a história familiar sobre Ariana, dizendo-a "frágil" e "delicada". Sobre um assunto, porém, Batilda compensou os meus esforços para obter um pouco de soro da verdade, porque ela, e somente ela, conhece integralmente a história do segredo mais bem guardado da vida de Alvo Dumbledore. Revelado pela primeira vez, ele põe em dúvida tudo que os admiradores acreditaram a respeito de Dumbledore: seu suposto ódio às Artes das Trevas, sua oposição à opressão dos trouxas e até sua devoção à própria família.

No mesmo verão em que Dumbledore voltou para casa em Godric's Hollow, já então órfão e chefe de família, Batilda Bagshot concordou em aceitar em sua casa o sobrinho-neto Gerardo Grindelwald.

O nome de Grindelwald é merecidamente famoso: em uma lista dos Bruxos das Trevas Mais Famosos de Todos os Tempos, ele só perde o primeiro lugar porque, uma geração mais tarde, surgiu Você-Sabe-Quem para roubar-lhe a coroa. Na medida em que Grindelwald jamais estendeu sua campanha de terror à Grã-Bretanha, os detalhes de sua ascensão ao poder não são muito divulgados em nosso país.

Educado em Durmstrang, uma escola famosa por sua lamentável tolerância com as Artes das Trevas, Grindelwald mostrou-se precocemente tão genial quanto Dumbledore. Em vez de canalizar suas habilidades para a conquista de prêmios e medalhas, no entanto, Gerardo Grindelwald dedicou-se a outras atividades. Aos dezesseis anos, mesmo Durmstrang concluiu que não poderia continuar a fazer vista grossa às suas experiências viciosas, e expulsou-o.

Dali em diante, o que se soube dos movimentos seguintes de Grindelwald é que passou alguns meses no exterior. Sabemos agora que ele decidiu visitar a tia-avó em Godric's Hollow, e que ali, embora possa parecer extremamente chocante a muita gente, Grindelwald fez uma grande amizade com Alvo Dumbledore.

"Ele me pareceu um rapaz encantador", tartamudeou Batilda, "a despeito do que tenha se tornado mais tarde. Naturalmente apresentei-o ao pobre Alvo, que sentia falta da companhia de rapazes de sua idade. Os dois imediatamente tornaram-se amigos."

Sem a menor dúvida. Batilda me mostra uma carta que guardou, enviada por Alvo Dumbledore a Gerardo Grindelwald altas horas da noite.

"Sim, mesmo depois de passarem o dia todo discutindo – os dois rapazes muito brilhantes davam-se tão bem quanto um caldeirão em fogo –, às vezes eu ouvia uma coruja bater na janela do quarto de Gerardo para entregar uma carta de Alvo! Ocorrera-lhe uma ideia e precisava contá-la a Gerardo sem demora!"

E que ideias! Por mais chocantes que possam parecer aos fãs de Alvo Dumbledore, vejam os pensamentos do seu herói aos dezessete anos, tal como foram relatados ao seu novo e melhor amigo (veja o fac-símile da carta original na página 463):

Gerardo,

    O seu argumento de que a dominação dos bruxos visa ao PRÓ-PRIO BEM DOS TROUXAS é, a meu ver, crítico. Sim, fomos dotados de poder e, sim, esse poder nos dá o direito de governar, mas isto também nos dá responsabilidades sobre os governados. Devemos enfatizar este ponto, pois será a pedra angular da nossa construção. Onde discordarmos, como certamente ocorrerá, ela deverá ser a base dos nossos contra-argumentos. Assumimos o poder PELO BEM MAIOR. E segue-se daí que, onde encontrarmos resistência, devemos usar apenas a força necessária. (Este foi o seu erro em Durmstrang! Não me queixo, porém, porque se você não fosse expulso, jamais teríamos nos conhecido.)

    Alvo

    Apesar do espanto e consternação que venha a causar aos seus numerosos admiradores, essa carta é uma prova de que, no passado, Alvo Dumbledore sonhou derrubar o Estatuto de Sigilo e estabelecer o domínio bruxo sobre os trouxas. Que choque para aqueles que sempre viram em Dumbledore o maior campeão dos nascidos trouxas! Como parecem vazios aqueles discursos sobre a promoção dos direitos dos trouxas à luz dessa nova evidência que o condena! Como Alvo Dumbledore parece desprezível conspirando para assumir o poder quando deveria estar pranteando a mãe e cuidando da irmã!

    Sem dúvida, os que estão decididos a manter Dumbledore em seu pedestal desmoronadiço gaguejarão que ele não chegou a executar esses planos, que deve ter mudado de opinião, que caiu em si. Contudo, a verdade parece ainda mais chocante.

    Quase dois meses depois de iniciarem sua nova grande amizade, Dumbledore e Grindelwald se separaram e nunca mais se veriam até o seu lendário duelo (veja detalhes no capítulo 22). Que terá causado esse abrupto rompimento? Dumbledore recobrara o juízo? Dissera a Grindelwald que não participaria dos seus planos? Infelizmente, não.

    "Acho que foi a morte da pobrezinha da Ariana que provocou a separação", diz Batilda. "Foi um terrível choque. Gerardo estava na casa de Dumbledore quando aconteceu, e voltou à minha casa muito perturbado e me disse que queria regressar à sua terra no dia seguinte.

Extremamente angustiado, entende. Providenciei, então, uma Chave de Portal e foi a última vez que o vi.

"Alvo ficou transtornado com a morte de Ariana. Foi terrível para os dois irmãos. Tinham perdido toda a família, exceto um ao outro. Não admira que tenham se descontrolado. Aberforth culpou Alvo, entende, como costumam fazer as pessoas em circunstâncias aflitivas. Mas Aberforth sempre foi um pouco desconexo, coitado. Ainda assim, fraturar o nariz de Alvo no enterro não foi uma atitude decente. Ver os filhos brigando daquele jeito diante do corpo da filha teria destruído Kendra. Uma pena que Gerardo não pudesse ficar para o funeral... pelo menos teria sido um consolo para Alvo..."

Essa espantosa briga ao lado do caixão, de que só têm conhecimento os que compareceram ao enterro de Ariana Dumbledore, levanta várias questões. Exatamente por que Aberforth culpou Dumbledore pela morte da irmã? Teria sido, como supõe Batilda, apenas um extravasamento de pesar? Ou haveria razões mais concretas para sua fúria? Grindelwald, expulso de Durmstrang por ataques quase fatais a colegas estudantes, fugiu do país horas depois da morte da moça, e Alvo (por vergonha ou medo?) nunca mais o viu, até ser forçado pelo clamor do mundo bruxo.

Nem Dumbledore nem Grindelwald jamais se referiram a essa breve amizade de adolescente mais tarde na vida. Contudo, não se pode duvidar de que Dumbledore adiou, durante uns cinco anos de tumultos, fatalidades e desaparecimentos, o seu ataque a Gerardo Grindelwald. Teria sido um resquício de afeição pelo homem ou o temor da revelação dessa grande amizade do passado que levou Dumbledore a hesitar? E teria sido com relutância que Dumbledore se dispôs a capturar o homem que no passado sentira tanto prazer em conhecer?

E como morreu a misteriosa Ariana? Teria sido a vítima involuntária de algum rito das trevas? Teria casualmente surpreendido o que não deveria, enquanto os dois rapazes treinavam para a sua futura tentativa de glória e dominação? É possível que Ariana Dumbledore tenha sido a primeira pessoa a morrer "pelo bem maior"?

O capítulo terminava ali, e Harry ergueu os olhos. Hermione chegara antes dele à última linha. Tirou o livro de suas mãos, parecendo um pouco assustada com a expressão no rosto do amigo, e fechou-o sem olhar, como se escondesse uma coisa indecente.

— Harry...

Ele, porém, balançou a cabeça. Alguma certeza recôndita ruíra em seu íntimo; a mesma sensação que experimentara após a partida de Rony. Confiara em Dumbledore, acreditara que era a personificação da bondade e da sabedoria. Tudo eram cinzas: quanto mais poderia perder? Rony, Dumbledore, a varinha de fênix...

— Harry. — Hermione parecia ter ouvido seus pensamentos. — Me escute. Não... não é uma leitura muito agradável...

— ... é, pode-se dizer que não...

— ... mas, não esqueça, Harry, é uma história da Rita Skeeter.

— Você leu aquela carta para o Grindelwald, não?

— Li... li. — Ela hesitou, parecendo perturbada, aninhando a caneca de chá nas mãos frias. — Acho que foi o pior. Sei que Batilda achou que fosse apenas conversa fiada, mas "Pelo Bem Maior" tornou-se o lema de Grindelwald, sua justificativa para todas as atrocidades que cometeu mais tarde. E... pela carta... parece que foi Dumbledore que lhe deu a ideia. Dizem que "Pelo Bem Maior" foi gravado na entrada de Nurmengard.

— Que é Nurmengard?

— A prisão que Grindelwald mandou construir para seus oponentes. Foi onde ele próprio terminou, quando Dumbledore o capturou. Enfim, é... horrível pensar que as ideias de Dumbledore possam ter ajudado a ascensão de Grindelwald ao poder. Por outro lado, nem mesmo a Rita pode fingir que eles tenham convivido mais do que uns poucos meses no verão, quando eram realmente muito jovens e...

— Achei que você diria isso — interrompeu-a Harry. Não queria extravasar sua raiva na amiga, mas foi difícil manter a voz firme. — Achei que você diria que "eles eram muito jovens". Tinham a mesma idade que nós, agora. E estamos aqui arriscando nossas vidas para combater as Artes das Trevas, e ele estava lá, de segredinhos com o seu novo melhor amigo, conspirando para assumir o poder e dominar os trouxas.

Harry não conseguiria refrear por mais tempo a sua fúria; levantou-se e andou um pouco, tentando descarregá-la.

— Não estou defendendo o que Dumbledore escreveu — disse Hermione. — Toda aquela besteira sobre o "direito de governar" se repete em "Magia é Poder". Mas, Harry, ele tinha acabado de perder a mãe, estava confinado em casa sozinho...

— Sozinho? Ele não estava sozinho! Tinha a companhia do irmão e da irmã, da bruxa abortada que ele estava mantendo presa...
— Não acredito — replicou Hermione. Ela se pôs de pé também. — Seja qual for o problema daquela garota, não acho que fosse uma bruxa abortada. O Dumbledore que conhecemos jamais, jamais, teria permitido...
— O Dumbledore que pensamos conhecer não queria conquistar os trouxas à força! — berrou Harry, sua voz ecoando pelo ermo topo do morro, fazendo vários melros pretos levantarem voo, gritando em círculos pelo céu perolado.
— Ele mudou, Harry, ele mudou! É muito simples! Talvez acreditasse naquelas coisas quando tinha dezessete anos, mas dedicou todo o resto da vida a combater as Artes das Trevas! Foi Dumbledore quem deteve Grindelwald, foi ele que sempre votou pela proteção dos trouxas e pelos direitos dos nascidos trouxas, foi ele que combateu Você-Sabe-Quem desde o princípio e que morreu tentando derrubá-lo!
O livro de Rita Skeeter jazia no chão entre os dois, de modo que o rosto de Alvo Dumbledore sorria melancolicamente para ambos.
— Harry, me desculpe, mas acho que a verdadeira razão por que está tão furioso é que Dumbledore nunca lhe contou nada disso.
— Vai ver é! — berrou Harry, e atirou os braços para o alto, sem saber se estava tentando reprimir a raiva ou se proteger do peso da própria desilusão.
— Veja o que ele me pediu, Hermione! Arrisque sua vida, Harry! Outra vez! Mais uma! E não espere que eu lhe explique tudo, confie cegamente em mim, confie que sei o que estou fazendo, confie em mim ainda que eu não confie em você! Nunca a verdade por inteiro! Nunca!
Sua voz quebrou com o esforço e os dois ficaram parados se fitando na claridade e na solidão, e Harry sentiu que eram insignificantes como insetos sob aquele vasto céu.
— Ele o amava — sussurrou Hermione. — Eu sei que amava.
Harry deixou cair os braços.
— Não sei quem ele amava, Hermione, mas nunca a mim. Isto não é amor, a confusão em que me deixou. Ele dividiu muito mais o que realmente pensava com Gerardo Grindelwald, pô, do que jamais dividiu comigo.
Harry apanhou a varinha de Hermione, que deixara cair na neve, e tornou a se sentar na entrada da barraca.
— Obrigado pelo chá. Terminarei a vigia. Volte para o calor aí dentro.

Ela hesitou, mas reconheceu que fora dispensada. Apanhou o livro e voltou para a barraca, mas, ao fazê-lo, passou levemente a mão pela cabeça dele. Àquele toque, Harry fechou os olhos e odiou-se por desejar que o que a amiga tinha dito fosse verdade: que Dumbledore realmente gostava dele.

19

A CORÇA PRATEADA

Estava nevando quando Hermione assumiu a vigia à meia-noite. Os sonhos de Harry foram confusos e perturbadores: Nagini entrava e saía, primeiro, de um gigantesco anel rachado, depois, de uma coroa de heléboros. Ele acordou várias vezes, em pânico, convencido de que alguém o chamara ao longe, imaginando que o vento a açoitar a barraca fossem passos ou vozes.

Por fim, levantou-se no escuro e foi se juntar a Hermione, que estava encolhida na entrada da barraca lendo *História da magia* à luz da varinha. A neve continuava a cair profusamente, e ela recebeu com alívio a sugestão de guardarem tudo cedo e continuar viagem.

– Vamos para algum lugar mais abrigado – concordou ela, trêmula, vestindo um suéter de atletismo por cima do pijama. – Passei o tempo todo achando que ouvia gente andar aqui fora. E tive até a impressão de ter visto alguém uma ou duas vezes.

Harry parou no ato de vestir um suéter e deu uma olhada no silencioso e imóvel bisbilhoscópio sobre a mesa.

– Tenho certeza de que foi imaginação – disse Hermione, parecendo nervosa. – No escuro, a neve prega peças aos nossos olhos... mas talvez seja bom desaparatarmos com a Capa da Invisibilidade, só por precaução.

Meia hora depois, a barraca já guardada, Harry usando a Horcrux e Hermione segurando a bolsinha de contas, desaparataram. Foram engolidos pela habitual compressão; os pés do garoto deixaram o chão fofo de neve e bateram com força em terra congelada e coberta de folhas, ou essa foi sua impressão.

– Onde estamos? – perguntou ele, correndo os olhos por um arvoredo diferente enquanto Hermione abria a bolsinha e começava a puxar lá de dentro os paus da barraca.

– Na Floresta do Deão. Acampei aqui uma vez com os meus pais.

Ali, também, a neve cobria as árvores em torno e fazia um frio cortante, mas, pelo menos, estavam abrigados do vento. Eles passaram a maior parte do dia na barraca, buscando calor junto às fortes chamas azuis que Hermione era perita em produzir, e que podiam ser recolhidas e transportadas em um jarro. Harry tinha a sensação – que era reforçada pela solicitude de Hermione – de estar convalescendo de uma doença breve, mas aguda. Naquela tarde, a neve tornou a cair, e, em consequência, até a clareira abrigada recebeu nova camada da neve fina como pó.

Após duas noites de pouco sono, os sentidos de Harry pareciam mais aguçados do que o normal. Sua fuga de Godric's Hollow, por um fio, fizera Voldemort parecer mais próximo que antes, mais ameaçador. Quando a noite desceu, Harry recusou a oferta de Hermione de fazer a vigia e lhe disse para ir se deitar.

O garoto levou uma almofada velha para a entrada da barraca e se sentou, usando todos os suéteres que possuía e, ainda assim, sentiu frio. Com a passagem das horas, a escuridão foi adensando até se tornar virtualmente impenetrável. Ele já ia tirar o mapa do maroto para espiar o pontinho que representasse Gina quando lembrou que eram as férias de Natal e que ela teria regressado À Toca.

O mínimo movimento parecia se amplificar na vastidão da mata. Harry sabia que o lugar devia estar pululando de seres vivos, mas desejou que todos se mantivessem imóveis e silenciosos para ele poder diferenciar suas corridas e passos furtivos dos ruídos que pudessem anunciar outros movimentos sinistros. Lembrou-se do som de uma capa deslizando sobre folhas mortas havia muitos anos, e imediatamente pensou tê-lo ouvido antes de se sacudir mentalmente. Os feitiços de proteção tinham funcionado durante semanas; por que iriam se romper agora? Contudo, ele não conseguiu se livrar da sensação de que havia alguma coisa diferente essa noite.

Várias vezes ele se levantou bruscamente, o pescoço doendo porque adormecera e relaxara o corpo em um ângulo torto contra a parede da barraca. A noite atingiu tal densidade de aveludada escuridão que ele poderia estar flutuando no limbo entre a desaparatação e a aparatação. Tinha acabado de erguer a mão diante do rosto para verificar se conseguiria ver os dedos quando aconteceu.

Uma luz prateada apareceu logo à frente, movendo-se entre as árvores. Qualquer que fosse sua origem, ela se deslocava silenciosamente. A luz parecia simplesmente estar vindo em sua direção.

Ele se pôs de pé com um salto, a voz congelada na garganta, e ergueu a varinha de Hermione. Apertou os olhos quando a luz ameaçou cegá-lo, as árvores à sua frente silhuetas pretas, e ela sempre a se aproximar...

Então a fonte da luz saiu de trás de um carvalho. Era uma corça branco-prateada, um luar que brilhava e ofuscava, pisando com cautela, em silêncio, sem deixar rastros na fina poeira de neve. Ela veio ao seu encontro, a bela cabeça altiva, com olhos rasgados e longas pestanas, no alto.

Harry fitou o animal, assombrado, não por sua estranheza, mas por sua inexplicável familiaridade. Sentiu que estivera à sua espera, mas que esquecera, até aquele momento, que tinham combinado se encontrar. Seu impulso de gritar por Hermione, tão forte instantes antes, desaparecera. Ele sabia, teria apostado a vida, que ela viera buscá-lo, e a mais ninguém.

Eles se contemplaram por longos momentos e, então, a corça lhe deu as costas e se afastou.

— Não! — exclamou ele, e sua voz quebrou por falta de uso. — Volte aqui!

A corça continuou a avançar deliberadamente entre as árvores, e seu fulgor não tardou a se listrar com as sombras dos troncos grossos e escuros. Por um instante, ele hesitou, trêmulo. A cautela lhe sussurrou: poderia ser um truque, um engodo, uma armadilha. O instinto, porém, o instinto soberano lhe disse que aquilo não era magia das trevas. Ele partiu em seu encalço.

A neve rangia sob seus pés, mas a corça não fazia ruído ao passar entre as árvores, porque era apenas luz. Sempre mais fundo pela mata, ela o conduzia, e Harry andava depressa, certo de que, quando parasse, ela o deixaria se aproximar. E Harry lhe falaria, e a voz diria a ele o que precisava saber.

Finalmente, ela parou. Tornou a virar a bela cabeça para ele, e Harry correu ao seu encontro, uma pergunta ardendo em seu íntimo, mas, ao abrir a boca para fazê-la, a corça desapareceu.

Embora a escuridão a tivesse engolido inteira, sua imagem reluzente continuava gravada na retina do garoto; obscurecia sua visão, mais intensamente quando ele baixava as pálpebras, desorientando-o. Sobreveio, então, o medo: a presença da corça significara segurança.

— Lumos! — sussurrou ele, e a ponta da varinha se acendeu.

A imagem da corça foi desaparecendo a cada vez que piscava ali parado, escutando os sons da floresta, os distantes estalidos de gravetos, o farfalhar suave da neve. Estaria em vias de ser atacado? A corça o teria atraído a uma armadilha? Ele estaria imaginando que havia alguém parado, à espreita, além do alcance da varinha?

Ergueu-a mais alto. Ninguém avançou para ele, não houve clarão de luz verde detrás de árvore alguma. Por que, então, ela o conduzira àquele lugar?

Alguma coisa lampejou à luz da varinha, e Harry se virou para examiná-la, mas viu apenas um pequeno poço congelado, a superfície preta rachada, cintilando à claridade da varinha no alto.

Ele se aproximou com certa cautela e espiou. O gelo refletiu sua sombra distorcida e o feixe de luz da varinha, mas, no fundo, sobre a carapaça cinzenta e difusa, outra coisa brilhou. Uma grande cruz prateada...

Seu coração saltou à boca; ele caiu de joelhos à beira do poço e virou a varinha em ângulo para inundar o fundo com o máximo de luz. Um brilho vermelho-escuro... uma espada com rubis brilhantes no punho... a espada de Gryffindor estava no fundo do poço.

Mal respirando, olhou-a espantado. Como era possível? Como viera parar em um poço na mata, tão perto do lugar em que estavam acampados? Teria uma magia desconhecida atraído Hermione a esse lugar, ou a corça, que ele tomara por um Patrono, seria uma espécie de guardiã do poço? Ou teria a espada sido colocada ali depois de sua chegada, precisamente porque estavam ali? Nesse caso, onde estaria a pessoa que tinha querido passá-la a Harry? Mais uma vez, ele dirigiu a varinha para as árvores e arbustos circundantes, procurando uma silhueta humana, o brilho de um olho, mas não viu ninguém. Sentiu, contudo, um pouco mais de medo fermentar sua euforia ao voltar a atenção para a espada que repousava no fundo do poço congelado.

Apontou a varinha para a forma prateada e murmurou:

— *Accio espada!*

A arma não se mexeu. Não esperara que o fizesse. Se fosse tão fácil, a espada estaria caída no chão, aguardando que ele a recolhesse, e não no fundo de um poço congelado. Ele contornou o círculo de gelo, fazendo esforço para lembrar a última vez que a espada viera às suas mãos. Ele corria, então, extremo perigo e pedira ajuda.

— Socorro — murmurou, mas a espada continuou no fundo do poço, indiferente, imóvel.

Que era mesmo, Harry perguntou a si mesmo (voltando a andar), que Dumbledore lhe dissera da última vez que ele tivera a espada? *Somente um verdadeiro membro da Grifinória poderia ter tirado isto do chapéu.* E quais eram as qualidades que definiam um grifinório? Uma vozinha na cabeça de Harry respondeu: *a audácia, a coragem e o cavalheirismo distinguem os grifinórios.*

Harry parou de andar e deixou escapar um longo suspiro, seu hálito esfumaçado dispersando-se rapidamente no ar gélido. Sabia o que tinha de fazer. Para ser sincero, imaginara que chegaria a esse ponto no momento em que localizara a espada no gelo.

Ele correu o olhar pelas árvores ao redor, mas estava convencido, agora, de que ninguém ia atacá-lo. Tinham tido oportunidade quando ele caminhara sozinho pela mata, tinham tido muito tempo enquanto examinava o poço.

A essa altura, a única razão para sua demora era a perspectiva imediata ser profundamente desconvidativa.

Com os dedos pouco ágeis, Harry começou a tirar suas várias camadas de roupa. Onde entrava o "cavalheirismo" nisso, lamentou-se, não estava muito seguro, a não ser que cavalheirismo fosse não chamar Hermione para fazer isso por ele.

Uma coruja piou em algum lugar enquanto se despia, e ele pensou em Edwiges com um aperto no coração. Tremia de frio agora, seus dentes batiam sem parar, mas ele continuou a se despir até ficar apenas de cueca e pés descalços na neve. Colocou a bolsa contendo as metades de sua varinha, a carta de sua mãe, o caco do espelho de Sirius e o velho pomo por cima das roupas, então apontou a varinha de Hermione para o gelo.

– *Diffindo!*

O feitiço estalou no silêncio como o estampido de uma arma: a superfície do poço rachou e pedaços de gelo escuro flutuaram na água agitada. Pelo que Harry pôde calcular, não era fundo, mas, para recuperar a espada, teria que submergir de corpo inteiro.

Refletir sobre a tarefa à frente não a tornaria mais fácil, nem a água mais quente. Ele se acercou do poço e depositou a varinha de Hermione no chão, ainda acesa. Depois, tentando não imaginar a temperatura extrema a que chegaria nem a violência com que logo estaria se sacudindo, pulou.

Cada poro do seu corpo gritou em protesto: o próprio ar em seus pulmões pareceu congelar quando submergiu, até a altura dos ombros, na água gelada. Mal conseguia respirar; tremendo com tanta força que chegava a provocar marolas na borda do poço; ele procurou sentir a espada com os pés dormentes. Só queria mergulhar uma vez.

Harry adiou o momento da total imersão de segundo a segundo, ofegando e se sacudindo, até se convencer de que aquilo precisava ser feito. Então, reuniu toda a sua coragem e mergulhou.

O frio extremo foi angustiante: queimou-o como fogo. Seu próprio cérebro pareceu congelar quando ele cortou a água escura até o fundo e esticou as mãos ao encontro da espada. Seus dedos se fecharam em torno do punho: ele a puxou para cima.

Então alguma coisa se fechou em torno do seu pescoço. Pensou que fossem plantas aquáticas, embora nada tivesse roçado nele quando mergulhara, e ele ergueu a mão livre para se desvencilhar. Não era planta: a corrente da Horcrux apertava e lentamente comprimia sua traqueia.

Harry bateu os pés com força, tentando voltar à superfície, mas conseguiu apenas se impelir contra o lado rochoso do poço. Debatendo-se, sufocando, ele esgravatou o pescoço, seus dedos congelados incapazes de soltar a corrente, e agora surgiam pontinhos luminosos em seu cérebro, e ele ia se afogar, não havia mais nada, nada que pudesse fazer, e os braços que se fecharam em torno do seu peito certamente eram os da Morte...

Engasgando e engulhando, encharcado e mais gelado do que já estivera na vida, ele recobrou os sentidos, de cara na neve. Perto, outra pessoa ofegava e tossia e cambaleava. Hermione viera em seu socorro, como viera quando a cobra atacara... contudo, não parecia ser ela, não com aquelas tossidas compridas, não a julgar pelo peso dos passos...

Harry não teve forças para levantar a cabeça e conhecer a identidade do seu salvador. Só conseguiu levar a mão trêmula à garganta e sentir o lugar em que o medalhão cortara fundo sua carne. Não estava ali: alguém o retirara. Então, uma voz ofegante falou do alto:

— Você... é... maluco?

Nada além do choque de ouvir aquela voz poderia ter dado a Harry energia para se levantar. Tremendo violentamente, ele se pôs de pé, vacilante. Diante dele, viu Rony, completamente vestido, mas encharcado até os ossos, os cabelos colados no rosto, a espada de Gryffindor em uma das mãos e a Horcrux pendurada na corrente partida na outra.

— Por que não tirou essa coisa antes de mergulhar, pô? — ofegou Rony, segurando a Horcrux, que balançava para frente e para trás na corrente curta em uma paródia de hipnose.

Harry não conseguiu responder. A corça prateada não era nada, nada comparada ao reaparecimento de Rony, nem conseguia acreditar. Tremendo de frio, apanhou o monte de roupas ainda na beira do poço e começou a se vestir. Enfiando suéter após suéter pela cabeça, Harry fitava Rony, como se esperasse vê-lo desaparecer cada vez que o perdia de vista. Entretanto, ele tinha que ser real: acabara de mergulhar no poço, salvara a vida de Harry.

— Foi v-você? — perguntou ele por fim, os dentes castanholando, a voz mais fraca do que o normal por causa do quase estrangulamento.

— Bem, foi — respondeu Rony, parecendo ligeiramente atordoado.

— V-você conjurou aquela corça?

— Quê? Não, claro que não! Pensei que você é que estivesse conjurando!

— Meu Patrono é um veado.

— Ah, é. Achei que estava diferente. Sem galhada.

Harry pendurou a bolsa de Hagrid no pescoço, vestiu o último suéter, abaixou-se para recolher a varinha de Hermione e encarou Rony.

– Como veio parar aqui?

Aparentemente, Rony tivera esperança de que essa questão fosse levantada mais tarde, ou nunca.

– Bem, eu... você entende... voltei. Se... – Ele pigarreou. – Entende. Vocês ainda me quiserem.

Houve um silêncio em que o assunto da partida de Rony pareceu se levantar como uma muralha entre os dois. Contudo, ele estava ali. Voltara. Acabara de salvar a vida de Harry.

Rony baixou os olhos para as mãos. Pareceu momentaneamente surpreso ao ver os objetos que carregava.

– Ah, sim; tirei-a do poço – disse desnecessariamente, estendendo a espada para Harry examiná-la. – Foi por isso que você pulou aí dentro, certo?

– Foi – respondeu Harry. – Mas não estou entendendo. Como foi que você chegou aqui? Como nos encontrou?

– É uma longa história. Passei horas procurando vocês, a mata é bem grande, não é? E estava pensando que teria de me entocar embaixo de uma árvore e esperar amanhecer, quando vi aquela corça vindo e você atrás.

– Você não viu mais ninguém?

– Não. Eu...

Ele hesitou olhando para duas árvores que cresciam juntas a alguns metros de onde estavam.

– Achei que tinha visto alguma coisa se mexendo lá adiante, mas na hora estava correndo para o poço, porque você tinha mergulhado e não tinha voltado à tona, então eu não ia me desviar para... ei!

Harry já estava correndo para o lugar que Rony indicara. Os dois carvalhos cresciam muito juntos; havia apenas um vão de uns poucos centímetros, à altura dos olhos, entre seus troncos, um lugar ideal para ver sem ser visto. O solo em torno das raízes, porém, não tinha neve, e Harry não viu marcas de pés. Ele voltou para onde Rony ficara esperando ainda segurando a espada e a Horcrux.

– Viu alguma coisa lá? – perguntou Rony.

– Não.

– Então, como foi que a espada apareceu no poço?

– A pessoa que conjurou o Patrono deve tê-la colocado lá.

Os dois olharam para a bainha lavrada da espada, o punho cravejado de rubis refulgia fracamente à luz da varinha de Hermione.

— Você acha que esta é a verdadeira? — perguntou Rony.
— Só há um jeito de descobrir, não é?
A Horcrux ainda balançava na mão de Rony. O medalhão vibrava ligeiramente. Harry sabia que a coisa ali dentro se agitava outra vez. Sentira a presença da espada e tentara matar Harry para não deixar que ele a possuísse. Agora não era o momento para longas discussões; agora era o momento de destruir o medalhão de uma vez por todas. Harry olhou para os lados, segurando a varinha no alto, e viu onde: uma pedra achatada sob a copa de um sicômoro.
— Vem comigo — disse ele, e saiu andando, limpou a neve da superfície da pedra e estendeu a mão para a Horcrux. Quando Rony lhe ofereceu a espada, no entanto, Harry balançou a cabeça.
— Não, você é que tem de fazer isso.
— Eu? — espantou-se Rony. — Por quê?
— Porque você tirou a espada do poço. Acho que ela escolheu você.
Não estava sendo bom nem generoso. Com a mesma certeza com que soube que a corça era benévola, sabia que Rony é quem tinha de brandir a espada. Dumbledore ensinara a Harry pelo menos alguma coisa sobre certos tipos de magia, do poder incalculável de determinados atos.
— Vou abri-lo — disse Harry — e você o transpassa. Imediatamente, o.k.? Porque o que estiver aí dentro oferecerá resistência. O pedacinho de Riddle no diário tentou me matar.
— Como você vai abrir? — indagou Rony. Ele parecia aterrorizado.
— Vou pedir que se abra, usando a ofidioglossia. — A resposta veio tão facilmente aos seus lábios que ele pensou que, no íntimo, sempre a soubera; talvez precisasse do recente confronto com Nagini para tomar consciência disso. Ele olhou para o "S" serpentino, cravejado de cintilantes pedrinhas verdes: era fácil visualizá-lo como uma minúscula cobra, enroscada sobre a rocha fria.
— Não! — disse Rony —, não, não abre isso! Estou falando sério!
— Por que não? — perguntou Harry. — Vamos nos livrar dessa droga, já faz meses...
— Não posso, Harry, estou falando sério... faz você...
— Mas por quê?
— Porque essa coisa me faz mal! — alegou Rony, se afastando do medalhão sobre a rocha. — Não consigo enfrentá-la! Não estou dando uma desculpa, Harry, pelo meu comportamento, mas ela me afetou mais do que a você ou Hermione, me fez pensar coisas, coisas que de qualquer jeito eu

já estava pensando, mas ficaram piores, não sei explicar, então eu tirava esse medalhão e minha cabeça voltava ao normal, e quando eu tornava a pôr essa bosta... não posso fazer isso, Harry!

Ele recuara, a espada caída de um lado, balançando a cabeça.

— Você pode — retrucou Harry —, sei que pode! Você acabou de pegar a espada, sei que é você quem tem de usá-la. Por favor, destrua o medalhão, Rony.

O som do seu nome pareceu ter agido como um estimulante. Engoliu em seco, respirou com força pelo seu comprido nariz e tornou a se aproximar da pedra.

— Me diga quando — pediu Rony, rouco.

— Quando eu disser "três" — respondeu Harry, voltando sua atenção para o medalhão e estreitando os olhos, concentrando-se na letra "S", imaginando uma cobra, enquanto o conteúdo do objeto debatia-se como uma barata presa. Teria sido fácil sentir pena, exceto que o corte no pescoço de Harry ainda ardia.

— Um... dois... três... *abra*.

A última palavra saiu como um silvo e um rosnado e as portinhas douradas do medalhão se abriram, par a par, com um estalido.

Sob cada janelinha de vidro em seu interior piscava um olho vivo, escuro e bonito como os de Tom Riddle tinham sido antes de se tornarem vermelhos e terem fendas em vez de pupilas.

— Fure ele com a espada — disse Harry, mantendo o medalhão parado sobre a rocha.

Rony ergueu a espada nas mãos trêmulas: a ponta oscilou sobre os olhos que giravam freneticamente, e Harry segurou o medalhão com força, se preparando, já imaginando o sangue escorrendo das janelinhas vazias.

Então a voz sibilou da Horcrux.

—*Vi o seu coração, e ele é meu.*

— Não dê ouvidos a ele! — falou Harry, com rispidez. — Perfure-o!

—*Vi os seus sonhos, Rony Weasley, e vi os seus temores. Tudo que você deseja é possível, mas tudo que você teme também é possível...*

— Perfure-o! — berrou Harry; sua voz ecoou pela árvores ao redor, a ponta da espada oscilou, e Rony contemplou os olhos de Riddle.

—*Sempre o menos amado pela mãe que desejava uma filha... menos amado agora pela garota que prefere o seu amigo... sempre segundo, sempre, eternamente na sombra...*

— Rony, perfure-o agora! — urrou Harry; sentia o medalhão estremecendo em suas mãos e sentia medo do que sobreviria. Rony ergueu a espada ainda mais alto e, ao fazer isso, os olhos de Riddle rutilaram.

Das janelinhas do medalhão, dos olhos, brotaram, como duas bolhas grotescas, as cabeças de Harry e Hermione, estranhamente deformadas. Rony berrou chocado e recuou ao ver as figuras desabrochando para fora do medalhão, primeiro os troncos, depois as cinturas, por fim as pernas, que se ergueram do medalhão, lado a lado como árvores de uma única raiz, balançando sobre o Rony e o Harry real, que retirara rápido os dedos do medalhão inesperadamente incandescente.

— Rony! — gritou Harry, mas o Riddle-Harry agora estava falando com a voz de Voldemort, e Rony olhou hipnotizado para o rosto do amigo.

— *Por que voltou? Estávamos muito bem sem você, mais felizes sem você, contentes com a sua ausência... rimos de sua burrice, sua covardia, sua presunção...*

— Presunção! — ecoou Riddle-Hermione, agora mais bonita e mais terrível do que a Hermione real: ela balançou gargalhando, diante de Rony, que expressava horror, mas estava petrificado, a espada pendendo inutilmente ao lado do corpo. — *Quem poderia olhar para você, quem jamais olharia para você ao lado de Harry Potter? Que foi que você já fez, comparado a O Eleito? Quem é você comparado ao Menino-Que-Sobreviveu?*

— Rony, perfure-o, PERFURE-O! — berrou Harry, mas o amigo não se mexeu: seus olhos estavam arregalados, e neles se refletiam o Riddle-Harry e o Riddle-Hermione, os cabelos dos dois rodopiando como labaredas, seus olhos vermelhos e brilhantes, suas vozes ressoando em um dueto maligno.

— *Sua mãe confessou* — desdenhou Riddle-Harry, enquanto Riddle-Hermione debochava — *que preferia que eu fosse filho dela, que faria a troca satisfeita...*

— *Quem não iria preferir ele, que mulher aceitaria você? Você não é nada, nada, nada perto dele* — cantarolava Riddle-Hermione, esticando-se como uma cobra e se enrolando em Riddle-Harry, envolvendo-o em um abraço: seus lábios se tocaram.

No chão à frente, Rony ergueu o rosto angustiado: brandiu a espada no alto, os braços trêmulos.

— Vamos, Rony! — berrou Harry.

Rony olhou para ele e Harry pensou ter visto um laivo vermelho nos olhos do amigo.

— Rony...?

A espada lampejou, mergulhou: Harry atirou-se para longe, houve um clangor de metal e um grito que pareceu interminável. Harry se virou, escorregando na neve, a varinha empunhada para se defender: mas não havia contra o que lutar.

As monstruosas versões dele e Hermione tinham desaparecido: havia apenas Rony, parado, a espada frouxa na mão, contemplando os fragmentos do medalhão destruído sobre a pedra achatada.

Lentamente, Harry se encaminhou para ele, sem saber o que dizer ou fazer. Rony arquejava. Seus olhos não estavam mais vermelhos, mas no tom normal de azul; e estavam também úmidos.

Harry se abaixou, fingindo não ter visto, e apanhou os pedaços da Horcrux. Rony perfurara os vidros das duas janelinhas: os olhos de Riddle tinham desaparecido e a seda manchada que forrava o medalhão desprendia uma leve fumaça. A coisa que vivia na Horcrux tinha sumido; torturar Rony fora o seu último ato.

A espada bateu com estrépito quando Rony a largou no chão. Ele caíra de joelhos, a cabeça nos braços. Seu corpo sacudia, mas não de frio, percebeu seu amigo. Harry enfiou o medalhão partido no bolso, ajoelhou-se ao lado de Rony e colocou a mão cautelosamente em seu ombro. Entendeu como um bom sinal que Rony não a tivesse empurrado.

— Depois que você foi embora — disse Harry baixinho, feliz que o rosto do amigo estivesse escondido —, ela chorou uma semana. Provavelmente mais, só que não queria que eu visse. Teve muitas noites em que nem nos falamos. Com a sua partida...

Não pôde terminar; somente agora com a volta de Rony é que compreendia inteiramente o quanto lhes custara a ausência do amigo.

— Ela é como uma irmã — continuou ele. — Eu a amo como uma irmã e acho que ela sente o mesmo com relação a mim. Sempre foi assim. Pensei que você soubesse.

Rony não respondeu, olhou para o outro lado e enxugou audivelmente o nariz na manga. Harry tornou a se levantar e se dirigiu ao lugar em que estava a enorme mochila de Rony, a metros de distância, largada pelo amigo ao correr para o poço e impedir Harry de se afogar. Levou-a às costas e voltou para Rony, que, à sua aproximação, se levantou com os olhos injetados, mas recomposto.

— Me desculpe — disse com a voz grave. — Me desculpe por ter ido embora. Sei que fui um... um... — Ele correu os olhos pela escuridão que o rodeava, como se esperasse que uma palavra suficientemente pejorativa caísse do céu e o definisse.

— Você compensou isso hoje à noite — respondeu Harry. — Apanhou a espada. Destruiu a Horcrux. Salvou minha vida.

— Isso me faz parecer bem melhor do que fui — murmurou Rony.

— Coisas desse tipo sempre parecem mais legais faladas do que realmente foram — afirmou Harry. — É o que venho tentando lhe dizer há anos.

Simultaneamente, os dois se adiantaram e se abraçaram. Harry apertou as costas encharcadas de Rony.

— E agora — disse Harry, ao se separarem — só precisamos encontrar outra vez a barraca.

Não foi difícil, porém. Embora a caminhada pela mata, acompanhando a corça, tivesse parecido longa, com Rony ao seu lado a viagem de volta pareceu surpreendentemente curta. Harry mal pôde esperar para acordar Hermione, e foi com crescente agitação que entrou na barraca seguido por Rony mais atrás.

Estava gloriosamente quente depois do poço e da mata. A única iluminação vinha das chamas azuis que ainda tremeluziam em uma tigela no chão. Hermione estava ferrada no sono, enroscada por baixo das cobertas, e não se mexeu até que Harry a chamou várias vezes.

— Hermione!

Ela acordou e sentou-se depressa, afastando os cabelos do rosto.

— Que aconteceu? Harry? Você está bem?

— Calma, tudo está bem. Mais do que bem. Estou ótimo. Tem alguém aqui.

— Como assim? Quem...?

Ela viu Rony parado ali, segurando a espada, escorrendo água no tapete puído. Harry recuou para um canto menos iluminado, tirou a mochila de Rony e tentou se fundir com a lona da barraca.

Hermione deslizou do beliche e foi ao encontro de Rony como uma sonâmbula, os olhos pregados no rosto pálido do garoto. Parou bem diante dele, seus lábios entreabertos, seus olhos arregalados. Rony deu um sorriso idiota e esperançoso, e começou a erguer os braços.

Hermione atirou-se para a frente e começou a socar cada centímetro do corpo dele ao seu alcance.

— Ai... ui... me larga! Que...? Hermione... AI!

— Você... absoluto... palhaço... Ronald... Weasley!

Ela pontuava cada palavra com um soco: Rony recuou, protegendo a cabeça contra o assalto de Hermione.

— Você... se arrasta... aqui... depois de... semanas... e... mais... semanas... ah, *cadê a minha varinha?*

Parecia disposta a arrancar a varinha das mãos de Harry, e ele reagiu instintivamente.

— Protego!

Um escudo invisível irrompeu entre Rony e Hermione: a violência foi tal que a jogou de costas no chão. Cuspindo os cabelos na boca, ela tornou a se levantar.

— Hermione! — disse Harry. — Calm...

— Não vou me acalmar! — berrou ela. Nunca antes ele a vira se descontrolar daquele jeito; parecia enlouquecida. — Devolva a minha varinha! *Devolva já!*

— Hermione, por favor...

— Não me diga o que fazer, Harry Potter — guinchou ela. — Não ouse! Devolva-me agora mesmo! E VOCÊ!

Ela apontava para Rony em funesta acusação: parecia uma maldição, e Harry não pôde culpar Rony por recuar vários passos.

— Corri atrás de você! Chamei você! Pedi para você voltar!

— Eu sei — respondeu Rony. — Hermione, eu lamento, eu realmente...

— Ah, você *lamenta!*

Ela deu uma gargalhada, aguda, descontrolada; Rony olhou para Harry pedindo ajuda, mas o amigo apenas fez uma careta indicando sua incapacidade.

— Você volta aqui depois de semanas... *semanas...* e acha que tudo vai ficar bem se você disser que *lamenta?*

— E que mais eu posso dizer? — gritou Rony, e Harry ficou contente de vê-lo reagir.

— Ah, não sei! — berrou Hermione, sarcástica. — Vasculhe o seu cérebro, Rony, só vai precisar de uns segundinhos...

— Hermione — interrompeu-a Harry, considerando aquilo um golpe baixo —, ele acabou de salvar a minha...

— E eu com isso! — gritou ela. — Não quero saber o que foi que ele fez! Semanas e mais semanas, por ele poderíamos estar *mortos...*

— Eu sabia que não estavam mortos! — urrou Rony, abafando a voz de Hermione pela primeira vez, praticamente encostando no escudo entre eles.

— O *Profeta* só fala no Harry, o rádio só fala no Harry, estão procurando por vocês em toda parte, um monte de boatos e histórias malucas, eu sabia que na mesma hora teria notícias, se vocês morressem, você não sabe o que eu passei...

— O que *você* passou?

A voz da garota estava tão aguda que mais um pouco só os morcegos conseguiriam ouvi-la, mas atingira um tal nível de indignação que ficou temporariamente muda, e Rony aproveitou a oportunidade.

— Eu quis voltar no minuto em que desaparatei, mas topei direto com uma quadrilha de sequestradores, Hermione, e não pude ir a lugar algum!
— Uma quadrilha de quê? — perguntou Harry, enquanto Hermione se atirava em uma poltrona com os braços e as pernas cruzados com tanta força que lhe pareceu que fosse levar anos para descruzá-los.
— Sequestradores — disse Rony. — Estão por toda parte, quadrilhas tentando ganhar dinheiro prendendo nascidos trouxas e traidores do sangue, o Ministério está oferecendo uma recompensa pelos capturados. Eu estava sozinho e me acharam com cara de estudante, então ficaram realmente animados, pensando que eu fosse um nascido trouxa se escondendo. Tive que falar rápido para não me arrastarem até o Ministério.
— Que foi que disse a eles?
— Que era o Lalau Shunpike. Foi o primeiro nome que me ocorreu.
— E eles acreditaram?
— Não eram muito brilhantes. Um deles, decididamente, era meio trasgo, o cheiro dele...
Rony olhou para Hermione, visivelmente esperançoso de que ela pudesse se enternecer com essa pitada de humor, mas sua fisionomia continuava inflexível acima dos joelhos cruzados.
— Enfim, tiveram a maior discussão pra decidir se eu era ou não o Lalau. Para ser franco, foi meio patético, mas eram cinco e eu apenas um, e tinham tirado a minha varinha. Então, dois deles se atracaram e, enquanto os outros estavam distraídos, consegui dar um soco no estômago do que estava me segurando, agarrei a varinha dele, desarmei o outro cara que estava segurando a minha e desaparatei. Não fiz isso muito bem e tornei a me estrunchar...
— Rony levantou a mão direita para mostrar que estavam lhe faltando duas unhas; Hermione ergueu as sobrancelhas com frieza — e fui parar a quilômetros do lugar em que vocês estavam. Quando finalmente cheguei à margem do rio onde acampamos... vocês tinham partido.
— Que história arrebatadora! — exclamou Hermione, naquele tom superior que adotava quando queria magoar. — Você deve ter ficado simplesmente aterrorizado. Nesse meio-tempo, fomos a Godric's Hollow e, vejamos, que foi que aconteceu, Harry? Ah, sim, a cobra de Você-Sabe-Quem apareceu por lá e quase nos liquidou, e então chegou Você-Sabe-Quem em pessoa e por uma fração de segundo não nos agarrou.
— Quê?! — exclamou Rony, olhando boquiaberto de Hermione para Harry, mas ela o ignorou.
— Imagine perder as unhas, Harry! Isto realmente põe os nossos sofrimentos em perspectiva, não?

— Hermione — disse Harry, em voz baixa —, Rony acabou de salvar a minha vida.

Ela pareceu não ouvi-lo.

— Mas tem uma coisa que eu gostaria de saber — disse ela, fixando o olhar uns trinta centímetros acima da cabeça de Rony. — Exatamente, como foi que nos encontrou hoje à noite? Isto é importante. Quando soubermos, poderemos nos certificar de que não estamos recebendo a visita de alguém que não queremos ver.

Rony amarrou a cara para ela e puxou um pequeno objeto de prata do bolso do jeans.

— Com isto.

Hermione precisou encarar Rony para ver o que estava mostrando aos dois.

— O desiluminador? — perguntou, tão admirada que se esqueceu de demonstrar frieza e ferocidade.

— Não serve só para acender e apagar luzes. Não sei como funciona ou por que aconteceu dessa vez e nenhuma outra, porque estou querendo voltar desde que fui. Mas eu estava escutando o rádio, muito cedo na manhã de Natal, e ouvi... ouvi você.

Rony estava olhando para Hermione.

— Você me ouviu pelo rádio? — perguntou ela, incrédula.

— Não, ouvi você saindo do meu bolso. A sua voz — ele tornou a erguer o desiluminador — saiu daqui.

— E exatamente o que foi que eu disse? — perguntou Hermione, seu tom uma mescla de ceticismo e curiosidade.

— Meu nome. "Rony." E disse... alguma coisa sobre uma varinha...

O rosto de Hermione assumiu um afogueado escarlate. Harry lembrou-se: tinha sido a primeira vez que qualquer dos dois tinha pronunciado o nome de Rony em voz alta desde que ele partira; Hermione falara quando discutiam o conserto da varinha de Harry.

— Então, tirei-o do bolso — continuou Rony, olhando para o desiluminador — e não me pareceu diferente nem nada, mas eu tinha certeza que tinha ouvido sua voz. Então o liguei. E a luz se apagou no meu quarto, mas outra luz apareceu fora da janela.

Rony ergueu a mão vazia e apontou para a frente, seus olhos focalizados em alguma coisa que nem Harry nem Hermione estavam vendo.

— Era uma bola luminosa, meio pulsante e azulada, como a luz que aparece ao redor de uma Chave de Portal, entendem?

— Sim — disseram Harry e Hermione juntos, automaticamente.

— Senti que o momento era aquele. Apanhei as minhas coisas, arrumei-as na mochila e saí com ela para o jardim.

"A bolinha luminosa estava pairando lá, esperando por mim, e, quando eu saí, ela oscilou um pouco e eu a acompanhei atrás do barraco então... bem, ela entrou em mim."

— Desculpe? — estranhou Harry, certo de que não ouvira direito.

— Foi como se ela flutuasse ao meu encontro — disse Rony, ilustrando o movimento com o dedo indicador livre —, direto para o meu peito e então... entrou. Foi aqui — ele indicou um ponto junto ao coração —, eu a senti, era quente. E, uma vez dentro de mim, eu soube o que devia fazer, soube que ela ia me levar aonde eu precisava ir. Então desaparatei e me vi na encosta de um morro. Havia neve para todo lado...

— Estivemos lá — disse Harry. — Acampamos duas noites lá, e, na segunda, passei o tempo todo pensando que ouvia alguém andar no escuro e chamar!

— É, bem, deve ter sido eu — disse Rony. — Pelo visto, os seus feitiços de proteção funcionam, porque não vi nem ouvi vocês. Mas tinha certeza de que estavam por perto, então acabei me enfiando no meu saco de dormir e esperei que um de vocês aparecesse. Pensei que teriam de se tornar visíveis quando guardassem a barraca.

— Na verdade, não — disse Hermione. — Temos desaparatado com a Capa da Invisibilidade, por precaução. E partimos realmente cedo, porque, como disse Harry, tínhamos ouvido alguém andando às tontas por lá.

— Bem, passei o dia inteiro naquele morro — continuou Rony. — Na esperança que vocês aparecessem. Mas, quando começou a escurecer, eu percebi que devíamos ter nos desencontrado, então tornei a clicar o desiluminador, a luz azul saiu e entrou em mim, desaparatei e acabei chegando a esta mata. Mas não os vi, então só me restou a esperança de que um ou outro acabasse aparecendo: e o Harry apareceu. Bem, vi primeiro a corça, obviamente.

— Você viu o quê? — perguntou Hermione, ríspida.

Os dois garotos explicaram o que acontecera e, à medida que iam contando a história da corça prateada e da espada no poço, Hermione franzia a testa ora para um, ora para outro, tão concentrada que se esqueceu de manter as pernas travadas.

— Mas deve ter sido um Patrono! — exclamou. — Vocês não conseguiram ver quem o conjurou? Não viram ninguém? Não acredito! E a corça levou vocês à espada! É inacreditável! E o que aconteceu depois?

Rony explicou que observara Harry pular no poço e aguardara que o amigo voltasse à tona; e, percebendo que havia alguma coisa errada, mergulhara e salvara o amigo, depois voltara para pegar a espada. Ele contou até a abertura do medalhão, então hesitou e Harry interveio.

– ... e Rony perfurou-o com a espada.
– E... e a Horcrux sumiu? Assim? – sussurrou ela.
– Bem, ela... gritou – respondeu Harry, olhando de soslaio para Rony.
–Veja.

Harry atirou o medalhão no colo dela; cautelosamente, Hermione o apanhou e examinou as janelinhas furadas.

Decidindo que finalmente era seguro, Harry removeu o Feitiço Escudo com um aceno da varinha de Hermione e virou-se para Rony.

– Agora há pouco você falou que fugiu dos sequestradores com uma varinha a mais?

– Quê? – disse Rony, que observava Hermione examinar o medalhão.
– Ah... falei sim.

Ele desafivelou a mochila e tirou uma varinha curta e escura de um dos bolsos.

–Tome. Calculei que é sempre bom a gente ter uma sobressalente.

– E calculou bem – disse Harry, estendendo a mão. – A minha quebrou.

–Você está brincando? – perguntou Rony, mas naquele momento Hermione se levantou e ele pareceu mais uma vez apreensivo.

Hermione guardou a Horcrux destruída na bolsinha de contas, voltou para a cama e se acomodou sem dizer mais nada.

Rony passou a nova varinha a Harry.

– Foi o melhor que se poderia esperar, imagino – murmurou Harry.
– É. Poderia ter sido pior. Lembra aqueles passarinhos que ela lançou contra mim?

– Ainda não eliminei essa possibilidade – respondeu a voz abafada de Hermione debaixo das cobertas, mas Harry viu Rony sorrindo quando tirou os pijamas marrons da mochila.

20

XENOFÍLIO LOVEGOOD

Harry não esperava que a ira de Hermione se abrandasse da noite para o dia, portanto não se surpreendeu que ela se comunicasse principalmente por olhares indignados e silêncios contundentes na manhã seguinte. Rony reagiu mantendo um comportamento anormalmente sério na presença dela, como um sinal externo de seu continuado remorso. De fato, quando os três estavam juntos, Harry se sentia como o único não enlutado em um enterro com poucos acompanhantes. Nos raros momentos que passava sozinho com Harry (apanhando água e procurando cogumelos no mato rasteiro), no entanto, Rony se mostrava descaradamente alegre.

— Alguém nos ajudou — ele não parava de dizer. — Alguém mandou aquela corça. Alguém está do nosso lado. Uma Horcrux a menos, colega!

Estimulados pela destruição do medalhão, eles começaram a debater a possível localização das demais Horcruxes, e, embora tivessem discutido o assunto tantas vezes anteriormente, Harry se sentia otimista, certo de que outros avanços se seguiriam ao primeiro. O mau humor de Hermione não conseguia estragar o seu alto-astral: a súbita virada em sua sorte, a aparição da misteriosa corça, a recuperação da espada de Gryffindor e, principalmente, o retorno de Rony faziam Harry tão feliz que era até difícil ficar de cara séria.

No final da tarde, ele e Rony fugiram mais uma vez da presença negativa de Hermione e, a pretexto de procurar amoras silvestres nos espinheiros desfolhados, continuaram a interminável troca de notícias. Harry conseguira finalmente contar ao amigo as várias viagens que ele e Hermione tinham feito até a história completa do que acontecera em Godric's Hollow; agora Rony estava pondo Harry ao corrente de tudo que descobrira sobre um mundo bruxo mais amplo nas semanas que estivera fora.

— ... e como foi que você descobriu a respeito do Tabu? — perguntou a Harry, depois de explicar as numerosas e desesperadas tentativas de nascidos trouxas para fugir do Ministério.

— O quê?
— Você e Hermione pararam de dizer o nome de Você-Sabe-Quem!
— Ah, sim. Foi um mau hábito que adquirimos — respondeu Harry. — Mas não tenho problema em chamá-lo de V...
— NÃO! — berrou Rony, fazendo Harry pular para dentro das amoreiras e Hermione (de nariz enterrado em um livro à entrada da barraca) olhar feio para os dois. — Desculpe — disse Rony, puxando Harry para fora dos galhos espinhosos —, mas o nome foi azarado, Harry, é assim que eles rastreiam as pessoas! Usar o nome dele rompe os feitiços de proteção, provoca uma espécie de perturbação mágica... foi como nos encontraram na Tottenham Court!
— Porque usamos o *nome* dele?
— Exatamente! Você tem que dar a eles o merecido crédito, faz sentido. Somente as pessoas que se opunham seriamente a ele, como Dumbledore, é que se atreviam a usar o nome de Você-Sabe-Quem. Agora que impuseram um Tabu ao nome, qualquer pessoa que o diga é rastreável: um modo rápido e fácil de encontrar membros da Ordem. Quase apanharam o Kingsley...
— Você está brincando!
— Foi, Gui me contou que um grupo de Comensais da Morte o encurralou, mas ele deu combate e escapou. Agora está fugindo como nós. — Rony coçou o queixo com a ponta da varinha, pensativo. — Você não acha que Kingsley poderia ter mandado aquela corça?
— O Patrono dele é um lince, nós o vimos no casamento, lembra?
— Ah, é...
Os dois foram acompanhando as amoreiras e se distanciando da barraca e de Hermione.
— Harry... você acha que poderia ter sido o Dumbledore?
— Dumbledore o quê?
Rony ficou um pouco sem graça, mas disse em voz baixa:
— Dumbledore... a corça. Quero dizer — Rony observava Harry pelo canto do olho —, foi ele quem teve a espada verdadeira por último, não foi?
Harry não riu de Rony, porque entendeu bem demais o desejo implícito na pergunta. A ideia de que Dumbledore conseguira voltar, que os estava protegendo, seria indizivelmente confortadora. Harry balançou a cabeça.
— Dumbledore está morto. Vi acontecer, vi o corpo. Ele partiu para sempre. Mas, seja como for, o Patrono dele era uma fênix, e não uma corça.
— Mas os Patronos podem mudar, não? — perguntou Rony. — O da Tonks mudou, não foi?

— É, mas se Dumbledore estivesse vivo, por que não se mostraria? Por que simplesmente não nos entregaria a espada?

— Aí você me pegou. Pela mesma razão por que não lhe entregou quando estava vivo? A mesma razão por que lhe deixou um velho pomo de ouro e à Hermione um livro de histórias para crianças?

— E qual é a razão? — perguntou Harry, se virando para encarar Rony de frente, desesperado por uma resposta.

— Não sei. Às vezes, quando estava meio aborrecido, pensava que ele estava se divertindo ou... ou queria dificultar as coisas. Mas acho que não, não mais. Ele sabia o que estava fazendo quando me deixou o desiluminador, concorda? Ele... bem — as orelhas de Rony ficaram vermelhíssimas, e o garoto fingiu estar absorto em um tufo de capim a seus pés, que cutucou com a ponta do calçado —, ele devia saber que eu abandonaria vocês.

— Não — corrigiu-o Harry. — Ele devia saber que você sempre iria querer voltar.

Rony olhou-o agradecido, mas ainda desconcertado. Em parte para mudar de assunto, Harry disse:

— Por falar em Dumbledore, você ouviu falar da biografia dele, que a Skeeter escreveu?

— Ah, claro — respondeu ele, imediatamente —, é só o que as pessoas estão comentando. Lógico, se as coisas fossem diferentes, seria um grande furo a amizade de Dumbledore e Grindelwald, mas, no momento, é só uma piada para quem não gostava de Dumbledore e um tapa na cara de todos que achavam que ele era um cara legal. Mas não creio que seja nada de mais. Ele era realmente jovem quando...

— Da nossa idade — interpôs Harry, da mesma forma com que retorquira a Hermione, e alguma coisa em seu rosto pareceu fazer Rony encerrar o assunto.

Havia uma grande aranha parada no meio de uma teia congelada no espinheiro. Harry fez pontaria com a varinha que Rony lhe dera na noite anterior e que Hermione tinha condescendido em examinar e concluir que era feita de ameixeira-brava.

— *Engorgio!*

A aranha estremeceu, balançando de leve a teia. Harry tentou novamente. Desta vez, a aranha cresceu mais um pouco.

— Pare com isso — disse Rony, com aspereza. — Desculpe ter dito que Dumbledore era jovem, o.k.?

Harry esquecera o horror de Rony a aranhas.

– Desculpe... *Reducio!*

A aranha não encolheu. Harry olhou para a varinha de ameixeira-brava. Cada pequeno feitiço que lançara até o momento lhe parecera menos eficaz do que os que produzia com a varinha de fênix. A nova varinha lhe dava a sensação de ser um apêndice estranho, como se tivessem costurado a mão de alguém ao seu braço.

– Você só precisa praticar – disse Hermione, que se aproximara silenciosamente por trás e ficara observando Harry tentar aumentar e reduzir a aranha. – É só uma questão de confiança, Harry.

Ele sabia por que a amiga queria que desse certo: ainda se sentia culpada por ter quebrado sua varinha. Ele reprimiu a resposta que lhe subira aos lábios: que ela poderia ficar com a varinha de ameixeira se achava que não fazia diferença, e ele aceitaria a dela em troca. Desejoso de que voltassem a ser amigos, no entanto, ele concordou; quando Rony ensaiou um sorriso para Hermione, porém, ela se afastou e desapareceu por trás do livro mais uma vez.

Os três voltaram à barraca ao cair da noite, e Harry cumpriu a primeira vigia. Sentado à entrada, experimentou fazer com que a varinha levitasse as pedrinhas aos seus pés: mas sua magia continuava a parecer mais inepta e menos potente do que fora antes. Hermione estava deitada na cama lendo, enquanto Rony, depois de lhe lançar muitos olhares ansiosos, apanhou um pequeno rádio de madeira na mochila e tentou sintonizá-lo.

– Tem um programa – disse a Harry, em voz baixa – que irradia as notícias como realmente são. Todos os outros estão do lado de Você-Sabe-Quem e seguem a diretriz do Ministério, mas este... espere até ouvir, é o máximo. Só que não pode ir ao ar toda noite, o pessoal tem que mudar constantemente de lugar para não ser pego, e a gente precisa de uma senha para sintonizar... o problema é que perdi o último...

Ele deu leves batidas no rádio com a varinha, murmurando, baixinho, palavras soltas. Deu olhadelas furtivas para Hermione, visivelmente temendo nova explosão de fúria, mas, pela atenção que a garota lhe dava, era como se ele nem estivesse presente. Durante uns dez minutos, mais ou menos, Rony bateu e murmurou, Hermione virava página a página o seu livro, e Harry continuava a praticar com a varinha de ameixeira-brava.

Finalmente Hermione desceu da cama. Rony parou de batucar na mesma hora.

– Se estiver incomodando você, eu paro! – disse nervoso a Hermione.

Ela nem se dignou a responder, e se dirigiu a Harry.

— Precisamos conversar — falou.

O garoto olhou para o livro que ela ainda segurava: *A vida e as mentiras de Alvo Dumbledore.*

— Quê?! — exclamou, apreensivo. Ocorreu-lhe por um instante que havia um capítulo sobre ele; certamente não estava com disposição para ouvir a versão de Rita sobre sua amizade com Dumbledore. A resposta de Hermione foi completamente inesperada.

— Quero visitar Xenofílio Lovegood.

Harry arregalou os olhos.

— Desculpe?

— Xenofílio Lovegood. O pai de Luna. Quero falar com ele!

— Ah... por quê?

Ela inspirou profundamente, como se tomasse coragem, e disse:

— Aquela marca, a marca no *Beedle, o bardo.* Olhe para isto!

Ela empurrou *A vida e as mentiras de Alvo Dumbledore* sob os olhos relutantes de Harry, e ele viu a foto do original da carta que Dumbledore escrevera a Grindelwald, na caligrafia fina e inclinada do diretor. Harry detestou ver a prova indiscutível de que Dumbledore escrevera aquelas palavras, que não tinham sido invenção de Rita Skeeter.

— A assinatura — disse Hermione. — Veja a assinatura, Harry!

Ele obedeceu. Por um momento, não entendeu o que a amiga queria dizer, mas, examinando a foto mais atentamente com auxílio da varinha, viu que Dumbledore substituíra o "A" de Alvo por uma minúscula versão da mesma marca triangular inscrita em *Os contos de Beedle, o bardo.*

— Ah... que é que vocês...? — ensaiou Rony, mas Hermione o fez calar com um olhar, e voltou-se para Harry.

— Não para de aparecer, não é? Sei que Vítor disse que era a marca de Grindelwald, mas, sem a menor dúvida, estava naquele velho túmulo em Godric's Hollow, e as datas na lápide eram muito anteriores ao nascimento de Grindelwald! E agora isto! Bem, não podemos perguntar a Dumbledore nem a Grindelwald o que significa, nem sei se ele ainda está vivo, mas posso perguntar ao sr. Lovegood. Ele estava usando o símbolo no casamento. Tenho certeza de que isto é importante, Harry!

Harry não respondeu logo. Olhou para o rosto veemente e ansioso de Hermione e, em seguida, para a escuridão ao redor, refletindo. Depois de uma longa pausa, disse:

— Hermione, não precisamos de outra Godric's Hollow. Nos convencemos de ir lá e...

— Mas isso não para de aparecer, Harry! Dumbledore me deixou *Os contos de Beedle, o bardo*, como saber se não queria que descobríssemos mais a respeito do símbolo?
— Lá vamos nós outra vez! — Harry se sentiu ligeiramente exasperado.
— Ficamos todo o tempo tentando nos convencer de que Dumbledore nos deixou sinais e pistas secretos...
— O desiluminador acabou sendo muito útil — falou Rony. — Acho que Hermione tem razão, acho que devemos procurar Lovegood.
Harry lançou-lhe um olhar mal-humorado. Percebera com absoluta segurança que o apoio de Rony a Hermione não tinha muito a ver com o significado da runa triangular.
— Não será como Godric's Hollow — acrescentou Rony. — Lovegood está do seu lado, Harry, *O Pasquim* tem apoiado você desde o começo, vive apregoando que todo mundo tem de ajudá-lo!
— Tenho certeza de que isso é importante! — insistiu Hermione.
— Mas você não acha que, se fosse, Dumbledore teria me dito alguma coisa antes de morrer?
— Talvez... talvez seja alguma coisa que você precisa descobrir sozinho — respondeu Hermione, com um leve ar de quem se agarra a uma palha.
— É — concordou Rony, bajulando-a —, isso faz sentido.
— Não, não faz — retorquiu Hermione —, mas continuo achando que devíamos conversar com o sr. Lovegood. Um símbolo que liga Dumbledore, Grindelwald e Godric's Hollow? Harry, tenho certeza de que a gente precisa saber o que é!
— Acho que devíamos votar — sugeriu Rony. — Os que são a favor de procurar Lovegood...
A mão dele se ergueu antes da de Hermione. Os lábios dela tremeram de forma suspeita quando levantou a mão.
— Perdeu a votação, Harry, lamento — disse Rony, dando-lhe palmadinhas nas costas.
— Ótimo — respondeu Harry, entre irritado e divertido. — Mas depois de vermos Lovegood, que tal tentarmos encontrar mais algumas Horcruxes? Afinal, onde moram os Lovegood? Algum de vocês sabe?
— Sei, não é muito longe da minha casa — disse Rony. — Não sei o lugar exato, mas minha mãe e meu pai sempre apontam para os morros quando falam neles. Não deve ser difícil descobrir.
Quando Hermione voltou para a cama, Harry baixou a voz:
— Você só concordou para tentar sair da lista de inimigos da Hermione.

— Vale tudo no amor e na guerra — respondeu Rony, animado —, e isto é um pouco dos dois. Anime-se, são as férias de Natal, Luna estará em casa!

Tiveram uma excelente vista da aldeia de Ottery St. Catchpole da encosta exposta ao vento na qual desaparataram na manhã seguinte. Do alto, a aldeia parecia uma coleção de casas de brinquedo, raios de sol se alongavam até a terra nos intervalos das nuvens. Pararam uns minutinhos para olhar A Toca, as mãos sombreando os olhos, mas conseguiram divisar apenas as sebes altas e as árvores do pomar, que protegiam a casinha torta dos olhares dos trouxas.

— É esquisito estar tão perto, mas não fazer uma visita — disse Rony.

— Bem, até parece que você não acabou de vê-los. Passou lá o Natal — comentou Hermione com frieza.

— Não estive n'A Toca! — protestou ele com uma risada de incredulidade. — Acham que eu ia voltar lá e contar que abandonei vocês? É, Fred e Jorge teriam ficado muito entusiasmados. E Gina teria sido realmente compreensiva.

— Então onde esteve? — perguntou Hermione, surpresa.

— Na nova casa de Gui e Fleur. Chalé das Conchas. Gui sempre foi correto comigo. Ele... ele não ficou bem impressionado quando soube o que eu fiz, mas não ficou falando. Entendeu que eu estava realmente arrependido. O resto da família não soube que estive lá. Gui disse a mamãe que eles não iam passar o Natal em casa porque queriam passá-lo sozinhos. A primeira festa depois de casados, entende-se. Acho que Fleur não se importou. Vocês sabem como ela detesta Celestina Warbeck.

Rony deu as costas À Toca.

— Vamos tentar ali em cima — disse ele, subindo à frente para o alto da montanha.

Caminharam algumas horas, Harry, por insistência de Hermione, oculto pela Capa da Invisibilidade. O grupo de morrotes parecia desabitado, exceto por um pequeno chalé, em que não se viam moradores.

— Acham que é o dos Lovegood e eles foram viajar no Natal? — perguntou Hermione, espiando pela janela de uma cozinha pequena e arrumada com gerânios no parapeito. Rony bufou.

— Escute, tenho a impressão de que você saberia quem são os donos da casa se espiasse pela janela dos Lovegood. Vamos tentar o outro grupo de morros.

Eles desaparataram, então, para alguns quilômetros mais ao norte.

— Ah-ah! — gritou Rony, quando o vento açoitou cabelos e roupas. Ele apontava para o topo do morro no qual tinham aparatado, onde havia uma casa estranhíssima que se erguia verticalmente contra o céu da tarde, um cilindro preto com uma lua fantasmagórica por trás. – Tem que ser a casa da Luna, quem mais moraria em um lugar desse? Parece um roque colossal!

– Não estou ouvindo rock nenhum – comentou Hermione, franzindo a testa, intrigada.

– Estou falando de um roque de xadrez – respondeu Rony. – Para você, uma torre.

As pernas de Rony eram as mais compridas, e ele chegou ao topo do morro primeiro. Quando Harry e Hermione o alcançaram, sem fôlego, comprimindo as pontadas nos músculos do abdome, encontraram-no rindo de orelha a orelha.

– É deles – disse Rony. – Olhem.

Três letreiros pintados à mão estavam presos a um portão desmantelado. O primeiro dizia *"O Pasquim. Editor: X. Lovegood"*, o segundo *"Traga o seu próprio visgo"*, e o terceiro *"Não se aproxime das ameixas dirigíveis"*.

O portão rangeu quando o abriram. O caminho em zigue-zague que levava à porta da casa tinha um emaranhado de plantas estranhas, inclusive um arbusto coberto com os frutos cor de laranja, semelhantes ao rabanete que, por vezes, Luna usava como brinco. Harry pensou ter reconhecido um Arapucoso, e passou ao largo do toco seco. Duas velhas macieiras-bravas, vergadas pelo vento, desfolhadas, mas ainda carregadas de frutinhas vermelhas, e densas coroas de visgo com bolinhas brancas montavam guarda dos lados da porta de entrada. Uma coruja com a cabeça ligeiramente achatada, lembrando um gavião, espiou-os de um galho.

– É melhor você tirar a Capa da Invisibilidade, Harry – disse Hermione –, é você que o sr. Lovegood quer ajudar, e não a nós.

Harry aceitou a sugestão e lhe entregou a capa para guardar na bolsinha de contas. Ela, então, bateu três vezes na grossa porta preta cravejada de pregos de ferro com uma aldraba em forma de águia.

Não demorou nem dez segundos, a porta se escancarou e viram Xenofílio Lovegood, descalço, com uma roupa que parecia um camisão de dormir todo manchado. Seus longos cabelos de algodão-doce estavam sujos e malcuidados. Decididamente, Xenofílio estivera mais elegante no casamento de Gui e Fleur.

– Quê? Que é isso? Quem são vocês? Que querem? – indagou com uma voz aguda e rabugenta, olhando primeiro para Hermione, depois para Rony e finalmente para Harry, ao que sua boca se abriu em um perfeito e cômico "o".

— Olá, sr. Lovegood — disse Harry, estendendo a mão. — Sou Harry, Harry Potter.

Xenofílio não apertou a mão de Harry, embora o olho que não apontava vesgamente para o nariz corresse direto para a cicatriz na testa de Harry.

— O senhor nos deixaria entrar? — perguntou Harry. — Tem uma coisa que gostaríamos de lhe perguntar.

— Não... não tenho certeza de que isto seja aconselhável — sussurrou Xenofílio. Ele engoliu em seco e deu uma rápida olhada pelo jardim. — É um choque... palavra... eu... eu receio que não devia realmente...

— Não vamos demorar — respondeu Harry, ligeiramente desapontado com a recepção pouco calorosa.

— Eu... ah, está bem, então. Entrem rápido. *Rápido!*

Mal tinham cruzado o portal e Xenofílio batia a porta às suas costas. Estavam na cozinha mais esquisita que Harry já vira na vida. O cômodo era perfeitamente circular, dando a impressão de que se estava dentro de um gigantesco pimenteiro. Tudo era curvo para se encaixar nas paredes: o fogão, a pia e os armários, e tudo tinha sido pintado com flores, insetos e pássaros em fortes cores primárias. Harry pensou ter reconhecido o estilo de Luna: o efeito em espaço tão pequeno era ligeiramente avassalador.

No meio do piso, uma escada de ferro em caracol levava aos andares superiores. Ouviam-se muitas batidas e atritos vindos de cima: Harry ficou imaginando o que Luna poderia estar fazendo.

— É melhor subirem — disse Xenofílio, ainda muito constrangido, mostrando o caminho. O cômodo superior parecia uma combinação de sala de estar e oficina e, como tal, era mais atravancado do que a cozinha. Embora muito menor e inteiramente circular, a sala lembrava um pouco a Sala Precisa na ocasião inesquecível em que se transformara em um gigantesco labirinto formado por séculos de objetos escondidos. Havia pilhas e mais pilhas de livros e papéis sobre todas as superfícies. Modelos delicados de criaturas que Harry não reconheceu pendiam do teto, todas batendo as asas e abrindo e fechando os maxilares.

Luna não estava ali: a origem do estardalhaço era um objeto de madeira com rodas dentadas que giravam magicamente. Parecia uma cria bizarra de uma bancada de oficina com uma velha estante, mas, passado um instante, Harry deduziu que devia ser uma antiquada prensa tipográfica, uma vez que estava produzindo exemplares d'*O Pasquim*.

— Com licença — disse Xenofílio e, dirigindo-se à máquina, puxou uma toalha de mesa suja debaixo de uma imensa quantidade de livros e papéis que rolaram no chão e atirou-a sobre a prensa, abafando um pouco as batidas e atritos. Virou-se, então, para Harry.

"Por que veio aqui?"

Antes que Harry pudesse responder, porém, Hermione deixou escapar um gritinho assustado.

— Sr. Lovegood... que é aquilo?

Ela estava apontando para um enorme chifre espiral e cinzento, não muito diferente do chifre de um unicórnio, que fora montado na parede e se projetava mais de um metro sala adentro.

— É o chifre de um Bufador de Chifre Enrugado.

— Não, não é! — contestou Hermione.

— Hermione — murmurou Harry, constrangido —, agora não é o momento...

— Mas, Harry, é um chifre de erumpente! É material comerciável classe B, e é um objeto extraordinariamente perigoso para se ter em casa!

— Como sabe que é um chifre de erumpente? — perguntou Rony afastando-se do chifre o mais rápido que pôde, dado o extremo atravancamento da sala.

— Tem uma descrição dele em *Animais fantásticos & onde habitam!*, sr. Lovegood, o senhor precisa se livrar disso imediatamente, o senhor não sabe que pode explodir ao menor toque?

— O Bufador de Chifre Enrugado — retrucou Xenofílio claramente, com uma expressão de teimosia no rosto — é um animal tímido e excepcionalmente mágico, e seu chifre...

— Sr. Lovegood, estou reconhecendo os sulcos em torno da base, é um chifre de erumpente e é incrivelmente perigoso; não sei onde o senhor o conseguiu...

— Comprei-o — disse Xenofílio, dogmático — há duas semanas, de um jovem bruxo encantador que soube do meu interesse pelo raro Bufador. Uma surpresa de Natal para a minha Luna. Então — perguntou, virando-se para Harry —, por que exatamente o senhor veio aqui, sr. Potter?

— Precisamos de ajuda — respondeu Harry, antes que Hermione pudesse recomeçar.

— Ah — disse Xenofílio. — Ajuda. Hum. — Seu olho perfeito girou mais uma vez para a cicatriz de Harry. O bruxo pareceu, ao mesmo tempo, aterrorizado e hipnotizado. — Sei. O problema é... ajudar Harry Potter... muito perigoso...

— Não é o senhor que vive dizendo a todos que seu primeiro dever é ajudar Harry? — perguntou Rony. — Naquela sua revista?

Xenofílio olhou para trás onde se achava a prensa coberta, ainda batendo e produzindo atritos sob a toalha.

— Ãh... sim, expressei esse ponto de vista. Entretanto...

— ... estava se referindo aos demais, e não à sua pessoa? — comentou Rony.

Xenofílio não respondeu. Não parava de engolir em seco, seu olhar ia e vinha entre os meninos. Harry teve a impressão de que ele estava se debatendo em um doloroso conflito interior.

— Onde está Luna? — perguntou Hermione. — Vejamos o que ela acha.

Xenofílio engoliu ruidosamente. Parecia estar tomando coragem. Por fim, disse com uma voz quase inaudível por causa do barulho da prensa.

— Luna está lá embaixo no rio, pescando dilátex de água doce. Ela... ela gostará de ver vocês. Vou chamá-la e então... sim, muito bem. Vou tentar ajudá-los.

O bruxo desapareceu pela escada em caracol e eles ouviram a porta da frente abrir e fechar. Entreolharam-se.

— Muquirana covarde — disse Rony. — Luna tem dez vezes mais peito que ele.

— Ele provavelmente está preocupado com o que pode acontecer se os Comensais da Morte descobrirem que estive aqui — lembrou Harry.

— Concordo com o Rony — disse Hermione. — Um velho hipócrita nojento, dizendo a todo o mundo para ajudar você e tentando fugir da raia. E, pelo amor de Deus, fiquem longe desse chifre.

Harry foi até a janela do lado oposto da sala. Viu o rio, uma fita estreita e luminosa lá embaixo no sopé do morro. Estavam muito alto; uma ave passou adejando pela janela, quando ele olhava na direção d'A Toca, agora invisível atrás de outras elevações. Gina se achava ali em algum lugar. Hoje estavam mais próximos um do outro do que tinham estado desde o casamento de Gui e Fleur, mas ela não poderia fazer ideia de que estava olhando para ela, pensando nela. Supunha que devesse se alegrar com isso; qualquer um com quem entrasse em contato corria perigo, e a atitude de Xenofílio confirmava isso.

Harry deu as costas à janela e seu olhar recaiu sobre outro objeto extravagante, em cima de um aparador curvo e entulhado: um busto de pedra de uma bruxa bonita, mas austera, com um toucado de aspecto bizarro. Dos lados do busto, subiam em curva objetos que pareciam trompas de ouro para surdos. Havia um par de cintilantes asas azuis na tira de couro que passava pelo alto da cabeça, e um daqueles rabanetes cor de laranja em uma segunda tira em torno da testa.

— Olhem isso aqui — falou Harry.

— Encantador — comentou Rony. — Fico surpreso que ele não tenha usado isso no casamento.

Ouviram, então, a porta da entrada fechar e instantes depois Xenofílio tornava a subir a escada circular para a sala, suas pernas finas agora metidas em botas de pescaria, trazendo na mão uma bandeja com xícaras sem par e um fumegante bule de chá.

— Ah, você descobriu a minha invenção preferida! — exclamou ele, empurrando a bandeja para os braços de Hermione e se juntando a Harry, ao lado da estátua. — Modelado, muito condizente com a bela cabeça de Rowena Ravenclaw. *O espírito sem limites é o maior tesouro do homem!*

Xenofílio indicou os objetos que pareciam trompas.

— Esses são sifões zonzóbulos para afastar todas as fontes de distração na área em torno do pensador. Aqui — ele apontou para as asinhas —, uma hélice de gira-gira para induzir a elevação da mente. E por fim — ele apontou para o rabanete cor de laranja — a ameixa dirigível, para intensificar a capacidade de aceitar o extraordinário.

Xenofílio voltou à bandeja de chá, que Hermione conseguira equilibrar precariamente em uma das mesinhas cheias de objetos.

— Aceitam uma infusão de raiz-de-cuia? — ofereceu Xenofílio. — Nós mesmos a cultivamos. — Quando começou a servir a bebida, que era carmim como suco de beterraba, acrescentou: — Luna está do outro lado da Ponte Baixa, ficou muito animada com a presença de vocês. Não deve demorar, já pescou dilátex suficientes para preparar uma sopa para todos nós. Por favor, sentem-se e se sirvam de açúcar.

"Então", ele tirou uma pilha mal equilibrada de papéis de uma poltrona e se sentou, cruzou as pernas com as botas de pescaria, "como posso ajudá-lo, sr. Potter?"

— Bem — começou Harry, olhando para Hermione, que acenou encorajando-o —, é aquele símbolo que o senhor estava usando no pescoço no casamento de Gui e Fleur, sr. Lovegood. Queríamos saber o que significa.

Xenofílio ergueu as sobrancelhas.

— Você está se referindo ao símbolo das Relíquias da Morte?

21

O CONTO DOS TRÊS IRMÃOS

Harry olhou para Rony e Hermione. Os dois tampouco pareciam ter entendido o que Xenofílio dissera.
— As Relíquias da Morte?
— Isso mesmo — respondeu o bruxo. — Nunca ouviram falar? Não é surpresa. Pouquíssimos bruxos acreditam nelas. Veja aquele rapaz cabeçudo no casamento do seu irmão — disse ele, indicando Rony —, que me atacou por usar o símbolo de um conhecido bruxo das trevas! Quanta ignorância! Não há nada ligado às trevas nas Relíquias, pelo menos não em um sentido rudimentar. A pessoa usa o símbolo para se dar a conhecer a outros crentes, na esperança de que possam ajudá-lo na busca.

Ele pôs vários torrões de açúcar na infusão de raiz-de-cuia e tomou um gole.

— Desculpe — disse Harry. — Continuo sem entender.

Por educação, tomou um golinho de sua xícara e quase engasgou: a bebida era nojenta, como se alguém tivesse liquefeito feijõezinhos de todos os sabores com sabor de bicho-papão.

— Bem, como veem, os crentes procuram as Relíquias da Morte — explicou Xenofílio, estalando os lábios, visivelmente aprovando a infusão de raiz-de-cuia.

— Mas que *são* as Relíquias da Morte? — perguntou Hermione.

Xenofílio pôs de lado a xícara vazia.

— Suponho que estejam familiarizados com "O conto dos três irmãos"?

Harry respondeu que não, mas tanto Rony quanto Hermione responderam afirmativamente.

Xenofílio assentiu, sério.

— Ora, muito bem, sr. Potter, tudo começa com "O conto dos três irmãos"... tenho um exemplar aqui em algum lugar...

Ele correu os olhos pela sala, procurando-o nas pilhas de pergaminhos e livros, mas Hermione interrompeu-o:

– Tenho o conto, sr. Lovegood, trouxe-o comigo. – E ela tirou *Os contos de Beedle, o bardo* da bolsinha de contas.
– O original? – perguntou Xenofílio vivamente, e, quando a garota confirmou, ele disse: – Então por que não o lê em voz alta? É o melhor meio de assegurar que todos entendemos.
– Ah... está bem – disse Hermione, nervosa. Abriu o livro e Harry viu que o símbolo que estavam pesquisando encimava a página; ela pigarreou e começou a ler:

– Era uma vez três irmãos que estavam viajando por uma estrada deserta e tortuosa ao anoitecer...

– À meia-noite foi como nossa mãe contou – disse Rony, que esticara os braços para trás da cabeça, para ouvir. Harry lançou-lhe um olhar aborrecido. – Desculpe, acho que dá mais medo se for meia-noite! – Rony replicou.
– É, estamos realmente precisando de um pouco mais de medo em nossas vidas – disse Harry, sem conseguir se conter. Xenofílio não parecia estar prestando muita atenção e olhava o céu pela janela. – Continue, Hermione.

– Depois de algum tempo, os irmãos chegaram a um rio fundo demais para vadear e perigoso demais para atravessar a nado. Os irmãos, porém, eram versados em magia, então simplesmente agitaram as mãos e fizeram aparecer uma ponte sobre as águas traiçoeiras. Já estavam na metade da travessia quando viram o caminho bloqueado por um vulto encapuzado.
"E a Morte falou..."

– Desculpe – interrompeu-a Harry –, mas "a *Morte* falou"?
– É um conto de fadas, Harry!
– Certo, desculpe. Continue.

– E a Morte falou. Estava zangada por terem lhe roubado três vítimas, porque o normal era os viajantes se afogarem no rio. Mas a Morte foi astuta. Fingiu cumprimentar os três irmãos por sua magia, e disse que cada um ganhara um prêmio por ter sido inteligente o bastante para lhe escapar.
"Então, o irmão mais velho, que era um homem combativo, pediu a varinha mais poderosa que existisse: uma varinha que sempre ven-

cesse os duelos para seu dono, uma varinha digna de um bruxo que derrotara a Morte! Ela atravessou a ponte e se dirigiu a um vetusto sabugueiro na margem do rio, fabricou uma varinha de um galho da árvore e entregou-a ao irmão mais velho.

"Então, o segundo irmão, que era um homem arrogante, resolveu humilhar ainda mais a Morte e pediu o poder de restituir a vida aos que ela levara. Então a Morte apanhou uma pedra da margem do rio e entregou-a ao segundo irmão, dizendo-lhe que a pedra tinha o poder de ressuscitar os mortos.

"Então, a Morte perguntou ao terceiro e mais moço dos irmãos o que queria. O mais moço era o mais humilde e também o mais sábio dos irmãos, e não confiou na Morte. Pediu, então, algo que lhe permitisse sair daquele lugar sem ser seguido por ela. E a Morte, de má vontade, lhe entregou a própria Capa da Invisibilidade."

– A Morte tem uma Capa da Invisibilidade? – Harry tornou a interrompê-la.

– Para poder se aproximar sorrateiramente das pessoas – disse Rony.
– Às vezes ela se cansa de atacá-las agitando os braços e gritando... desculpe, Hermione.

– Então, a Morte se afastou para um lado e deixou os três irmãos continuarem viagem, e foi o que eles fizeram, comentando, assombrados, a aventura que tinham vivido e admirando os presentes da Morte.

"No devido tempo, os irmãos se separaram, cada um tomou um destino diferente.

"O primeiro irmão viajou uma semana ou mais e, ao chegar a uma aldeia distante, procurou um colega bruxo com quem tivera uma briga. Armado com a varinha de sabugueiro, a Varinha das Varinhas, ele não poderia deixar de vencer o duelo que se seguiu. Deixando o inimigo morto no chão, o irmão mais velho dirigiu-se a uma estalagem, onde se gabou, em altas vozes, da poderosa varinha que arrebatara da própria Morte, e de que a arma o tornava invencível.

"Na mesma noite, outro bruxo aproximou-se sorrateiramente do irmão mais velho enquanto dormia em sua cama, embriagado pelo vinho. O ladrão levou a varinha e, para se garantir, cortou a garganta do irmão mais velho.

"Assim, a Morte levou o primeiro irmão.

"Entrementes, o segundo irmão viajou para a própria casa, onde vivia sozinho. Ali, tomou a pedra que tinha o poder de ressuscitar os mortos e virou-a três vezes na mão. Para sua surpresa e alegria, a figura de uma moça que tivera esperança de desposar antes de sua morte precoce surgiu instantaneamente diante dele.

"Contudo, ela estava triste e fria, como que separada dele por um véu. Embora tivesse retornado ao mundo dos mortais, seu lugar não era ali, e ela sofria. Diante disso, o segundo irmão, enlouquecido pelo desesperado desejo, matou-se para poder verdadeiramente se unir a ela.

"Então, a Morte levou o segundo irmão.

"Embora a Morte procurasse o terceiro irmão durante muitos anos, jamais conseguiu encontrá-lo. Somente quando atingiu uma idade avançada foi que o irmão mais moço despiu a Capa da Invisibilidade e deu-a de presente ao filho. Acolheu, então, a Morte como uma velha amiga e acompanhou-a de bom grado, e, iguais, partiram desta vida."

Hermione fechou o livro. Passou-se um momento até Xenofílio perceber que a garota terminara a leitura, então desviou o olhar da janela e disse:

— Eis a explicação.

— Desculpe? — disse Hermione, parecendo confusa.

— Essas são as Relíquias da Morte — confirmou Xenofílio.

Ele apanhou uma pena na mesa atulhada de objetos, ao lado do seu cotovelo, e puxou um pedaço rasgado de pergaminho entre mais livros.

— A Varinha das Varinhas — disse ele, desenhando uma linha vertical no pergaminho. — A Pedra da Ressurreição. — E acrescentou um círculo no alto da linha. — A Capa da Invisibilidade — terminou, circunscrevendo a linha e o círculo em um triângulo, completando o símbolo que tanto intrigara Hermione. — Juntas — disse ele —, as Relíquias da Morte.

— Mas não há menção das palavras "Relíquias da Morte" na história — disse Hermione.

— Bem, é claro que não — respondeu Xenofílio, irritantemente presunçoso. — Isso é uma história para crianças, contada para divertir, e não para instruir. Aqueles de nós versados nessas questões, porém, reconhecem que a história antiga se refere a três objetos, ou Relíquias, que, se unidas, tornarão o seu dono senhor da Morte.

Fez-se um breve silêncio em que Xenofílio olhou para fora. O sol já ia baixo no céu.

— Logo Luna terá dilátex suficientes — disse ele, baixinho.
— Quando o senhor diz "senhor da Morte"... — começou Rony.
— Senhor — explicou ele, acenando levemente com a mão. — Conquistador. Vencedor. O termo que você preferir.
— Mas então... o senhor quer dizer... — tornou Hermione, lentamente, e Harry percebeu que estava tentando eliminar qualquer vestígio de ceticismo de sua voz — que o senhor acredita que esses objetos, essas Relíquias, realmente existem?
Xenofílio ergueu as sobrancelhas.
— Claro que sim.
— Mas — replicou Hermione, e Harry pôde ouvir a sua prudência começar a ruir —, sr. Lovegood, como é *possível* o senhor acreditar...?
— Luna me contou tudo sobre você, minha jovem — disse Xenofílio —, você é, pelo que entendi, inteligente, mas penosamente limitada. A mente estreita. Fechada.
—Talvez você devesse experimentar o chapéu, Hermione — sugeriu Rony, indicando com a cabeça o toucado ridículo. Sua voz tremia com o esforço para não rir.
— Sr. Lovegood — recomeçou Hermione. —Todos sabemos que Capas da Invisibilidade existem. São raras, mas existem. Mas...
— Ah, mas a terceira Relíquia é a *verdadeira* Capa da Invisibilidade, srta. Granger! Estou querendo dizer que não é uma capa de viagem impregnada com um Feitiço da Desilusão, ou dotada com uma Azaração de Ofuscamento, ou, ainda, tecida com pelo de seminviso, que, de início, ocultará a pessoa, mas, com o tempo, se dissipará até a capa se tornar opaca. Estamos falando de uma capa que real e verdadeiramente torna o seu usuário invisível, e dura para todo o sempre, ocultando-o de forma constante e impenetrável, seja quais forem os feitiços que se lancem sobre ela. Quantas capas *assim* já viu em sua vida, srta. Granger?
Hermione abriu a boca para responder e tornou a fechá-la, parecendo mais confusa que nunca. Ela, Harry e Rony se entreolharam, e Harry percebeu que estavam todos pensando a mesma coisa. Acontece que uma capa exatamente como a que Xenofílio acabara de descrever estava com eles ali na sala, naquele exato momento.
— Precisamente — concluiu Xenofílio, como se os tivesse vencido em uma discussão racional. — Nenhum de vocês jamais viu coisa igual. Seu dono seria desmesuradamente rico, não é mesmo?
Ele tornou a olhar para a janela. O céu agora se tingia com levíssimos tons de rosa.

— Certo — disse Hermione desconcertada. — Digamos que a capa existisse... e a pedra, sr. Lovegood. Essa que o senhor chama de Pedra da Ressurreição?
— Que tem ela?
— Bem, como pode ser real?
— Prove que não é.

Hermione mostrou-se indignada.

— Mas isso... me desculpe, mas é completamente ridículo! Como é *possível* eu provar que não existe? O senhor espera que eu recolha... recolha todas as pedras do mundo e faça um teste com elas? Quero dizer, a pessoa poderia afirmar que *qualquer* coisa é real se a única base para se crer nela fosse ninguém ter *provado* a sua inexistência!

— Sim, poderia — disse Xenofílio. — Fico satisfeito de ver que a sua mente está um pouquinho mais receptiva.

— Então, a Varinha das Varinhas — perguntou Harry depressa, antes que Hermione pudesse objetar —, o senhor acha que também existe?

— Ah, bem, neste caso há inumeráveis vestígios. A Varinha das Varinhas é a Relíquia mais facilmente encontrável, pelo modo com que passa de mão em mão.

— E qual é? — perguntou Harry.

— O dono da varinha deve capturá-la do dono anterior, se quiser ser o seu verdadeiro senhor. Certamente, você já ouviu falar de como a varinha passou para Egberto, o Egrégio, depois que matou Emerico, o Mal, não? Como Godelot morreu em sua própria adega de vinhos depois que o filho, Hereward, lhe tomou a varinha? Do terrível Loxias, que se apossou da varinha de Barnabás Deverill, a quem matou? O rastro sangrento da Varinha das Varinhas mancha as páginas da história da magia.

Harry olhou para Hermione. Ela franzia a testa para Xenofílio, mas não o contradisse.

— Então, onde o senhor acha que essa varinha está agora? — perguntou Rony.

— Ai de mim, quem sabe? — respondeu Xenofílio, espiando pela janela. — Quem sabe onde se esconde a Varinha das Varinhas? O rastro se esfria com Arco e Lívio. Quem sabe dizer qual dos dois realmente derrotou Loxias e qual levou a varinha? E quem sabe dizer quem pode tê-los derrotado? A história infelizmente não nos diz.

Houve uma pausa. Finalmente, Hermione perguntou muito formalmente:

— Sr. Lovegood, a família Peverell tem alguma ligação com as Relíquias da Morte?

Xenofílio pareceu surpreso, e alguma coisa se agitou na memória de Harry, mas ele não conseguiu localizá-la. Peverell... ouvira aquele nome antes...

— Mas você esteve me iludindo, minha jovem! — exclamou Xenofílio, agora se empertigando na cadeira e arregalando os olhos para Hermione. — Pensei que você fosse uma novata na busca das Relíquias! Muitos de nós acreditam que os Peverell têm tudo, tudo!, a ver com as Relíquias!

— Quem são os Peverell? — perguntou Rony.

— Esse era o nome no túmulo com a marca, em Godric's Hollow — respondeu Hermione, ainda observando Xenofílio. — Ignoto Peverell.

— Exatamente! — exclamou Xenofílio erguendo pedantemente o dedo indicador. — O símbolo das Relíquias da Morte no túmulo de Ignoto é uma prova conclusiva.

— De quê? — perguntou Rony.

— Ora, de que os três irmãos da história eram, na realidade, os três irmãos Peverell, Antíoco, Cadmo e Ignoto! De que eles foram os primeiros donos das Relíquias!

Com outra espiada para a janela, ele se levantou, apanhou a bandeja e se dirigiu à escada em caracol.

— Vocês ficarão para jantar? — perguntou, ao desaparecer mais uma vez no andar de baixo. — Todo o mundo sempre pede a nossa receita de sopa de dilátex de água doce.

— Provavelmente para levar à enfermaria de Venenos no St. Mungus — disse Rony, baixinho.

Harry esperou até ouvirem Xenofílio se movimentando na cozinha embaixo antes de falar.

— Que acha? — perguntou a Hermione.

— Ah, Harry — disse, preocupada —, isso é um monte de besteiras. Não pode ser realmente o significado do símbolo. Deve ser a versão excêntrica dele. Que perda de tempo.

— Suponho que *esse* seja o homem que descobriu os Bufadores de Chifre Enrugado — comentou Rony.

— Você também não acredita nele? — perguntou Harry ao amigo.

— Bah, essa história é uma dessas coisas que se conta às crianças para ensinar lições de vida, não é? Não saia procurando encrenca, não compre brigas, não mexa com coisas que é melhor deixar em paz! Mantenha a cabeça abaixada, cuide de sua vida e você viverá bem. Pensando bem – acrescentou Rony –, talvez essa história seja para explicar por que varinhas de sabugueiro dão azar.

– Do que você está falando?

– É uma dessas superstições, não? "Bruxa nascida em maio com trouxa irá casar." "Feitiço ao anoitecer desfaz ao amanhecer." "Varinha de sabugueiro, azar o ano inteiro." Você já deve ter ouvido. Minha mãe sabe uma porção.

– Harry e eu fomos criados por trouxas – lembrou-lhe Hermione –, aprendemos outras superstições. – Ela deu um profundo suspiro ao mesmo tempo que um aroma penetrante subia da cozinha. A única coisa boa em sua exasperação com Xenofílio foi que a fizera esquecer que estava aborrecida com Rony. – Acho que você tem razão – disse-lhe. – É só um conto moral, é óbvio qual é o melhor presente, qual a pessoa escolheria...

Os três falaram ao mesmo tempo; Hermione disse "a capa", Rony, "a varinha", e Harry, "a pedra".

Eles se entreolharam com um ar de surpresa e divertimento.

– Eu *sabia* que você ia dizer capa – disse Rony a Hermione –, mas você não precisaria ser invisível, se tivesse a varinha. Uma *varinha invencível*, ah, Hermione, qual é!

– Já temos uma Capa da Invisibilidade – disse Harry.

– E tem nos ajudado um bocado, caso você não tenha reparado! – protestou Hermione. – Enquanto a varinha só serviria para atrair encrencas...

– ... só se você ficasse anunciando – argumentou Rony. – Só se você fosse retardado e saísse dançando por aí, agitando a varinha no alto e cantando: "Tenho uma varinha invencível, venha enfrentá-la se acha que é fera." Desde que o cara ficasse de boca fechada...

– Sei, mas e o cara *conseguiria* ficar de boca fechada? – disse Hermione, com o ar cético. – Sabem, a única coisa verdadeira que ele nos disse foi que há centenas de anos contam-se histórias de varinhas extraordinariamente poderosas.

– Contam-se? – perguntou Harry.

Hermione demonstrou irritação: a expressão era tão carinhosamente conhecida de Harry e Rony que eles riram um para o outro.

– A Varinha da Morte e a Varinha do Destino surgem sob diferentes nomes através dos séculos, em geral, nas mãos de algum bruxo das trevas que está se gabando de possuí-las. O professor Binns mencionou algumas, mas...

ah, é tudo besteira. As varinhas são tão poderosas quanto o bruxo que as usa. Alguns só querem se gabar que a deles é maior e melhor que a dos outros.

— Mas como é que você sabe — indagou Harry — que essas varinhas, a da Morte e a do Destino, não são a mesma que reaparece através dos séculos com nomes diferentes?

— E se todas forem realmente a Varinha das Varinhas fabricada pela Morte? — perguntou Rony.

Harry riu: a ideia estranha que acabara de lhe ocorrer era, afinal, ridícula. Sua varinha, lembrou-se, tinha sido de azevinho e não de sabugueiro, e fabricada por Olivaras, apesar do que fizera naquela noite em que Voldemort o perseguira pelo céu. E se fosse invencível, como poderia ter se partido?

— Então, por que você preferiu a pedra? — perguntou-lhe Rony.

— Bem, se fosse possível trazer as pessoas de volta, poderíamos ter Sirius... Olho-Tonto... Dumbledore... meus pais...

Nem Rony nem Hermione sorriram.

— Mas, segundo Beedle, o bardo, eles não iriam querer voltar, não é? — continuou Harry, pensando no conto que tinham acabado de ouvir. — Suponho que não tenha havido muitas histórias sobre uma pedra que é capaz de ressuscitar os mortos, houve? — perguntou ele a Hermione.

— Não — respondeu ela, triste. — Acho que ninguém, exceto o sr. Lovegood, se iludiria achando isso possível. Beedle, provavelmente, tirou a ideia da Pedra Filosofal; sabe, em vez de uma pedra que o torna imortal, uma pedra que reverte a morte.

O aroma da cozinha se intensificava: lembrava cuecas queimadas. Harry se perguntou se seria possível comer o suficiente da sopa que Xenofílio estava preparando para evitar magoá-lo.

— Mas e a capa? — perguntou Rony, devagar. — Vocês não percebem que ele tem razão? Me acostumei tanto a usar a capa do Harry e a achá-la útil que nunca parei para pensar. Nunca ouvi falar em outra igual a do Harry. É infalível. Nunca nos detectaram embaixo dela...

— Claro que não: somos invisíveis embaixo dela, Rony!

— Mas todo o resto que ele disse sobre outras capas, e elas não custam exatamente dez por um nuque, você sabe que é verdade! Nunca me ocorreu antes, mas já ouvi falar de capas cujos feitiços desgastam com o tempo, ou são rompidas por feitiços que deixam buracos. A de Harry pertenceu ao pai dele, portanto, não é exatamente nova, não é, mas está... perfeita!

— Sei, tudo bem, mas, Rony, a *pedra*...

Enquanto discutiam aos cochichos, Harry andou pela sala prestando apenas meia atenção à conversa. Ao chegar à escada circular, ergueu os olhos distraidamente para o andar acima e se perturbou. O seu próprio rosto se refletia no teto do aposento.

Passado um momento de perplexidade, ele percebeu que não era um espelho, mas uma pintura. Curioso, começou a subir a escada.

— Harry, que é que está fazendo? Acho que você não devia ficar olhando a casa quando ele não está presente!

Harry, porém, já alcançara o andar de cima.

Luna decorara o teto do quarto dela com cinco rostos belamente pintados: Harry, Rony, Hermione, Gina e Neville. Eles não se moviam como os quadros de Hogwarts, mas, ainda assim, possuíam certa magia: Harry achou que respiravam. O que pareciam ser apenas finas correntes de ouro passadas em volta das imagens, entrecruzando-as, após um exame mais atento, Harry percebeu que formavam uma palavra, mil vezes repetida em tinta dourada: *amigos... amigos... amigos...*

Harry sentiu uma grande onda de afeição por Luna. Correu os olhos pelo quarto. Havia, ao lado da cama, uma grande foto de Luna criança, com uma mulher muito parecida com ela. Estavam abraçadas. A garota, muito mais bem cuidada nessa foto do que Harry jamais a vira na vida. A foto estava empoeirada. Ele achou isso estranho. Olhou melhor o quarto.

Havia alguma coisa esquisita. O tapete azul-claro também estava coberto de poeira. Não havia roupas no guarda-roupa, cujas portas estavam entreabertas. A cama dava a impressão de frieza e hostilidade, como se ninguém dormisse nela havia semanas. Uma única teia de aranha se estendia sobre a janela mais próxima, cortando o céu tinto de sangue.

— Que aconteceu? — perguntou Hermione, quando Harry desceu. Mas, antes que ele pudesse responder, Xenofílio, vindo da cozinha, chegou ao último degrau, agora trazendo uma bandeja carregada de tigelas.

— Sr. Lovegood — perguntou Harry. — Onde está Luna?
— Desculpe?
— Onde está Luna?
Xenofílio parou no patamar.
— Já... já lhe disse. Foi à Ponte de Baixo, pescar dilátex.
— Então, por que preparou a bandeja apenas para quatro?
Xenofílio tentou falar, mas não emitiu som algum. O único ruído era o que vinha da máquina impressora e uma leve vibração da bandeja quando as mãos de Xenofílio tremeram.
— Acho que Luna não está em casa há semanas. As roupas dela não estão aqui, a cama não tem sido usada. Onde está? E por que o senhor fica todo o tempo olhando para a janela?

Xenofílio deixou cair a bandeja: as tigelas balançaram e quebraram. Harry, Rony e Hermione sacaram as varinhas: o bruxo congelou, a mão quase alcançando o bolso. Naquele momento, a prensa produziu um enorme estrépito e vários exemplares d'O Pasquim começaram a descer da máquina para o chão por baixo da toalha; a prensa finalmente silenciou. Hermione se abaixou e apanhou uma revista, a varinha ainda apontando para o sr. Lovegood.

— Harry, veja isso.

Ele se aproximou o mais rápido que pôde desviando dos numerosos objetos. A capa d'O Pasquim tinha a sua foto, cortada pelas palavras Indesejável Número Um e, na legenda, o prêmio por sua captura.

— O Pasquim vai mudar de diretriz, então? — perguntou Harry, com frieza, seu cérebro funcionando agilmente. — Era isso que o senhor estava fazendo quando foi ao jardim, sr. Lovegood? Enviando uma coruja ao Ministério?

Xenofílio umedeceu os lábios.

— Eles levaram a minha Luna — sussurrou. — Por causa do que andei escrevendo. Levaram minha Luna e não sei onde está, o que fizeram com ela. Mas talvez me devolvam minha filha se eu... se eu...

— Entregar Harry Potter? — Hermione terminou a frase por ele.

— Nada feito — disse Rony, taxativo. — Saia da frente, estamos indo embora.

Xenofílio ficou lívido, um século mais velho, seus lábios se repuxaram em um pavoroso esgar.

— Estarão aqui a qualquer momento. Preciso salvar Luna. Não posso perder Luna. Vocês não devem ir.

Ele abriu os braços diante da escada, e Harry teve uma súbita visão de sua mãe fazendo o mesmo diante do seu berço.

— Não nos obrigue a feri-lo — disse Harry. — Saia do caminho, sr. Lovegood.

— HARRY! — gritou Hermione.

Vultos montados em vassouras passaram voando pelas janelas. No momento em que a atenção dos três se desviou, Xenofílio sacou a varinha. Harry percebeu o erro ainda em tempo: atirou-se de lado, empurrando Rony e Hermione para longe quando o Feitiço Estuporante voou pela sala e atingiu o chifre de erumpente.

Houve uma explosão descomunal. O som produzido pareceu destruir a sala: pedaços de madeira e papel e entulho voaram em todas as direções, erguendo uma nuvem impenetrável de densa poeira branca. Harry foi arremessado no ar e, em seguida, se estatelou no chão, cego pelos destroços que choviam sobre ele, os braços protegendo a cabeça. Ele ouviu Hermione gritar, o berro de Rony e uma série de nauseantes baques metálicos, que indicavam que a explosão arrebatara Xenofílio do chão e o atirara de costas escada abaixo.

Meio soterrado pelo entulho, Harry tentou se levantar: mal conseguia respirar ou enxergar por causa da poeira. Metade do teto cedera e uma parte da cama de Luna pendia pelo rombo. O busto de Rowena Ravenclaw jazia ao seu lado com metade do rosto destruído, fragmentos de pergaminho flutuavam no ar e a maior parte da prensa tombara de lado, bloqueando a escada para a cozinha. Então, outra forma branca se aproximou e Hermione, coberta de poeira como uma segunda estátua, levou o dedo aos lábios.

A porta no térreo foi posta abaixo.

— Não lhe disse que não precisávamos ter pressa, Travers? — disse uma voz áspera. — Não lhe disse que esse matusquela estava delirando como sempre?

Houve um estampido e o grito de dor de Xenofílio.

— Não... não... lá em cima... Potter.

— Eu lhe disse na semana passada, Lovegood, que não viríamos a não ser que você tivesse alguma informação concreta! Lembra-se da semana passada? Quando você quis trocar a sua filha por aquela bosta daquele toucado idiota? E na semana anterior (outro estampido, mais um guincho), quando você achou que nós a devolveríamos se você oferecesse prova de que existem Bufadores (estampido) de Chifre (estampido) Enrugado?

— Não... não... eu suplico! — soluçou Xenofílio. — É realmente Potter! Verdade!

— E agora vemos que só nos chamou aqui para tentar nos explodir! — rugiu o Comensal da Morte, e ouviu-se uma rajada de estampidos entremeados por guinchos agônicos de Xenofílio.

— A casa parece que vai desabar, Selwyn — disse outra voz calma, que ecoou pela escada desconjuntada. — A escada está totalmente bloqueada. Posso tentar desobstruí-la? Talvez a casa desabe de vez.

— Seu mentiroso nojento — gritou o bruxo chamado Selwyn. — Você nunca viu Potter na vida, viu? Pensou em nos atrair aqui para nos matar, foi? E acha que vamos lhe devolver sua filha assim?

— Juro... juro... Potter está lá em cima!

— *Homenum revelio!* — disse a voz ao pé da escada.

Harry ouviu Hermione ofegar e teve a estranha sensação de que alguma coisa estava mergulhando sobre ele, absorvendo seu corpo na própria sombra.

— Tem alguém lá em cima, sim, Selwyn — disse o segundo homem, bruscamente.

— É Potter, estou lhes dizendo, é Potter! — soluçou Xenofílio. — Por favor... por favor... me tragam Luna, me devolvam Luna...

— Você terá a sua filhinha, Lovegood — disse Selwyn —, se subir essa escada e me trouxer Harry Potter. Mas, se isto for uma conspiração, se for um truque, se tiver um cúmplice esperando lá em cima para nos atacar, tentaremos guardar um pedacinho de sua filha para você enterrar.

Xenofílio soltou um grito de medo e desespero. Ouviram-se passos apressados e coisas sendo arrastadas: Xenofílio estava tentando passar pelos destroços na escada.

— Vamos — sussurrou Harry —, temos que dar o fora daqui.

Ele começou a se desenterrar acobertado pelo barulho que Xenofílio fazia na escada. Rony era quem estava enterrado mais fundo: Harry e Hermione subiram, o mais silenciosamente que puderam, nos destroços em que ele jazia e tentaram retirar uma pesada cômoda de cima de suas pernas. Quando as batidas e arrastos de Xenofílio foram se tornando mais próximos, Hermione conseguiu soltar Rony com o auxílio de um Feitiço de Levitação.

— Tudo bem — sussurrou Hermione, quando a prensa quebrada que bloqueava o alto da escada começou a estremecer; Xenofílio estava apenas a alguns passos. A garota continuava branca de poeira. — Você confia em mim, Harry?

Harry assentiu.

— O.k., então — murmurou Hermione —, me dê a Capa da Invisibilidade. Rony, você vai vesti-la.

— Eu? Mas Harry...

— *Por favor, Rony!* Harry, aperte a minha mão, Rony, segure o meu ombro.

Harry estendeu a mão esquerda. Rony desapareceu sob a capa. A prensa que bloqueava a escada sacudia: Xenofílio tentava removê-la usando o Feitiço de Levitação. Harry não sabia o que Hermione estava aguardando.

— Segurem firme — sussurrou ela. — Segurem firme... a qualquer segundo agora...

O rosto de Xenofílio, branco como um papel, apareceu por cima da superfície do aparador.

— *Obliviate!* — ordenou Hermione, apontando a varinha, primeiro para o rosto dele e, em seguida, para o andar de baixo: — *Deprimo!*

Ela acabara de explodir uma abertura no soalho da sala de visitas. Eles caíram como pedras, Harry ainda segurando a mão da amiga, como se disso dependesse sua vida, ouviram um grito embaixo e o garoto vislumbrou dois homens tentando escapar da vasta quantidade de entulho e móveis quebrados, que choveram sobre eles do teto despedaçado. Hermione rodopiou no ar e o ribombar da casa desabando ecoou em seus ouvidos enquanto a amiga arrastava-o mais uma vez para a escuridão.

22

AS RELÍQUIAS DA MORTE

Harry caiu, arquejando no capim, e se levantou depressa. Pareciam ter aparatado no canto de um campo ao anoitecer; Hermione já estava correndo em círculo à volta deles, gesticulando com a varinha.

– Protego totalum... *Salvio hexia*...

– Aquele parasita traiçoeiro! – arfou Rony, saindo debaixo da Capa da Invisibilidade e atirando-a para Harry. – Hermione, você é um gênio, um gênio completo, nem acredito que nos safamos!

– *Cave inimicum*... eu não *disse* que era chifre de erumpente? Não disse? Agora a casa dele explodiu!

– Bem feito – comentou Rony, examinando o jeans rasgado e os cortes nas pernas. – Que acha que farão com ele?

– Ah, espero que não o matem! – gemeu Hermione. – Foi por isso que eu quis que os Comensais da Morte vissem o Harry antes de sairmos, para saberem que o Xenofílio não estava mentindo!

– Mas por que me esconder? – perguntou Rony.

– Porque acham que você está de cama com sarapintose, Rony! Eles sequestraram Luna porque o pai apoiava Harry! Que aconteceria com a sua família se soubessem que você está com ele?

– Mas e os *seus* pais?

– Estão na Austrália – respondeu Hermione. – Devem estar bem. Não sabem de nada.

– Você é um gênio – repetiu Rony, assombrado.

– E é mesmo, Hermione – concordou Harry, com fervor. – Não sei o que faríamos sem você.

Seu rosto se iluminou sorridente, mas imediatamente ficou sério.

– E a Luna?

– Bem, se eles estiverem dizendo a verdade e ela ainda estiver viva... – começou Rony.

– Não diga isso, não diga isso! – guinchou Hermione. – Ela precisa estar viva, precisa!
– Então estará em Azkaban, suponho – disse Rony. – Mas, se vai sobreviver à prisão... muita gente não...
– Vai sobreviver – afirmou Harry. Ele não suportaria pensar na alternativa. – Ela é durona, a Luna, muito mais do que se imaginaria. Provavelmente está ensinando aos companheiros de prisão tudo a respeito de zonzóbulos e narguilés.
– Espero que você tenha razão – disse Hermione. E passou as mãos pelos olhos. – Eu teria tanta pena de Xenofílio se...
– ... se não tivesse acabado de tentar nos vender para os Comensais da Morte, sim – completou Rony.
Os garotos armaram a barraca e se retiraram para o seu interior, onde Rony preparou o chá para todos. Depois de se salvarem por um triz, a barraca fria e bolorenta parecia um lar, seguro, familiar e amigo.
– Ah, por que fomos lá? – gemeu Hermione, depois de alguns minutos de silêncio. – Harry estava certo, foi uma repetição de Godric's Hollow, uma completa perda de tempo! As Relíquias da Morte... quanta besteira... embora – um pensamento repentino parecia ter lhe ocorrido – aquilo possa ser tudo invenção dele, não? Provavelmente não acredita nem um pouco nessas Relíquias, só queria nos dar corda até os Comensais da Morte chegarem!
– Acho que não – disse Rony. – É muito mais difícil inventar histórias quando se está sob pressão do que vocês imaginam. Descobri isso quando os sequestradores me pegaram. Foi muito mais fácil fingir que era o Lalau, porque eu conhecia alguma coisa sobre ele, do que inventar alguém inteiramente novo. O velho Lovegood estava sob uma baita pressão, tentando garantir que não fôssemos embora. Acho que nos contou a verdade, ou o que ele pensa que seja a verdade, só para sustentar a conversa.
– Bem, suponho que não faça diferença – suspirou Hermione. – Mesmo que estivesse sendo sincero, nunca ouvi tanto absurdo na minha vida.
– Mas calma aí – replicou Rony. – Também disseram que a Câmara Secreta era um mito, não foi?
– Mas as Relíquias da Morte *não podem* existir, Rony!
– Você não para de dizer isso, mas uma delas pode. A Capa da Invisibilidade do Harry...
– "O conto dos três irmãos" é uma história – disse Hermione, com firmeza. – Uma história sobre o medo que os seres humanos têm da morte. Se

sobreviver fosse tão simples quanto se esconder sob a Capa da Invisibilidade, já teríamos tudo de que precisamos!

— Não sei. Uma varinha invencível seria de bom tamanho — disse Harry, girando entre os dedos a varinha de ameixeira-brava que tanto detestava.

— Isso não existe, Harry!

— Você disse que tem havido uma quantidade de varinhas: a Varinha da Morte ou que nome tenham...

— Tudo bem, mesmo que você queira se iludir, a Varinha das Varinhas é real, e a Pedra da Ressurreição? — Ela desenhou com os dedos pontos de interrogação em torno do nome, e seu tom escorria sarcasmo. — Não há magia que possa ressuscitar os mortos, e pronto!

— Quando a minha varinha entrou em contato com a de Você-Sabe-Quem, minha mãe e meu pai apareceram... e Cedrico...

— Mas não voltaram realmente do além, não é? — disse Hermione. — Essas pálidas imitações não são pessoas de fato ressuscitadas.

— Mas ela, a garota da história, não voltou de verdade, voltou? A história diz que uma vez que a pessoa morre, seu lugar é junto aos mortos. Mas o segundo irmão ainda chegou a vê-la e a falar com ela, não foi? Até conviveu com ela por algum tempo...

Harry viu preocupação e outra coisa menos facilmente definível na expressão de Hermione. Então, quando a garota olhou para Rony, ele percebeu que era medo: Harry a deixara apavorada com essa conversa de viver com gente morta.

— Então, aquele tal Peverell que está enterrado em Godric's Hollow — acrescentou, depressa, tentando parecer irredutivelmente são —, você não sabe nada dele?

— Não — respondeu Hermione, parecendo aliviada com a mudança de assunto. — Procurei o nome dele depois que vi a marca no túmulo; se tivesse sido alguém famoso ou feito alguma coisa importante, estaria em um dos nossos livros. O único lugar em que consegui encontrar o nome "Peverell" foi em *A nobreza natural: uma genealogia dos bruxos*. Pedi o livro emprestado a Monstro — explicou quando Rony ergueu as sobrancelhas. — Lista as famílias de sangue puro que agora estão extintas pela linhagem masculina. Aparentemente, a família Peverell foi uma das primeiras.

— Extintas pela linhagem masculina? — repetiu Rony.

— Quero dizer que o nome morreu — explicou Hermione —, há séculos, no caso dos Peverell. Mas eles talvez ainda tenham descendentes, sob um nome diferente.

Então ocorreu a Harry, com absoluta clareza, a lembrança que fora despertada com a menção do nome Peverell: um velho imundo brandindo um feio anel na cara do funcionário do Ministério, e ele exclamou em voz alta:
— Servolo Gaunt!
— Desculpe? — disseram Rony e Hermione ao mesmo tempo.
— *Servolo Gaunt!* O avô de Você-Sabe-Quem! Na Penseira! Com Dumbledore! Servolo Gaunt disse que descendia dos Peverell!
Rony e Hermione pareciam perplexos.
— O anel, o anel que virou uma Horcrux, Servolo Gaunt disse que tinha o brasão dos Peverell nele! Eu o vi sacudindo o anel na cara do funcionário do Ministério, quase o enfiou no nariz do homem!
— O brasão dos Peverell? — perguntou Hermione, vivamente. — Você viu como era?
— Na verdade, não — respondeu Harry, tentando lembrar. — Pelo que pude ver, não tinha nenhum ornato; talvez alguns riscos. Eu só o vi realmente de perto depois de rachado.
Harry percebeu a compreensão nos olhos subitamente arregalados de Hermione. Rony olhava de um para outro, abismado.
— Caramba... vocês acham que foi o mesmo símbolo outra vez? O símbolo das Relíquias?
— Por que não? — perguntou Harry agitado. — Servolo Gaunt era um babaca velho e ignorante que vivia como um porco, e só se importava com a sua ancestralidade. Se aquele anel tivesse sido legado através dos séculos, ele talvez nem conhecesse realmente o seu valor. Não havia livros naquela casa e, pode crer, ele não era do tipo que lê contos de fadas para os filhos. Teria gostado de pensar que os riscos na pedra eram um brasão porque, na cabeça dele, ter sangue puro transformava a pessoa praticamente em realeza.
— Sei... e isso é tudo muito interessante — disse Hermione, cautelosa —, mas, Harry, se você estiver pensando o que eu acho que está pensando...
— E por que não? *Por que não?* — perguntou Harry, abandonando a cautela.
— Era uma pedra, não era? — Ele olhou para Rony em busca de apoio. — E se fosse a Pedra da Ressurreição?
O queixo de Rony despencou.
— Caramba... mas será que ainda funcionaria, se Dumbledore o rachou...
— Funcionaria? *Funcionaria?* Rony, nunca funcionou! Não existe Pedra da Ressurreição! — Hermione se erguera de um pulo, parecendo impaciente e zangada. — Harry, você está tentando encaixar tudo na história das Relíquias...

— Encaixar tudo? Hermione, tudo se encaixa sozinho! Sei que o símbolo das Relíquias da Morte estava naquela pedra! Gaunt disse que descendia dos Peverell!

— Um minuto atrás você disse que nunca viu direito o símbolo que havia na pedra!

— Onde acha que o anel está agora? – perguntou Rony a Harry. – Que foi que Dumbledore fez com ele depois que o rachou?

Mas a imaginação de Harry já voava adiante, muito além da de Rony e Hermione...

Três objetos, ou Relíquias, que, se unidas, tornarão o seu dono senhor da Morte... senhor... conquistador... vencedor... Ora, o último inimigo que há de ser aniquilado é a morte...

E ele se viu possuidor das Relíquias, enfrentando Voldemort, cujas Horcruxes não eram páreo... *nenhum poderá viver enquanto o outro sobreviver...* seria essa a resposta? Relíquias contra Horcruxes? Haveria afinal uma forma de garantir que ele é quem triunfaria? Se fosse o senhor das Relíquias da Morte, seria salvo?

— Harry?

Ele, porém, nem ouvia Hermione: tinha apanhado a Capa da Invisibilidade e corria os dedos por ela, o tecido maleável como água, leve como o ar. Ele nunca vira nada igual em seus quase sete anos no mundo bruxo. A capa era exatamente o que Xenofílio descrevera: *uma capa que real e verdadeiramente torna o seu usuário invisível, e dura para todo o sempre, ocultando-o de forma constante e impenetrável, seja quais forem os feitiços que se lancem sobre ela.*

Então, com uma exclamação, ele se lembrou...

— Dumbledore estava com a minha capa, na noite em que meus pais morreram!

Sua voz tremeu e ele sentiu o sangue afluir ao seu rosto, mas não ligou.

— Minha mãe disse a Sirius que Dumbledore tinha pedido a capa emprestada! Foi para isso! Queria examiná-la, porque achava que fosse a terceira Relíquia! Ignoto Peverell está enterrado em Godric's Hollow... – Harry andava às cegas pela barraca, sentindo que se abriam novos horizontes de verdade para todos os lados. – Ele é meu antepassado! Descendo do terceiro irmão! Tudo faz sentido!

Sentiu-se armado de certeza em sua crença nas Relíquias, como se a simples ideia de possuí-las o protegesse, e se sentia exultante quando se voltou para os outros dois.

— Harry — tornou a chamar Hermione, mas ele estava ocupado, desamarrando a bolsa ao seu pescoço, seus dedos muito trêmulos.

— Leia isso — disse à amiga, empurrando a carta da mãe nas mãos dela.

— Leia! Dumbledore estava com a capa, Hermione! Para que mais ele iria querê-la? Ele não precisava de uma capa, era capaz de lançar um Feitiço da Desilusão tão poderoso que se tornava completamente invisível sem vestir nada! Alguma coisa caiu no chão e rolou, reluzindo, para baixo de uma poltrona: deslocara o pomo de ouro junto com a carta. Harry se abaixou para apanhá-lo. Então, a recém-aberta fonte de fabulosas descobertas lhe atirou mais uma dádiva, e o choque e o assombro irromperam nele, fazendo-o gritar:

— ESTÁ AQUI DENTRO! Ele me deixou o anel... está no pomo de ouro!

— Você... você acha?

Ele não conseguiu entender por que Rony parecia tão surpreso. Era tão óbvio, tão claro para Harry: tudo se encaixava, tudo... sua capa era a terceira Relíquia e, quando ele descobrisse como abrir o pomo, teria a segunda, e depois só precisaria encontrar a primeira Relíquia, a Varinha das Varinhas, e então...

Foi como se a cortina descesse sobre um palco iluminado: toda a sua animação, toda a sua esperança e felicidade se extinguiram de um golpe, e ele ficou parado no escuro, e o glorioso encantamento se rompeu.

— É isso que ele está procurando!

A mudança no seu tom de voz fez Rony e Hermione parecerem ainda mais apavorados.

— Você-Sabe-Quem está procurando a Varinha das Varinhas.

Harry deu as costas para os rostos incrédulos e tensos dos amigos. Sabia que era verdade. Tudo fazia sentido. Voldemort não estava procurando uma nova varinha; estava procurando uma velha varinha, de fato muito velha. Harry se encaminhou para a entrada da barraca, esquecido de Rony e Hermione, e contemplou a noite, refletindo...

Voldemort fora criado em um orfanato trouxa. Ninguém teria lhe falado sobre *Os contos de Beedle, o bardo* quando era criança, da mesma forma que Harry nunca ouvira falar deles. Poucos bruxos acreditavam nas Relíquias da Morte. Seria provável que Voldemort soubesse de sua existência?

Harry perscrutou a escuridão... se Voldemort tivesse sabido das Relíquias da Morte, certamente as teria procurado, e feito qualquer coisa para possuí-las: três objetos que tornavam o seu dono senhor da Morte? Se tivesse ouvido falar das Relíquias, talvez nem tivesse precisado das Horcruxes para começar. Será que o simples fato de ter pego uma Relíquia para transformá-la em uma Horcrux não demonstrava que ele não conhecia esse grande segredo do mundo bruxo?

Isto significava que Voldemort estava procurando a Varinha das Varinhas sem compreender o seu total poder, sem saber que era uma das três... pois a varinha era uma Relíquia que não poderia ser escondida, cuja existência era a que se conhecia melhor... *o rastro sangrento da Varinha das Varinhas mancha as páginas da história da magia.*

Harry fitou o céu nublado, curvas de prata e cinza-enfumaçado deslizando pela face branca da lua. Sentiu-se delirante de assombro com as suas descobertas.

Tornou a entrar na barraca. Foi um choque ver Rony e Hermione parados exatamente onde os deixara, Hermione ainda segurando a carta de Lílian, Rony a seu lado, ligeiramente ansioso. Será que não percebiam o quanto tinham avançado nos últimos minutos?

— É isso aí — anunciou Harry, tentando atraí-los para o fulgor de sua espantosa certeza. — Isto explica tudo. As Relíquias da Morte são reais, e tenho uma... talvez duas...

Ele mostrou o pomo de ouro.

— ... e Você-Sabe-Quem está procurando a terceira, mas ele não sabe... acha que é apenas uma varinha poderosa...

— Harry — disse Hermione, aproximando-se dele e devolvendo a carta de Lílian —, lamento, mas acho que você entendeu errado, tudo errado.

— Mas você não está vendo? Tudo se encaixa...

— Não, não se encaixa. *Não se encaixa,* Harry, você está se deixando levar por seu entusiasmo. Por favor — disse Hermione, quando ele começou a falar —, por favor, me responda apenas uma coisa. Se as Relíquias da Morte realmente existissem e Dumbledore soubesse disso, soubesse que a pessoa que possuísse as três seria o senhor da Morte... Harry, por que não lhe teria dito isso? Por quê?

Ele tinha a resposta.

— Foi você quem disse, Hermione! Tenho que encontrar as Relíquias sozinho! É uma busca!

— Mas eu só disse isso para convencer você a procurar os Lovegood! — exclamou Hermione, exasperada. — Não acreditava realmente em Relíquias!

Harry não lhe deu atenção.

— Dumbledore normalmente me deixava descobrir as coisas sozinho. Ele me deixava experimentar a minha força, correr riscos. Isso me parece o tipo de coisa que ele faria.

— Harry, isso não é um jogo, não é um treino! É para valer, e Dumbledore lhe deixou instruções claras: encontre e destrua as Horcruxes! O símbolo não significa nada, esqueça as Relíquias da Morte, não podemos nos desviar...

Harry mal a escutava. Virava e revirava o pomo de ouro nas mãos, em uma semiexpectativa de que o objeto se abrisse, revelasse a Pedra da Ressurreição, provasse à Hermione que ele tinha razão, que as Relíquias da Morte eram reais.

Ela apelou para Rony.

— Você não acredita nisso, acredita?

Harry ergueu a cabeça. Rony hesitou.

— Não sei... quero dizer... tem umas coisinhas que se encaixam — respondeu ele, sem graça. — Mas quando examinamos o conjunto... — Ele inspirou profundamente. — Acho que temos que nos livrar das Horcruxes, Harry. Foi o que Dumbledore nos disse para fazer. Talvez... talvez a gente deva esquecer essa história de Relíquias.

— Obrigada, Rony — disse Hermione. — Farei a primeira vigia.

E ela passou por Harry a passo firme e se sentou à entrada da barraca, transformando esse ato em um veemente ponto final.

Harry, no entanto, mal dormiu aquela noite. A ideia das Relíquias da Morte tinha se apoderado dele, e não o deixou descansar porque sonhos agitados espiralavam por sua mente: a varinha, a pedra e a capa, se ao menos pudesse possuir as três...

Abro no fecho... mas o que era esse "fecho"? Por que não poderia ter a pedra agora? Se ao menos tivesse a pedra, poderia fazer essas perguntas a Dumbledore pessoalmente... e, no escuro, Harry murmurou palavras para o pomo, tentando tudo, até ofidioglossia, mas a bolinha de ouro não se abriu...

E a varinha, a Varinha das Varinhas, onde se escondia? Onde Voldemort a estaria procurando agora? Harry desejou que sua cicatriz ardesse e lhe mostrasse os pensamentos de Voldemort, porque, pela primeira vez na vida, os dois estavam unidos no mesmo desejo... Hermione, é claro, não gostaria dessa ideia... mas, por outro lado, ela não acreditava... Xenofílio de certa forma tivera razão... *Limitada. A mente estreita. Fechada.* A verdade é que ela estava apavorada com a ideia das Relíquias da Morte, principalmente com a Pedra da Ressurreição... e Harry tornou a comprimir a boca contra o pomo, beijando-o, quase engolindo-o, mas o frio metal não cedeu...

Já estava quase amanhecendo quando se lembrou de Luna, sozinha em uma cela em Azkaban, cercada por dementadores, e de repente sentiu-se envergonhado. Esquecera-se da amiga em sua febril contemplação das Relíquias. Se ao menos pudessem salvá-la, mas dementadores tão numerosos seriam virtualmente inatacáveis. Agora que pensava nisso, ainda não experimentara conjurar um Patrono com a varinha de ameixeira-brava... precisava fazê-lo pela manhã...

Se ao menos houvesse um jeito de obter uma varinha melhor...

E o desejo pela Varinha das Varinhas, a Varinha da Morte, imbatível, invencível, devorou-o mais uma vez...

Eles levantaram acampamento na manhã seguinte e continuaram viagem em meio a um monótono aguaceiro. A chuva os acompanhou até o litoral, onde acamparam aquela noite, e continuaram a semana inteira atravessando paisagens encharcadas, que Harry achou desoladas e deprimentes. Seu único pensamento eram as Relíquias da Morte. Era como se tivessem acendido uma chama dentro dele que nada, nem a categórica descrença de Hermione nem as persistentes dúvidas de Rony, conseguiria extinguir. Contudo, quanto maior a intensidade do desejo pelas Relíquias, menos alegre ele se tornava. Harry culpava Rony e Hermione: sua decidida indiferença era tão ruim quanto a chuva incessante para aguar o seu ânimo. Nenhum deles, no entanto, conseguia corroer sua certeza, que continuava absoluta. A crença do garoto nas Relíquias e o seu desejo de possuí-las o consumiam de tal modo que ele se sentia isolado dos amigos e sua obsessão pelas Horcruxes.

— Obsessão?! — exclamou Hermione, em um tom baixo e furioso, quando Harry se descuidou e usou essa palavra certa noite, depois que a amiga o censurara pela falta de interesse em localizar outras Horcruxes. — Não somos nós que temos uma obsessão, Harry! Somos nós que estamos tentando fazer o que Dumbledore queria que fizéssemos!

O garoto, porém, ficou insensível à crítica velada. Dumbledore deixara o símbolo das Relíquias para Hermione decifrar e, em sua persistente convicção, deixara a Pedra da Ressurreição escondida no pomo de ouro. *Nenhum poderá viver enquanto o outro sobreviver... senhor da Morte...* por que Rony e Hermione não entendiam?

— Ora, o último inimigo que há de ser aniquilado é a morte — citou Harry, calmamente.

— Pensei que fosse Você-Sabe-Quem que devíamos estar combatendo — retorquiu Hermione, e Harry desistiu de convencê-la.

Mesmo o mistério da corça prateada, que os outros dois insistiam em discutir, parecia menos importante a Harry agora, uma atração secundária vagamente interessante. A única outra coisa que lhe importava era que sua cicatriz recomeçara a formigar, embora ele fizesse o possível para esconder o fato dos amigos. Procurava a solidão sempre que aquilo acontecia, mas ficava desapontado com o que via. A qualidade das visões que Voldemort partilhava com ele tinha se alterado; elas haviam se tornado borradas, oscilantes, como se entrassem e saíssem de foco. Harry conseguia apenas divisar as formas indistintas de um objeto que parecia um crânio, e algo como uma montanha, mais sombra do que substância. Acostumado a imagens nítidas como a realidade, ficou desapontado com a mudança. Preocupava-se que a ligação entre ele e Voldemort tivesse se danificado, uma ligação que ambos temiam e ele valorizava, a despeito do que dissera a Hermione. Por alguma razão, Harry vinculava essas imagens vagas e pouco satisfatórias à destruição de sua varinha, como se fosse culpa da varinha de ameixeira-brava ele não poder mais penetrar a mente de Voldemort tão bem quanto antes.

À medida que as semanas passavam imperceptíveis, Harry não pôde deixar de notar, mesmo através de sua abstração, que Rony parecia estar assumindo as responsabilidades. Talvez porque estivesse resolvido a compensar o fato de tê-los abandonado; talvez porque a apatia de Harry galvanizasse suas qualidades latentes de liderança, Rony era quem estava encorajando e exortando os amigos à ação.

— Faltam três Horcruxes — não cansava de repetir. — Precisamos de um plano de ação, vamos! Onde ainda não procuramos? Vamos repassar. O orfanato...

O Beco Diagonal, Hogwarts, a Casa dos Riddle, Borgin & Burkes, Albânia, todo lugar, onde sabiam que Tom Riddle morara ou trabalhara, estivera de visita ou matara alguém, Rony e Hermione escarafunchavam, e Harry participava apenas para Hermione não aborrecê-lo. Teria se contentado em se sentar sozinho em silêncio, tentando ler os pensamentos de Voldemort, procurando descobrir mais alguma coisa sobre a Varinha das Varinhas, mas Rony simplesmente insistia em se deslocar para lugares cada vez mais improváveis, e Harry percebia que era para mantê-los em movimento.

— Nunca se sabe — era o constante refrão de Rony. — Upper Flaguey é uma aldeia bruxa, ele pode ter querido morar lá. Vamos dar uma olhada.

Essas frequentes surtidas em território bruxo os levavam ocasionalmente a avistar sequestradores.

— Dizem que alguns são tão maus quanto Comensais da Morte — comentou Rony. — Os que me pegaram eram meio patéticos, mas Gui acha que alguns são realmente perigosos. Disseram no *Observatório Potter*...

— No quê? — perguntou Harry.

— *Observatório Potter*, não disse a vocês que esse era o nome? Do programa que estou sempre tentando sintonizar no rádio, o único que diz a verdade sobre o que está acontecendo! Quase todos os programas estão seguindo a diretriz de Você-Sabe-Quem, todos exceto o *Observatório Potter*. Eu realmente queria que vocês ouvissem, mas é difícil sintonizar...

Rony passou a noite usando a varinha para batucar vários ritmos na caixa do rádio, fazendo os botões girar. Ocasionalmente, pegava trechos de conselhos para tratar varíola de dragão, e uma vez, alguns compassos de "Um caldeirão de amor quente e forte". Enquanto batucava, Rony tentava acertar a senha, murmurando sequências aleatórias de palavras.

— Normalmente, a senha é uma referência a alguma coisa da Ordem. Gui tinha realmente o dom de adivinhá-las. Vou acabar encontrando...

Somente em março, a sorte, finalmente, favoreceu Rony. Harry estava sentado à entrada da barraca, de vigia, olhando distraidamente para uma moita de muscaris que tinham rompido o solo gelado, quando Rony gritou animadamente do interior da barraca.

— Achei, achei! A senha era "Alvo"! Entra aqui, Harry!

Despertado pela primeira vez, em dias, de sua contemplação das Relíquias da Morte, Harry entrou rápido na barraca e encontrou Rony e Hermione ajoelhados no chão ao lado do pequeno rádio. Hermione, que dava brilho na espada de Gryffindor só para se ocupar, estava sentada boquiaberta, olhando para o minúsculo objeto, que irradiava uma voz muito conhecida.

— ...*pedimos desculpas por nossa temporária ausência do éter, por força de várias visitas dos encantadores Comensais da Morte em nossa área.*

— Nossa é o Lino Jordan! — exclamou Hermione.

— Eu sei! — confirmou Rony com um grande sorriso. — Legal, não?

— ...*agora encontramos um novo local seguro* — ia dizendo Lino — *e tenho o prazer de informar que dois dos nossos colaboradores regulares estão hoje aqui conosco. Noite, rapazes!*

— Oi.

— Noite, River.

— River, é o Lino — explicou Rony. — Todos têm codinomes, mas em geral dá para sacar...

— Psiu! — fez Hermione.

— *Mas antes de ouvir as novidades de Royal e Romulus* — continuou Lino — *vamos tirar um minuto para noticiar as mortes que a Rede de Rádio Bruxa e o Profeta Diário não acham importante mencionar. É com grande pesar que informamos aos nossos ouvintes os assassinatos de Ted Tonks e Dirk Cresswell.*

Harry sentiu uma náusea despencar em suas entranhas. Ele, Rony e Hermione se entreolharam horrorizados.

— Um duende de nome Gornope também foi morto. Acredita-se que o nascido trouxa Dino Thomas e um segundo duende, que estariam viajando com Ted Tonks, Cresswell e Gornope, possam ter escapado. Se Dino estiver nos ouvindo, ou se alguém tiver conhecimento do seu paradeiro, seus pais e irmãs estão desesperados por notícias.

"Enquanto isso, em Gaddley, uma família de trouxas de cinco pessoas foi encontrada morta em sua residência. As autoridades trouxas estão atribuindo suas mortes a um escapamento de gás, mas membros da Ordem da Fênix me informam que a causa foi uma Maldição da Morte — mais uma prova, como se precisássemos de alguma, de que a matança de trouxas está se tornando apenas um esporte amador sob o novo regime.

"E, finalmente, lamentamos informar que os restos mortais de Batilda Bagshot foram descobertos em Godric's Hollow. Aparentemente, ela morreu há vários meses. A Ordem da Fênix informa que seu corpo apresentava sinais inconfundíveis de ferimentos infligidos por magia das trevas.

"Eu gostaria de convidar os nossos ouvintes a fazer conosco um minuto de silêncio em memória de Ted Tonks, Dirk Cresswell, Batilda Bagshot, Gornope e dos trouxas anônimos, mas não menos dignos do nosso pesar, assassinados pelos Comensais da Morte."

O locutor silenciou e Harry, Rony e Hermione o acompanharam. Uma parte de Harry desejava ouvir mais, a outra temia o que poderia ouvir a seguir. Era a primeira vez em muito tempo que ele se sentia totalmente ligado ao mundo exterior.

— Obrigado — ouviram a voz de Lino. — E agora o nosso colaborador habitual, Royal, nos trará novas informações sobre o efeito que a nova ordem bruxa está causando no mundo trouxa.

— Obrigado, River — disse uma voz inconfundível, grave, comedida, reconfortante.

— Kingsley! — exclamou Rony.

— Nós sabemos! — disse Hermione, pedindo silêncio.

— Os trouxas ainda ignoram a origem de seus problemas embora continuem sofrendo pesadas baixas — disse Kingsley. — Entretanto, a todo momento, ouvimos histórias verdadeiramente inspiradoras de bruxos e bruxas que arriscam a própria segurança para proteger amigos e vizinhos trouxas, muitas vezes sem que eles o saibam. Gostaria de apelar a todos os nossos ouvintes que se mirem nesses exemplos, talvez lançando feitiços protetores em residências trouxas de sua rua. Muitas vidas poderiam ser salvas se tomassem essa simples providência.

— E, Royal, o que você responderia aos ouvintes que afirmam que em tempos perigosos como os que vivemos "os bruxos vêm em primeiro lugar"? — perguntou Lino.

— Eu diria que o passo seguinte a "os bruxos vêm em primeiro lugar" é "os de sangue puro vêm em primeiro lugar" — respondeu Kingsley. — Somos todos humanos, não? Toda vida humana tem o mesmo valor e merece ser salva.

— Muito bem colocado, Royal, e você tem o meu voto para ministro da Magia, se conseguirmos sair dessa confusão — disse Lino. — E agora passamos a palavra a Rômulo, que vai apresentar o nosso popular "Amigos de Potter".

— Obrigado, River — agradeceu outra voz muito conhecida; Rony começou a falar, mas Hermione o impediu com um sussurro.

— Sabemos que é Lupin!

— Rômulo, você continua a sustentar, como tem feito nas vezes em que compareceu ao nosso programa, que Harry Potter continua vivo?

— Sustento — respondeu ele, com firmeza. — Não me resta a menor dúvida de que os Comensais da Morte anunciariam amplamente a morte dele se tivesse ocorrido, porque vibrariam um golpe mortal no moral dos que resistem ao novo regime. O Menino-Que-Sobreviveu continua a ser um símbolo de tudo por que estamos lutando: o triunfo do bem, o poder da inocência, a necessidade de continuar resistindo.

Uma onda de gratidão e vergonha perpassou Harry. Lupin o perdoara, então, pelas coisas terríveis que dissera em seu último encontro?

— E que diria a Harry, se soubesse que ele o está ouvindo, Rômulo?

— Diria que estamos todos com ele em espírito — respondeu Lupin e após uma leve hesitação. — E diria para seguir os seus instintos, que são bons e quase sempre corretos.

Harry olhou para Hermione, cujos olhos estavam cheios de lágrimas.

— Quase sempre corretos — repetiu ela.

— Ah, eu não contei a vocês? — disse Rony, surpreso. — Gui me disse que Lupin voltou a viver com Tonks! E que ela está ficando enorme.

— ...e as novas notícias sobre os amigos de Harry Potter que estão sofrendo por sua lealdade? — perguntava Lino a Lupin.

— Bem, como os nossos fiéis ouvintes sabem, vários partidários de Harry Potter foram presos, inclusive Xenofílio Lovegood, outrora editor de O Pasquim.

— Pelo menos ele ainda está vivo! — murmurou Rony.

— Soubemos também nas últimas horas que Rúbeo Hagrid — os três prenderam a respiração e quase perderam o fim da frase —, o conhecido guarda-caça de Hogwarts, escapou por um triz de ser capturado nos terrenos da Escola, onde correm boatos de que ele teria dado uma festa em sua casa com o tema "Apoie Harry Potter". Hagrid, entretanto, não foi levado preso, e acredita-se que esteja foragido.

— Suponho que ter um meio-irmão de quase cinco metros de altura ajude a pessoa a escapar dos Comensais da Morte, não? — comentou Lino.

— Isso lhe daria uma certa vantagem — concordou Lupin, solenemente. — Posso acrescentar que, embora aqui no Observatório Potter aplaudamos a iniciativa dele, gostaríamos de insistir com os partidários mais devotados de Harry que não sigam o exemplo de Hagrid. Festas do tipo "Apoie Harry Potter" são absolutamente insensatas no clima atual.

— Sem a menor dúvida, Rômulo — concordou Lino —, portanto, sugerimos que continuem a demonstrar sua devoção ao homem com a cicatriz em forma de raio ouvindo o Observatório Potter! *Agora vamos às notícias do bruxo que está se mostrando tão esquivo quanto Harry Potter. Gostaríamos de nos referir a ele como o Chefão dos Comensais da Morte e, para comentar alguns boatos delirantes que circulam a seu respeito, eu gostaria de apresentar um novo colaborador: Rodent.*

— *Rodent?* — admirou-se outra voz conhecida, e Harry, Rony e Hermione exclamaram juntos:

— Fred!

— Não... será o Jorge?

— Acho que é o Fred — tornou Rony, aproximando o ouvido do rádio, quando o gêmeo, qualquer que fosse, protestou:

— Não sou o Rodent, nem pensar, já disse que queria ser o Rapier!

— Ah, está bem então. *Rapier, pode nos dar a sua interpretação das várias histórias que temos ouvido sobre o Chefão dos Comensais da Morte?*

— Pois não, River. *Os nossos ouvintes conhecem, a não ser que tenham se refugiado no fundo de um laguinho no jardim ou lugar semelhante, a estratégia usada por Você-Sabe-Quem em que ele permanece nas sombras para criar certo clima de pânico.Vejam bem, se todas as notícias de gente que o avistou forem genuínas, deve ter bem uns dezenove Você-Sabe-Quem andando por aí.*

— O que naturalmente convém a ele — comentou Kingsley. — *O mistério está criando mais terror do que sua real aparição.*

— Concordo — disse Fred. — *Então, pessoal, vamos tentar nos acalmar um pouco. As coisas já estão bem ruins sem precisarmos inventar nada. Por exemplo, essa nova ideia de Você-Sabe-Quem ser capaz de matar com um olhar. Isto quem faz é o basilisco. Um teste simples é verificar se aquilo que está olhando para vocês tem pernas. Se tiver, pode fixá-la nos olhos sem medo, embora haja a probabilidade de ser a última coisa que você fará na vida, se for realmente Você-Sabe-Quem.*

Pela primeira vez em muitas semanas, Harry estava rindo: sentia o peso da tensão deixá-lo.

— *E os boatos de que não param de avistá-lo no exterior?* — perguntou Lino.

— *Bem, quem não iria querer umas férias agradáveis depois de todo o trabalho pesado que tem feito?* — respondeu Fred. — *Pessoal, a questão é: não se deixem embalar pela falsa sensação de segurança achando que ele está fora do país. Talvez esteja, talvez não, e é inegável que, quando ele quer, consegue se deslocar mais rápido do que Severo Snape ameaçado com um xampu, portanto, não confiem que ele esteja muito distante se estiverem planejando se arriscar. Nunca pensei que me ouviria dizer isso, mas a segurança vem em primeiro lugar!*

— Obrigado por suas palavras sensatas, Rapier — disse Lino. — *Caros ouvintes, chegamos ao final de mais um Observatório Potter. Não sabemos quando será possível voltarmos ao* ar, mas podem ter certeza de que voltaremos. Não parem de girar os botões dos rádios: a próxima senha será "Olho-Tonto". Mantenham-se mutuamente protegidos, mantenham a fé. Boa noite.

O botão do rádio girou e as luzes do painel de sintonia se apagaram. Harry, Rony e Hermione continuavam a sorrir. Ouvir vozes conhecidas e amigas fora um tônico extraordinário; Harry se acostumara de tal modo ao seu isolamento que quase esquecera que havia outras pessoas resistindo a Você-Sabe-Quem. Era como acordar de um longo sono.

— Bom, hein? — comentou Rony, feliz.

— Genial — disse Harry.

— Que coragem a deles — suspirou Hermione, com admiração. — Se forem apanhados...

— Bem, eles não param em lugar algum, não é? Como nós — disse Rony.

— Mas você escutou o que Fred disse? — perguntou Harry, animado; agora que a irradiação terminara, seus pensamentos retornaram à sua devoradora obsessão. — Ele está no exterior! Continua procurando a varinha, eu sabia!

— Harry...

— Qual é, Hermione, por que você está tão determinada a não admitir isso? Vol...

— HARRY, NÃO!

— ... demort está procurando a Varinha das Varinhas!

— Esse nome é Tabu! — berrou Rony, levantando-se de um pulo ao som de um forte estalo no exterior da barraca. — Eu o avisei, Harry, eu o avisei, não podemos mais dizer esse nome... temos que refazer a proteção ao nosso redor... depressa... foi assim que nos encontraram...

Mas Rony parou de falar e Harry entendeu por quê. O bisbilhoscópio sobre a mesa acendera e começara a rodopiar; ouviram vozes cada vez mais próximas, ásperas e animadas. Rony puxou o desiluminador do bolso e cli-cou-o: as luzes se apagaram.

— Saiam daí com as mãos para o alto! — disse uma voz rascante na escuridão. — Sabemos que vocês estão aí dentro! Temos meia dúzia de varinhas apontadas para vocês e não estamos ligando para quem vamos amaldiçoar!

23

A MANSÃO DOS MALFOY

Harry olhou para os outros dois, agora meros contornos no escuro. Viu Hermione apontar a varinha, não para fora, mas para o rosto dele; ouviu-se um estampido, uma explosão de luz branca e ele se dobrou de dor, incapaz de enxergar. Com as mãos, sentiu seu rosto inchar rapidamente, enquanto passos pesados o cercavam.

– Levante-se, verme.

Mãos desconhecidas ergueram Harry do chão com violência. Antes que pudesse impedir, alguém revistou os seus bolsos e tirou a varinha de ameixeira-brava. Harry segurou o rosto que doía cruciantemente, e seus dedos não o reconheceram, tenso, inflamado, balofo como se tivesse sofrido uma violenta reação alérgica. Seus olhos estavam reduzidos a fendas, pelas quais mal conseguia enxergar; seus óculos caíram quando ele foi carregado para fora da barraca; conseguia apenas divisar as formas de quatro ou cinco pessoas lutando com Rony e Hermione, também no exterior.

– Larga... ela! – berrou Rony. Ouviu-se o som inconfundível de punhos socando carne: Rony grunhiu de dor, e Hermione gritou:

– Não! Deixe ele em paz, deixe ele em paz!

– O seu namorado vai receber tratamento pior que isso, se estiver na minha lista – disse a voz rascante, horrivelmente familiar. – Garota deliciosa... um petisco... adoro pele macia...

O estômago de Harry revirou. Sabia quem era aquele: Lobo Greyback, o lobisomem que tinha permissão de usar trajes de Comensal da Morte em troca de sua selvageria de aluguel.

– Revistem a barraca! – ordenou outra voz.

Harry foi atirado no chão, de cara para baixo. Um baque lhe informou que Rony fora jogado ao seu lado. Eles ouviam passos e trancos; os homens empurravam poltronas, revistando a barraca.

— Agora, vejamos quem temos aqui — disse Greyback, do alto, em tom de triunfo, e Harry foi virado sobre as costas. A luz da varinha incidiu sobre o seu rosto, e Greyback riu.

— Vou precisar de uma cerveja amanteigada para engolir esse. Que aconteceu com você, feioso?

Harry não respondeu imediatamente

— Eu *perguntei* — repetiu Greyback, e Harry recebeu um soco no diafragma que o fez dobrar de dor — que aconteceu com você.

— Mordido — murmurou Harry. — Fui mordido.

— É, parece que foi — disse uma segunda voz.

— Qual é o seu nome? — rosnou Greyback.

— Dudley.

— E o seu primeiro nome?

— Eu... Válter. Válter Dudley.

— Verifique na lista, Scabior — ordenou Greyback, e Harry o ouviu dar uns passos para o lado para olhar Rony. — E você, Ruço?

— Lalau Shunpike — disse Rony.

— Uma ova! — exclamou o homem chamado Scabior. — Conhecemos Lalau Shunpike, ele nos deu uma ajudinha.

Ouviu-se outra pancada surda.

— *Fo Bardy* — respondeu Rony, e Harry percebeu que sua boca estava ensanguentada. — *Bardy Weadley*.

— Um Weasley? — perguntou Greyback, em tom áspero. — Então, é parente daqueles traidores do sangue, mesmo que não seja um sangue ruim. E agora a sua amiguinha bonita... — O prazer em sua voz fez Harry se arrepiar.

— Calma, Greyback — disse Scabior, abafando a caçoada dos outros.

— Ah, ainda não vou morder. Veremos se ela se lembra do nome mais depressa do que o Barny. Quem é você, garotinha?

— Penélope Clearwater — respondeu Hermione. Parecia aterrorizada, mas convincente.

— Qual é o seu Registro Sanguíneo?

— Mestiça — respondeu Hermione.

— É fácil verificar — disse Scabior. — Mas todos eles parecem que ainda estão na idade de frequentar Hogwarts.

— *Faímu* — explicou Rony.

— Saiu foi, Ruço? — debochou Scabior. — E resolveu acampar? E achou que, só para se divertir, ia usar o nome do Lorde das Trevas?

— *Nan dierrrão. Arrirdente.*

— Acidente? — Ouviram-se mais gargalhadas.
— Sabe quem gostava de usar o nome do Lorde das Trevas, Weasley? — rosnou Greyback. — A Ordem da Fênix. O nome lhe diz alguma coisa?
— Doh.
— Bem, eles não demonstram o respeito devido ao Lorde das Trevas, por isso o nome foi declarado tabu. Alguns membros da Ordem foram apanhados assim. Veremos. Amarre-os com os outros dois prisioneiros!

Alguém puxou Harry pelos cabelos, arrastou-o por uma pequena distância, empurrou-o para obrigá-lo a sentar e começou a amarrá-lo de costas para outra pessoa. Harry continuava meio cego, incapaz de enxergar muita coisa entre as pálpebras inchadas. Quando, por fim, o homem que estivera amarrando-os se afastou, Harry cochichou para os outros prisioneiros.

— Alguém ainda tem uma varinha?
— Não — responderam Rony e Hermione a seu lado.
— Foi minha culpa. Eu disse o nome, me desculpem...
— Harry?

Era uma nova voz, mas sua conhecida, e veio diretamente de suas costas, de alguém amarrado à esquerda de Hermione.

— Dino?
— É você! Se eles descobrirem quem prenderam...! São sequestradores, só estão procurando gazeteiros para trocar por ouro...
— Nada mal para uma noite de arrastão — Greyback ia dizendo, ao mesmo tempo que um par de botas ferradas se aproximava de Harry, e eles ouviam mais estrépito no interior da barraca. — Uma sangue ruim, um duende fujão e três gazeteiros. Já verificou os nomes na lista, Scabior? — rugiu ele.
— Já. Não tem nenhum Válter Dudley aqui, Greyback.
— Interessante. Que interessante.

Ele se agachou ao lado de Harry, que viu, pela fenda infinitesimal entre as pálpebras inchadas, um rosto coberto de pelos grisalhos embaraçados, com dentes marrons pontiagudos e feridas nos cantos da boca. Greyback desprendia o mesmo fedor que ele sentira no alto da torre, quando Dumbledore morrera: sujeira, suor e sangue.

— Então, você não está sendo procurado, Válter? Ou está naquela lista com outro nome? Qual era a sua Casa em Hogwarts?
— Sonserina — respondeu Harry, automaticamente.
— Engraçado, eles sempre pensam que queremos ouvir isso — caçoou Scabior, das sombras. — Mas nenhum deles sabe dizer onde fica a Sala Comunal.

— Nas masmorras — disse Harry, com clareza. — Entra-se pela parede. É cheia de crânios e outras coisas, e fica por baixo do lago, por isso as luzes são verdes.

Fez-se um breve silêncio.

— Ora, vejam só, parece que realmente apanhamos um sonserinozinho — disse Scabior. — Que bom para você, Válter, porque não temos muitos sangues ruins em Sonserina. Quem é o seu pai?

— Trabalha no Ministério — mentiu Harry. Ele sabia que a história toda ruiria à menor investigação, mas, por outro lado, só teria tempo até o seu rosto retomar a aparência normal e, então, o jogo estaria mesmo encerrado.

— Departamento de Acidentes e Catástrofes Mágicas.

— Sabe de uma coisa, Greyback? — disse Scabior. — Acho que tem um Dudley lá.

Harry mal respirava: será que a sorte, a pura sorte poderia livrá-los dessa encrenca?

— Ora, ora — replicou Greyback, e Harry ouviu uma leve perturbação naquela voz insensível, e percebeu que Greyback estava avaliando se teria, de fato, acabado de atacar e amarrar o filho de um funcionário do Ministério. O coração de Harry batia contra as cordas que amarravam suas costelas; não teria se surpreendido se Greyback pudesse ver. — Se você estiver dizendo a verdade, feioso, não precisará recear uma viagem ao Ministério. Espero que seu pai nos recompense por recolher você.

— Mas — protestou Harry, a boca extremamente seca —, se você nos deixasse...

— Ei! — veio um grito do interior da barraca. — Olhe só isso, Greyback!

Um vulto escuro veio correndo em sua direção, e Harry viu um brilho prateado. Tinham encontrado a espada de Gryffindor.

— Muuito bonita — elogiou Greyback. — Ah, realmente bonita. Parece coisa fabricada por duendes. Onde foi que você conseguiu uma arma dessas?

— É do meu pai — mentiu Harry, esperando, por tudo no mundo, que estivesse escuro demais para Greyback ver o nome gravado abaixo do punho. — Pedimos emprestada para cortar lenha.

— 'Guenta aí um instante, Greyback! Veja o que saiu no *Profeta*!

No momento em que Scabior disse isso, a cicatriz de Harry, que estava distendida sobre a testa inchada, queimou barbaramente. Com maior nitidez do que conseguia enxergar qualquer coisa ao seu redor, ele viu uma construção muito elevada e ameaçadora, uma fortaleza sinistra, preto-carvão; os pensamentos de Voldemort, de súbito, tinham se tornado extremamente nítidos; ele estava planando em direção ao edifício gigantesco, calma e euforicamente decidido.

"Tão próxima... tão próxima..."

Com enorme força de vontade, Harry fechou a mente aos pensamentos de Voldemort e retornou ao lugar em que estava amarrado, no escuro, a Rony, Hermione, Dino e Grampo, escutando Greyback e Scabior.

— Ermione Granger — leu Scabior —, a sangue ruim que se sabe estar viajando com Arry Potter.

A cicatriz de Harry queimou no silêncio, mas ele fez um esforço supremo para continuar presente, e não entrar na mente de Voldemort. Ouviu, então, o rangido das botas de Greyback ao se ajoelhar diante de Hermione.

— Sabe de uma coisa, garotinha? Esta foto parece demais com você.

— Não sou eu! Não sou eu!

O guincho aterrorizado de Hermione equivaleu a uma confissão.

— ... que se sabe estar viajando com Harry Potter — repetiu Greyback, em voz baixa.

Uma calmaria se abatera sobre a cena. A cicatriz de Harry estava agudamente dolorosa, mas ele resistiu com firmeza à atração dos pensamentos de Voldemort: nunca fora tão importante manter a sanidade mental.

— Bem, isso muda tudo, não? — sussurrou Greyback. Ninguém falou: Harry percebeu que a gangue de sequestradores observava, paralisada, e sentiu o braço de Hermione tremer contra o dele. Greyback se levantou e deu alguns passos em direção a Harry, agachando-se, outra vez, para examinar atentamente suas feições deformadas.

— Que é isso na sua testa, Válter? — perguntou suavemente, seu bafo fétido nas narinas do garoto quando comprimiu, com o dedo imundo, a cicatriz distendida.

— Não toque aí! — berrou Harry; não conseguiu se refrear; pensou que fosse vomitar de tanta dor.

— Pensei que você usasse óculos, Potter, não? — sussurrou Greyback.

— Encontrei uns óculos! — ganiu um dos sequestradores, rondando em segundo plano. — Tinha uns óculos na barraca, Greyback, espere...

E, segundos depois, os óculos de Harry foram repostos, com violência, em seu rosto. Os sequestradores foram se aproximando para espiá-lo.

— É ele! — ouviu-se a voz rascante de Greyback. — Capturamos Potter!

Todos recuaram vários passos, estupefatos com o próprio feito. Harry, ainda lutando para manter a consciência, apesar da cabeça que rachava de dor, não conseguia pensar em nada para dizer: visões fragmentárias afloravam em sua mente...

"... ele estava planando em torno das altas muralhas da fortaleza preta..."

Não, ele era Harry, amarrado e desarmado, correndo grave perigo...

"... olhando para cima, para a janela mais alta, na torre mais elevada..." Ele era Harry, e eles estavam discutindo o seu destino em voz baixa...

"... hora de voar..."

– ... para o Ministério?

– Ao diabo com o Ministério – rosnou Greyback. – Eles receberão o crédito e não nos deixarão nem entrar. Acho que devemos levar o garoto direto a Você-Sabe-Quem.

– Você vai chamar *ele*? Aqui? – disse Scabior, em tom assombrado, aterrorizado.

– Não – rosnou Greyback –, não tenho a... dizem que ele está usando a casa dos Malfoy como base de operações. Vamos levar o garoto para lá.

Harry achou que sabia por que Greyback não ia chamar Voldemort. O lobisomem podia ter permissão para se trajar como um Comensal da Morte quando queriam usá-lo, mas somente o círculo íntimo de Voldemort recebia a Marca Negra: Greyback não recebera essa elevada honra.

A cicatriz de Harry tornou a queimar...

"... e ele ganhou altitude na noite, voando diretamente para a janela no topo da torre..."

– ... certeza absoluta de que é ele? Que se não for, Greyback, estamos mortos.

– Quem é que manda aqui? – rugiu Greyback, disfarçando a sua momentânea insuficiência. – Digo que é Potter, e ele e mais sua varinha são duzentos mil galeões batidos! Mas, se vocês forem covardes demais para me acompanhar, qualquer um de vocês, o dinheiro será todo meu, e, com alguma sorte, ainda ganho a garota de lambuja!

"... a janela era uma mera fenda na rocha preta, insuficiente para dar passagem a um homem... havia uma figura esquelética apenas visível, enrolada em um cobertor... morto ou adormecido...?"

– Está bem! – exclamou Scabior. – Está bem, estamos contigo! E o resto dos prisioneiros, Greyback, que faremos com eles?

– É melhor levarmos o bando todo. Temos dois sangues ruins, são mais dez galeões. Me dê a espada, também. Se forem rubis, tem mais uma pequena fortuna aí.

Os prisioneiros foram postos de pé. Harry ouvia a respiração de Hermione, rápida e aterrorizada.

— Agarrem bem firme. Levarei Potter! — disse Greyback, segurando Harry pelos cabelos; o garoto sentiu aquelas unhas compridas e amareladas arranhando-lhe o couro cabeludo. — Quando eu contar três! Um... dois... três... Eles desaparataram, arrastando os prisioneiros com eles. Harry se debateu, tentando se livrar da mão de Greyback, mas inutilmente: Rony e Hermione o imprensavam, ele não poderia se separar do grupo, e, quando o aperto esvaziou o ar dos seus pulmões, sua cicatriz queimou ainda mais dolorosamente...

"... ele se espremeu pela fenda-janela como uma cobra e aterrissou, leve como fumaça na cela..."

Os prisioneiros se bateram uns contra os outros ao aparatar em uma estradinha rural. Os olhos de Harry, ainda inchados, levaram uns instantes para se ajustar, então, ele viu portões com grades de ferro forjado à frente do que lhe pareceu uma longa aleia. Sentiu um fiozinho de alívio. O pior ainda não acontecera: Voldemort não estava ali. Estava, e Harry sabia porque continuava a se esforçar para resistir à visão, numa estranha fortaleza, no alto de uma torre. Quanto tempo o lorde levaria para chegar, quando soubesse que Harry estava ali, era outra história...

Um dos sequestradores andou até os portões e sacudiu-os.

— Como entramos? Estão trancados, Greyback, não consigo... caramba!

Ele puxou depressa as mãos, assustado. O ferro estava se torcendo, desenrolando as curvas e caracóis e formando uma cara apavorante, que falou com uma voz metálica e sonora:

— Informe o seu objetivo!

— Prendemos Potter! — rugiu Greyback, triunfante. — Capturamos Harry Potter!

Os portões se abriram.

— Vamos! — disse Greyback aos homens, e os prisioneiros foram empurrados pelos portões e a aleia, entre altas sebes que abafavam seus passos. Harry viu uma forma branca e fantasmagórica no alto, e percebeu que era um pavão albino. Ele tropeçou e foi posto de pé, com violência, por Greyback; agora avançava, cambaleando de lado, amarrado, costas contra costas, com os outros quatro prisioneiros. Fechando os olhos inchados, ele deixou a dor da cicatriz dominá-lo por um momento, querendo ver o que Voldemort estava fazendo, se já sabia que Harry fora capturado...

"... a figura emaciada se mexeu sob o fino cobertor e se virou para ele, os olhos se abrindo no rosto esquelético... o frágil homem se sentou, grandes olhos fundos se fixaram em Voldemort, então, ele sorriu. Perdera a maior partes dos dentes.

— Então você veio. Achei que viria... um dia. Mas a sua viagem foi inútil. Eu nunca a tive.

— Você mente!"

Quando a fúria de Voldemort latejou dentro de Harry, a cicatriz ameaçou estourar de dor, e ele arrebatou sua mente de volta ao próprio corpo, lutando para se manter presente enquanto os prisioneiros eram empurrados pelo saibro.

Uma luz forte iluminou-os.

— Que é isso? — perguntou uma fria voz feminina.

— Estamos aqui para ver Aquele-Que-Não-Deve-Ser-Nomeado! — respondeu a voz áspera de Greyback.

— Quem é você?

— Você me conhece! — Havia rancor na voz do lobisomem. — Lobo Greyback! Capturamos Harry Potter!

Greyback agarrou Harry e virou-o de frente para a luz, forçando os outros prisioneiros a se virarem também.

— Sei que ele está inchado, senhora, mas é ele! — soou a voz aguda de Scabior. — Se olhar mais de perto, verá a cicatriz. E essa aqui, está vendo a garota? É a sangue ruim que está viajando com ele. Não há dúvida que é ele, e trouxemos a varinha dele também! Aqui, senhora...

Harry viu Narcisa Malfoy examinando seu rosto inchado. Scabior estendeu a varinha para ela. A mulher ergueu as sobrancelhas.

— Traga-os para dentro.

Harry e os outros foram empurrados e chutados na subida dos largos degraus de pedra, e entraram em um hall com as paredes cobertas de retratos.

— Sigam-me — disse Narcisa, atravessando o hall. — Meu filho, Draco, está em casa passando as férias da Páscoa. Se for o Harry Potter, ele saberá.

A sala de visitas ofuscou-o depois da escuridão externa; mesmo com os olhos quase fechados, Harry percebeu as enormes dimensões do cômodo. Havia um lustre de cristal no teto, mais retratos nas escuras paredes roxas. Duas figuras se ergueram das poltronas junto à ornamentada lareira de mármore, quando os prisioneiros foram empurrados, sala adentro, pelos sequestradores.

— Que é isso?

A voz horrivelmente familiar e arrastada de Lúcio Malfoy bateu nos ouvidos de Harry. Ele começou a entrar em pânico: não via saída, e se tornou mais fácil, à medida que o medo crescia, bloquear os pensamentos de Voldemort, embora sua cicatriz continuasse a queimar.

— Eles dizem que capturaram Potter — informou a voz fria de Narcisa.

— Draco, venha aqui.

Harry não ousou olhar diretamente para Draco, mas viu-o de esguelha: uma figura um pouco mais alta que ele ergueu-se de uma poltrona, o rosto um borrão pálido e fino sob a cabeleira louro-branco.

Greyback forçou os prisioneiros a se virarem mais uma vez, para deixar Harry diretamente sob o lustre.

— Então, moleque? — perguntou a áspera voz do lobisomem.

Harry ficou de frente para um espelho sobre a lareira, um enorme objeto dourado com uma rica moldura em volutas. Através das fendas dos olhos, ele viu a própria imagem, pela primeira vez desde que deixara o largo Grimmauld.

Seu rosto estava enorme, brilhante e avermelhado, todos os traços deformados pelo feitiço de Hermione. Seus cabelos pretos chegavam-lhe aos ombros e havia uma mancha escura em torno do seu queixo. Se não soubesse que estava parado ali, teria se perguntado quem estava usando seus óculos. Resolveu ficar calado, porque sua voz certamente o trairia; ainda assim, evitou encarar os olhos de Draco, quando o colega se aproximou.

— Então, Draco? — perguntou Lúcio Malfoy. Seu tom era pressuroso. — É ele? É o Harry Potter?

— Não tenho... não tenho muita certeza — respondeu Draco. Mantinha distância de Greyback, e parecia tão atemorizado de olhar para Harry quanto Harry para ele.

— Mas olhe-o com atenção, olhe! Chegue mais perto!

Harry nunca ouvira Lúcio Malfoy tão animado.

— Draco, se formos nós que entregarmos Potter ao Lorde das Trevas, tudo será perdo...

— Ora, não vamos esquecer quem, de fato, o capturou, espero, sr. Malfoy? — disse Greyback, em tom de ameaça.

— Claro que não, claro que não! — replicou o bruxo, impaciente. Ele próprio se aproximou de Harry; chegou tão perto que o garoto pôde ver em detalhe, apesar das pálpebras inchadas, suas feições normalmente lânguidas e pálidas. Com o rosto transformado em uma máscara disforme, Harry teve a sensação de estar espiando através das grades de uma jaula.

— Que foi que você fez com ele? — perguntou Lúcio a Greyback. — Como foi que ele ficou nesse estado?

— Não fomos nós.

— Está me parecendo mais uma Azaração Ferreteante — disse Lúcio.

Seus olhos cinzentos esquadrinharam a testa de Harry.

— Tem alguma coisa ali — sussurrou —, poderia ser a cicatriz, distendida... Draco, venha aqui, olhe direito! Que acha?

Harry viu o rosto de Draco agora muito perto, junto ao do pai. Eram extraordinariamente parecidos, exceto que, enquanto Lúcio não cabia em si de animação, a expressão de Draco espelhava relutância e até medo.

— Não sei — respondeu, e voltou para junto da lareira onde sua mãe o observava.

— É melhor termos certeza, Lúcio — disse Narcisa para o marido, em sua voz clara e fria. — Absoluta certeza de que é Potter, antes de chamarmos o Lorde das Trevas... Dizem que isto é dele — comentou ela, olhando bem a varinha de ameixeira-brava —, mas não parece a que Olivaras descreveu... Se nos enganarmos, se chamarmos o Lorde das Trevas inutilmente... lembra o que ele fez com Rowle e Dolohov?

— E a sangue ruim aqui? — rosnou Greyback. Harry quase foi arrancado do chão quando os sequestradores tornaram a forçar os prisioneiros a se virar, para que a luz recaísse sobre Hermione.

— Esperem — disse Narcisa, incisivamente. — Sim... sim, ela esteve na Madame Malkin com Potter! Vi a foto dela no *Profeta*! Olhe, Draco, não é a garota Granger?

— Eu... talvez... é.

— Então, esse é o garoto Weasley! — gritou Lúcio, dando a volta aos prisioneiros para encarar Rony. — São eles, os amigos de Potter... Draco, olhe para ele, não é o filho do Arthur Weasley, como é mesmo o nome dele...?

— É — tornou Draco, de costas para os prisioneiros. — Poderia ser.

A porta da sala de visitas se abriu às costas de Harry. Uma mulher falou, o som de sua voz fez o medo de Harry atingir um nível ainda mais agudo.

— Que é isso? Que aconteceu, Ciça?

Belatriz Lestrange se encaminhou lentamente para os prisioneiros e parou à direita de Harry, estudando Hermione através de suas pálpebras caídas.

— Mas, com certeza — disse, calmamente —, essa é a garota sangue ruim, não é? É a Granger?

— É, sim, é a Granger! — exclamou Lúcio. — E, ao lado dela, pensamos que seja o Potter! Potter e seus amigos, enfim, capturados!

— Potter? — guinchou Belatriz, e recuou para ver Harry melhor. — Você tem certeza? Bem, então o Lorde das Trevas precisa ser imediatamente informado!

Ela puxou para cima sua manga esquerda: Harry viu a Marca Negra gravada a fogo em seu braço, e percebeu que a bruxa ia tocá-la para convocar seu amado senhor...

— Eu já ia chamá-lo! — disse Lúcio, e sua mão se fechou sobre o pulso de Belatriz, para impedi-la de tocar a Marca. — Eu o convocarei, Bela; Potter foi trazido à minha casa e, portanto, está sob a minha autoridade...

— Sua autoridade! — desdenhou ela, tentando soltar a mão do seu aperto.

— Você perdeu a autoridade quando perdeu a varinha, Lúcio! Como se atreve! Tire as mãos de mim!

— Você não tem nada a ver com isso, não capturou o garoto...

— Me desculpe, sr. Malfoy — interpôs Greyback —, mas fomos nós que pegamos Potter, e nós é que vamos cobrar o prêmio em ouro...

— Ouro! — Riu Belatriz, ainda tentando desvencilhar-se do cunhado, a mão livre apalpando o bolso em busca da varinha. — Fique com o seu ouro, seu abutre imundo, para que quero ouro? Pretendo apenas a honra de... de...

Ela parou de lutar, seus olhos escuros fixos em alguma coisa que Harry não conseguia ver. Exultante com a sua capitulação, Lúcio afastou a mão dela com violência, e rasgou a própria manga...

— PARE! — guinchou Belatriz. — Não toque nela, todos pereceremos se o Lorde das Trevas vier agora!

Lúcio ficou imóvel, seu indicador pairando sobre a Marca. Belatriz saiu do limitado campo de visão de Harry.

— Que é isso? — ele a ouviu perguntar.

— Espada — grunhiu um sequestrador invisível.

— Entregue-a.

— Não é sua, senhorita, é minha, fui eu que a encontrei.

Ouviu-se um estampido e, em seguida, um clarão vermelho: Harry entendeu que o sequestrador fora estuporado. Ergueu-se um clamor de raiva dos seus companheiros: Scabior sacou a varinha.

— Com quem acha que está brincando, mulher?

— *Estupefaça*! — berrou ela. — *Estupefaça*!

Os sequestradores não eram páreo para ela, embora fossem quatro contra uma: Harry sabia que era uma bruxa com prodigiosa habilidade e sem escrúpulos. Os homens tombaram onde estavam, todos exceto Greyback, que foi forçado a se ajoelhar, com os braços estendidos. Pelo canto do olho,

Harry viu Belatriz curvar-se sobre o lobisomem, segurando a espada de Gryffindor firmemente na mão, o rosto lívido.

— Onde foi que você obteve essa espada? — sussurrou para Greyback, tirando a varinha da mão incapaz de resistir-lhe.

— Como ousa? — rosnou ele, sua boca a única coisa que se movia ao ser forçado a encarar a bruxa. Arreganhou os dentes pontiagudos. — Solte-me, mulher!

— Onde foi que você obteve essa espada? — repetiu ela, brandindo-a em seu rosto. — Snape mandou-a para o meu cofre em Gringotes!

— Estava na barraca deles — respondeu a voz áspera de Greyback. — Solte-me, estou dizendo!

Ela fez um gesto com a varinha e o lobisomem se pôs de pé, mas cauteloso demais para se aproximar dela. Ficou à espreita, atrás de uma poltrona, suas unhas curvas e imundas agarradas ao encosto.

— Draco, leve esse lixo para fora — disse Belatriz, indicando os homens desacordados. — Se não tiver peito para acabar com eles, deixe-os no pátio para mim.

— Não se atreva a falar com Draco assim — disse Narcisa, furiosa, mas Belatriz berrou:

— Cale-se! A situação é mais grave do que você seria capaz de imaginar, Ciça! Temos um problema muito sério!

Ela parou, levemente ofegante, contemplando a espada, examinando seu punho. Virou-se, então, para olhar os prisioneiros silenciosos.

— Se, de fato, for Potter, ele não deve ser ferido — murmurou, mais para si mesma do que para os demais. — O Lorde das Trevas quer liquidar Potter pessoalmente... mas se ele descobrir... preciso... preciso saber...

Ela tornou a se dirigir à irmã:

— Os prisioneiros devem ser levados para o porão, enquanto reflito sobre o que fazer!

— A casa é minha, Bela, você não dá ordens na minha...

— Obedeça! Você não faz ideia do perigo que estamos correndo! — guinchou Belatriz. Tinha um ar assustador, insano; um raio de fogo saiu de sua varinha e fez um furo no tapete.

Narcisa hesitou um momento e, então, falou ao lobisomem:

— Leve os prisioneiros para o porão, Greyback.

— Espere — disse Belatriz, rispidamente. — Todos, menos a sangue ruim.

Greyback soltou um rosnado de prazer.

— Não! — gritou Rony. — Pode ficar comigo no lugar dela!

Belatriz deu-lhe uma bofetada no rosto; a pancada ecoou pela sala.

— Se ela morrer durante o interrogatório, você será o próximo. No meu caderninho, traidor do sangue vem logo abaixo de sangue ruim. Leve-os para baixo, Greyback, e verifique se estão bem presos, mas não faça mais nada com eles... por enquanto.

Ela devolveu a varinha a Greyback e tirou uma pequena faca de prata de dentro das vestes. Cortou as cordas que prendiam Hermione aos outros prisioneiros, então arrastou-a pelos cabelos para o meio da sala, enquanto Greyback empurrava os demais para outra porta que se abria para um corredor escuro, a varinha erguida à frente, projetando uma força invisível e irresistível.

— Acho que ela me dará uma sobrinha da garota quando terminar, não? — cantarolou Greyback, enquanto os forçava a avançar pelo corredor. — Eu diria que será suficiente para umas dentadas, não acha, Ruço?

Harry podia sentir Rony tremendo. Eles foram obrigados a descer uma escada muito inclinada, ainda amarrados costas contra costas correndo o risco de escorregar e quebrar o pescoço a qualquer momento. Ao pé da escada, havia uma pesada porta. Greyback destrancou-a com uma batida de varinha, então, empurrou-os para uma sala úmida e mofada e os deixou em total escuridão. O eco da batida da porta do porão ainda não morrera quando ouviram um grito terrível e prolongado vindo diretamente do piso superior.

— HERMIONE! — urrou Rony, e começou a se contorcer e a forçar as cordas que os prendiam juntos, fazendo Harry cambalear. — HERMIONE!

— Fica quieto! — disse Harry. — Cala a boca, Rony, precisamos descobrir um jeito...

— HERMIONE! HERMIONE!

— Precisamos de um plano, pare de berrar... precisamos soltar essas cordas....

— Harry? — ouviu-se um sussurro na escuridão. — Rony? São vocês?

Rony parou de gritar. Ouviram um movimento perto deles, então, Harry viu uma sombra se aproximar.

— Harry? Rony?

— Luna?

— É, sou eu! Ah, não, eu não queria que vocês fossem apanhados!

— Luna, você pode nos ajudar a soltar essas cordas? — perguntou Harry.

— Ah, sim, espero que sim... tem um prego velho que usamos quando precisamos partir alguma coisa... espere um instante...

Hermione tornou a gritar lá de cima, e eles ouviram Belatriz gritando também, mas suas palavras foram inaudíveis, porque Rony tornou a berrar:

— HERMIONE! HERMIONE!

— Sr. Olivaras? — Harry ouviu Luna chamar. — Sr. Olivaras, o prego está com o senhor? Se o senhor se afastar um pouquinho, acho que estava ao lado do jarro de água...

A garota voltou segundos depois.

— Vocês precisam ficar parados — recomendou ela.

Harry sentiu-a enfiar o prego nas fibras resistentes da corda para soltar os nós. Do alto, chegava a voz de Belatriz.

— Vou lhe perguntar mais uma vez! Onde conseguiram esta espada? *Onde?*

— Achamos... achamos... POR FAVOR! — berrou Hermione. Rony esticava as cordas com mais força, e o prego enferrujado escorregou sobre o pulso de Harry.

— Rony, por favor, fique parado! — sussurrou Luna. — Não consigo ver o que estou fazendo...

— Meu bolso! — disse Rony. — No meu bolso tem um desiluminador, e cheio de luz!

Segundos depois, ouviu-se um clique e as esferas luminosas que o desiluminador absorvera das luzes na barraca voaram pelo porão: impossibilitadas de se reunir à fonte luminosa, elas ficaram suspensas no ar, como minúsculos sóis, inundando de claridade a sala subterrânea. Harry viu Luna, apenas olhos no rosto pálido, e o vulto imóvel de Olivaras, o fabricante de varinhas, enroscado no chão a um canto. Espichando o pescoço, avistou os companheiros de prisão: Dino e Grampo, o duende, que parecia quase inconsciente e mantido em pé pelas cordas que o prendiam aos humanos.

— Ah, assim é muito mais fácil, obrigada, Rony — disse Luna, e recomeçou a puir as cordas que os prendiam. — Olá, Dino!

Do alto, a voz de Belatriz:

— Você está mentindo, sua sangue-ruim imunda, sei que está! Você esteve no meu cofre em Gringotes! Diga a verdade, *diga a verdade!*

Outro grito lancinante...

— HERMIONE!

— O que mais você tirou? O que mais tem com você? Me diga a verdade ou, juro, vou furar você com esta faca!

— Pronto!

Harry sentiu as cordas caírem e, ao se virar, esfregando os pulsos, deparou com Rony correndo pelo porão, olhando para o teto baixo, procurando um alçapão. Dino, com o rosto roxo e sangrento, agradeceu a Luna e ficou parado, tremendo, mas Grampo tombou no chão, parecendo tonto e desorientado, seu rosto escuro coberto de vergões.

Rony tentava, agora, desaparatar sem varinha.

– Não temos saída, Rony – comentou Luna, observando seus esforços infrutíferos. – O porão é completamente à prova de fugas. A princípio, eu tentei, o sr. Olivaras está aqui há muito tempo, ele tentou tudo.

Hermione recomeçava a gritar: o som atravessava Harry como uma dor física. Sem tomar consciência do forte formigamento de sua cicatriz, ele também começou a correr à volta do porão, apalpando as paredes sem saber para quê, convencido, em seu íntimo, de que era inútil.

– Que mais você tirou? Que mais? RESPONDA! CRUCIO!

Os berros de Hermione ecoavam pela sala de visitas. Rony quase soluçava socando as paredes com os punhos, e Harry, em absoluto desespero, agarrou a bolsa de Hagrid ao pescoço e tateou-a por dentro; puxou o pomo de Dumbledore e sacudiu-o, esperando nem sabia o quê. Nada aconteceu. Ele acenou com as metades partidas da varinha de fênix, mas não tinham vida; o caco de espelho caiu brilhando no chão, e ele viu uma cintilação muito azul...

O olho de Dumbledore mirava-o do espelho.

– Nos ajude! – ele berrou, louco de desespero. – Estamos no porão da Mansão dos Malfoy, nos ajude!

O olho piscou e desapareceu.

Harry nem tinha certeza se estivera realmente ali. Inclinou o caco de espelho para um lado e para o outro, e não viu nada refletido exceto as paredes e o teto de sua prisão e, no alto, Hermione gritava mais terrivelmente que antes e, ao seu lado, Rony urrava: "HERMIONE, HERMIONE!"

– Como foi que você entrou no meu cofre? – ouviram Belatriz berrar.

– Aquele duende nojento, no porão, a ajudou?

– Só o conhecemos esta noite! – soluçou Hermione. – Nunca estivemos em seu cofre... essa não é a espada verdadeira! É uma cópia, é só uma cópia!

– Uma cópia? – guinchou Belatriz. – Ah, com certeza!

– Mas é muito fácil descobrir! – ouviu-se a voz de Lúcio. – Draco, vá buscar o duende, ele poderá nos dizer se a espada é ou não verdadeira!

Harry correu ao lado oposto do porão onde Grampo estava encolhido no chão.

– Grampo – cochichou ele, na orelha pontuda do duende –, você precisa dizer a eles que a espada é falsa, não podem saber que é a verdadeira, Grampo, por favor...

Ele ouviu alguém descer correndo a escada para o porão; no momento seguinte, a voz trêmula de Draco falou do outro lado da porta.

— Afastem-se. Se enfileirem na parede do fundo. Não tentem nada, ou mato vocês!

Eles obedeceram; quando a chave girou na fechadura, Rony clicou o desiluminador e as luzes voltaram instantaneamente para o seu bolso, restaurando as trevas no porão. A porta se abriu de chofre; Malfoy entrou, a varinha à frente, pálido e decidido. Agarrou o pequeno duende pelo braço e recuou, arrastando Grampo com ele. A porta bateu e, no mesmo momento, um forte estalo ecoou no porão.

Rony clicou o desiluminador. Três bolas de luz em seu bolso voltaram ao ar, revelando Dobby, o elfo doméstico, que acabara de aparatar entre eles.

— DOB...!

Harry deu um tapa no braço de Rony para impedi-lo de gritar, e o amigo pareceu horrorizado com o seu erro. Passos cruzaram o teto no andar de cima: Draco levava Grampo a Belatriz.

Os enormes olhos de Dobby, do tamanho de bolas de tênis, se arregalaram; ele tremia dos pés às pontas das orelhas. Voltara à casa dos seus antigos senhores e, logicamente, estava petrificado.

— Harry Potter — chiou ele, num fiapinho trêmulo de voz —, Dobby veio salvá-lo.

— Mas como foi que você...?

Um grito terrível abafou as palavras de Harry: Hermione estava sendo novamente torturada. Ele se limitou ao essencial.

— Você pode desaparatar deste porão? — perguntou ele a Dobby, que assentiu, abanando as orelhas.

— E pode levar humanos com você?

Dobby tornou a assentir.

— Certo. Dobby, quero que você segure Luna, Dino e o sr. Olivaras e leve-os... leve-os para...

— A casa de Gui e Fleur — sugeriu Rony. — O Chalé das Conchas nos arredores de Tinworth!

O elfo assentiu pela terceira vez.

— E depois volte. Você pode fazer isso, Dobby?

— Claro, Harry Potter — sussurrou o elfo. E correu para o sr. Olivaras, que pareceu estar quase inconsciente. Segurou, então, uma das mãos do fabricante de varinhas, depois estendeu a outra a Luna e Dino, que não se moveram.

— Harry, queremos ajudar vocês! — sussurrou Luna.

— Não podemos deixar vocês aqui — disse Dino.

— Vão, os dois! Nos veremos na casa de Gui e Fleur.

Quando Harry falou, sua cicatriz ardeu como nunca, e, por alguns segundos, ele baixou os olhos, não para o fabricante de varinhas, mas para outro homem que era quase tão velho, quase tão magro, mas ria com desdém.

"Mate-me, então, Voldemort, a morte será bem-vinda! Mas a minha morte não lhe trará o que busca... há tanta coisa que você não compreende..."

Ele sentiu a fúria de Voldemort, mas, como Hermione tornou a gritar, Harry bloqueou a visão e voltou ao porão e ao horror do seu próprio presente.

— Vão! — Harry suplicou a Luna e Dino. — Vão! Nós os seguiremos, vão!

Eles seguraram os dedos estendidos do elfo. Ouviu-se um novo estalo, e Dobby, Luna, Dino e Olivaras sumiram.

— Que foi isso? — gritou Lúcio Malfoy no andar de cima. — Vocês ouviram? Que barulho foi esse no porão?

Harry e Rony se entreolharam assustados.

— Draco... não, chame o Rabicho! Mande-o descer e verificar!

Passos atravessaram o cômodo sobre suas cabeças e, em seguida, fez-se silêncio. Harry percebeu que as pessoas na sala de visitas estavam atentas a novos ruídos no porão.

— Temos que tentar imobilizá-lo — sussurrou Harry para Rony. Não havia escolha; no momento em que qualquer um entrasse no cômodo e desse por falta dos três prisioneiros, eles estariam perdidos. — Deixe as luzes acesas — acrescentou Harry, e, quando ouviram alguém descendo a escada, recuaram contra a parede, dos lados da porta.

— Para trás — ouviram a voz de Rabicho. — Afastem-se da porta. Vou entrar.

A porta foi escancarada. Por uma fração de segundo, Rabicho olhou para o porão aparentemente vazio, iluminado pelos três sóis em miniatura que flutuavam no ar. Então, Harry e Rony se atiraram sobre ele. Rony agarrou o braço de Rabicho que empunhava a varinha e forçou-o para o alto; Harry tapou a boca do bruxo com a mão, abafando-lhe a voz. Silenciosamente, os três lutaram: a varinha de Rabicho emitia faíscas; sua mão prateada fechou-se em torno do pescoço de Harry.

— Que foi, Rabicho? — perguntou Lúcio Malfoy, do alto.

— Nada! — respondeu Rony, em uma imitação razoável da voz chiada de Rabicho. — Tudo bem!

Harry mal conseguia respirar.

— Você vai me matar? — perguntou Harry, sufocado, tentando soltar as garras de metal. — Depois de eu ter salvado sua vida? Você me deve alguma coisa, Rabicho!

As garras de metal afrouxaram. Harry não esperara isso: desvencilhou-se, pasmo, continuando a comprimir a boca do bruxo. Ele viu os olhos de rato pequenos e úmidos se arregalarem de medo e surpresa: parecia quase tão chocado quanto Harry com o que sua mão fizera, com o impulso mínimo de piedade que demonstrara, e continuou a lutar com mais empenho, como se quisesse desfazer aquele momento de fraqueza.

— E vamos ficar com isso — cochichou Rony, puxando a varinha da outra mão do bruxo.

Sem varinha, desamparado, os olhos de Pettigrew se dilataram de terror. Seu olhar deslizara do rosto de Harry para outra coisa. Seus dedos prateados moviam-se inexoravelmente para sua própria garganta.

— Não...

Sem parar para pensar, Harry tentou deter a mão dele, mas não havia como fazê-la parar. A ferramenta prateada que Voldemort dera ao seu servo mais covarde voltara-se contra o dono imprestável e desarmado; Pettigrew recebia a recompensa por sua hesitação, por seu momento de piedade; estava sendo estrangulado diante dos olhos dos prisioneiros.

— Não!

Rony largara Rabicho também e, juntos, ele e Harry tentavam arrancar os dedos de metal que esmagavam a garganta do bruxo, mas inutilmente. Pettigrew estava ficando roxo.

— *Relaxo!* — ordenou Rony, apontando a varinha para a mão prateada, mas nada aconteceu; Pettigrew caiu de joelhos e, no mesmo instante, Hermione soltou um urro pavoroso na sala em cima. Os olhos de Rabicho giraram no rosto arroxeado, ele deu um último estremeção e ficou imóvel.

Harry e Rony se entreolharam e, deixando o corpo de Rabicho no chão, saíram correndo escada acima, de volta ao corredor sombrio que levava à sala de visitas. Cautelosamente, avançaram até a porta da sala, que estava entreaberta. Tiveram, então, uma visão clara de Belatriz olhando do alto para Grampo, que segurava a espada de Gryffindor nas mãos de dedos longos. Hermione se achava caída aos pés de Belatriz. Mal se movia.

— Então — perguntou a bruxa a Grampo. — É a espada verdadeira?

Harry aguardou, prendendo a respiração, resistindo ao formigamento em sua cicatriz.

— Não — respondeu Grampo. — É falsa.

—Você tem certeza? — ofegou Belatriz. — Certeza absoluta?

—Tenho.

O alívio se espalhou em seu rosto, toda a tensão se dissipou.

— Ótimo — disse ela, e, com um gesto displicente da varinha, fez mais um corte profundo no rosto do duende, fazendo-o cair, com um berro, aos seus pés. Ela chutou-o para longe. — E agora — acrescentou com uma voz transbordante de triunfo —, vamos chamar o Lorde das Trevas.

Puxou a manga para cima e encostou o dedo indicador na Marca Negra.

Na mesma hora, Harry teve a sensação de que a cicatriz se rompia mais uma vez. O local em que realmente estava desapareceu: ele era Voldemort, e o bruxo esquelético à sua frente escarnecia dele com um sorriso desdentado; enfureceu-se com o chamado que sentia — tinha alertado a todos, dissera-lhes para não convocá-lo para nada menos importante que Harry Potter. Se estivessem enganados...

"Mate-me então!", exigia o velho. "Você não vencerá, você não pode vencer! Aquela varinha, jamais, em tempo algum, será sua..."

E a fúria de Voldemort extravasou: um clarão verde encheu a cela e o frágil corpo velho foi erguido do catre duro e largado, sem vida, e Voldemort voltou à janela, sua cólera quase incontrolável... eles sofreriam a sua vingança, se não tivessem uma boa razão para convocá-lo.

— E acho — ouviu-se a voz de Belatriz — que podemos dar um fim na sangue-ruim. Greyback, leve-a se quiser.

— NÃÃÃÃÃÃÃÃÃÃÃO!

Rony irrompera pela sala de visitas; Belatriz olhou para os lados e virou a varinha para enfrentar o garoto...

— *Expelliarmus!* — urrou ele, apontando a varinha de Rabicho para Belatriz, e a da bruxa foi arremessada no ar e agarrada por Harry, que correra atrás de Rony. Lúcio, Narcisa, Draco e Greyback se viraram; Harry berrou:

— *Estupefaça!*

E Lúcio Malfoy caiu contra a lareira. Jorros de luz voaram das varinhas de Draco, Narcisa e Greyback; Harry atirou-se ao chão, rolando para trás de um sofá para evitá-los.

— PARE OU ELA MORRE!

Ofegante, Harry espiou pela borda do sofá. Belatriz sustentava Hermione, que parecia inconsciente, e segurava a faca de prata contra a garganta da garota.

— Larguem suas varinhas — sussurrou a bruxa. — Larguem ou verão como o sangue dela é imundo!

Rony ficou rígido, empunhando a varinha de Rabicho. Harry se ergueu, a varinha de Belatriz ainda na mão.

— Eu disse, larguem as varinhas! — guinchou ela, enfiando a faca contra a garganta de Hermione; Harry viu gotas de sangue brotarem.

— Está bem! — gritou, e deixou cair a varinha de Belatriz aos próprios pés. Rony fez o mesmo com a varinha de Rabicho. Os dois ergueram as mãos à altura dos ombros.

— Ótimo. — A bruxa olhou de esguelha. — Draco, apanhe-as! O Lorde das Trevas está vindo, Harry Potter! A sua morte está próxima!

Harry sabia disso; sua cicatriz estava arrebentando de dor, e ele pressentia Voldemort voando de muito longe pelos céus, sobre um mar escuro e tempestuoso, e logo estaria suficientemente próximo para aparatar até a sala, e Harry não via saída.

— Agora — disse Belatriz, com suavidade, quando Draco voltou correndo com as varinhas —, Ciça, acho que devemos amarrar esses heroizinhos outra vez, enquanto Greyback cuida da senhorita sangue ruim. Tenho certeza de que o Lorde das Trevas não vai lhe negar a garota, Greyback, depois do que você fez esta noite.

Quando ela disse a última palavra, ouviram um rangido peculiar vindo do alto. Todos ergueram os olhos em tempo de ver o lustre de cristal estremecer; e, com um forte estalo e um tinido agourento, começar a despencar. Belatriz estava diretamente embaixo do lustre; largando Hermione, atirou-se para um lado, berrando. O lustre se espatifou no chão, produzindo uma explosão de cristais e correntes, desabando sobre Hermione e o duende, que ainda segurava a espada de Gryffindor. Estilhaços de cristal cintilante voaram em todas as direções; Draco se dobrou, as mãos cobrindo o rosto ensanguentado.

Quando Rony correu para retirar Hermione dos destroços, Harry aproveitou a oportunidade: saltou por cima da poltrona, arrancou as três varinhas das mãos de Draco, apontou todas para Greyback e berrou:

— *Estupefaça!*

O lobisomem foi levantado pelo feitiço triplo, voou contra o teto e se arrebentou no chão.

Enquanto Narcisa arrastava Draco para longe, tentando poupá-lo de outros ferimentos, Belatriz se levantou de um pulo, os cabelos desgrenhados, brandindo a faca de prata; mas sua irmã apontara a varinha para a porta.

– Dobby! – berrou ela, e até Belatriz parou. – Você! *Você* fez o lustre cair...

O pequeno elfo entrou na sala, o dedo trêmulo apontando para sua antiga senhora.

– Não deve ferir Harry Potter – guinchou.

– Mate-o, Ciça! – guinchou Belatriz, mas houve outro forte estalo, e a varinha de Narcisa também voou pelo ar e caiu do lado oposto da sala.

– Seu macaquinho imundo! – vociferou Belatriz. – Como ousa tirar a varinha de uma bruxa, como ousa desafiar os seus senhores?

– Dobby não tem senhores! – guinchou o elfo. – Dobby é um elfo livre, e Dobby veio salvar Harry Potter e seus amigos!

A cicatriz de Harry estava cegando-o de dor. Vagamente, ele sabia que tinha momentos, segundos apenas, até Voldemort chegar.

– Rony, pegue... e VÁ! – berrou, atirando uma das varinhas para o amigo; abaixou-se para puxar Grampo debaixo do lustre. Levando ao ombro o duende, que ainda gemia, agarrado à espada, Harry segurou a mão de Dobby e rodopiou para desaparatar.

Ao mergulhar na escuridão, teve um último vislumbre da sala: as figuras pálidas e imóveis de Narcisa e Draco, um risco vermelho que eram os cabelos de Rony, e um borrão de prata que voava, a faca de Belatriz arremessada pela sala contra o lugar em que ele estava desaparecendo...

A casa de Gui e Fleur... O Chalé das Conchas... a casa de Gui e Fleur...

Ele desaparatara para o desconhecido; só lhe restava repetir o nome do seu destino, na esperança de que isso fosse suficiente para levá-lo até lá. A dor em sua testa transpassava-o, e o peso do duende o sobrecarregava. Sentia a espada de Gryffindor bater contra suas costas; a mão de Dobby puxou a dele. Harry imaginou que o elfo talvez estivesse querendo assumir a desaparatação, levá-los na direção certa, e tentou, apertando seus dedos, indicar que concordava...

Eles, então, pisaram em terra firme e sentiram um cheiro de salinidade no ar. Harry ajoelhou-se, largando a mão de Dobby e tentando baixar Grampo gentilmente no chão.

– Você está bem? – perguntou, quando o duende se mexeu, mas Grampo apenas gemeu.

Harry apertou os olhos para enxergar na escuridão. Parecia haver um chalé a uma curta distância, sob um vasto céu estrelado, e ele achou que via um movimento do lado de fora.

— Dobby, aquele é o Chalé das Conchas? — sussurrou, segurando as duas varinhas que trouxera da casa dos Malfoy, pronto para lutar, se fosse necessário. — Viemos para o lugar certo? Dobby?
Ele olhou para os lados. O pequeno elfo estava a alguns passos apenas.
— DOBBY!
O elfo oscilou levemente, as estrelas se refletiram em seus grandes olhos brilhantes. Juntos, ele e Harry olharam para o cabo de prata da faca espetada no peito arfante do elfo.
— Dobby... não... SOCORRO! — berrou Harry em direção ao chalé, às pessoas que se moviam lá. — SOCORRO!
Ele não sabia nem se importava se eram bruxos ou trouxas, amigos ou inimigos; só se importava com a mancha escura que se espalhava pelo peito de Dobby, e que o elfo estendera os braços finos para Harry com um olhar súplice. Harry segurou-o e deitou-o de lado no capim fresco.
— Dobby, não, não morra, não morra...
Os olhos do elfo encontraram os seus e seus lábios se mexeram em um esforço para formar palavras.
— Harry... Potter...
E, então, com um tremor, o elfo ficou muito quieto e seus olhos eram apenas grandes globos vítreos salpicados com a luz das estrelas que eles já não podiam ver.

24

O FABRICANTE DE VARINHAS

Foi como mergulhar em um velho pesadelo; por um instante, ele se viu mais uma vez ajoelhado ao lado do corpo de Dumbledore, ao pé da torre mais elevada de Hogwarts, mas, na realidade, estava contemplando um corpo minúsculo encolhido sobre o capim, trespassado pela faca de prata de Belatriz. A voz de Harry continuou a dizer: "Dobby... *Dobby*...", mesmo sabendo que o elfo se fora para um lugar onde já não poderia atender o seu chamado.

Passados um minuto ou pouco mais, ele percebeu que, afinal, tinha vindo parar no lugar certo, porque ali estavam Gui, Fleur, Dino e Luna, rodeando-o junto ao elfo.

– Hermione? – perguntou ele, repentinamente. – Onde ela está?

– Rony levou-a para dentro – disse Gui. – Vai ficar bem.

Harry tornou a olhar para Dobby. Esticou a mão e puxou a faca afiada do corpo do elfo, então despiu o próprio blusão e, como se fosse um cobertor, estendeu-o sobre Dobby.

O mar batia contra rochas em algum lugar ali perto; Harry ficou escutando, enquanto os outros discutiam assuntos pelos quais ele não conseguiu se interessar, e tomavam decisões. Dino carregou Grampo, o duende ferido, para dentro de casa, Fleur se apressou em acompanhá-los; agora Gui dava sugestões para o enterro do elfo. Harry concordou, sem realmente saber o que estava dizendo. Ao fazer isso, olhou para o corpinho de Dobby e sua cicatriz formigou e ardeu, e uma parte de sua mente avistou, como se olhasse pelo lado contrário de um telescópio, Voldemort punindo aqueles que tinham ficado na Mansão dos Malfoy. Sua fúria era medonha e, no entanto, a dor de Harry pela perda de Dobby pareceu atenuá-la, transformando-a em uma tempestade distante que lhe chegava da outra margem de um vasto oceano silencioso.

— Quero enterrá-lo como deve ser. — Foram as primeiras palavras que Harry teve plena consciência de pronunciar. — Não por magia. Vocês têm uma pá?

E pouco depois, ele começou a trabalhar, sozinho, abrindo uma cova no lugar que Gui lhe apontara no extremo do jardim, entre moitas e arbustos. Cavou com uma espécie de fúria, sentindo prazer no trabalho manual, envaidecendo-se com essa antimagia, porque cada gota de suor e cada bolha que se formava eram para ele uma oferenda ao elfo que salvara suas vidas.

Sua cicatriz ardeu, mas ele dominou a dor; sentiu-a, sem dela participar. Aprendera finalmente a se controlar, aprendera a bloquear sua mente a Voldemort, exatamente o que Dumbledore tinha querido que aprendesse com Snape. Da mesma forma que Voldemort não conseguira possuir Harry quando o garoto se consumira de pesar por Sirius, tampouco agora seus pensamentos conseguiam penetrar Harry, enquanto chorava por Dobby. O pesar, aparentemente, repelia Voldemort... embora Dumbledore, é claro, tivesse dito que era o amor...

Harry continuou a cavar cada vez mais fundo a terra dura e gelada, subordinando sua dor ao suor, negando a dor na cicatriz. No escuro, tendo por companhia apenas o som da própria respiração e das ondas quebrando, reviu o que acontecera na casa dos Malfoy, o que ouvira voltou à sua lembrança e a compreensão floresceu na treva...

O movimento compassado dos seus braços acompanhava o ritmo dos seus pensamentos. Relíquias... Horcruxes... Relíquias... Horcruxes... entretanto, ele já não ardia com aquele desejo obsessivo e estranho. A perda e o medo tinham-no extinguido: sentia-se como se tivesse levado um tapa para despertar.

Cada vez mais fundo, Harry penetrava na cova e sabia onde Voldemort tinha estado aquela noite, e quem ele matara na cela mais alta de Nurmengard, e por quê...

E ele pensou em Rabicho, morto por um mínimo impulso inconsciente de piedade... Dumbledore previra aquilo... que mais teria sabido?

Harry perdeu a noção do tempo. Sabia apenas que a noite clareara quando Rony e Dino vieram se juntar a ele.

— Como está Hermione?

— Melhor — disse Rony. — Fleur está cuidando dela.

Harry tinha a resposta pronta se lhe perguntassem por que simplesmente não cavara uma cova perfeita com a sua varinha, mas não precisou usá-la. Os amigos pularam para dentro do buraco, que ele já fizera, trazendo pás e, juntos, trabalharam em silêncio até a profundidade parecer suficiente.

Harry aconchegou melhor o elfo em seu blusão. Rony sentou-se na beira da cova, tirou os sapatos e as meias e colocou-os sobre os pés descalços do elfo. Dino conjurou um chapéu de lã, que Harry pousou com cuidado na cabeça de Dobby, abafando suas orelhas de morcego.

– Devíamos fechar os olhos dele.

Harry não ouvira os outros se aproximarem no escuro. Gui estava trajando uma capa de viagem; Fleur, um grande avental branco, com um bolso do qual saía uma garrafa em que Harry reconheceu a Esquelesce. Hermione veio embrulhada em um robe emprestado, pálida e vacilante; Rony abraçou-a pela cintura, quando ela se achegou. Luna, que se agasalhara com um dos casacos de Fleur, agachou-se e colocou carinhosamente os dedos sobre as pálpebras do elfo, fechando-as sobre o seu olhar vidrado.

– Pronto – disse baixinho. – Agora ele poderia estar dormindo.

Harry colocou o elfo na cova, ajeitou suas perninhas, para parecer que estava descansando, então saiu e contemplou, uma última vez, o pequeno corpo. Esforçou-se para não cair no choro ao se lembrar dos funerais de Dumbledore, das muitas fileiras de cadeiras douradas com o ministro da Magia sentado à frente e a enumeração dos feitos de Dumbledore, a magnificência do túmulo de mármore branco. Sentiu que Dobby merecia um funeral igualmente pomposo, contudo, o elfo jazia entre moitas e arbustos, em um buraco toscamente cavado.

– Acho que deveríamos dizer algumas palavras – sugeriu Luna. – Eu falo primeiro, posso?

E, como todos olharam para ela, Luna se dirigiu ao elfo morto no fundo da cova.

– Muito obrigada, Dobby, por me tirar daquele porão. É tão injusto que você tivesse que morrer, quando foi tão bom e corajoso. Eu sempre me lembrarei do que fez por nós. Espero que você agora esteja feliz.

Ela olhou para Rony na expectativa, e ele, pigarreando, disse com a voz rouca:

– É... obrigado, Dobby.

– Obrigado – murmurou Dino.

Harry engoliu em seco.

– Adeus, Dobby – foi só o que pôde dizer, mas Luna já dissera tudo por ele. Gui ergueu a varinha e o monte de terra ao lado da cova se elevou no ar e caiu sem se espalhar sobre a cova, um montículo avermelhado.

– Vocês se importam se eu ficar aqui mais um pouco? – Harry perguntou aos outros.

Os amigos murmuraram coisas que ele não entendeu; sentiu palmadinhas carinhosas em suas costas, e, em seguida, todos voltaram ao chalé, deixando-o sozinho ao lado do elfo.

Ele olhou a toda volta: havia muitas pedras grandes e brancas, polidas pelo mar, delimitando os canteiros. Harry apanhou uma das maiores e depositou-a, como um travesseiro, no lugar onde, agora, descansava a cabeça de Dobby. Apalpou, então, o bolso à procura de uma varinha.

Havia duas ali. Ele esquecera, perdera a noção; não conseguiu se lembrar de quem eram as varinhas; tinha a impressão de que as tirara à força da mão de alguém. Escolheu a mais curta, que se ajustou melhor à sua mão, e apontou-a para a rocha.

Lentamente, às instruções que murmurava, foram aparecendo cortes fundos na superfície da pedra. Ele sabia que Hermione poderia ter feito melhor e provavelmente mais rápido, mas queria marcar o lugar como quisera cavar a sepultura. Quando Harry tornou a se levantar, a pedra exibia os dizeres:

Aqui jaz Dobby, um Elfo Livre.

Ele contemplou o seu trabalho por mais alguns segundos, então se afastou, sua cicatriz ainda formigando um pouco e sua mente repleta de pensamentos que tinham lhe ocorrido na cova, ideias que haviam se formado no escuro, ideias ao mesmo tempo fascinantes e terríveis.

Encontrou todos sentados na sala de estar quando entrou no pequeno hall, as atenções concentradas em Gui, que estava falando. A sala era bonita, tinha cores claras, e, na lareira, um fogo esperto com lenha recolhida na praia. Harry não quis deixar cair lama no tapete, por isso parou à porta para escutar.

— ... por sorte, Gina está de férias. Se estivesse em Hogwarts, poderiam tê-la levado antes de chegarmos a ela. Agora sabemos que também está a salvo.

Gui virou a cabeça e viu Harry parado.

— Estou tirando todos d'A Toca — explicou. — Levei-os para a casa de Muriel. Os Comensais da Morte já sabem que Rony está com você, fatalmente irão perseguir nossa família; não se desculpe — acrescentou, ao ver a expressão de Harry. — Sempre foi uma questão de tempo, papai vem dizendo isso há meses. Somos os maiores traidores do sangue que existem.

— Como estão protegidos? — perguntou Harry.

— Feitiço Fidelius. Papai é o fiel do segredo. E fizemos o mesmo com este chalé; aqui sou o fiel do segredo. Nenhum de nós pode ir trabalhar, mas isso não é o mais importante no momento. Quando Olivaras e Grampo melhorarem, vamos transferi-los para a casa de Muriel também. Não temos muito espaço, mas ela tem. As pernas de Grampo estão se refazendo, Fleur lhe deu Esquelesce: provavelmente, poderemos fazer a transferência dentro de uma hora ou...

— Não — disse Harry, e Gui pareceu espantado. — Preciso dos dois aqui. Preciso falar com eles. É importante.

Ele sentiu autoridade na própria voz, a convicção, a determinação que lhe sobreviera enquanto cavava a sepultura de Dobby. Todos os rostos se voltaram para ele, intrigados.

— Vou me lavar — disse Harry a Gui, olhando para as mãos sujas de lama e sangue de Dobby. — Em seguida, preciso vê-los imediatamente.

Ele entrou na pequena cozinha e se dirigiu à pia sob a janela com vista para o mar. O dia amanhecia no horizonte, rosa-amarelado e com um leve matiz dourado, e ele foi se lavando, mais uma vez seguindo o fio dos pensamentos que tinham lhe ocorrido no jardim escuro...

Dobby jamais poderia lhes dizer quem o enviara ao porão, mas Harry sabia o que tinha visto. Um penetrante olho azul o espiara do caco de espelho, e o socorro tinha chegado. *Hogwarts sempre ajudará aqueles que a ela recorrerem.*

Harry enxugou as mãos, insensível à beleza da paisagem à janela e aos murmúrios dos demais na sala de visitas. Contemplou o oceano e se sentiu mais próximo, neste amanhecer, do que jamais se sentira, do âmago de tudo.

E sua cicatriz formigava, e ele sabia que Voldemort também estava chegando lá. Harry entendia e, contudo, não entendia. Seu instinto lhe dizia uma coisa, seu cérebro outra bem diversa. O Dumbledore em sua mente sorria, observando-o por cima das pontas dos dedos juntos, como se estivesse orando.

O senhor deu a Rony o desiluminador. O senhor o compreendeu... deu-lhe um meio de voltar atrás...

E o senhor compreendeu o Rabicho também... o senhor sabia que havia nele certo arrependimento, em algum lugar...

E se os conhecia... o que conhecia de mim, Dumbledore?

Estou destinado a saber, mas não a buscar? O senhor sabia como eu acharia isso penoso? Foi por isso que dificultou tanto? Para que eu tivesse tempo de concluir sozinho?

Harry ficou muito quieto, os olhos vidrados, observando o ponto em que uma borda dourada e ofuscante do sol se erguia no horizonte. Baixou, então, os olhos para as mãos limpas e ficou momentaneamente surpreso de ver a toalha que segurava. Colocou-a de lado e voltou ao hall e, no caminho, sua cicatriz latejou, raivosa, e lampejou em sua mente, fugaz como o reflexo de uma libélula na superfície da água, os contornos de um edifício que ele conhecia excepcionalmente bem.

Gui e Fleur estavam parados ao pé da escada.

— Preciso falar com Grampo e Olivaras — disse Harry.

— Nam — respondeu Fleur. — *Você vai terr que esperrarr, Arry. Os dois stam muite ruins, cansades...*

— Lamento — disse ele, sem se exasperar —, mas não posso esperar. Preciso falar com eles agora. Em particular, e separadamente. É urgente.

— Harry, que diabo está acontecendo? — perguntou Gui. — Você aparece aqui com um elfo doméstico morto e um duende semi-inconsciente, Hermione com a aparência de que foi torturada e Rony se recusa a me dizer o que aconteceu...

— Não podemos lhe contar o que estamos fazendo — disse Harry, taxativamente. — Você pertence à Ordem, Gui, sabe que Dumbledore nos confiou uma missão. Não podemos discuti-la com mais ninguém.

Fleur deu um muxoxo de impaciência, mas Gui não se virou; encarava Harry. Seu rosto coberto de cicatrizes estava impenetrável. Por fim, disse:

— Tudo bem. Com quem quer falar primeiro?

Harry hesitou. Sabia o que pesava sobre sua decisão. Restava-lhe muito pouco tempo. Agora era o momento de decidir: Horcruxes ou Relíquias?

— Grampo. Falarei com Grampo primeiro.

Seu coração disparou, como se tivesse corrido e acabado de saltar um enorme obstáculo.

— Aqui em cima, então — disse Gui, mostrando-lhe o caminho.

Harry subira vários degraus, quando parou e olhou para trás.

— Preciso de vocês dois também! — gritou para Rony e Hermione, que estavam rondando, meio escondidos, o portal da sala de visitas.

Os dois surgiram à luz do hall, parecendo estranhamente aliviados.

— Como vai? — Harry perguntou a Hermione. — Você foi fantástica, inventando aquela história enquanto ela a machucava daquele jeito...

Hermione esboçou um sorriso, e Rony lhe deu um aperto carinhoso no braço.

— Que estamos fazendo agora, Harry? — perguntou ele.

— Vocês verão. Venham.

Harry, Rony e Hermione subiram com Gui a um pequeno corredor. Nele havia três portas.

– Aqui – disse Gui, abrindo a porta para o quarto dele e de Fleur. O cômodo também se abria para o mar, agora salpicado de dourado. Harry aproximou-se da janela, deu as costas para a vista espetacular e aguardou, os braços cruzados, a cicatriz formigando. Hermione sentou-se na poltrona ao lado da penteadeira, e Rony, sobre o braço do estofado.

Gui reapareceu, trazendo o pequeno duende, que ele acomodou cuidadosamente na cama. Grampo resmungou um agradecimento, e Gui saiu, fechando a porta e isolando todos.

– Lamento fazê-lo se levantar – disse Harry. – Como estão suas pernas?

– Doloridas – respondeu o duende. – Mas se recuperando.

Ele ainda se agarrava à espada de Gryffindor, e tinha um ar estranho: meio truculento, meio intrigado. Harry registrou a pele macilenta do duende, seus longos dedos finos, seus olhos pretos. Fleur tirara seus sapatos: os pés compridos estavam sujos. Era pouco mais robusto do que um elfo doméstico. A cabeça em forma de domo era muito maior do que a de um humano.

– Você provavelmente não lembra... – começou Harry.

– ... que fui o duende que o levou ao seu cofre, na primeira vez que visitou o Gringotes? – completou Grampo. – Lembro, Harry Potter. Mesmo entre os duendes, você é muito famoso.

Harry e o duende se encararam, avaliando um ao outro. Sua cicatriz continuava a formigar. Ele queria acabar depressa a entrevista com Grampo, e, ao mesmo tempo, temia fazer um movimento em falso. Enquanto tentava decidir o melhor modo de abordar o seu pedido, o duende quebrou o silêncio.

– Você enterrou o elfo – disse ele, em um tom inesperadamente rancoroso. – Observei-o da janela do quarto ao lado.

– Enterrei – confirmou Harry.

Grampo olhou-o pelo canto de seus amendoados olhos pretos.

– Você é um bruxo incomum, Harry Potter.

– Como assim? – perguntou Harry, esfregando distraidamente a cicatriz.

– Você cavou a sepultura.

– E?

Grampo não respondeu. Harry achou que estava sendo escarnecido por agir como um trouxa, mas não lhe importava se Grampo aprovava ou não a sepultura de Dobby. Preparou-se para o ataque.

– Grampo, preciso lhe perguntar...

– Você também salvou um duende.

– Quê?
– Você me trouxe para cá. Me salvou.
– Bem, espero que não esteja se lamentando – disse Harry, meio impaciente.
– Não, Harry Potter – e, com um dedo, torceu a barbicha rala do queixo –, mas você é um bruxo estranho.
– Certo. Bem, preciso de ajuda, Grampo, e você pode dá-la.
O duende não fez nenhum gesto de encorajamento, mas continuou a franzir a testa para Harry, como se nunca tivesse visto nada parecido.
– Preciso arrombar um cofre no Gringotes.
Harry não pretendera ser tão inepto; as palavras tinham lhe escapado da boca quando a dor trespassou sua cicatriz e ele viu, mais uma vez, os contornos de Hogwarts. Fechou a mente com firmeza. Precisava negociar com Grampo, primeiro. Rony e Hermione olhavam para Harry como se ele tivesse enlouquecido.
– Harry... – disse Hermione, mas foi interrompida por Grampo.
– Arrombar um cofre no Gringotes? – repetiu o duende fazendo uma careta e mudando de posição na cama. – É impossível.
– Não, não é – Rony o contradisse. – Já foi feito.
– É – disse Harry. – No mesmo dia em que eu o conheci, Grampo. Meu aniversário, faz sete anos.
– Na época, o cofre em questão estava vazio – retrucou o duende, e Harry compreendeu que, embora Grampo tivesse saído de Gringotes, a ideia de as defesas do banco terem sido vazadas o ofendia. – Tinha uma proteção mínima.
– Bem, o cofre em que precisamos entrar não está vazio, e imagino que deva contar com fortíssima proteção. Pertence aos Lestrange.
Ele viu Hermione e Rony se entreolharem, abismados, mas haveria bastante tempo para explicações depois que Grampo desse sua resposta.
– Sem chance – respondeu ele, com firmeza. – Não há a menor chance. *"Se procuram sob o nosso chão, um tesouro que nunca enterraram..."*
– "*...ladrão, você foi avisado, cuidado...*", é, eu sei, lembro bem. Mas, não estou tentando roubar um tesouro para mim, não estou tentando apanhar nada para meu lucro pessoal. Dá para você acreditar?
O duende olhou enviesado para Harry, a cicatriz em forma de raio em sua testa formigou, mas ele a ignorou, recusou-se a reconhecer a dor ou o convite que encerrava.
– Se houvesse um bruxo em que fosse possível crer que não visa a um lucro pessoal – disse Grampo, finalmente –, este seria você, Harry Potter.

Duendes e elfos não estão acostumados à proteção ou ao respeito que você demonstrou esta noite. Não de porta-varinhas.

— Porta-varinhas — repetiu Harry: a frase soou estranha aos seus ouvidos, a cicatriz formigou enquanto os pensamentos de Voldemort se voltaram para o norte e Harry ardia de vontade de interrogar Olivaras, no quarto ao lado.

— O direito de portar uma varinha — disse o duende, em voz baixa — tem sido, há muito tempo, motivo de contestação entre bruxos e duendes.

— Bem, os duendes são capazes de magia sem o auxílio de varinhas — disse Rony.

— Isto não vem ao caso! Os bruxos se recusam a dividir os segredos tradicionais sobre varinhas com outros seres mágicos, nos negam a possibilidade de ampliar nossos poderes!

— Bem, os duendes também não dividem os seus conhecimentos de magia — argumentou Rony. — Vocês não querem nos contar como fazem suas espadas e armaduras. Os duendes sabem trabalhar o metal de um modo que os bruxos jamais...

— Não importa — disse Harry, reparando que Grampo estava ficando vermelho. — O que está em questão não são os bruxos contra os duendes, ou qualquer outra criatura mágica.

Grampo deu uma risada desagradável.

— Mas é essa, a questão é exatamente essa! À medida que o Lorde das Trevas se torna mais poderoso, a sua raça se coloca mais firmemente acima da minha! O Gringotes cai sob o domínio dos bruxos, os elfos domésticos são massacrados, e quem entre os porta-varinhas protesta?

— Nós protestamos! — disse Hermione, empertigando-se na poltrona, os olhos brilhantes. — E sou caçada do mesmo modo que um duende ou um elfo, Grampo! Sou uma sangue-ruim!

— Não se chame de... — murmurou Rony.

— Por que não? Sou sangue ruim com muito orgulho! Sob a nova ordem, não tenho uma posição melhor do que você, Grampo! Foi a mim que escolheram para torturar na casa dos Malfoy!

Enquanto falava, ela afastou a gola do robe para mostrar o corte fino que Belatriz fizera, vermelho contra a pele de sua garganta.

— Você sabia que foi Harry quem libertou Dobby? — perguntou ela.
— Você sabia que há anos queremos que os elfos sejam livres? — (Rony se mexeu incomodado no braço da poltrona de Hermione.) — Você não pode desejar a derrota de Você-Sabe-Quem mais do que desejamos, Grampo!

O duende olhou para Hermione com a mesma curiosidade que manifestara por Harry.

— Que procuram no cofre dos Lestrange? — perguntou-lhes, de repente. — A espada que está lá é falsa. Esta é a verdadeira. — O duende olhou de um para outro. — Acho que já sabem isso. Você me pediu para mentir lá no porão.

— Mas a espada falsa não é o único objeto naquele cofre, é? — perguntou Harry. — Talvez você tenha visto outras coisas lá dentro, não?

Seu coração batia cada vez com mais força. Ele redobrou os esforços para ignorar a pulsação da cicatriz.

O duende tornou a enrolar a barbicha no dedo.

— É contra o nosso código de ética falar sobre os segredos de Gringotes. Somos os guardiões de tesouros fabulosos. Temos um dever para com os objetos postos sob nossa guarda, e que foram, muitas vezes, feitos por nossas mãos.

O duende acariciou a espada e seus olhos pretos correram de Harry para Hermione, dela para Rony e de volta.

— Tão jovens — disse, finalmente — para estarem lutando contra tantos.

— Você nos ajudará? — perguntou Harry. — Não temos a menor esperança de arrombar o cofre sem a ajuda de um duende. Você é a nossa única chance.

— Vou... pensar no pedido — disse Grampo irritantemente.

— Mas... — começou Rony, zangado; Hermione cutucou-o nas costelas.

— Muito obrigado — disse Harry.

O duende inclinou a cabeça grande de topo arredondado, assentindo, e então flexionou as pernas curtas.

— Acho — disse ele, acomodando-se ostensivamente na cama de Gui e Fleur — que aquela Esquelesce já fez efeito. Poderei, enfim, dormir. Me deem licença...

— É, claro — disse Harry, mas, antes de sair do quarto, inclinou-se e apanhou a espada de Gryffindor que estava ao lado do duende. Grampo não protestou, mas Harry pensou ter visto rancor em seus olhos quando fechou a porta.

— Bostinha — sussurrou Rony. — Ele está se divertindo em nos fazer esperar.

— Harry — sussurrou Hermione, afastando os dois da porta, para o meio do corredor ainda escuro —, você está dizendo o que penso que está dizendo? Você está dizendo que tem uma Horcrux no cofre dos Lestrange?

— Estou. Belatriz ficou aterrorizada quando achou que tínhamos entrado no cofre, perdeu a cabeça. Por quê? Que achou que tínhamos visto, que mais pensou que poderíamos ter levado? Alguma coisa que a deixou apavorada que Você-Sabe-Quem descobrisse.

— Mas pensei que estávamos procurando lugares em que Você-Sabe-Quem tivesse estado, lugares em que tivesse feito alguma coisa importante! — disse Rony, desconcertado. — Ele algum dia entrou no cofre dos Lestrange?

— Nem sei se algum dia ele entrou no Gringotes — disse Harry. — Quando era mais moço, jamais guardou ouro lá, porque ninguém lhe deixou nada. Mas teria visto o banco por fora, na primeira vez que foi ao Beco Diagonal.

A cicatriz de Harry latejou, mas ele não deu atenção; queria que Rony e Hermione entendessem a questão do Gringotes antes de falarem com Olivaras.

— Aposto como ele teria invejado qualquer um que possuísse a chave de um cofre no Gringotes. Acho que a teria considerado um verdadeiro símbolo de que se pertence ao mundo bruxo. E não esqueçam que ele confiava em Belatriz e no marido. Foram os servos mais dedicados antes de sua queda, e saíram à sua procura quando ele desapareceu. Você-Sabe-Quem disse isso na noite em que voltou, eu ouvi.

Harry esfregou a cicatriz.

— Mas acho que não disse à Belatriz que era uma Horcrux. Jamais contou a Lúcio Malfoy a verdade sobre aquele diário. Provavelmente, disse a ela que era um objeto de estimação e lhe pediu para guardá-lo no cofre. O lugar mais seguro do mundo para qualquer coisa que se queira esconder, segundo Hagrid... à exceção de Hogwarts.

Quando Harry terminou de falar, Rony sacudiu a cabeça.

— Você realmente entende ele.

— Bocadinhos apenas — respondeu Harry. — Bocadinhos... Eu gostaria de ter entendido tanto assim Dumbledore. Mas veremos. Vamos ao Olivaras agora.

Rony e Hermione pareciam perplexos, mas impressionados, ao acompanharem o amigo, que atravessou o corredor e bateu à porta oposta à de Gui e Fleur. Um débil "Entre!" respondeu-lhes.

O fabricante de varinhas estava deitado em uma das camas de solteiro, distante da janela. Permanecera preso no porão mais de um ano e Harry sabia que fora torturado pelo menos em uma ocasião. Estava emaciado, os ossos do rosto destacavam-se nitidamente na pele amarelada. Seus grandes olhos cinzentos pareciam imensos nas órbitas fundas. As mãos que estavam sobre o cobertor poderiam pertencer a um esqueleto. Harry sentou-se na cama vazia, ao lado de Rony e Hermione. Dali não se via o sol nascente. O quarto dava para o jardim sobre o penhasco e a cova recém-aberta.

— Sr. Olivaras, me desculpe incomodá-lo — disse Harry.

— Meu caro rapaz. — A voz de Olivaras era fraca. — Você nos salvou. Pensei que fôssemos morrer naquele lugar. Jamais poderei lhe agradecer... *jamais* agradecer... o suficiente.

— Ficamos felizes em salvá-los.

A cicatriz de Harry latejou. Ele sabia, tinha certeza, que praticamente não lhe restava tempo para chegar ao alvo antes de Voldemort, nem tentar impedi-lo. Sentiu um assomo de pânico... contudo, tomara sua decisão quando optara por falar com Grampo primeiro. Fingindo uma calma que não sentia, apalpou a bolsa no pescoço e tirou a varinha partida.

— Sr. Olivaras, preciso de sua ajuda.

— O que precisar. O que precisar — respondeu o fabricante de varinhas, fraco.

— O senhor pode consertar isso? É possível?

Olivaras estendeu-lhe a mão insegura e Harry colocou em sua palma as duas metades quase soltas.

— Azevinho e pena de fênix — disse Olivaras, com a voz trêmula. — Vinte e oito centímetros. Bem flexível.

— Sim. O senhor pode...?

— Não — sussurrou Olivaras. — Lamento muito, muito mesmo, mas uma varinha que sofreu tal dano não pode ser consertada por nenhum meio que eu conheça.

Harry se preparara para ouvir isso, mas, ainda assim, foi um choque. Recolheu as metades da varinha e tornou a guardá-las na bolsa, ao pescoço. Olivaras fitou atentamente o lugar onde a varinha partida desaparecera e não desviou o olhar até Harry ter tirado do bolso as duas varinhas que trouxera da casa dos Malfoy.

— O senhor pode identificar essas? — perguntou o garoto.

O bruxo apanhou a primeira varinha e segurou-a junto aos olhos enfraquecidos, girando-a entre os dedos nodosos, flexionando-a de leve.

— Nogueira e fibra cardíaca de dragão — disse. — Trinta e dois centímetros. Rígida. Essa varinha pertenceu a Belatriz Lestrange.

— E essa outra?

Olivaras fez o mesmo exame.

— Pilriteiro e pelo de unicórnio. Exatos vinte e cinco centímetros. Razoavelmente flexível. Era a varinha de Draco Malfoy.

— Era? — repetiu Harry. — Não é mais dele?

— Talvez não. Se você a tirou...

— ... tirei...

– ... então talvez seja sua. O modo como a tirou, naturalmente, faz diferença. E também depende muito da varinha em si. Mas, em geral, quando uma varinha é conquistada, sua lealdade muda.

Fez-se silêncio no quarto, exceto pelo ruído distante do mar.

– O senhor fala de varinhas como se elas tivessem sentimentos – disse Harry. – Como se pudessem pensar sozinhas.

– A varinha escolhe o bruxo – disse Olivaras. – Isto sempre esteve claro para os estudiosos da tradição das varinhas.

– Mas uma pessoa pode usar uma varinha que não a escolheu?

– Ah, sim, se você for realmente capaz de magia poderá canalizá-la através de quase qualquer instrumento. Os melhores resultados, porém, sempre ocorrerão quando houver a máxima afinidade entre bruxo e varinha. Esses vínculos são complexos. Uma atração inicial, depois a busca mútua de experiência, a varinha aprendendo com o bruxo, o bruxo com a varinha.

O mar avançava e recuava; era um som triste.

– Tomei a varinha de Draco Malfoy à força – disse Harry. – Posso usá-la sem perigo?

– Creio que sim. Leis sutis governam a propriedade das varinhas, mas uma varinha conquistada, em geral, se dobra à vontade do novo dono.

– Então eu devo usar esta? – disse Rony, tirando a varinha de Rabicho do bolso e entregando-a a Olivaras.

– Castanheira e fibra cardíaca de dragão. Vinte e três centímetros e meio. Quebradiça. Fui obrigado a fabricá-la, pouco depois do meu sequestro, para Pedro Pettigrew. Sim, se você a conquistou, é mais provável que ela lhe obedeça, e obedeça bem, do que outra varinha.

– E isso se aplica a todas as varinhas? – perguntou Harry.

– Creio que sim – respondeu Olivaras, seus olhos salientes fixos no rosto de Harry. – O senhor me faz perguntas profundas, sr. Potter. A tradição das varinhas é um ramo misterioso e complexo da magia.

– Então, não é necessário matar o dono anterior para se apossar realmente de uma varinha? – perguntou Harry.

Olivaras engoliu em seco.

– Necessário? Não, eu não diria que seja necessário matar.

– Mas há lendas. – E, ao dizer isso, o seu coração acelerou, a dor na cicatriz se tornou mais intensa; teve certeza de que Voldemort decidira pôr sua ideia em prática. – Lendas sobre uma varinha, ou varinhas, que passaram de mão em mão por assassinato.

Olivaras empalideceu. Sobre o travesseiro muito branco, ele parecia cinza-claro, e seus olhos enormes, injetados de sangue e salientes, talvez expressassem medo.

— Apenas uma varinha, acho — sussurrou ele.

— E Você-Sabe-Quem está interessado nela, não é? — perguntou Harry.

— Eu... como?! — exclamou Olivaras rouco, e olhou para Rony e Hermione pedindo ajuda. — Como sabe disso?

— Ele queria que o senhor lhe dissesse como vencer a ligação entre as nossas varinhas.

Olivaras ficou aterrorizado.

— Ele me torturou, você precisa entender! A Maldição Cruciatus, eu... eu não tive escolha senão contar o que sabia, o que imaginava saber!

— Compreendo. O senhor lhe falou dos núcleos gêmeos? O senhor disse que ele precisava apenas pedir emprestada a varinha de outro bruxo?

Olivaras estava aterrado, paralisado, pela extensão do que Harry sabia. Assentiu, lentamente.

— Mas não funcionou — continuou Harry. — A minha ainda derrotou a varinha emprestada. O senhor sabe por quê?

Olivaras balançou a cabeça tão lentamente quanto assentira.

— Eu... nunca tinha ouvido falar nisso. O senhor e sua varinha realizaram um feito único aquela noite. O vínculo entre os núcleos gêmeos é extremamente raro, ainda assim por que a sua varinha teria partido a varinha emprestada eu não sei...

— Estávamos falando de outra varinha, a que troca de mãos por assassinato. Quando Você-Sabe-Quem se deu conta de que a minha varinha tinha feito uma coisa estranha, ele voltou para lhe perguntar sobre a outra varinha, não foi?

— Como sabe?

Harry não respondeu.

— Voltou — sussurrou Olivaras. — Queria saber tudo que eu pudesse lhe dizer sobre a Varinha da Morte, Varinha do Destino ou a Varinha das Varinhas.

Harry olhou de esguelha para Hermione. Ela parecia perplexa.

— O Lorde das Trevas — respondeu Olivaras, em tom ao mesmo tempo abafado e temeroso — sempre se contentara com a varinha que eu fabricara para ele, teixo e pena de fênix, trinta e quatro centímetros, até descobrir o vínculo entre os núcleos gêmeos. Agora precisa de outra varinha, mais poderosa, porque acha que é o único meio de vencer a sua.

— Mas logo ele saberá, se é que já não sabe, que a minha está irremediavelmente partida — disse Harry, baixinho.

— Não! — exclamou Hermione, em tom assustado. — Ele não pode saber isso, Harry, como poderia...?

– Priori Incantatem – respondeu Harry. – Deixamos a sua varinha e a de ameixeira-brava na casa dos Malfoy, Hermione. Se eles as examinarem direito, e as fizerem recriar os feitiços lançados recentemente, constatarão que a sua partiu a minha, que você tentou e não conseguiu consertá-la, e concluirão que estou usando a de ameixeira-brava, desde então.

A pouca cor que ela recuperara desde a sua chegada desapareceu do seu rosto. Rony lançou a Harry um olhar de censura e disse:

– Não vamos nos preocupar com isso agora...

O sr. Olivaras, no entanto, interferiu:

– O Lorde das Trevas não está procurando a Varinha das Varinhas apenas para destruí-lo, sr. Potter. Está determinado a possuí-la porque acredita que ela o tornará verdadeiramente invulnerável.

– E tornará?

– O dono da Varinha das Varinhas sempre deve temer um ataque, mas a ideia do Lorde das Trevas possuir a Varinha da Morte, devo admitir... é formidável.

Harry lembrou-se subitamente de sua insegurança quando tinham se conhecido, do quanto gostara de Olivaras. Mesmo agora, depois de torturado e preso por Voldemort, a ideia de o bruxo das trevas possuir a varinha parecia fascinar e causar aversão ao fabricante de varinhas, na mesma medida.

– O senhor... o senhor então acha que essa varinha realmente existe, sr. Olivaras? – perguntou Hermione.

– Ah, sim. É perfeitamente possível determinar o percurso da varinha através da história. Há lacunas, é claro, e bem grandes, onde ela desaparece de vista, temporariamente perdida ou escondida; mas sempre reaparece. Ela tem certas características reconhecíveis aos estudiosos da tradição das varinhas. Há relatos escritos, alguns obscuros, que eu e outros fabricantes de varinhas nos propusemos a estudar. Eles têm um tom de autenticidade.

– Então, o senhor... o senhor não acha que pode ser um conto de fadas ou um mito? – perguntou Hermione, esperançosa.

– Não. Se *precisa* ser transmitida por assassinato, eu não poderia afirmar. A história é sangrenta, mas isto talvez se deva apenas ao fato de ser tão desejada e despertar tanta paixão nos bruxos. É imensamente poderosa, ameaçadora nas mãos erradas, e é um objeto que exerce imenso fascínio em todos os estudiosos do poder das varinhas.

– Sr. Olivaras – disse Harry –, o senhor informou a Você-Sabe-Quem que Gregorovitch tinha em seu poder a Varinha das Varinhas, não foi?

Se é que era possível, Olivaras empalideceu ainda mais. Parecia um fantasma quando engoliu em seco.

— Mas como... como sabe...?

— Não importa como sei — respondeu Harry, fechando os olhos momentaneamente ao sentir a ardência na cicatriz e vendo, por segundos apenas, a rua principal de Hogsmeade, ainda escura, porque estava situada muito mais ao norte. — O senhor informou a Você-Sabe-Quem que Gregorovitch tinha em seu poder a Varinha das Varinhas?

— Era um boato — sussurrou Olivaras. — Um boato que correu há muitos anos, muito antes de você nascer! Acredito que tenha sido o próprio Gregorovitch quem o espalhou. O senhor pode perceber como seria bom para os negócios que um fabricante estivesse estudando e duplicando as qualidades da Varinha das Varinhas!

— Posso. — Harry se levantou. — Sr. Olivaras, uma última coisa e, então, deixaremos o senhor descansar. Que é que o senhor sabe sobre as Relíquias da Morte?

— As o quê? — perguntou o fabricante de varinhas, parecendo absolutamente aturdido.

— As Relíquias da Morte.

— Receio não saber do que está falando. Isso ainda tem alguma relação com varinhas?

Harry fitou o rosto chupado e acreditou que Olivaras não estivesse fingindo. Não conhecia as Relíquias da Morte.

— Obrigado — disse Harry. — Muito obrigado. Vamos deixá-lo descansar.

Olivaras parecia impressionado.

— Ele estava me torturando! — ofegou. — A Maldição Cruciatus... o senhor não faz ideia...

— Faço. Realmente faço. Por favor, descanse um pouco. Obrigado por nos contar tudo isso.

Harry saiu à frente de Rony e Hermione e desceu a escada. Vislumbrou Gui, Fleur, Luna e Dino sentados à mesa na cozinha, xícaras de chá diante deles. Todos ergueram os olhos para Harry quando passou pela porta, mas ele apenas acenou com a cabeça e continuou em direção ao jardim, Rony e Hermione em seus calcanhares. O monte de terra vermelha que cobria Dobby destacava-se adiante, e Harry seguiu para lá sentindo sua dor de cabeça se intensificar. Era agora um enorme esforço bloquear as visões que se impunham à sua mente, mas ele sabia que teria de resistir um pouco mais. Logo, cederia porque precisava saber se a sua teoria estava correta. Mais um breve esforço apenas para poder explicar tudo a Rony e Hermione.

— Muito tempo atrás, Gregorovitch teve em seu poder a Varinha das Varinhas. Vi Você-Sabe-Quem tentando encontrá-lo. Quando conseguiu, soube que não estava mais com Gregorovitch: Grindelwald lhe roubara a varinha. Como Grindelwald descobriu que estava com Gregorovitch, eu não sei, mas se o fabricante de varinhas foi suficientemente burro de espalhar esse boato, não deve ter sido muito difícil.

Voldemort estava às portas de Hogwarts; Harry o via parado ali, e via, também, a lanterna balançando à luz da alvorada se aproximando cada vez mais.

– E Grindelwald usou a varinha para se tornar poderoso. E, no auge do seu poder, quando Dumbledore percebeu que era o único que poderia detê-lo, travou um duelo com Grindelwald e tomou-lhe a Varinha das Varinhas.

– Dumbledore tinha a Varinha das Varinhas? – admirou-se Rony. – Mas então... onde está agora?

– Em Hogwarts – respondeu Harry, lutando para permanecer com os amigos no jardim.

– Mas então vamos! – disse Rony, com urgência. – Harry, vamos buscá-la antes que ele a consiga!

– É tarde demais para isso. – Harry não conseguiu se conter, levou as mãos à cabeça, tentando ajudar sua mente a resistir. – Você-Sabe-Quem sabe onde está. E está lá agora.

– Harry! – exclamou Rony, furioso. – Há quanto tempo você sabe disso... por que estivemos perdendo tempo? Por que conversou com Grampo primeiro? Poderíamos ter ido... ainda podemos ir...

– Não – disse Harry, e caiu de joelhos no capim. – Hermione tem razão. Dumbledore não queria que eu a possuísse. Não queria que eu a tomasse. Queria que eu encontrasse as Horcruxes.

– A varinha invencível, Harry! – gemeu Rony.

– Minha obrigação é... é encontrar as Horcruxes.

E agora tudo estava fresco e escuro: o sol apenas visível no horizonte enquanto ele deslizava ao lado de Snape, atravessando os jardins em direção ao lago.

– Daqui a pouco irei me juntar a você no castelo – disse, com sua voz aguda e fria. – Deixe-me agora.

Snape fez uma reverência e voltou pelo mesmo caminho, sua capa preta esvoaçando às costas. Harry caminhou lentamente, aguardando o vulto de Snape desaparecer. Não seria bom que Snape, nem ninguém, visse aonde estava indo. Mas não havia luzes nas janelas do castelo, e ele poderia se esconder... e, em um segundo, lançou sobre si mesmo um Feitiço da Desilusão que o ocultou até dos próprios olhos. E continuou andando, contornando o lago, apreciando os contornos do castelo, seu primeiro reino, seu direito por nascimento...

E ali estava, ao lado do lago, refletindo-se nas águas escuras. O túmulo de mármore branco, uma mancha desnecessária na paisagem familiar. Ele sentiu mais uma vez um assomo de controlada euforia, aquela sensação intoxicante de propósito na destruição. Ergueu a velha varinha de teixo: que apropriado que este fosse o seu último grande ato.

O túmulo se abriu da cabeceira aos pés. O vulto amortalhado continuava tão comprido e magro como fora em vida. Ele tornou a erguer a varinha.

A mortalha se abriu. O rosto estava translúcido, pálido, encovado, contudo, quase perfeitamente preservado. Tinham lhe deixado os óculos sobre o nariz torto: ele sentiu desprezo e vontade de rir. As mãos de Dumbledore estavam cruzadas sobre o peito, e ali estava ela, presa sob as mãos, enterrada com ele.

Será que o velho tolo imaginara que o mármore ou a morte protegeriam a varinha? Será que pensara que o Lorde das Trevas teria medo de violar o seu túmulo? A mão aranhosa mergulhou e arrebatou a varinha de Dumbledore, e, quando a segurou, uma chuva de faíscas voou da sua ponta, salpicando o corpo do seu último dono, finalmente pronta para servir a um novo senhor.

25

O CHALÉ DAS CONCHAS

O chalé de Gui e Fleur erguia-se isolado em um rochedo de onde se descortinava o mar, as paredes caiadas e engastadas de conchas. Era um lugar belo e solitário. Sempre que Harry entrava na pequena casa ou em seu jardim, ele ouvia o movimento constante das ondas do mar, como a respiração de uma enorme criatura adormecida. Ele passou a maior parte dos dias seguintes dando desculpas para fugir do chalé apinhado de gente, ansiando por avistar do alto do rochedo um céu infinito e um mar vazio, e a sensação do vento frio e salgado em seu rosto.

A enormidade de sua decisão de não competir com Voldemort pela posse da varinha ainda o amedrontava. Não conseguia se lembrar de jamais ter optado por *não* agir. Estava roído de dúvidas, dúvidas que Rony não conseguia deixar de verbalizar quando se reuniam.

— E se Dumbledore quis que a gente decifrasse o símbolo para obter a varinha? E se a decifração do símbolo o tornasse "merecedor" das Relíquias? Harry, se aquela é realmente a Varinha das Varinhas, como é que vamos liquidar Você-Sabe-Quem?

Harry não tinha respostas: havia momentos em que se perguntava se não fora uma rematada loucura não tentar impedir Voldemort de violar o túmulo. Ele não conseguia sequer explicar satisfatoriamente por que se opusera a isso: cada vez que tentava reconstruir os argumentos íntimos que o levaram àquela decisão, eles lhe pareciam mais fracos.

O estranho era que o apoio de Hermione o fazia sentir-se tão confuso quanto as dúvidas de Rony. Agora forçada a aceitar que a Varinha das Varinhas era real, ela sustentava que era um objeto das trevas e que o modo pelo qual Voldemort se apossara dele era repugnante, impensável.

— Você jamais poderia ter feito isso, Harry — repetia ela, todo o tempo.
— Você não poderia ter violado o túmulo de Dumbledore.

A ideia do cadáver de Dumbledore, porém, o assustava menos do que a possibilidade de não ter compreendido as intenções de Dumbledore vivo. Sentia que continuava a tatear no escuro; escolhera um caminho, mas não parava de olhar para trás, imaginando se não teria interpretado mal os sinais, se não deveria ter tomado o outro. De tempos em tempos, a raiva por Dumbledore tornava a desabar sobre ele, poderosa como as ondas que se atiravam contra o paredão de pedra abaixo do chalé, raiva de que o diretor não tivesse explicado tudo antes de morrer.

— Mas ele está morto? — perguntou Rony, três dias depois de chegarem ao chalé. Harry estivera contemplando o muro que separava o jardim do chalé do rochedo quando Rony e Hermione o encontraram; desejou que não o tivessem feito, porque não queria participar da discussão dos dois.

— Está, sim, Rony, por favor, não recomece com isso!

— Examine os fatos, Hermione — insistiu Rony, falando com Harry, que estava entre os dois e que, por sua vez, continuava a fitar o horizonte. — A corça prateada. A espada. O olho que Harry viu no espelho...

— Harry admite que poderia ter imaginado o olho! Não é, Harry?

— Poderia — confirmou Harry, sem olhar para a amiga.

— Mas você não acha que tenha, não é? — perguntou Rony.

— Não.

—Taí! — concluiu Rony, rapidamente, antes que Hermione pudesse prosseguir. — Se não foi Dumbledore, explique como Dobby soube que estávamos no porão, Hermione?

— Não posso... mas você pode explicar como Dumbledore nos mandou Dobby se estava em um túmulo em Hogwarts?

— Não sei, poderia ter sido o fantasma dele!

— Dumbledore não voltaria como fantasma — disse Harry. Agora havia pouca coisa sobre Dumbledore de que ele tivesse certeza, mas isto ele sabia. — Ele teria prosseguido.

— Que quer dizer com esse "prosseguido"? — perguntou Rony, mas, antes que Harry pudesse dizer alguma coisa, uma voz chamou-o, às costas:

— Arry?

Fleur saíra do chalé, seus longos cabelos prateados esvoaçando à brisa.

— Arry, Grrampo gostarria de falarr com você. Ele sta no quarrto menorrzinhe, e diz que nam querr que o oucem.

Seu desagrado com o duende por mandá-la dar recados era evidente; tinha um ar irritado quando voltou para casa.

Grampo estava esperando, tal como Fleur dissera, no menor dos três quartos, onde Hermione e Luna dormiam à noite. Ele fechara as cortinas de algodão vermelho para filtrar a pouca claridade do céu anuviado, o que emprestava ao quarto um tom flamejante incompatível com o resto do chalé, claro e leve.

– Cheguei a uma decisão, Harry Potter – disse o duende, que estava sentado de pernas cruzadas em uma poltrona baixa, tamborilando os dedos finos nos braços do móvel. – Ainda que os duendes de Gringotes considerem isso uma vil traição, decidi ajudá-lo...

– Que ótimo! – exclamou Harry, o alívio percorrendo-lhe o corpo. – Grampo, obrigado, estamos realmente...

– ... mediante – continuou o duende, com firmeza – pagamento.

Ligeiramente surpreso, Harry hesitou.

– Quanto você quer? Tenho ouro.

– Não em ouro. Tenho ouro.

Seus olhos pretos cintilaram, e neles não se viam córneas brancas.

– Quero a espada. A espada de Godrico Gryffindor.

O ânimo de Harry despencou.

– Não posso lhe dar isso. Lamento.

– Então – disse o duende, mansamente –, temos um problema.

– Podemos lhe dar outra coisa – disse Rony, ansioso. – Aposto como os Lestrange têm um montão de coisas, pode escolher o que quiser quando entrarmos no cofre.

Acabara de dizer a coisa errada. Grampo corou encolerizado.

– Não sou ladrão, moleque! Não estou tentando obter tesouros a que não tenho direito!

– A espada é nossa...

– Não é – respondeu o duende.

– Somos da Grifinória, e ela pertenceu a Godrico Gryffindor...

– E antes de Gryffindor, a quem ela pertenceu? – indagou o duende, aprumando-se.

– A ninguém – respondeu Rony. – Foi fabricada para ele, não?

– Não! – exclamou o duende, encrespando-se e apontando um longo dedo para Rony. – Outra vez a arrogância dos bruxos! Aquela espada era de Ragnok, o Primeiro, e lhe foi tomada por Godrico Gryffindor! É um tesouro perdido, uma obra-prima do artesanato dos duendes! Pertence aos duendes! A espada é o preço do meu serviço, é pegar ou largar!

Grampo encarou-os, zangado. Harry olhou para os amigos e disse:
— Precisamos discutir os seus termos, Grampo, se concordar. Pode nos dar uns minutos?

O duende assentiu, de cara azeda.

Embaixo, na sala de estar vazia, Harry encaminhou-se para a lareira, a testa franzida, tentando pensar no que fazer. Às suas costas, Rony comentou:

— Ele está brincando. Não podemos lhe entregar a espada.

— É verdade? — perguntou Harry a Hermione. — A espada foi roubada por Gryffindor?

— Não sei — disse ela, desanimada. — A história dos bruxos com frequência passa por cima do que fizemos a outras raças mágicas, mas nunca li que Gryffindor tivesse roubado a espada.

— Deve ser uma dessas histórias de duendes — disse Rony — que contam que os bruxos vivem querendo passá-los para trás. Suponho que devemos nos dar por felizes que ele não tenha pedido uma de nossas varinhas.

— Os duendes têm boas razões para não gostar dos bruxos, Rony — lembrou Hermione. — Foram tratados com brutalidade no passado.

— Mas os duendes não são exatamente coelhinhos fofinhos, não é? — contrapôs Rony. — Mataram muitos de nós. E também lutaram deslealmente.

— Mas discutir com Grampo qual é a raça mais desleal e violenta não vai animá-lo a nos ajudar, não é?

Houve uma pausa durante a qual os garotos tentaram pensar em uma forma de contornar o problema. Pela janela, Harry olhou para a sepultura de Dobby. Luna estava arrumando limônios em um pote de geleia ao lado da lápide.

— O.k. — disse Rony, e Harry se virou para ele —, que acha disso? Dizemos a Grampo que precisamos da espada até entrarmos no cofre, e depois será dele. Tem uma duplicata lá dentro, não é? Trocamos as duas e lhe entregamos a falsa.

— Rony, ele saberia a diferença melhor do que nós! — objetou Hermione. — Ele foi o único que percebeu que tinha havido uma troca!

— É, mas poderíamos dar no pé antes que ele percebesse...

Ele se intimidou ante o olhar que Hermione lhe lançou.

— Isso — disse ela, baixinho — é desprezível. Pedir a ajuda dele e depois traí-lo? E você se pergunta por que os duendes não gostam dos bruxos, Rony?

As orelhas de Rony ficaram vermelhas.

— Tá, tá! Foi a única coisa em que consegui pensar! E qual é a sua solução?

— Precisamos lhe oferecer outra coisa tão valiosa quanto a espada.

— Genial. Vou arranjar uma das nossas outras espadas antigas fundidas por duendes e você poderá embrulhá-la para presente.

Todos se calaram. Harry tinha certeza de que o duende só aceitaria a espada, mesmo que tivessem outro objeto igualmente valioso para lhe oferecer. Contudo, aquela espada era a arma indispensável contra as Horcruxes.

Ele fechou os olhos por instantes e ficou escutando o barulho das ondas. A ideia de que Gryffindor pudesse ter roubado a espada o desagradava: sempre tivera orgulho de pertencer à Grifinória; Gryffindor tinha sido o campeão dos nascidos trouxas, o bruxo que entrara em conflito com os sonserinos amantes do sangue puro...

— Talvez ele esteja mentindo — disse Harry, reabrindo os olhos. — Grampo. Talvez Gryffindor não tenha tomado a espada. Como vamos saber se a versão da história contada pelo duende é a certa?

— Isso faz diferença? — perguntou Hermione.

— Muda o meu modo de encarar o pedido.

Harry inspirou profundamente.

— Diremos a ele que poderá ficar com a espada depois de nos ajudar a entrar naquele cofre, mas teremos a cautela de omitir exatamente *quando* a entregaremos.

Um sorriso espalhou-se lentamente pelo rosto de Rony. Hermione, entretanto, pareceu alarmada.

— Harry, não podemos...

— Ele a terá — prosseguiu Harry — depois que a usarmos em todas as Horcruxes. Garantirei pessoalmente que ele a receba. E cumprirei com a minha palavra.

— Mas isso poderia levar anos! — protestou Hermione.

— Eu sei disso, mas *ele* não precisa saber. E não estarei mentindo... tecnicamente.

Harry encarou Hermione nos olhos com uma mescla de desafio e vergonha. Lembrou-se das palavras que estavam gravadas na entrada de Nurmengard: *Pelo Bem Maior*. Afastou a ideia de sua mente. Que outra escolha tinham?

— Não gosto disso — falou Hermione.

— Também não gosto muito — admitiu Harry.

— Pois eu acho genial — disse Rony, levantando-se. — Vamos dar a resposta a ele.

De volta ao quartinho, Harry fez a oferta, tomando o cuidado de fraseá-la de modo a indefinir a data para a entrega da espada. Hermione franzia a testa, de olhos no chão, enquanto o amigo falava; Harry se irritou com ela, receoso de que pudesse entregar o jogo. Contudo, Grampo só tinha olhos para Harry.

— Tenho a sua palavra, Harry Potter, de que me dará a espada de Gryffindor se eu ajudá-lo?

— Tem.

— Então, aperte aqui — disse o duende estendendo a mão.

Harry segurou-a e sacudiu-a. Ficou em dúvida se aqueles olhos pretos teriam visto alguma apreensão nos seus. Então, Grampo soltou-o, juntou as palmas das mãos e disse:

— Então. Comecemos!

Foi uma repetição do planejamento para entrar no Ministério. Eles se acomodaram para trabalhar no pequeno quarto, que era mantido, seguindo a preferência de Grampo, na penumbra.

— Visitei o cofre dos Lestrange apenas uma vez — disse Grampo —, na ocasião em que me mandaram guardar a espada falsa lá dentro. É uma das câmaras mais antigas. As famílias de bruxos mais tradicionais guardam os seus tesouros no nível mais profundo, onde os cofres são maiores e mais bem protegidos...

Eles permaneciam trancados no quarto, que lembrava um armário, durante horas seguidas. Lentamente, os dias se alongaram em semanas. Surgia um problema atrás do outro para resolverem, dos quais o menor não era o estoque de Poção Polissuco estar extremamente desfalcado.

— Na realidade, só temos suficiente para um de nós — informou Hermione, inclinando a Poção cor de lama contra a luz.

— Será suficiente — disse Harry, que estava examinando o mapa dos corredores mais profundos, desenhado à mão por Grampo.

Os outros habitantes do Chalé das Conchas não poderiam deixar de notar que alguma coisa estava acontecendo, agora que Harry, Rony e Hermione só apareciam à hora das refeições. Ninguém fazia perguntas, embora Harry sentisse, com frequência, o olhar de Gui sobre os três à mesa, pensativo e preocupado.

Quanto mais tempo passavam juntos, tanto mais Harry tomava consciência de que não gostava muito do duende. Grampo se mostrava inesperadamente sedento de sangue, ria da ideia de infligir dor a criaturas inferiores e parecia antegozar a possibilidade de que pudessem ferir outros bruxos para chegar ao cofre dos Lestrange. Harry percebia que o seu desagrado era compartilhado pelos outros dois, mas não o discutiam: precisavam de Grampo. O duende só comia com os demais de má vontade. Mesmo depois de suas pernas estarem curadas, ele continuou a pedir que levassem a comida em bandeja ao seu quarto, como faziam para o ainda frágil Olivaras, até que Gui (após uma explosão de raiva de Fleur) subiu para lhe dizer que o esquema não poderia continuar. A partir de então, Grampo se reunia a todos na mesa lotada, embora se recusasse a comer a mesma comida, insistindo em se alimentar de pedaços de carne crua e cogumelos variados.

Harry se sentia responsável: afinal, ele insistira que o duende permanecesse no Chalé das Conchas para poder interrogá-lo; era sua culpa que toda a família Weasley tivesse sido obrigada a entrar na clandestinidade; que Gui, Fred, Jorge e o sr. Weasley não pudessem mais trabalhar.

– Lamento muito – disse Harry a Fleur, em uma tempestuosa noite de abril quando a ajudava a preparar o jantar. – Nunca pretendi que vocês tivessem que enfrentar tudo isso.

Ela acabara de separar algumas facas para cortar bifes para Grampo e Gui, que preferia a carne sangrenta desde que fora atacado por Greyback. Enquanto as facas cortavam sozinhas às costas dela, sua expressão irritadiça se suavizou.

– *Arry, você salvou a vida da minha irrmã, eu nam esqueci.*

Rigorosamente falando, isso não era verdade, mas Harry decidiu não lhe lembrar que Gabrielle jamais correra real perigo.

– *De qualquerr forrma* – continuou Fleur, apontando a varinha para uma panela de molho em cima do fogão, que começou imediatamente a borbulhar –, *o sr. Olivarras vai parrtirr parra a casa de Murriel hoje à noite. Isse vai facilitarr um pouque. O duende* – ela franziu as sobrancelhas ao mencioná-lo – *pode se mudarr parra baixe, e você, Rony e Dino podem ficarr com aquele quarrte.*

– Não nos importamos de dormir na sala de visitas – disse Harry, que sabia que Grampo encararia com desagrado a ideia de dormir no sofá; manter o duende feliz era essencial para os seus planos. – Não se preocupe conosco.

– E quando ela tentou protestar, acrescentou: – Logo vocês estarão livres de nós também, de mim, Rony e Hermione. Não precisaremos demorar muito mais tempo aqui.

– *Que querrr dizerr?* – perguntou ela, franzindo o cenho, a varinha que apontava para o prato de forno agora suspensa no ar. – *Clarro que vocês nam devem irr emborra, stão segurros aqui!*

373

Fleur lembrou-lhe a sra. Weasley ao dizer isso, e ele ficou contente que a porta dos fundos tivesse se aberto naquele momento. Luna e Dino entraram, os cabelos molhados de chuva e os braços carregados de gravetos recolhidos na praia.

– ... e orelhinhas minúsculas – Luna ia dizendo – parecidas com as de um hipopótamo, diz o meu pai, só que roxas e peludas. E se a gente quer chamá-las, precisa cantarolar de boca fechada; elas preferem valsas, nada muito rápido...

Sem graça, ao passar Dino encolheu os ombros para Harry, e seguiu com Luna para a sala de estar onde Rony e Hermione estavam pondo a mesa do jantar. Aproveitando a chance para fugir das perguntas de Fleur, Harry passou a mão em duas jarras de suco de abóbora e acompanhou os dois.

– ... e se algum dia você for lá em casa, poderei lhe mostrar o chifre. Papai me escreveu contando, mas ainda não o vi porque os Comensais da Morte me arrancaram do Expresso de Hogwarts e não cheguei a passar o Natal em casa – dizia Luna, enquanto ela e Dino rearrumavam a lenha na lareira.

– Luna, nós já lhe dissemos – interpôs Hermione. – Aquele chifre explodiu. Era de erumpente, não um Bufador de Chifre Enrugado...

– Não, positivamente era um chifre de Bufador – respondeu Luna, com serenidade. – Papai me disse. É provável que a essa altura já tenha voltado a se formar, eles se restauram sozinhos, sabe.

Hermione balançou a cabeça e continuou a arrumar os talheres no momento em que Gui descia a escada com o sr. Olivaras. O fabricante de varinhas ainda parecia excepcionalmente frágil e apoiava-se no braço de Gui, que lhe dava suporte e carregava uma grande mala.

– Vou sentir saudades, sr. Olivaras – disse Luna, aproximando-se do velho.

– E eu de você, minha querida – disse-lhe, com uma palmadinha no ombro. – Você foi um consolo indizível para mim naquele lugar medonho.

– Entam, *au revoir*, sr. *Olivarras* – disse Fleur, beijando-o nas faces. – *E serrá que o senhorr poderria me fazerr o favorr de entrregarr esse embrrulho à tia de Gui, Murriel? Nunca lhe devolvi a tiarra.*

– Será uma honra – disse Olivaras, com uma pequena reverência –, é o mínimo que posso fazer para retribuir sua generosa hospitalidade.

Fleur apanhou um estojo de veludo puído, que abriu para mostrar ao fabricante de varinhas. A tiara brilhava e cintilava à luz do candeeiro suspenso.

– Pedras da lua e diamante – disse Grampo, que entrara na sala sem que Harry percebesse. – Acho que feito por duendes, não?

– E pago por bruxos – disse Gui calmamente, e o duende lhe lançou um olhar ao mesmo tempo furtivo e desafiador.

Um vento forte fustigava as janelas do chalé quando Gui e Olivaras saíram noite afora. Os demais se espremeram em torno da mesa; cotovelo contra cotovelo, quase sem espaço para se mexer, começaram a jantar. O fogo estalava e saltava na grade da lareira ao lado deles. Fleur, Harry reparou, apenas ciscava a comida no prato; olhava para a janela a todo instante; contudo, Gui regressou antes de terminarem o primeiro prato, os cabelos embaraçados pelo vento.

– Correu tudo bem – disse a Fleur. – Olivaras está acomodado, mamãe e papai mandaram lembranças. Gina enviou carinhos a todos. Fred e Jorge estão fazendo Muriel subir pelas paredes, continuam operando um reembolso-coruja de um quarto nos fundos da casa. Ela ficou contente com a devolução da tiara. Disse que pensou que a tivéssemos roubado.

– *Ah, ela é charmante, a sue tie* – comentou Fleur indignada, acenando com a varinha e fazendo os pratos servidos se erguerem da mesa e formarem uma pilha no ar. Depois recolheu-os e saiu da sala.

– Papai fez uma tiara para mim – falou Luna. – Na realidade, foi mais uma coroa.

Rony surpreendeu o olhar de Harry e sorriu; Harry sabia que o amigo estava se lembrando daquele ridículo toucado que tinham visto na visita a Xenofílio.

– É, ele está tentando recriar o diadema perdido de Ravenclaw. Acha que já identificou a maioria dos elementos principais. Acrescentar as asas do giragira realmente fez diferença...

Ouviram, então, uma batida na porta da frente. Todas as cabeças se voltaram para o ruído. Fleur veio correndo da cozinha com ar assustado; Gui levantou-se de um salto, a varinha apontando para a porta. Harry, Rony e Hermione o imitaram. Silenciosamente, Grampo escorregou para baixo da mesa, se escondendo.

– Quem é? – perguntou Gui.

– Sou eu, Remo João Lupin! – respondeu uma voz sobrepondo-se ao uivo do vento. Harry sentiu um tremor de medo; que acontecera? – Sou um lobisomem, casado com Ninfadora Tonks, e você, o fiel do segredo do Chalé das Conchas, me informou o endereço e me pediu para vir se houvesse uma emergência!

— Lupin — murmurou Gui e, correndo à porta, abriu-a.

Lupin desabou na soleira. Estava muito pálido, envolto em uma capa de viagem, seus cabelos grisalhos despenteados pela ventania. Ele se ergueu, correu o olhar pela sala, verificando quem estava presente, então gritou:

— É um menino! Demos a ele o nome de Ted, em homenagem ao pai de Dora!

Hermione deu um gritinho.

— Qu... Tonks... Tonks teve o bebê?

— Teve, teve, teve o bebê! — gritou Lupin. Em volta da mesa ouviram-se gritos de alegria, suspiros de alívio. Hermione e Fleur guincharam:

— Parabéns! — E Rony exclamou:

— Caramba, um menino! — Como se nunca tivesse ouvido falar em tal coisa antes.

— É... é... um menino — repetiu Lupin, que parecia atordoado com a própria felicidade. E, contornando a mesa, abraçou Harry; a cena no porão do largo Grimmauld parecia jamais ter acontecido.

— Você será o padrinho? — perguntou, ao soltar o garoto.

— E-eu? — gaguejou Harry.

— Você, é claro... Dora está de acordo, ninguém melhor...

— Eu... é... caramba...

Harry se sentiu orgulhoso, espantado, encantado: agora Gui corria a buscar vinho e Fleur convencia Lupin a tomar uma taça com eles.

— Não posso me demorar, preciso voltar — disse Lupin, sorrindo para todos: parecia mais jovem do que Harry jamais o vira. — Obrigado, obrigado, Gui.

Logo Gui enchera as taças; todos se levantaram e as ergueram num brinde.

— A Teddy Remo Lupin — disse o pai —, um futuro grande bruxo!

— *Com quam ele parrece?* — indagou Fleur.

— Acho que parece com Dora, mas ela acha que é como eu. Pouco cabelo. Parecia preto quando nasceu, mas juro que virou ruivo desde então. Provavelmente estará louro quando eu voltar. Andrômeda diz que os cabelos de Tonks começaram a mudar de cor no dia em que ela nasceu. — Ele esvaziou a taça. — Ah, aceito, só mais uma — acrescentou, sorridente, quando Gui fez menção de tornar a servi-lo.

O vento açoitava o pequeno chalé, e o fogo saltava e estalava, e logo Gui estava abrindo uma segunda garrafa de vinho. As notícias de Lupin pareciam ter feito todos se descontraírem, tirou-os por uns momentos do seu estado de sítio: notícias de uma vida nova eram animadoras. Somente o duende parecia insensível ao clima subitamente festivo, e, após algum tempo, voltou discretamente para o quarto, que, agora, ocupava sozinho. Harry pensou que tivesse sido o único a notar, até ver o olhar de Gui acompanhando o duende subir a escada.

– Não... não... eu realmente preciso voltar – disse Lupin, por fim, agradecendo mais uma taça de vinho. Levantou-se, vestiu a capa de viagem.

– Tchau, tchau... vou tentar trazer umas fotos dentro de alguns dias... todos ficarão muito contentes quando souberem que estive com vocês...

Ele abotoou a capa e se despediu, abraçando as mulheres e apertando as mãos dos homens; então, ainda sorrindo, voltou para a noite tempestuosa.

– Padrinho, Harry! – exclamou Gui, quando voltavam juntos para a cozinha, ajudando a tirar a mesa. – Uma verdadeira honra! Parabéns!

Quando Harry pousou as taças vazias que trazia, Gui fechou a porta ao passar, isolando as vozes ainda loquazes que continuavam a comemoração, mesmo na ausência de Lupin.

– Eu queria mesmo dar uma palavrinha com você em particular, Harry. Não tem sido fácil arranjar uma oportunidade com o chalé tão cheio de gente.

Gui hesitou.

– Harry, você está planejando alguma coisa com Grampo.

Era uma afirmação, não uma pergunta, e Harry não se deu o trabalho de negar. Apenas olhou para Gui, e aguardou.

– Eu conheço duendes. Trabalhei no Gringotes desde que terminei Hogwarts. Até onde possa haver amizade entre bruxos e duendes, tenho amigos duendes ou, pelo menos, duendes que conheço bem e de quem gosto. – Mais uma vez, ele hesitou. – Harry, que está querendo do Grampo e o que lhe prometeu em pagamento?

– Não posso lhe dizer. Desculpe, Gui.

A porta da cozinha abriu-se às costas deles. Fleur vinha trazendo mais taças vazias.

– Espere – disse-lhe Gui. – Um instante.

Ela retrocedeu e tornou a fechar a porta.

– Então, preciso lhe dizer o seguinte: se você fez algum negócio com Grampo, e, muito particularmente, se esse negócio envolver tesouros, você precisa ter excepcional cautela. As ideias que duendes têm de posse, pagamento e retribuição não são as mesmas que as dos humanos.

Harry sentiu um leve mal-estar, como se uma cobrinha tivesse despertado em seu íntimo.

— Que está querendo dizer?

— Estamos lidando com uma raça diferente. Os negócios entre bruxos e duendes há séculos têm sido desgastantes: mas você aprendeu isso em História da Magia. Tem havido erros de ambas as partes. Eu jamais diria que os bruxos foram inocentes. Entretanto, há uma crença entre os duendes, e os de Gringotes são mais influenciados por ela, de que não se pode confiar nos bruxos em questões de ouro e tesouros, de que eles não respeitam o direito de propriedade dos duendes.

— Eu respeito... — começou Harry, mas Gui balançou a cabeça.

— Você não está entendendo, Harry, ninguém poderia entender a não ser que tenha convivido com duendes. Para um duende, o dono verdadeiro e legítimo de qualquer objeto é quem o fabricou e não quem o comprou. Todos os objetos feitos por duendes são, aos olhos dos duendes, legitimamente deles.

— Mas se tiver sido comprado...

— ... então eles o considerariam arrendado à pessoa que desembolsou o dinheiro. Eles têm, entretanto, grande dificuldade em compreender que objetos feitos por duendes passem de bruxo para bruxo. Você notou a expressão de Grampo quando bateu os olhos na tiara. Ele não aprovou isso. Acredito que pense, como os mais radicais de sua espécie, que o objeto deveria ser restituído aos duendes quando o comprador original morresse. Eles consideram o nosso costume de guardar objetos feitos por duendes e passá-los de bruxo para bruxo sem novo pagamento praticamente um roubo.

Harry teve uma sensação agourenta; ficou imaginando se Gui teria adivinhado mais do que estava demonstrando.

— O que estou dizendo — continuou ele, pondo a mão na porta que dava para a sala de estar — é para que tenha muito cuidado com o que prometer a duendes, Harry. Seria menos perigoso arrombar o Gringotes do que renegar uma promessa a um duende.

— Certo — disse Harry, quando Gui abriu a porta. — Obrigado. Não me esquecerei disso.

Quando seguiu Gui para se reunir aos outros, ocorreu a Harry um pensamento esquisito, inspirado, certamente, pelo vinho que bebera. Parecia que estava em vias de se tornar um padrinho tão inconsequente para Teddy Lupin quanto Sirius Black fora para ele.

26

GRINGOTES

Os planos estavam traçados, os preparativos feitos; no quartinho mínimo, um único fio de cabelo preto, comprido e grosso (tirado do suéter que Hermione usara na Mansão dos Malfoy) estava enrolado em um frasquinho sobre o console da lareira.

— E você estará usando a varinha dela — disse Harry, indicando com a cabeça a varinha de nogueira —, portanto, acho que estará bem convincente.

Hermione olhou assustada, quando a apanhou, como se a varinha pudesse picar ou morder.

— Odeio essa coisa — disse em voz baixa. — Realmente odeio. Parece que não se amolda bem, que não funciona direito comigo... é como um pedaço *dela*.

Harry não pôde deixar de lembrar como Hermione desconsiderara a sua repulsa pela varinha de ameixeira-brava, insistindo que ele estava imaginando coisas quando achou que não funcionava tão bem quanto a dele, dizendo-lhe que só precisava praticar. Preferiu, porém, não repetir para a amiga o próprio conselho; achou que a véspera da tentativa de assalto ao Gringotes era o momento errado para antagonizá-la.

— Provavelmente ajudará quando você tiver assumido a personagem — disse Rony. — Pense no que essa varinha já fez!

— Mas é disso que estou falando! — retorquiu Hermione. — Esta é a varinha que torturou os pais de Neville, e quem sabe quantas pessoas mais? Esta é a varinha que matou Sirius!

Harry não pensara nisso: olhou para a varinha e sentiu um brutal impulso de parti-la, cortá-la ao meio com a espada de Gryffindor, que estava apoiada na parede ao seu lado.

— Sinto falta da *minha* varinha — reclamou Hermione, infeliz. — Gostaria que o sr. Olivaras pudesse ter feito outra para mim também.

O fabricante de varinhas mandara uma nova para Luna naquela manhã. Nesse momento, a garota estava no quintal, testando o seu potencial ao sol do entardecer. Dino, que perdera a varinha para os sequestradores, a observava, tristonho.

Harry olhou para a varinha de pilriteiro que pertencera a Draco Malfoy. Ficou surpreso, mas satisfeito, em descobrir que ela funcionava tão bem com ele quanto a de Hermione. Lembrando o que Olivaras lhe dissera sobre o mecanismo secreto das varinhas, Harry julgou entender qual era o problema de Hermione: a amiga não conquistara a lealdade da varinha de nogueira tomando-a pessoalmente de Belatriz.

A porta do quarto se abriu e Grampo entrou. Harry levou instintivamente a mão ao punho da espada e puxou-a para perto de si, mas, na mesma hora, arrependeu-se do gesto: percebeu que o duende vira. Procurando suavizar o momento embaraçoso, disse:

– Estivemos verificando umas coisinhas de última hora, Grampo. Avisamos a Gui e Fleur que estamos partindo amanhã e que não precisam se levantar para se despedir.

Tinham sido inflexíveis neste ponto, porque Hermione precisaria se transformar em Belatriz antes de saírem, e quanto menos Gui e Fleur soubessem ou suspeitassem do que iam fazer, melhor. Explicaram também que não retornariam. Como tinham perdido a velha barraca de Perkins, na noite em que foram pegos pelos sequestradores, Gui lhes emprestara outra. Estava, agora, guardada na bolsinha de contas, e Harry ficou impressionado ao saber que Hermione a protegera dos sequestradores pelo simples expediente de enfiá-la dentro da meia.

Embora fossem sentir falta de Gui, Fleur, Luna e Dino, sem falar dos confortos de casa que tinham usufruído nas últimas semanas, Harry ansiava pela hora de escapar do confinamento do Chalé das Conchas. Estava cansado de verificar se estariam sendo ouvidos, cansado de ficar trancado em um quarto minúsculo e escuro. E, principalmente, ansiava por se livrar de Grampo. Contudo, exatamente como e quando se separariam do duende sem entregar a espada de Gryffindor ainda eram perguntas para as quais Harry não encontrara respostas. Tinha sido impossível decidir como iriam fazer isso, porque o duende raramente deixava Harry, Rony e Hermione a sós por mais de cinco minutos por vez: "Ele podia dar aulas a minha mãe", rosnava Rony quando os longos dedos do duende apareciam nas bordas das portas. Com o aviso de Gui em mente, Harry não podia deixar de suspeitar que Grampo estivesse alerta para uma possível trapaça. Hermione desaprovava tão vigorosamente a traição planejada que Harry desistira de tentar lhe pedir ideias sobre a melhor maneira de executá-la; Rony, nas raras ocasiões em que tinham conseguido roubar alguns momentos à presença de Grampo, não propusera nada melhor do que "Simplesmente teremos que improvisar, colega".

Harry dormiu mal aquela noite. Ainda deitado nas primeiras horas da manhã, pensou no seu estado de ânimo na véspera de se infiltrarem no Ministério da Magia e lembrou-se de sua determinação, quase uma animação. Agora, experimentava choques de ansiedade e dúvidas persistentes: não conseguia se livrar do medo de que tudo fosse correr mal. Não parava de dizer a si mesmo que o plano deles era bom, que Grampo sabia o que iam enfrentar, que estavam bem preparados para todos os obstáculos que pudessem encontrar; ainda assim, sentia-se inquieto. Uma ou duas vezes ouviu Rony se mexer, e teve certeza de que o amigo também estava acordado, mas dividiam a sala de estar com Dino, por isso, Harry não falou nada.

Foi um alívio quando deu seis horas e eles puderam sair dos sacos de dormir, se vestir na penumbra e sair furtivamente para o jardim, onde deveriam encontrar Hermione e Grampo. A manhã estava gélida, mas havia pouco vento, agora em maio. Harry ergueu os olhos para as estrelas que ainda refulgiam palidamente no céu escuro e escutou o mar avançando e recuando no rochedo: ia sentir falta daquele som.

Plantinhas verdes irrompiam agora pela terra vermelha na sepultura de Dobby; dentro de um ano, o local estaria coberto de flores. A pedra branca gravada com o nome do elfo já adquirira uma aparência gasta. Ele percebia que não poderiam ter enterrado Dobby em um lugar mais bonito, mas entristecia-o pensar que o deixaria para trás. Contemplando a cova, ele tornou a se perguntar como o elfo teria sabido aonde ir para salvá-los. Distraidamente, passou os dedos na bolsinha ainda pendurada ao pescoço, e sentiu, através do couro, o caco pontiagudo de espelho no qual tinha certeza de que vira o olho de Dumbledore. Então, o ruído de uma porta abrindo o fez virar a cabeça.

Belatriz Lestrange atravessava o jardim ao seu encontro, acompanhada por Grampo. Enquanto andava, ia guardando a bolsinha de contas no bolso interno de outro conjunto de velhas vestes que trouxera do largo Grimmauld. E, embora Harry soubesse perfeitamente que era, de fato, Hermione, não conseguiu refrear um arrepio de repugnância. Ela estava mais alta do que ele, seus longos cabelos pretos ondulavam pelas costas, seus olhos espelhavam desdém ao pousarem nele; mas, quando falou, Harry ouviu a voz da amiga através da voz grave de Belatriz.

— O gosto dela foi *nojento*, pior do que raiz-de-cuia! O.k., Rony, vem cá para eu poder dar...

— Certo, mas lembre, não gosto de barba comprida demais...

— Ah, pelo amor de Deus, a questão não é ficar bonito...

— Não é por isso, é que atrapalha! Mas gostei do meu nariz mais curto, tente deixá-lo como da última vez.

Hermione suspirou e se pôs a trabalhar, murmurando baixinho enquanto transformava vários traços na aparência de Rony. Precisava receber uma identidade completamente falsa, e eles estavam confiando que a aura maligna que Belatriz desprendia o protegesse. Entrementes, Harry e Grampo deveriam se ocultar sob a Capa da Invisibilidade.

— Pronto! — exclamou Hermione. — Que acha, Harry?

Ainda era possível distinguir Rony sob o disfarce, mas, pensou Harry, só porque o conhecia muito bem. Os cabelos do amigo estavam agora longos e ondulados, ele tinha barba e bigodes castanhos e espessos, nenhuma sarda, um nariz curto e largo e sobrancelhas grossas.

— Bem, ele não faz o meu tipo, mas dará para o gasto — disse Harry. — Vamos então?

Os três olharam para o Chalé das Conchas, escuro e silencioso sob a luz evanescente das estrelas, então se viraram e seguiram para o ponto, pouco além do muro divisório, onde cessava o efeito do Feitiço Fidelius e poderiam desaparatar. Transposto o portão, Grampo falou:

— É agora que devo subir, Harry Potter, não?

Harry se curvou e o duende subiu em suas costas, cruzando as mãos na frente do seu pescoço. Ele não era pesado, mas Harry não gostou do contato com o duende e a força surpreendente com que se agarrava às suas costas. Hermione tirou a Capa da Invisibilidade da bolsinha de contas e atirou-a sobre os dois.

— Perfeito — disse, abaixando-se para verificar os pés do amigo. — Não se vê nada. Vamos.

Harry girou com Grampo nos ombros, concentrando-se com todas as forças no Caldeirão Furado, a estalagem por onde se entrava no Beco Diagonal. O duende apertou-o ainda mais quando penetraram a escuridão compressora, e, segundos depois, os pés de Harry tocaram na calçada e ele abriu os olhos em Charing Cross. Os trouxas passavam apressados com a expressão deprimida de quem acordou cedo demais, inconscientes da existência da pequena estalagem.

O bar do Caldeirão Furado estava quase deserto. Tom, o estalajadeiro corcunda e desdentado, polia os copos atrás do balcão; uns dois bruxos que conversavam em voz baixa no canto oposto olharam para Hermione e recuaram para as sombras.

— Madame Lestrange — murmurou Tom, quando Hermione passou, e inclinou a cabeça subservientemente.

— Bom dia — disse Hermione no momento em que Harry passava por ela, ainda sob a capa, levando Grampo nas costas, e viu o ar surpreso de Tom.

— Gentil demais — sussurrou Harry no ouvido da amiga ao saírem para o pequeno pátio interno. — Você precisa tratar as pessoas como se fossem lixo!

— O.k., o.k.!

Hermione puxou a varinha de Belatriz e bateu de leve em um tijolo na parede de aspecto comum à sua frente. Na mesma hora, os tijolos começaram a girar e se deslocar: apareceu uma abertura no meio deles, que foi se ampliando e, por fim, formou um arco para a estreita rua de pedras que era o Beco Diagonal.

Estava silencioso, ainda não era hora de abrirem as lojas, e havia raros compradores por ali. A via torta e calçada de pedras estava muito diferente do lugar movimentado que fora quando Harry a visitara no primeiro ano de Hogwarts, anos atrás. Muito mais lojas fechadas com tábuas, embora vários novos estabelecimentos dedicados às Artes das Trevas tivessem sido abertos desde sua última visita. A própria imagem de Harry encarava-o nos pôsteres colados sobre muitas vitrines, sempre legendada com os dizeres *Indesejável Número Um*.

Várias pessoas esfarrapadas se encolhiam nos batentes das portas. Ele as ouviu gemer para os poucos transeuntes, esmolando ouro, insistindo que eram realmente bruxos. Havia um homem com uma bandagem ensanguentada sobre o olho.

Quando começaram a andar pela rua, os mendigos avistaram Hermione. Todos pareciam desaparecer à sua aproximação, puxando os capuzes sobre os rostos e fugindo o mais depressa que podiam. Ela acompanhou-os com o olhar, curiosa, até que o homem com o curativo ensanguentado se colocou cambaleante em seu caminho.

— Meus filhos! — berrou, apontando para ela. Sua voz era entrecortada, aguda, ele parecia louco. — Onde estão meus filhos? Que foi que ele fez com os meus filhos? Você sabe, *você sabe*!

— Eu... eu realmente... — gaguejou Hermione.

O homem se atirou sobre ela, procurando agarrar sua garganta: então, com um estampido e um clarão vermelho, ele foi arremessado ao chão, inconsciente. Rony ficou parado ali, a varinha ainda no ar e uma expressão de choque visível apesar da barba. Apareceram rostos às janelas de ambos os lados da rua, enquanto um grupinho de transeuntes de aparência próspera juntou as vestes com as mãos e saiu quase correndo, ansioso para deixar o local.

A entrada dos garotos no Beco Diagonal não poderia ter sido mais conspícua; por um momento, Harry ficou em dúvida se não seria melhor irem embora logo e tentar pensar em um plano diferente. Antes que pudessem andar ou se consultar, no entanto, ouviram um grito às suas costas.

— Ora se não é Madame Lestrange!

Harry girou nos calcanhares e Grampo apertou seu pescoço: um bruxo alto e magro com uma densa cabeleira grisalha e um nariz longo e curvo vinha ao seu encontro.

— É Travers — sibilou o duende ao ouvido de Harry, mas naquele momento o garoto não conseguiu lembrar quem era Travers. Hermione se empertigou ao máximo e disse com o maior desprezo que conseguiu reunir:

— E o que é que você quer?

Travers parou de chofre, visivelmente ofendido.

— *Ele é outro Comensal da Morte!* — murmurou Grampo, e Harry se encostou de lado em Hermione para repetir a informação ao seu ouvido.

— Só quis cumprimentá-la — disse Travers, friamente —, mas se a minha presença não é bem-vinda...

Harry reconheceu a voz; Travers era um dos Comensais da Morte que fora chamado à casa de Xenofílio.

— Não, não, de modo algum, Travers — Hermione apressou-se a responder, tentando corrigir o seu erro. — Como vai?

— Bem, confesso que estou surpreso de vê-la por aqui, Belatriz.

— Sério? Por quê? — perguntou Hermione.

— Bem. — Travers tossiu. — Ouvi dizer que os moradores da Mansão dos Malfoy estavam confinados em casa, depois da... ah... *fuga*.

Harry desejou que Hermione mantivesse o sangue-frio. Se aquilo fosse verdade, Belatriz não devia estar andando em público...

— O Lorde das Trevas perdoa aqueles que o serviram mais lealmente no passado — disse Hermione, em uma magnífica imitação do tom mais insolente de Belatriz. — Talvez o seu crédito com ele não seja tão bom quanto o meu, Travers.

Embora o Comensal da Morte se mostrasse ofendido, pareceu também menos desconfiado. Baixou, então, os olhos para o homem que Rony acabara de estuporar.

— Como foi que ele a ofendeu?

— Não faz diferença, não tornará a fazê-lo — disse Hermione, friamente.

— Alguns desses bruxos sem varinha podem ser importunos — comentou Travers.

— Não faço objeção quando estão apenas mendigando, mas, na semana passada, uma delas chegou a me pedir para defender o seu caso no Ministério. *Sou bruxa, senhor, sou bruxa, me deixe lhe provar!* — disse, com voz de falsete para imitá-la. — Como se eu fosse lhe entregar a minha varinha... mas de quem é a varinha — perguntou Travers, curioso — que você está usando no momento, Belatriz? Ouvi dizer que a sua foi...

— A minha varinha está aqui — respondeu Hermione, friamente, erguendo a varinha de Belatriz. — Não sei que boatos anda ouvindo, Travers, mas parece estar lamentavelmente mal informado.

O bruxo pareceu um pouco surpreso ao ouvir isso, e se virou, então, para Rony.

— Quem é o seu amigo? Não o estou reconhecendo.

— Este é Dragomir Despard — apresentou-o Hermione; tinham decidido que um falso estrangeiro seria o disfarce mais seguro para Rony. — Ele não fala muito inglês, mas tem simpatia pelos objetivos do Lorde das Trevas. Veio da Transilvânia para conhecer o nosso novo regime.

— Verdade? Como está, Dragomir?

— *Como você?* — respondeu Rony, estendendo a mão.

Travers esticou dois dedos e apertou a mão de Rony como se tivesse medo de se sujar.

— Então que traz você e o seu... ah... simpático amigo tão cedo ao Beco Diagonal? — perguntou Travers.

— Preciso visitar o Gringotes.

— Infelizmente, eu também. O ouro, o vil metal! Não podemos viver sem ele, mas confesso que deploro a necessidade de conviver com os nossos amigos de dedos longos.

Harry sentiu as mãos de Grampo apertarem por um momento o seu pescoço.

— Vamos, então? — disse Travers, convidando Hermione a prosseguir.

A garota não teve escolha senão seguir ao seu lado pela sinuosa rua de pedras até o local em que o alvíssimo Gringotes se destacava sobre lojas vizinhas. Rony acompanhou-os meio de viés, e Harry e Grampo os seguiram.

Um Comensal da Morte vigilante era a última coisa de que precisavam, e o pior era que Harry não via meios de se comunicar com Hermione e Rony, estando Travers ao lado da bruxa que supunha ser Belatriz. Cedo demais, chegaram às escadas de mármore que levavam às grandes portas de bronze. Tal como Grampo os prevenira, os duendes de libré que normalmente flanqueavam a entrada tinham sido substituídos por dois bruxos, ambos segurando longas e finas varas de ouro.

— Ah, os honestímetros — suspirou Travers, teatralmente —, tão rudimentares... mas tão eficientes!

E começou a subir os degraus, acenando com a cabeça à esquerda e à direita para os bruxos, que ergueram as varas e as passaram de alto a baixo por seu corpo. Os honestímetros, Harry sabia, detectavam feitiços de ocultamento e objetos mágicos escondidos. Sabendo que tinha apenas segundos, Harry apontou a varinha de Draco para cada um dos guardas e, duas vezes, murmurou: "*Confundo!*" Despercebido por Travers, que olhava através das portas de bronze para o saguão interno, os guardas estremeceram brevemente quando os feitiços os atingiram.

Os cabelos longos e pretos de Hermione ondularam às suas costas quando subiu as escadas.

— Um momento, madame — disse um dos guardas, erguendo o honestímetro.

— Mas você acabou de fazer isso! — exclamou Hermione, na voz autoritária e arrogante de Belatriz. Travers se virou, as sobrancelhas erguidas. O guarda ficou aturdido. Olhou para o seu fino honestímetro de ouro e em seguida para o colega, que falou com a voz ligeiramente pastosa:

— É, você acabou de revistá-los, Mário.

Hermione continuou a subir, Rony ao seu lado, Harry e Grampo trotando invisíveis em sua cola. O garoto olhou para trás ao cruzar o portal do banco: os guardas coçavam a cabeça.

Dois duendes estavam postados diante das portas internas, que eram feitas de prata e exibiam o poema alertando para a terrível retribuição que aguarda os ladrões potenciais. Harry ergueu os olhos e de repente ocorreu-lhe uma lembrança muito nítida: parado naquele exato lugar, no dia em que completara onze anos, o aniversário mais fantástico de sua vida e Hagrid lhe dizendo: "*Não te disse? Só um louco tentaria roubar o banco.*" Naquele dia, Gringotes lhe parecera um lugar assombroso, o repositório encantado de um tesouro em ouro que ele nunca soubera possuir, e nem por um instante poderia ter sonhado que voltaria ali para roubar... Segundos depois, porém, eles estavam no vasto saguão de mármore do banco.

O longo balcão era ocupado por duendes sentados em banquinhos altos, que atendiam os primeiros clientes do dia. Hermione, Rony e Travers se dirigiram a um velho duende que examinava, com um óculo, uma grossa moeda de ouro. Hermione deixou Travers passar sua frente a pretexto de explicar algumas características do saguão a Rony.

O duende jogou a moeda que tinha nas mãos para o lado e falou, sem se dirigir a ninguém em particular, "Leprechaun", em seguida, cumprimentou Travers, que lhe entregou uma chaveta de ouro. O duende examinou-a e restituiu-a.

Hermione se adiantou.

— Madame Lestrange! – disse o duende, evidentemente surpreso. – Céus! Que... que posso fazer hoje pela senhora?

— Quero entrar no meu cofre – respondeu Hermione.

O velho duende pareceu se encolher ligeiramente. Harry olhou para os lados. Não só Travers estava por perto observando, mas vários outros duendes tinham levantado a cabeça do seu trabalho para olhar Hermione.

— A senhora tem... identificação? – perguntou o duende.

— Identificação? Nun... nunca me pediram identificação antes!

— *Eles sabem!* – sussurrou Grampo ao ouvido de Harry. – *Devem ter sido avisados de que poderia aparecer um impostor!*

— A sua varinha será suficiente, madame – disse o duende. Ele esticou a mão trêmula, e, em um aflitivo lampejo de percepção, Harry teve certeza de que os duendes do Gringotes sabiam que a varinha de Belatriz tinha sido roubada.

— *Aja agora, aja agora* – sussurrou Grampo outra vez –, *a Maldição Imperius!*

Harry ergueu a varinha de pilriteiro sob a capa, apontou-a para o velho duende e sussurrou pela primeira vez na vida:

— *Imperio!*

Uma curiosa sensação percorreu seu braço, uma sensação de quentura ardida que pareceu fluir do seu cérebro, e descer pelos tendões e veias que o ligavam à varinha e à maldição que acabara de lançar. O duende apanhou a varinha de Belatriz, examinou-a atentamente e, então, exclamou:

— Ah, a senhora mandou fazer uma nova varinha, madame Lestrange!

— Quê? – disse Hermione. – Não, não, essa é a minha...

— Uma nova varinha? – indagou Travers, aproximando-se outra vez do balcão; os duendes a toda volta continuavam a observar. – Mas, como poderia ter feito, que fabricante de varinha usou?

Harry agiu sem pensar: apontou a varinha para Travers e murmurou mais uma vez:

– Imperio!

– Ah, sim, estou vendo – disse Travers, olhando para a varinha de Belatriz –, é muito bonita. E está funcionando bem? Sempre acho que as varinhas precisam ser amaciadas, concorda?

Hermione parecia absolutamente aturdida, mas, para enorme alívio de Harry, ela aceitou, sem comentário, a bizarra virada nos acontecimentos. O velho duende atrás do balcão bateu palmas e um duende jovem se aproximou.

– Precisarei dos cêmbalos – disse ao duende, que correu e voltou logo depois com uma bolsa de couro que parecia cheia de metais soltos e que ele entregou ao seu superior. – Ótimo, ótimo! Então, se quiser me acompanhar, madame Lestrange – convidou-a o velho duende, saltando do banquinho e desaparecendo de vista –, levarei a senhora ao seu cofre.

Ele reapareceu na extremidade do balcão, saltitando feliz ao encontro da cliente, o conteúdo da bolsa de couro ainda tilintando. Travers agora estava parado, muito quieto, de boca aberta. Rony atraía as atenções para o estranho fenômeno olhando confuso para o bruxo.

– Espere... Bogrode!

Outro duende contornou correndo o balcão.

– Temos instruções – disse ele, curvando-se para Hermione –, me perdoe, madame Lestrange, mas recebemos ordens especiais com relação ao cofre de sua família.

Ele cochichou pressuroso ao ouvido de Bogrode, mas o duende sob o efeito da maldição se livrou dele.

– Estou ciente das instruções. Madame Lestrange quer visitar o seu cofre, família muito antiga... velhos clientes... acompanhem-me, por favor...

E ainda tilintando, ele se dirigiu apressado a uma das muitas portas de saída do saguão. Harry olhou para Travers, que continuava pregado no mesmo lugar, parecendo anormalmente alheado, e tomou uma decisão: com um aceno da varinha, fez o bruxo acompanhá-los e se dirigir mansamente para a porta e o corredor de pedra rústica além, iluminado por archotes.

– Estamos enrascados, eles suspeitam – disse Harry, quando a porta bateu às costas deles e despiu a Capa da Invisibilidade. Grampo pulou dos seus ombros; nem Bogrode nem Travers manifestaram a menor surpresa ao súbito aparecimento de Harry Potter entre eles. – Amaldiçoei-os com a Imperius – acrescentou, em resposta às indagações confusas de Hermione e Rony sobre Travers e Bogrode, ambos agora parados, com o olhar vazio. – Acho que não fiz com força suficiente, não sei...

E outra lembrança perpassou sua mente, da verdadeira Belatriz Lestrange gritando quando ele tentou usar uma Maldição Imperdoável pela primeira vez: É *preciso querer usá-las, Potter!*

– Que faremos? – perguntou Rony. – Damos o fora já, enquanto podemos?

– Se pudermos – disse Hermione, olhando para a porta que dava acesso ao saguão principal, e além da qual ninguém sabia o que estava acontecendo.

– Chegamos até aqui, proponho que continuemos – disse Harry.

– Ótimo! – disse Grampo. – Então, precisamos de Bogrode para controlar o vagonete; eu não tenho mais autoridade. Mas não haverá espaço para o bruxo.

Harry apontou a varinha para Travers.

– *Imperio!*

O bruxo se virou e saiu pelo trilho escuro a passos rápidos.

– Que é que você mandou ele fazer?

– Se esconder – disse Harry, apontando a varinha para Bogrode, que assoviou para chamar um vagonete que surgiu do escuro, sacolejando pelos trilhos, em sua direção. Harry teve certeza de ouvir gritos no saguão principal quando embarcaram, Bogrode na frente com Grampo, Harry, Rony e Hermione espremidos atrás.

Com um tranco, o vagonete deu partida e começou a acelerar: passaram velozes por Travers, que se contorceu para dentro de uma fenda na parede, depois o veículo começou a serpear e fazer curvas por um verdadeiro labirinto, sempre descendo. Harry não conseguia ouvir nada com o barulho do carro sobre os trilhos: seus cabelos voavam enquanto evitavam estalactites, se aprofundavam em alta velocidade na terra, mas ele não parava de olhar para trás. Poderiam ter deixado enormes pegadas ao passar; quanto mais pensava no assunto, tanto mais idiota lhe parecia ter disfarçado Hermione de Belatriz, ter trazido a varinha da bruxa, quando os Comensais da Morte sabiam que tinha sido roubada...

Estavam mais fundo do que Harry jamais penetrara no Gringotes; fizeram uma curva fechada em alta velocidade e viram, tarde demais, uma cascata jorrando com violência sobre os trilhos. Harry ouviu Grampo gritar "Não!", mas não houve tempo de frear: eles a atravessaram disparados. A água encheu os olhos e a boca de Harry: não conseguia ver nem respirar; então, com uma guinada súbita e irresistível, o vagonete capotou e eles foram atirados para fora. Harry ouviu o veículo se despedaçar contra a parede do labirinto, ouviu Hermione gritar alguma coisa e se sentiu planar de volta ao chão, como se não tivesse peso, e aterrissar sem dor no piso da passagem de pedra.

— F-feitiço Amortecedor — gaguejou Hermione, quando Rony a pôs de pé: mas, para seu horror, Harry viu que a amiga deixara de ser Belatriz. Em vez disso, usava vestes largas e encharcadas, e era ela própria; Rony estava novamente ruivo e imberbe. Eles foram percebendo isso ao se entreolharem, apalpando os próprios rostos.

— A Queda do Ladrão! — exclamou Grampo, se levantando e olhando para o dilúvio sobre os trilhos às suas costas, que Harry agora sabia que fora mais do que água. — Lava todos os encantamentos, todos os disfarces mágicos! Já sabem que há impostores em Gringotes e acionaram as defesas contra nós!

Harry viu Hermione verificando se ainda levava a bolsinha de contas e enfiou depressa a mão sob o blusão para certificar-se de que não havia perdido a Capa da Invisibilidade. Virou-se, então, e viu Bogrode sacudindo a cabeça aturdido: a Queda do Ladrão aparentemente desfizera a Maldição Imperius.

— Precisamos dele — disse Grampo —, não poderemos entrar no cofre sem um duende do Gringotes. E precisamos dos cêmbalos!

— *Imperio*! — Harry disse; sua voz ecoou pela passagem de pedra e ele sentiu mais uma vez a sensação intoxicante de controle que emanava do cérebro para a varinha. Bogrode voltou a se submeter à sua vontade, sua expressão de atordoamento se alterou para a de cortês indiferença, enquanto Rony corria a apanhar a bolsa de couro com as ferragens de metal.

— Harry, acho que estou escutando gente vindo! — disse Hermione e, apontando a varinha de Belatriz para a cascata, gritou: — *Protego*! — Eles viram o Feitiço Escudo interromper o jorro de água encantada ao subir passagem acima.

— Bem pensado — disse Harry. — Mostre-nos o caminho, Grampo!

— Como vamos sair daqui? — perguntou Rony, enquanto corriam pela escuridão atrás de Grampo, Bogrode ofegando em seus calcanhares como um cachorro velho.

— Vamos nos preocupar com isso quando for a hora — respondeu Harry. Estava tentando escutar: pensou ter ouvido alguma coisa metálica batendo e se mexendo ali perto. — Grampo, ainda falta muito?

— Não muito, Harry Potter, não muito...

E, ao virarem um canto, depararam com a coisa para a qual Harry estivera preparado, mas que ainda assim fez todos estacarem de repente.

Um dragão gigantesco achava-se acorrentado no chão à frente, barrando o acesso a quatro ou cinco dos cofres mais profundos do banco. As escamas do animal tinham se tornado pálidas e flocosas durante a longa prisão subterrânea; seus olhos estavam rosa-leitoso: as duas patas traseiras tinham pesadas argolas das quais saíam correntes ancoradas em enormes estacas enterradas no solo rochoso. Suas grandes asas, espiculadas e fechadas junto ao corpo, teriam enchido a câmara se ele as abrisse, e quando virou a feia cabeça para eles, rugiu com um estrondo que fez a rocha tremer, escancarou a boca e cuspiu um jato de fogo, fazendo-os retroceder rapidamente.

– Ele é parcialmente cego – arquejou Grampo –, e por isso é ainda mais feroz. Mas temos meios de controlá-lo. Ele sabe o que esperar quando trazemos os cêmbalos. Me dê a bolsa aqui.

Rony passou a bolsa para Grampo e o duende tirou de dentro pequenos instrumentos de metal que, quando agitados, produziam um barulho como o de martelos e bigornas em miniatura. Grampo os distribuiu: Bogrode aceitou os dele, obedientemente.

– Vocês sabem o que fazer – disse Grampo a Harry, Rony e Hermione.
– O dragão sabe que sentirá dor quando ouvir o barulho: recuará e Bogrode deverá encostar a palma da mão na porta do cofre.

O grupo tornou a avançar pelo canto, sacudindo os cêmbalos, e os ruídos ecoaram pelas paredes rochosas, brutalmente amplificados, dando a Harry a impressão de que os ossos de seu crânio vibravam com a zoeira. O dragão soltou outro rugido rouco e retrocedeu. Harry o viu tremer e, ao se aproximar, reparou nas cicatrizes deixadas por fundos cortes em sua cara, imaginou que aprendera a temer espadas em brasa quando ouvisse o som dos cêmbalos.

– Faça-o pôr a mão na porta! – Grampo insistiu com Harry, que apontou a varinha para Bogrode. O velho duende obedeceu, comprimiu a palma da mão contra a madeira, e a porta do cofre se dissolveu, revelando uma espécie de caverna, atulhada do chão ao teto de moedas e taças de ouro, armaduras de prata, peles de estranhas criaturas, algumas com longas espinhas dorsais, outras com asas caídas, poções em frascos cravejados de pedras e um crânio ainda usando uma coroa.

– Procurem, rápido! – disse Harry, enquanto todos se precipitavam para dentro do cofre.

Ele descrevera a taça de Hufflepuff para Rony e Hermione, mas, se fosse a outra, a Horcrux desconhecida, que estivesse guardada no cofre, ele não sabia que aparência teria. Mal tivera tempo de olhar ao seu redor, quando ouviram um ruído abafado: a porta reaparecera, encerrando-os ali dentro, e eles foram mergulhados na mais absoluta escuridão.

– Não se preocupem, Bogrode poderá nos soltar – disse Grampo, ao mesmo tempo que Rony gritava, surpreso. – Será que não podem acender as suas varinhas? E andem logo, temos muito pouco tempo!

– Lumos!

Harry girou a varinha acesa pelo cofre: a luz incidiu sobre joias cintilantes, ele viu a falsa espada de Gryffindor em uma prateleira alta, entre um emaranhado de correntes. Rony e Hermione tinham acendido as varinhas também e agora examinavam as pilhas de objetos que os cercavam.

– Harry, poderia ser...? Aiii!

Hermione gritou de dor e Harry iluminou-a em tempo de ver uma taça cravejada de pedras escorregando de sua mão: mas, ao cair, o objeto rachou e se transformou em uma inundação de taças, e, um segundo depois, com grande estrépito, o chão ficou coberto de taças idênticas rolando para todos os lados, a original indistinguível das demais.

– Ela me queimou! – choramingou Hermione, chupando os dedos vermelhos.

– Eles juntaram dois feitiços, o Duplicador e o Abrasador! – disse Grampo. – Tudo que tocarmos queimará e multiplicará, mas as cópias não têm valor... e se continuarem a mexer no tesouro, acabarão morrendo esmagados pelo peso do ouro em expansão!

– O.k., não toquem em nada! – recomendou Harry, desesperado, mas, no momento em que dizia isso, Rony acidentalmente empurrou uma das taças caídas com o pé e mais vinte surgiram de repente e, enquanto Rony saltava no mesmo lugar, parte do seu sapato queimou ao contato com o metal em brasa.

– Fiquem parados, não se mexam! – pediu Hermione, segurando Rony.

– Olhem apenas! – disse Harry. – Lembrem-se, a taça é pequena e de ouro, tem uma gravação, duas asas, ou então vejam se localizam o símbolo de Ravenclaw em algum lugar, a águia...

Eles apontaram a luz da varinha para todos os cantos e reentrâncias, virando-se cautelosamente sem sair do lugar. Era impossível não roçar em nada; Harry fez rolar para o chão uma volumosa cascata de galeões falsos que se juntaram às taças, e agora quase não havia espaço para os pés deles, e o ouro reluzia, abrasador, transformando o cofre em um forno. A luz da varinha de Harry percorreu escudos e elmos feitos por duendes e guardados em prateleiras que iam até o teto. Sempre mais alto, ele erguia a varinha até que, de repente, incidiu sobre um objeto que fez o seu coração dar um salto e sua mão tremer.

– Está lá, está lá em cima!

Rony e Hermione apontaram suas varinhas para o lugar indicado fazendo com que a pequena taça cintilasse sob um foco triplo: a taça que pertencera a Helga Hufflepuff e passara ao poder de Hepzibá Smith, de quem fora roubada por Tom Riddle.

– E como vamos chegar lá em cima sem tocar em nada, pô? – perguntou Rony.

– Accio taça! – ordenou Hermione, que evidentemente esquecera, em seu desespero, o que Grampo lhes dissera durante as sessões de planejamento.

– Não adianta, não adianta! – rosnou o duende.

– Então o que faremos? – perguntou Harry, olhando feio para ele. – Se você quiser a espada, Grampo, terá de nos ajudar mais... espere! Posso tocar nas peças com a espada? Hermione, me dê a espada aqui!

Hermione apalpou as vestes por dentro, tirou a bolsinha de contas, remexeu nela por alguns segundos, então tirou a espada brilhante. Harry segurou-a pelo punho incrustado de rubis e encostou a ponta da lâmina em uma garrafa de prata próxima, que não se multiplicou.

– Se eu pudesse enfiar a ponta da espada em uma alça... mas como vou chegar lá em cima?

A prateleira em que repousava a taça estava fora de alcance, até mesmo para Rony que era o mais alto. O calor do tesouro encantado desprendia-se em ondas, e o suor escorria pelo rosto e as costas de Harry enquanto procurava encontrar um meio de chegar à taça; ouviu, então, o dragão rugir do outro lado da porta do cofre e o som dos címbalos sempre mais alto.

Aparentemente, estavam realmente encurralados: não havia saída exceto pela porta, e uma horda de duendes vinha se aproximando pelo outro lado. Harry olhou para Rony e Hermione e viu terror em seus rostos.

– Hermione! – chamou Harry, quando o tilintar se tornou mais forte. – Tenho que chegar lá em cima, temos que nos livrar...

Ela ergueu a varinha, apontou-a para o amigo e sussurrou:

– Levicorpus!

Guindado para o alto pelo tornozelo, Harry bateu em uma armadura e as réplicas, como corpos incandescentes, encheram o espaço apertado.

Com gritos de dor, Rony, Hermione e os dois duendes foram atirados contra outros objetos, que também começaram a se replicar. Meio soterrados por uma onda crescente de tesouros em brasa, eles se debateram e gritaram enquanto Harry enfiava a espada na alça da taça de Hufflepuff e a enganchava na lâmina.

– *Impervius!* – guinchou Hermione, em uma tentativa de proteger a si, Rony e os duendes do metal em combustão.

Então o grito mais aterrorizante fez Harry olhar para baixo: Rony e Hermione estavam cercados por tesouros até a cintura, lutando para impedir Bogrode de escorregar para baixo da maré crescente, mas Grampo submergira, deixando visíveis apenas as pontas dos seus longos dedos.

Harry agarrou os dedos do duende e puxou-os. Grampo, coberto de bolhas, reapareceu aos poucos, urrando.

– *Liberacorpus!* – berrou Harry, e, com um estrondo, ele e Grampo caíram sobre a superfície do tesouro em progressão, e a espada voou da mão de Harry. – Segure-a! – gritou ele, resistindo à dor das queimaduras em sua pele, quando Grampo tornou a subir em seus ombros, decidido a evitar a massa abrasadora que se expandia. – Cadê a espada? Tinha a taça enganchada nela!

O tinido de metal do outro lado tornava-se ensurdecedor... era tarde demais...

– Ali!

Foi Grampo quem a viu, e ele quem se atirou para a espada e, naquele instante, Harry percebeu que o duende nunca esperara que eles cumprissem a palavra dada. Com uma das mãos segurando firme um punhado de cabelos de Harry, para não cair no mar de ouro quente, Grampo agarrou o cabo da espada e ergueu-a no alto, fora do alcance de Harry.

A pequena taça de ouro, espetada pela alça na lâmina da espada, foi arremessada no ar. Com o duende ainda montado nele, Harry mergulhou e apanhou-a e, embora a sentisse queimar sua pele, não a soltou, mesmo quando incontáveis taças irromperam do seu punho caindo sobre seu corpo. Nesse instante, o cofre se abriu e ele se viu deslizando, sem controle, sobre uma avalanche desmesurada de ouro e prata incandescente que o carregava, e a Rony e Hermione, para a câmara externa.

Sem tomar consciência da dor das queimaduras por todo o corpo, e ainda carregado pela onda de tesouros replicantes, Harry enfiou a taça no bolso e esticou a mão para recuperar a espada, mas Grampo desaparecera. Escorregando dos ombros de Harry quando pôde, correra a se abrigar entre os duendes que os cercavam, brandindo a espada e gritando "Ladrões! Ladrões! Socorro! Ladrões!". E sumiu entre a multidão que avançava, armada com adagas, e que o aceitou sem discutir.

Deslizando sobre o metal quente, Harry se levantou com dificuldade e entendeu que só havia uma saída.

– *Estupefaça!* – berrou, e Rony e Hermione se juntaram a ele: jatos de luz vermelha voaram contra a multidão de duendes, alguns tombaram, mas outros continuaram a avançar e Harry viu vários guardas bruxos aparecerem correndo pelo canto da passagem.

O dragão preso soltou um rugido, e um jorro de chamas voou sobre as cabeças dos duendes: os bruxos fugiram, curvados, voltando pelo caminho que tinham vindo, e uma inspiração, ou loucura, acometeu Harry. Apontando a varinha para as grossas algemas que prendiam a fera no chão, berrou:

– *Relaxo!*

As algemas se abriram estrepitosamente.

– Por aqui! – berrou Harry e, ainda lançando Feitiços Estuporantes, disparou em direção ao dragão cego.

– Harry... Harry... que é que você está fazendo? – bradou Hermione.

– Subam, subam, andem logo...

O dragão não percebera que estava livre: o pé de Harry encontrou a dobra de sua perna traseira e o garoto usou-a para subir em seu dorso. As escamas do animal eram duras como aço: ele nem pareceu sentir. Harry estendeu a mão; Hermione se guindou para o alto; Rony montou atrás dos dois e, no segundo seguinte, o dragão sentiu que estava livre.

Com um rugido, empinou-se nas patas traseiras: Harry firmou os joelhos contra seu corpo, agarrou-se com força às escamas espiculadas e as asas do dragão se abriram, derrubando, como pinos de boliche, os duendes aos berros, e o animal levantou voo. Harry, Rony e Hermione, deitados em seu dorso, rasparam no teto quando o animal rumou para a abertura na passagem, perseguido pelos duendes, atirando adagas que resvalavam em seus flancos.

– Nunca sairemos daqui, é grande demais! – gritou Hermione, mas o dragão abriu a boca e arrotou chamas explodindo o túnel cujos pisos e teto racharam e desmoronaram. Usando a força, o dragão abria caminho com as garras e o corpo. Harry mantinha os olhos bem fechados para protegê-los do calor e da poeira. Ensurdecido pela colisão das pedras e os rugidos do dragão, só lhe restava agarrar-se ao seu dorso, na expectativa de ser atirado longe a qualquer momento; então, ele ouviu Hermione berrar: – *Defodio!*

Ela estava ajudando o dragão a alargar a passagem, cavando o teto, enquanto o animal forcejava para subir em direção ao ar fresco e se distanciar dos duendes com seus guinchos e batidas de metal; Harry e Rony a imitaram, rompendo o teto a poder de feitiços. Eles passaram pelo lago subterrâneo e a enorme fera que rastejava e rosnava pareceu sentir a liberdade e o espaço à sua frente, enquanto, às costas, a passagem era entupida pelo movimento da cauda cristada, grandes pedaços de rocha, gigantescas estalactites partidas; o ruído metálico produzido pelos duendes foi ficando mais abafado e, à frente, as chamas expelidas pelo dragão desimpediam o seu avanço...

Então, com a força dos seus feitiços somada à força bruta do dragão, eles finalmente abriram uma saída da passagem para o saguão de mármore. Duendes e bruxos gritaram e correram a se proteger, e o dragão encontrou espaço para abrir as asas: virou a cabeça chifruda para o fresco ar exterior que sentia além e partiu; com Harry, Rony e Hermione ainda agarrados ao seu dorso, ele abriu caminho pelas portas de metal, deixando-as dobradas e penduradas nas dobradiças, e se encaminhou vacilante para o Beco Diagonal, de onde se lançou em direção ao céu.

27

O ESCONDERIJO DEFINITIVO

Não havia como conduzir o dragão; o animal não via aonde estava indo, e Harry sabia que, se ele desse uma guinada ou virasse de barriga para cima em pleno voo, eles não poderiam se agarrar às suas costas largas. Apesar disso, à medida que ganhavam altitude, e Londres se desdobrava abaixo como um mapa verde e cinzento, Harry sentia um avassalador sentimento de gratidão por uma fuga que parecera inviável. Deitado sobre o pescoço da fera, ele se aferrava com toda força às escamas metálicas, e o vento fresco acalmava a ardência e as bolhas em sua pele, as asas do dragão abanavam o ar como as pás de um moinho. Às suas costas, fosse por prazer ou medo, Harry não saberia dizer, Rony não parava de xingar, aos brados, e Hermione parecia chorar.

Passados uns cinco minutos, Harry perdeu um pouco do medo imediato de que o dragão fosse se desvencilhar deles, porque, aparentemente, sua única intenção era se distanciar o máximo de sua prisão subterrânea. Porém, a questão de como ou quando iriam desmontar continuava a apavorá-lo. Ele não fazia ideia de qual era a autonomia dos dragões para voar sem precisar pousar, nem de que modo este espécime, que mal enxergava, localizaria um bom lugar para o pouso. Harry olhava constantemente para os lados, imaginando que sentiria a cicatriz formigar...

Quanto tempo levaria para Voldemort saber que tinham arrombado o cofre da família Lestrange? Quando os duendes de Gringotes avisariam Belatriz? Com que rapidez perceberiam o que fora roubado? E quando dessem por falta da taça de ouro? Voldemort saberia, finalmente, que eles estavam caçando Horcruxes...

O dragão parecia ansiar por ar mais frio e fresco: gradualmente ganhou altitude até voarem entre fiapos gelados de nuvens e Harry já não poder distinguir os pontinhos coloridos que eram os carros, entrando e saindo da capital. Continuaram a sobrevoar os campos divididos em retalhos de verde e marrom, estradas e rios que serpeavam pela paisagem como pedaços de fita fosca e acetinada.

— Que acham que ele está procurando? — berrou Rony, ao ver que rumavam sempre para o norte.

— Não faço ideia — gritou Harry, em resposta. Suas mãos estavam dormentes e frias, mas ele não se atrevia a tentar mudar de posição. Havia algum tempo que estava imaginando o que fariam se vissem o litoral passando abaixo, se o dragão fosse para alto-mar: sentia frio, dormência, isso para não mencionar a fome e a sede desesperadas. Quando, pensou ele, a fera teria comido pela última vez? Com certeza, não iria demorar muito a precisar de alimento. E se, nessa altura, percebesse que tinha três humanos muito apetitosos montados em suas costas?

O sol começou a baixar e o céu foi se tornando azul-anil, e o dragão continuava a voar, cidades grandes e pequenas abaixo desaparecendo de vista, sua enorme sombra deslizando sobre a terra como uma grande nuvem escura. Todo o corpo de Harry doía com o esforço de se segurar no dorso do animal.

— É minha imaginação — gritou Rony, depois de muito tempo de silêncio — ou estamos perdendo altitude?

Harry olhou para baixo e viu montanhas e lagos verde-escuros acobreando-se ao pôr do sol. A paisagem parecia se tornar mais graúda e mais detalhada enquanto espiava pelo flanco do dragão, e ele se perguntou se o animal teria pressentido a presença de água fresca pelos reflexos repentinos de sol.

Descendo gradualmente, o dragão descrevia grandes círculos espiralados, visando, aparentemente, um dos lagos de menor tamanho.

— Vamos saltar quando ele baixar o suficiente! — gritou Harry para os dois atrás. — Direto para dentro da água, antes que ele perceba que estamos aqui!

Eles concordaram, Hermione com a voz fraca: e agora Harry pôde ver a barriga larga e amarela do dragão, ondulando a superfície da água.

— AGORA!

Harry escorregou por um lado do dragão e se atirou, de pé, na superfície do lago; a queda foi maior do que estimara, e ele bateu com violência na água, submergindo como um pedregulho em um mundo gelado e verde, repleto de colmos. Bateu os pés em direção à superfície e emergiu sem fôlego. Viu, então, as marolas que se propagavam em círculos, onde Rony e

Hermione tinham caído. O dragão não pareceu ter notado nada: já estava a uns quinze metros de distância, dando rápidos mergulhos sobre o lago para apanhar água com o focinho cheio de cortes.

Quando Rony e Hermione subiram das profundezas do lago, cuspindo e tossindo, o animal já ia longe, as asas batendo com força para, por fim, pousar em uma margem distante. Harry, Rony e Hermione nadaram para o lado oposto. O lago não parecia ser fundo: precisaram apenas abrir caminho entre os colmos e a lama em vez de nadar e, finalmente, chapinharam, encharcados, ofegantes e exaustos, no capim escorregadio.

Hermione desmontou, tossindo e tremendo. Embora Harry pudesse ter deitado e dormido feliz, levantou-se cambaleando, sacou a varinha e começou a lançar feitiços protetores ao redor dos três.

Quando terminou, juntou-se aos amigos. Era a primeira vez que os via realmente, depois de terem escapado do cofre. Ambos tinham queimaduras feias nos rostos e braços, e a roupa chamuscada e rota aqui e ali. Faziam caretas ao aplicar essência de ditamno em seus muitos ferimentos. Hermione passou o frasco a Harry, depois tirou da bolsinha três garrafas de suco de abóbora que trouxera do Chalé das Conchas e vestes limpas e secas para todos. Eles se trocaram e, em seguida, beberam o suco, sedentos.

— Bem, pelo ângulo positivo — disse Rony, que observava a pele das mãos tornar a crescer —, conseguimos a Horcrux. Pelo negativo...

— ...neca de espada — completou Harry entre os dentes, enquanto aplicava as gotas de ditamno em uma feia queimadura, pelo buraco que o metal quente abrira em seu jeans.

— Neca de espada — repetiu Rony. — Aquele trairazinho safado...

Harry tirou a Horcrux do bolso do blusão molhado que acabara de despir e depositou-a no capim em frente. Refulgindo ao sol, prendia suas atenções enquanto bebiam o suco.

— Pelo menos esta não podemos usar, ia ficar meio esquisita pendurada no pescoço — comentou Rony, limpando a boca com o dorso da mão.

Hermione olhou para a outra margem do lago, onde o dragão ainda bebia água.

— Que acham que vai acontecer com ele? — perguntou. — Será que vai ficar bem?

— Você está parecendo o Hagrid — disse Rony. — É um dragão, Hermione, sabe se cuidar. É conosco que temos de nos preocupar.

— Como assim?

— Bem, não sei como lhe dar a notícia — continuou Rony —, mas acho que eles *talvez* tenham notado que arrombamos o Gringotes.

Os três caíram na gargalhada, e, uma vez que começaram a rir, foi difícil parar. As costelas de Harry doíam, ele se sentia tonto de fome, mas se deitou no capim sob o céu avermelhado e riu até sentir a garganta doer.

— Mas o que vamos fazer? — perguntou Hermione por fim, recuperando a seriedade depois dos soluços. — Ele vai saber, não vai? Você-Sabe-Quem vai saber que sabemos das Horcruxes dele!

— Talvez eles fiquem apavorados demais para lhe contar! — arriscou Rony, esperançoso. — Talvez escondam...

O céu, o cheiro da água do lago, o som da voz de Rony se extinguiram: a dor rachou a cabeça de Harry como um golpe de espada. Estava parado em um quarto mal iluminado, e um semicírculo de bruxos o encarava, e, no chão, a seus pés, ajoelhava-se um vulto pequeno e trêmulo.

— Que foi que você disse? — Sua voz estava aguda e fria, mas a fúria e o medo o queimavam por dentro. A única coisa que temia... mas não podia ser verdade, não podia entender como...

O duende tremia, incapaz de fixar os olhos vermelhos muito acima dos seus.

— Repita isso! — murmurou Voldemort. — *Repita!*

— M-meu Senhor — gaguejou o duende, seus olhos pretos arregalados de terror —, m-meu Senhor... t-tentamos imped-dir... os imp-postores, meu Senhor... arrombaram... arrombaram... arrombaram o... o c-cofre da f-família Lestrange...

— Impostores? Que impostores? Pensei que o Gringotes tivesse meios para desmascarar impostores. Quem eram?

— Era o... era o... o garot-to P-Potter e d-dois cúmplices...

— E *levaram?* — perguntou ele, sua voz se elevando, um medo terrível se apoderando dele. — Diga-me! *Que foi que levaram?*

— U-uma p-pequena t-taça de ouro, m-meu Senhor...

O grito de raiva, de negação, irrompeu dele como se fosse da boca de um estranho: ficou possesso, frenético, não podia ser verdade, era impossível, ninguém jamais soubera: como o garoto poderia ter descoberto o seu segredo?

A Varinha das Varinhas cortou o ar e o clarão verde explodiu pela sala, o duende ajoelhado rolou para o lado, morto, os bruxos que o observavam dispersaram-se à frente, aterrorizados: Belatriz e Lúcio Malfoy empurraram outros para trás ao dispararem para a porta, e repetidamente a varinha baixou, e os retardatários foram mortos, todos, por lhe trazerem essa notícia, por terem ouvido falar na taça de ouro...

Sozinho entre os mortos, ele se movimentou furioso pela sala, e os viu passar diante dos seus olhos: seus tesouros, suas salvaguardas, suas âncoras na imortalidade: o diário destruído e a taça roubada; e se, *e se*, o garoto conhecesse as outras? Poderia saber, já teria agido, já encontrara outras? Dumbledore estaria na raiz disso tudo? Dumbledore, que sempre desconfiara dele, Dumbledore, morto por ordem sua, Dumbledore, cuja varinha agora lhe pertencia, e, ainda assim, estendia o braço da ignomínia da morte por intermédio do garoto, *o garoto*...

Era certo, porém, que se o garoto tivesse destruído alguma de suas Horcruxes, ele, Lorde Voldemort, teria sabido, teria sentido? Ele, o maior bruxo de todos, o mais poderoso, ele, o assassino de Dumbledore e de quantos outros homens insignificantes, desconhecidos: como poderia Lorde Voldemort não ter sabido, se ele próprio, mais importante e precioso, tivesse sido atacado, mutilado?

Era verdade que não sentira quando o diário fora destruído, mas pensou que fosse porque não possuía um corpo para sentir, sendo menos que um fantasma... não, certamente o resto estava seguro... as outras Horcruxes deviam estar intactas...

Ele precisava saber, precisava ter certeza... Andou pela sala, chutou para o lado o corpo do duende ao passar, e as imagens ficaram borradas e queimaram em seu cérebro escaldante: o lago, o casebre, e Hogwarts...

Um nada de calma atenuou agora a sua fúria: como o garoto poderia saber que ele escondera o anel no casebre de Gaunt? Ninguém jamais soubera que ele era parente dos Gaunt, escondera a ligação, as mortes nunca tinham sido atribuídas a ele: o anel certamente estava seguro.

E como poderia o garoto, ou qualquer outra pessoa, conhecer a caverna ou penetrar sua proteção? A ideia do medalhão ser roubado era absurda...

Quanto à escola: somente ele sabia onde, em Hogwarts, guardara a Horcrux, porque somente ele tinha explorado a fundo os segredos daquele lugar...

E ainda havia Nagini, que precisava ficar junto dele agora, sob sua proteção, e não mais ser enviada para cumprir tarefas...

Para ter certeza, entretanto, para ter absoluta certeza, ele precisava voltar a cada um dos esconderijos, precisava redobrar a proteção em torno de cada uma de suas Horcruxes... uma tarefa, como a busca da Varinha das Varinhas, que ele precisava empreender sozinho...

Qual deveria visitar primeiro, qual correria maior perigo? Uma velha inquietação ardeu em seu íntimo. Dumbledore conhecia o seu nome do meio... Dumbledore poderia tê-lo ligado aos Gaunt... sua casa abandonada era provavelmente o esconderijo menos seguro de todos, era lá que ele iria em primeiro lugar...

O lago, certamente impossível... embora houvesse uma possibilidade mínima de que Dumbledore tivesse sabido de alguns dos seus malfeitos passados, no orfanato.

E Hogwarts... mas ele sabia que a sua Horcrux ali estava segura, seria impossível Potter entrar em Hogsmeade sem ser detido, e, mais ainda, na escola. Contudo, seria prudente alertar Snape de que o garoto talvez tentasse entrar no castelo... contar a Snape por que o garoto faria isso seria uma tolice, é claro; fora um grave erro confiar em Belatriz e Malfoy: a burrice e o desleixo deles não comprovavam que era uma imprudência confiar em quem fosse?

Ele visitaria o casebre de Gaunt primeiro, então, e levaria Nagini: não se separaria mais da cobra... E ele saiu da sala, atravessou o hall e se dirigiu ao jardim escuro onde jorrava a fonte; em ofidioglossia, chamou a cobra, que foi se juntar a ele como uma comprida sombra...

Os olhos de Harry se abriram subitamente quando voltou ao presente: ele estava deitado na margem do lago ao sol poente, e Rony e Hermione o observavam. A julgar por suas expressões preocupadas, e o latejamento contínuo de sua cicatriz, sua rápida excursão à mente de Voldemort não passara despercebida. Ele fez força para se levantar, tremendo, vagamente surpreso que ainda estivesse molhado até os ossos, e viu a taça inocentemente pousada no capim à sua frente, e o lago azul-escuro pontilhado de dourado ao sol que se punha.

– Ele sabe. – Sua própria voz pareceu estranha e grave depois dos gritos agudos de Voldemort. – Ele sabe e vai verificar as outras Horcruxes, e a última – ele já se pusera de pé – está em Hogwarts. Eu sabia. Eu sabia.

– Quê?

Rony olhava-o boquiaberto; Hermione se ergueu nos joelhos, preocupada.

– Mas que foi que você viu? Como sabe?

– Eu o vi descobrir o que aconteceu com a taça, eu... eu estava na cabeça dele, ele está... – Harry lembrou-se da matança – está enfurecido ao extremo, e amedrontado também, não consegue entender como soubemos, e agora vai checar se as outras estão seguras, o anel primeiro. Ele acha que a Horcrux em Hogwarts está a salvo, porque Snape está lá, e será dificílimo entrar na escola sem ser visto, acho que vai verificar essa por último, ainda assim, estaria lá em poucas horas...

— Você viu onde, em Hogwarts? — perguntou Rony, agora se levantando também.

— Não, ele estava se concentrando em avisar Snape... não pensou no lugar exato em que está...

— Espere, *espere*! — gritou Hermione, quando Rony recolheu a Horcrux e Harry tornou a apanhar a Capa da Invisibilidade. — Não podemos simplesmente ir, nem temos um plano, precisamos...

— Precisamos ir andando — disse Harry, com firmeza. Tinha tido a esperança de dormir, a expectativa de entrar na barraca nova, mas isso agora era impossível. — Vocês podem imaginar o que ele vai fazer quando descobrir que o anel e o medalhão desapareceram? E se mudar o esconderijo da Horcrux de Hogwarts, resolver que não está bastante segura?

— Mas como vamos entrar?

— Bem, vamos a Hogsmeade — disse Harry —, e tentar pensar em alguma coisa depois de vermos qual é a proteção em torno da escola. Entre embaixo da capa, Hermione, quero todos juntos desta vez.

— Mas não cabemos realmente...

— Estará escuro, ninguém vai reparar nos nossos pés.

O ruído de enormes asas batendo ecoou pelas águas escuras do lago: o dragão saciara a sede e levantara voo. Os garotos pararam os preparativos para observá-lo subir sempre mais alto, agora uma mancha escura no céu que escurecia rapidamente e, por fim, sumindo atrás de uma montanha próxima. Então, Hermione se adiantou e se encaixou entre os dois. Harry puxou a capa para baixo até onde foi possível, e juntos rodopiaram e penetraram na escuridão esmagadora.

28

O ESPELHO DESAPARECIDO

Os pés de Harry tocaram na estrada. Ele viu a rua principal de Hogsmeade, penosamente familiar: vitrines apagadas, os contornos escuros das montanhas além, a curva da estradinha que a ligava a Hogwarts à frente, e a luz das janelas do Três Vassouras; e com um sobressalto, lembrou-se, com absoluta precisão, de como aparatara ali quase um ano antes, sustentando um Dumbledore desesperadamente fraco; tudo isso no segundo em que descia – e então, quando largou os braços de Rony e Hermione, aconteceu.

O ar foi cortado por um grito que lembrava o de Voldemort ao perceber que a taça fora roubada: despedaçou todos os nervos do corpo de Harry, e ele percebeu imediatamente que fora causado por sua aparição. Quando olhou para os amigos sob a capa, a porta do Três Vassouras se escancarou e uma dúzia de Comensais da Morte, de capa e capuz, correu para a rua, empunhando varinhas.

Harry segurou o pulso de Rony ao vê-lo erguer a varinha. Havia bruxos demais para estuporar: até porque uma tentativa denunciaria sua posição. Um dos Comensais da Morte acenou com a varinha e o grito parou, ainda ecoando nas montanhas distantes.

– *Accio capa!* – rugiu o Comensal.

Harry segurou-a pelas dobras, mas a capa não tentou lhe escapar: o Feitiço Convocatório não a afetara.

– Então, não está embaixo do seu xale, Potter? – berrou o Comensal da Morte que tentara o feitiço, e voltando-se para os companheiros: – Espalhem-se. Ele está aqui.

Seis dos Comensais saíram em sua direção: Harry, Rony e Hermione recuaram o mais rápido possível para a rua lateral mais próxima, e, por um triz, não foram pegos. Os garotos aguardaram no escuro, escutando gente correndo para cima e para baixo, os feixes de luz das varinhas dos bruxos varrendo a rua à sua procura.

– Vamos embora! – cochichou Hermione. – Desaparatar agora!

– Grande ideia – disse Rony, mas, antes que Harry pudesse responder, um Comensal gritou:

– Sabemos que você está aqui, Potter, e não tem como escapar! Nós o encontraremos!

– Estavam de prontidão – sussurrou Harry. – Armaram aquele feitiço para avisá-los da nossa chegada. Imagino que tenham feito alguma coisa para nos segurar aqui, nos encurralar...

– Que tal uns dementadores? – gritou outro Comensal da Morte. – Se os deixássemos à vontade, eles não demorariam a encontrá-lo.

– O Lorde das Trevas não quer que ninguém mate Potter exceto ele...

– ... e os dementadores não irão matar Potter! O Lorde das Trevas quer a vida dele, e não a alma. Será mais fácil matá-lo se tiver sido beijado antes!

Ouviram-se rumores de aprovação. O temor apoderou-se de Harry: para repelir dementadores teriam que produzir Patronos, e isso os denunciaria na mesma hora.

– É melhor desaparatar, Harry! – sussurrou Hermione.

Enquanto ela pronunciava essas palavras, ele sentiu um frio anormal baixando sobre a rua. A luz ambiente foi sugada até as estrelas, fazendo-as desaparecer. Na escuridão de breu, Harry sentiu Hermione agarrar o seu braço e, juntos, eles rodopiaram.

O ar que precisavam para se mover parecia ter se solidificado: não poderiam desaparatar; os Comensais da Morte tinham lançado os seus feitiços, eficientemente. O frio começou a cortar cada vez mais fundo na pele de Harry. Ele, Rony e Hermione recuaram para a rua lateral, tateando o caminho ao longo da parede, procurando não fazer o menor ruído. Do outro lado da esquina, deslizando silenciosamente, vinham dementadores, dez ou mais deles, com suas capas pretas e suas mãos feridas e podres visíveis porque sua escuridão era mais densa do que a da rua. Poderiam sentir o medo por perto? Harry tinha certeza que sim: eles pareciam estar avançando mais depressa agora, inspirando daquele jeito arrastado e vibrante que ele detestava, saboreando o desespero no ar, fechando o cerco...

Ergueu a varinha: não iria, não queria, ganhar o beijo do dementador, fossem quais fossem as consequências. Foi em Rony e Hermione que ele pensou ao sussurrar:

– Expecto patronum!

O veado prateado irrompeu de sua varinha e atacou: os dementadores se dispersaram e ouviu-se um grito de triunfo em algum lugar fora de vista.

— É ele, lá embaixo, lá embaixo, vi o Patrono dele, era um veado!

Os dementadores tinham retrocedido, as estrelas estavam reaparecendo e os passos dos Comensais da Morte se tornaram mais pesados; mas, antes que Harry em seu pânico pudesse decidir o que fazer, ouviu bem perto um rangido de ferragens, uma porta se abriu do lado esquerdo da rua estreita e uma voz áspera disse:

— Potter, entre, depressa!

Ele obedeceu sem hesitação: os três se precipitaram pela porta aberta.

— Suba, não dispa a capa, fique quieto! — murmurou um vulto alto que passou por eles e saiu, batendo a porta.

Harry não fazia ideia de onde estavam, mas agora via, à luz vacilante de uma única vela, o bar sujo com o piso forrado de serragem do Cabeça de Javali. Eles correram para trás do balcão e por uma segunda porta que levava a uma escada bamba, que eles subiram o mais rápido que puderam. Desembocaram em uma sala de visitas com um tapete puído e uma pequena lareira, no alto da qual estava pendurado um grande retrato a óleo de uma garota loura que contemplava a sala com um ar de meiguice apática.

Os gritos na rua chegavam aos seus ouvidos. Ainda usando a Capa da Invisibilidade, eles foram, pé ante pé, até a janela suja e espiaram para baixo. Seu salvador, que Harry agora reconhecia como o barman do Cabeça de Javali, era a única pessoa que não estava usando um capuz.

— E daí? — berrava ele para um dos rostos encapuzados. — E daí? Vocês mandam dementadores para a minha rua, e jogo um Patrono contra eles. Não vou admitir que se aproximem de mim, já lhes disse, não vou admitir isso!

— Aquele não era o seu Patrono! — contestou um Comensal da Morte. — Era um veado, era o do Potter!

— Veado! — rugiu o barman, sacando a varinha. — Veado! Seu idiota... *Expecto patronum!*

Um bicho enorme e chifrudo irrompeu da varinha, e, de cabeça baixa, avançou para a rua principal e desapareceu de vista.

— Não foi isso que vi... — retrucou o Comensal da Morte, embora com menos convicção.

— O toque de recolher foi violado, você ouviu o barulho — disse um dos seus colegas ao barman. — Alguém estava na rua contrariando o regulamento...

— Se eu quiser pôr o meu gato para fora, porei, e dane-se o seu toque de recolher!

— *Você* disparou o Feitiço Miadura?

– E se disparei? Vai me mandar para Azkaban. Me matar por meter o nariz fora da minha própria porta? Então faça isso, se é o que quer? Mas espero, para seu bem, que não tenham tocado na Marca Negra para convocá-lo. Ele não vai gostar de ser chamado para ver a mim e o meu velho gato, ou será que vai?

– Não se preocupe conosco – respondeu um dos Comensais da Morte –, preocupe-se com o seu desrespeito ao toque de recolher!

– E onde é que gente de sua laia irá traficar poções e venenos quando fecharem o meu bar? Que irá acontecer com os seus bicos?

– Você está nos ameaçando...?

– Não abro a boca, é por isso que vocês vêm aqui, não é?

– Continuo dizendo que vi um veado Patrono! – gritou o primeiro Comensal da Morte.

– Veado? – rugiu o barman. – É um *bode*, idiota!

– Tudo bem, nos enganamos – disse o segundo Comensal da Morte. – Desrespeite o toque de recolher outra vez e não seremos tão indulgentes!

Os Comensais da Morte voltaram para a rua principal. Hermione gemeu de alívio, desvencilhou-se da capa e se sentou em uma cadeira de pernas bambas. Harry fechou bem as cortinas, depois retirou a capa de cima dele e de Rony. Ouviram o barman no andar térreo trancar a porta do bar e, em seguida, subir a escada.

Um objeto sobre o console da lareira chamou a atenção de Harry: um pequeno espelho retangular aprumado ali, logo abaixo do retrato da garota.

O barman entrou na sala.

– Seus idiotas infelizes – disse, rispidamente, olhando de um para outro.

– Que ideia foi essa de virem aqui?

– Obrigado – disse Harry –, não sabemos como lhe agradecer. Salvou nossas vidas.

O barman resmungou. Harry se aproximou dele, estudando o seu rosto, tentando ver sob a cabeleira e barba grisalhas e grossas. Ele usava óculos. Por trás das lentes sujas, os olhos eram muito azuis e penetrantes.

– É o seu olho que tenho visto no espelho.

Fez-se silêncio na sala. Harry e o barman se fitaram.

– Você mandou Dobby.

O barman assentiu e olhou para os lados, procurando o elfo.

– Pensei que ele estivesse com você. Onde o deixou?

– Está morto – disse Harry. – Belatriz Lestrange o matou.

O rosto do barman não demonstrou emoção. Passado um momento, ele disse:

— Lamento saber. Eu gostava daquele elfo.

Ele se virou, acendendo as luzes com toques de varinha, sem olhar para nenhum dos garotos.

— Você é Aberforth — disse Harry para as costas do homem.

Ele não confirmou nem negou, mas se curvou para acender a lareira.

— Como conseguiu isso? — perguntou Harry, atravessando a sala até o espelho de Sirius, a duplicata do que ele quebrara quase dois anos antes.

— Comprei-o de Dunga mais ou menos há um ano — disse Aberforth. — Alvo me disse o que era. Tenho tentado manter um olho em você.

Rony ofegou.

— A corça prateada! — exclamou. — Foi você também?

— Do que está falando? — perguntou Aberforth.

— Alguém mandou uma corça Patrono até nós!

— Com um cérebro desses, você poderia ser Comensal da Morte, filho. Não acabei de provar que o meu Patrono é um bode?

— Ah — disse Rony. — É... bem, estou com fome! — acrescentou justificando-se, e sua barriga deu um enorme ronco.

— Tenho comida — disse Aberforth, e saiu da sala, reaparecendo momentos depois com uma grande fôrma de pão, queijo e uma jarra de metal com hidromel, que depositou em uma mesinha à frente da lareira. Famintos, eles comeram e beberam, e por algum tempo o silêncio foi quebrado apenas pelos estalidos do fogo na lareira, o tilintar de taças e o som de mastigação.

— Certo — disse Aberforth, quando eles terminaram de comer, e Harry e Rony se afundaram, sonolentos, nas poltronas. — Precisamos pensar na melhor maneira de tirá-los daqui. Não pode ser à noite, vocês ouviram o que acontece se alguém sai à rua depois do escurecer: dispara o Feitiço Miadura, e eles cairão sobre vocês como tronquilhos em ovos de fadas mordentes. Não acho que consiga passar um bode por um veado uma segunda vez. Esperem amanhecer, quando é suspenso o toque de recolher, então, podem tornar a vestir a capa e partir a pé. Saiam direto de Hogsmeade, subam a montanha e poderão desaparatar de lá. Talvez vejam Hagrid. Está escondido com Grope em uma caverna desde que tentaram prendê-lo.

— Não vamos embora — respondeu Harry. — Precisamos entrar em Hogwarts.

— Não seja idiota, moleque — disse Aberforth.

— Temos que entrar.

— O que têm de fazer — retorquiu Aberforth, inclinando-se para a frente — é ir para o mais longe que puderem.

— Você não está entendendo. O tempo é curto. Precisamos entrar no castelo. Dumbledore, quero dizer, o seu irmão, queria que nós...

A luz das chamas deixou as lentes sujas dos óculos do bruxo momentaneamente opacas, de um branco forte e chapado, e Harry se lembrou dos olhos cegos de Aragogue, a aranha gigantesca.

— Meu irmão Alvo queria muitas coisas, e as pessoas tinham o mau hábito de saírem feridas enquanto ele executava os seus planos grandiosos. Afaste-se da escola, Potter, e saia do país, se puder. Esqueça o meu irmão e seus esquemas imaginosos. Ele foi para um lugar onde nada disso pode atingi-lo, e você não lhe deve nada.

— Você não está entendendo — repetiu Harry.

— Ah, será que não? — replicou Aberforth, mansamente. — Você acha que eu não compreendia o meu próprio irmão? Acha que conhecia Alvo melhor do que eu?

— Não foi isso que quis dizer — respondeu Harry, cujo cérebro estava lento de exaustão e excesso de comida e vinho. — É que... ele me deixou uma tarefa.

— Deixou, foi? Uma tarefa boa, espero? Agradável? Fácil? O tipo de coisa que se esperaria que um garoto bruxo ainda não qualificado pudesse realizar sem muito esforço?

Rony deu uma risada meio sem graça. Hermione demonstrava tensão.

— Eu... não é fácil, não — disse Harry. — Mas tenho que...

— Tem quê? Por que tem quê? Ele está morto, não está? — retorquiu Aberforth, com rispidez. — Deixe isso para lá, moleque, antes que você acabe indo se juntar a ele! Salve-se!

— Não posso.

— Por que não?

— Eu... — Harry sentiu-se desarmado; não podia explicar, então tomou a ofensiva. — Mas você também está lutando, você está na Ordem da Fênix...

— Estava. A Ordem da Fênix acabou. Você-Sabe-Quem venceu, tudo está terminado, e qualquer um que finja que é diferente está se enganando. Aqui nunca será seguro para você, Potter, ele quer muito você. Vá para o exterior, vá se esconder, salve-se. É melhor levar esses dois. — Ele indicou Rony e Hermione com o polegar. — Correrão perigo enquanto viverem, agora que todos sabem que estiveram trabalhando com você.

— Não posso ir embora. Tenho uma tarefa...

— Passe-a para outro!
— Não posso. Tem que ser eu, Dumbledore me explicou tudo...
— Ah, foi, é? E ele lhe contou tudo, foi honesto com você?

Harry queria de todo coração responder "sim", mas, por alguma razão, essa palavra simples não chegava aos seus lábios. Aberforth parecia saber o que ele estava pensando.

— Eu conhecia meu irmão, Potter. Ele aprendeu a guardar segredo no colo de nossa mãe. Segredos e mentiras, foi assim que fomos criados, e Alvo... tinha um pendor natural.

O olhar do velho se desviou para o retrato da moça sobre o console da lareira. Era, agora que Harry olhava o ambiente com atenção, o único quadro pendurado. Não havia fotografia de Alvo Dumbledore, nem de ninguém mais.

— Sr. Dumbledore? — perguntou Hermione, timidamente. — Essa é a sua irmã? Ariana?

— É — confirmou Aberforth, lacônico. — Andou lendo Rita Skeeter, mocinha?

Mesmo à luz rosada das chamas, ficou evidente que Hermione tinha corado.

— Elifas Doge mencionou-a para nós — disse Harry, tentando poupar Hermione.

— Aquele velho babão — murmurou Aberforth, tomando um gole do hidromel. — Achava que o sol irradiava de todos os orifícios do meu irmão, é o que ele achava. Bem, muita gente tinha a mesma opinião, vocês três inclusive, pelo que vejo.

Harry ficou calado. Não queria expressar as dúvidas e incertezas sobre Dumbledore que o vinham intrigando havia meses. Tinha feito a sua escolha enquanto cavava a sepultura de Dobby; tinha decidido continuar a seguir o caminho tortuoso e arriscado que Alvo Dumbledore lhe indicara, aceitar que o diretor não tinha lhe dito tudo que gostaria de saber e, simplesmente, confiar. Não desejava voltar a duvidar, não queria ouvir nada que o desviasse do seu intento. Ele enfrentou o olhar de Aberforth, tão impressionantemente igual ao do irmão: os olhos muito azuis davam a mesma impressão de estarem radiografando o objeto que examinavam, e Harry achou que Aberforth sabia o que ele estava pensando, e o desprezava por isso.

— O professor Dumbledore tinha afeição por Harry, muita mesmo — disse Hermione, em voz baixa.

— Tinha, é? — comentou Aberforth. — É engraçado o número de pessoas por quem meu irmão tinha grande afeição, e acabaram em situação pior do que se ele as tivesse deixado em paz.

— Como assim? — perguntou Hermione ofegante.

— Não se preocupe — respondeu o bruxo.

— Mas isso é uma afirmação muito grave! — replicou a garota. — O senhor... está se referindo à sua irmã?

Aberforth encarou-a sério: seus lábios se mexeram como se ele estivesse mastigando as palavras que refreava. Então desatou a falar.

— Quando minha irmã fez seis anos de idade, ela foi atacada fisicamente por três garotos trouxas. Eles a viram produzindo feitiços, quando a espionavam pela sebe que cercava o quintal: ela era pequena, não tinha controle sobre a magia, nessa idade nenhum bruxo tem. Imagino que o que viram os tenha apavorado. Eles se espremeram pela sebe e, quando ela não soube lhes mostrar o truque, exageraram ao tentar impedir a monstrinha de repeti-lo.

Os olhos de Hermione estavam enormes à luz das chamas: Rony parecia ligeiramente nauseado. Aberforth se levantou, alto como Alvo e inesperadamente terrível em sua cólera e na intensidade de sua dor.

— O que eles fizeram destruiu Ariana: ela nunca mais voltou ao normal. Não queria usar a magia, mas tampouco conseguia se livrar dela: o seu poder voltou-se para dentro e a enlouqueceu, irrompia dela quando não conseguia controlá-lo, e por vezes ela se tornava estranha e perigosa. Mas a maior parte do tempo era meiga, assustada e inofensiva.

"E meu pai foi atrás dos filhos da mãe que tinham feito aquilo", continuou Aberforth, "e os atacou. Por isso o prenderam em Azkaban. Ele nunca se defendeu, porque, se o Ministério soubesse da condição de Ariana, ela teria sido recolhida ao St. Mungus para o resto da vida. Seria considerada uma séria ameaça ao Estatuto Internacional de Sigilo, desequilibrada como ficara, a magia explodindo de dentro dela sempre que não conseguia refreá-la.

"Tivemos que mantê-la a salvo e em silêncio. Mudamos de casa, espalhamos que era doentinha, e minha mãe cuidava dela e tentava mantê-la calma e feliz.

"Eu era o seu favorito." E, ao dizer isso, um encardido garoto de escola pareceu espiar através das rugas e da barba emaranhada de Aberforth. "Não era o Alvo, ele ficava sempre no quarto quando estava em casa, lendo seus livros e contando seus prêmios, mantendo em dia sua correspondência com 'os nomes mais notáveis da magia da época'", debochou Aberforth, "ele não queria se incomodar com a irmã. Ela gostava mais de mim. Eu conseguia convencê-la a comer quando não queria comer com a minha mãe, eu conseguia acalmá-la, se tinha um acesso de fúria, e, quando estava tranquila, costumava me ajudar a alimentar os bodes.

"Então, quando completou catorze anos... entendem, eu não estava em casa. Se estivesse, poderia tê-la acalmado. Ariana se descontrolou e minha mãe já não era tão jovem quanto antes e... foi um acidente. Ariana não pôde controlar. Matou minha mãe."

Harry sentiu uma horrível mistura de pena e repulsa; não queria ouvir mais nada, mas Aberforth continuou a falar e o garoto ficou imaginando quanto tempo decorrera desde a última vez em que ele tocara nesse assunto; se, de fato, algum dia tocara.

– Esse imprevisto pôs fim à viagem de Alvo com Doguinho ao redor do mundo. Os dois vieram a Godric's Hollow para os funerais de mamãe e, em seguida, Doge partiu sozinho e Alvo se acomodou no papel de chefe de família. Aah!

Aberforth cuspiu nas chamas.

– Eu teria cuidado de Ariana, e disse isso a ele, eu não fazia questão de frequentar a escola, teria ficado em casa. Ele me disse que eu tinha que terminar minha educação, e *ele* assumiria as obrigações de minha mãe. Um certo revés para o sr. Gênio, pois não há prêmios por cuidar de uma irmã semilouca, para impedi-la de explodir a casa a cada dois dias. Mas ele se desincumbiu bem nas primeiras semanas... até a chegada dele.

Agora uma expressão realmente ameaçadora surgiu no rosto de Aberforth.

– Grindelwald. E, finalmente, meu irmão teve um igual com quem trocar ideias, alguém tão genial e talentoso quanto *ele*. E o cuidado com Ariana passou a um segundo plano, enquanto eles tramavam os seus planos para uma nova ordem em magia, procuravam *Relíquias* e faziam o que mais despertasse o seu interesse. Planos grandiosos para o benefício da bruxidade, e se uma jovem deixasse de receber atenção, que importância teria, quando Alvo Dumbledore estava trabalhando para *o bem maior*?

"Mas, depois de algumas semanas, eu dei um basta, dei mesmo. Já estava quase na hora de regressar a Hogwarts, então eu disse aos dois, cara a cara, como estou falando com vocês agora." E Aberforth olhou com superioridade para Harry, e não foi preciso muita imaginação para vê-lo adolescente, vigoroso e zangado, enfrentando o irmão mais velho. "Disse-lhe: é melhor desistir agora. Não pode tirá-la daqui, ela não tem condição, não pode levá-la com você, seja lá aonde quer que pretenda ir, quando estiver fazendo os seus discursos inteligentes, tentando conquistar admiradores. Ele não gostou." Os olhos de Aberforth foram brevemente ocultados pela luz das chamas nas lentes dos óculos: eles tornaram a parecer brancos e cegos. "Grindelwald não gostou de ouvir isso. Ficou irritado. Me disse que eu era um menino idiota, tentando barrar o seu caminho e do meu genial irmão... será que eu não *entendia*, minha pobre irmã não *precisaria* mais ser escondida depois que tivessem transformado o mundo, e tirado os bruxos da clandestinidade, e ensinado aos trouxas qual era o seu lugar?

"Então tivemos uma briga... e saquei a minha varinha, ele sacou a dele, e fui atingido por uma Maldição Cruciatus lançada pelo melhor amigo do meu irmão, e Alvo tentou impedi-lo e, de repente, nós três estávamos duelando, e os clarões e os estampidos assustaram Ariana, ela não os suportava..."

A cor foi sumindo do rosto de Aberforth como se ele tivesse recebido um ferimento mortal.

— ... e acho que ela quis ajudar, mas não sabia exatamente o que estava fazendo, e não sei qual de nós fez aquilo, poderia ter sido qualquer um de nós... e ela caiu morta.

Sua voz falhou ao dizer a última palavra, e ele se largou na poltrona mais próxima. O rosto de Hermione estava molhado de lágrimas e Rony estava quase tão pálido quanto Aberforth. Harry sentia apenas asco: desejou não ter ouvido aquilo, desejou poder apagar tudo de sua mente.

— Estou tão... estou tão penalizada — sussurrou Hermione.

— Foi-se — disse Aberforth, com a voz embargada. — Foi-se para sempre.

Ele limpou o nariz no punho da camisa e pigarreou.

— É claro que Grindelwald deu o fora. Ele já tinha uma história pregressa em seu país e não queria que Ariana fosse acrescentada à sua folha. E Alvo ficou livre, não? Livre do encargo da irmã, livre para se tornar o maior bruxo da...

— Ele nunca se livrou — protestou Harry.

— Perdão? — disse Aberforth.

— Nunca. Na noite em que seu irmão morreu, ele bebeu uma poção que o deixou fora de si. Ele começou a gritar, suplicando a alguém que não estava presente. "*Não os machuque, não os machuque, por favor, por favor, a culpa é minha, machuque a mim...*"

Rony e Hermione estavam de olhos arregalados para Harry. Ele jamais entrara em detalhes sobre o que acontecera na ilha do lago, os fatos que se desenrolaram depois que ele e Dumbledore voltaram a Hogwarts tinham eclipsado completamente todo o resto.

– Ele estava revivendo o passado com você e Grindelwald, sei que estava – disse Harry, lembrando-se de Dumbledore choramingando, suplicando. – Pensou que estivesse vendo Grindelwald machucar você e Ariana... foi uma tortura para ele, se você tivesse presenciado, não afirmaria que ele se livrou.

Aberforth pareceu se perder na contemplação de suas mãos nodosas, de veias saltadas. Depois de uma longa pausa falou:

– Como pode ter certeza, Potter, de que o meu irmão não estava mais interessado no bem maior do que em você? Como pode ter certeza de que não é dispensável, exatamente como a minha irmã foi?

Uma ponta de gelo pareceu transpassar o coração de Harry.

– Não acredito. Dumbledore amava Harry – disse Hermione.

– Então, por que não lhe disse para se esconder? – retorquiu Aberforth.

– Por que não lhe disse, cuide-se bem, eis como sobreviver?

– Porque – disse Harry, se antecipando a Hermione –, às vezes, a pessoa tem que pensar além da própria segurança! Às vezes, a pessoa tem que pensar no bem maior! Estamos em guerra!

– Você tem dezessete anos, moleque!

– Sou maior de idade, e vou continuar lutando mesmo que você já tenha desistido!

– Quem disse que eu desisti?

– "A Ordem da Fênix acabou" – repetiu Harry. – "Você-Sabe-Quem venceu, tudo está terminado, e qualquer um que finja que é diferente está se enganando."

– Não digo que gosto disso, mas é a verdade!

– Não, não é – contestou Harry. – Seu irmão sabia como liquidar Você-Sabe-Quem e passou esse conhecimento a mim, e vou continuar até conseguir isso ou morrer. Não pense que não sei como isso poderá acabar. Há anos que sei.

Ele esperou Aberforth caçoar ou argumentar, mas o bruxo não fez isso. Apenas franziu as sobrancelhas.

– Precisamos entrar em Hogwarts – repetiu Harry. – Se não pode nos ajudar, esperaremos o dia nascer, deixaremos você em paz e tentaremos encontrar um jeito sozinhos. Se você puder, bem, agora será um bom momento para nos dizer.

Aberforth permaneceu pregado em sua poltrona, fitando Harry com olhos extraordinariamente semelhantes aos do irmão. Por fim, pigarreou, levantou-se, deu a volta à mesinha e se aproximou do retrato de Ariana.

– Você sabe o que fazer – disse ele.

Ela sorriu, virou-se e saiu, não como normalmente fazem os bruxos nos retratos, pelas molduras laterais, mas por uma espécie de longo túnel pintado atrás dela. Os garotos observaram o seu vulto franzino se retirar e, finalmente, ser engolido pela escuridão.

— Ah... quê...? — começou Rony.

— Só existe um modo de entrar agora — disse Aberforth. — Vocês devem saber que bloquearam todas as antigas passagens secretas dos dois lados, há dementadores em torno de todos os muros divisórios, patrulhas regulares dentro da escola, segundo informaram minhas fontes. O lugar nunca esteve tão fortemente guardado. Como espera fazer alguma coisa, se conseguirem entrar, com Snape na direção e os Carrow como seus assistentes... bem, a preocupação é sua, não é? Você diz que está disposto a morrer.

— Mas quê...? — perguntou Hermione, franzindo a testa para o quadro de Ariana.

Um minúsculo ponto branco reaparecera no fim do túnel pintado, e agora Ariana retornava em direção à sala, aumentando de tamanho à medida que se aproximava. Mas havia outra pessoa em sua companhia, alguém mais alto, que vinha mancando com ar agitado. Seus cabelos estavam mais longos do que Harry jamais vira, parecia ter sofrido vários cortes no rosto, e suas roupas estavam rasgadas e puídas. Cada vez maiores se tornaram os dois vultos até suas cabeças e ombros ocuparem todo o quadro. Então, o conjunto girou para a frente na parede como uma portinhola, e surgiu a entrada de um túnel de verdade. E dele, com os cabelos demasiado crescidos, o rosto cortado, as vestes rasgadas, saiu, com dificuldade, um Neville Longbottom real, que soltou um urro de prazer, saltou do console e gritou:

— Eu sabia que você viria! Eu sabia, Harry!

29

O DIADEMA PERDIDO

— Neville... que... como...?

Mas Neville reconhecera Rony e Hermione e, com berros de alegria, abraçava-os também. Quanto mais Harry olhava o colega, pior ele lhe parecia: tinha um dos olhos inchado, amarelo e roxo, havia marcas fundas em seu rosto e sua aparência de desleixo sugeria que passara um mau bocado. Contudo, suas feições maltratadas irradiavam felicidade quando soltou Hermione e disse mais uma vez:

— Eu sabia que você viria! Sempre disse ao Simas que era uma questão de tempo!

— Neville, que aconteceu com você?

— Quê? Isso? — Ele menosprezou os ferimentos, sacudindo a cabeça. — Isto não é nada, Simas está pior. Você verá. Vamos andando, então? Ah — ele se virou para Aberforth —, Ab, talvez haja mais umas duas pessoas a caminho.

— Mais umas duas pessoas?! — exclamou Aberforth, em tom ameaçador. — Como assim, mais umas duas pessoas, Longbottom? Há um toque de recolher e um Feitiço Miadura sobre toda a aldeia!

— Eu sei, é por isso que elas estarão aparatando diretamente no bar — respondeu Neville. — Mande-as pela passagem quando chegarem, por favor? Muito obrigado.

Neville esticou a mão para Hermione e ajudou-a a subir no console, e dali para o túnel; Rony seguiu-a e depois Neville; Harry se dirigiu a Aberforth.

— Não sei como lhe agradecer. Você salvou duas vezes a nossa vida.

— Cuide bem delas, então — respondeu Aberforth, ríspido. — Talvez eu não possa salvá-las uma terceira.

Harry subiu no console e entrou no buraco atrás do retrato de Ariana. Havia degraus de pedra lisa do outro lado: a passagem parecia existir há muitos anos. Luminárias de latão pendiam das paredes e o piso de terra estava gasto e sem asperezas; à medida que andavam, suas sombras ondulavam, abrindo-se em leque, pela parede.

— Há quanto tempo isso existe? — indagou Rony quando começaram a andar. — Não consta no mapa do maroto, consta, Harry? Pensei que só houvesse sete passagens para entrar e sair da escola, não?

— Eles lacraram todas aquelas antes de começar o ano letivo — respondeu Neville. — Não há a menor chance de se usar nenhuma delas, não com os feitiços que lançaram nas entradas e os Comensais da Morte e dementadores esperando nas saídas. — Ele começou a andar de costas, sorridente, absorvendo a presença dos amigos. — Mas deixa isso para lá... é verdade? Vocês arrombaram o Gringotes? Fugiram montados em um dragão? É o boato que corre, todo o mundo está comentando isso, Terêncio Boot foi espancado por Carrow por berrar isso no Salão Principal na hora do jantar!

— É, é verdade — confirmou Harry.

Neville riu com gosto.

— Que foi que vocês fizeram com o dragão?

— Soltamos no mato — disse Rony. — Hermione era a favor de adotá-lo como bicho de estimação...

— Não exagere, Rony...

— Mas que têm feito? As pessoas andaram dizendo que você estava apenas fugindo, Harry, mas acho que não. Acho que esteve armando alguma coisa.

— Você acertou, mas nos fale sobre Hogwarts, Neville, ficamos sem notícias.

— Tem estado... bem, realmente não parece mais Hogwarts — disse Neville, o sorriso desaparecendo do seu rosto. — Você ouviu falar dos Carrow?

— Os dois Comensais da Morte que estão ensinando aí?

— Eles fazem mais do que ensinar. São responsáveis por toda a disciplina. E gostam de castigar, os Carrow.

— Como a Umbridge?

— Nah, perto dos dois, ela é boazinha. Os outros professores têm ordem de nos mandar para eles quando fazemos alguma coisa errada. Mas não mandam, se puderem evitar. Dá para perceber que eles odeiam os dois tanto quanto nós.

"Amico, o cara, ensina o que costumava ser Defesa Contra as Artes das Trevas, só que agora é apenas Artes das Trevas. Temos que praticar a Maldição Cruciatus nos alunos que ganharam detenções..."

— Quê?

As vozes de Harry, Rony e Hermione ecoaram em uníssono pela passagem.

— Isso mesmo — confirmou Neville. — Foi assim que ganhei esse. — Ele apontou para um corte particularmente fundo na bochecha. — Eu me recusei a amaldiçoar. Mas tem gente interessada; Crabbe e Goyle adoram. Primeira vez que são primeiros alunos em alguma coisa, imagino.

"Aleto, a irmã do Amico, ensina Estudo dos Trouxas, que é obrigatório para todos. Temos de ouvi-la explicar que os trouxas são animais, idiotas e porcos, e que obrigaram os bruxos a entrar na clandestinidade porque os tratavam com violência, e que a ordem natural está sendo restaurada. Recebi esse outro", ele apontou mais um corte no rosto, "porque perguntei qual é a percentagem de sangue trouxa que ela e o irmão têm."

— Caramba, Neville — exclamou Rony —, tem hora e lugar para se fazer gracinhas!

— Você não teve de ouvi-la. Também não teria aguentado. E tem uma coisa, faz bem quando alguém os enfrenta, dá esperança a todos. Eu observei isso quando você se rebelava, Harry.

— Mas eles transformaram você em afiador de facas — comentou Rony, fazendo uma leve careta quando passaram por uma luz e os ferimentos do garoto se sobressaíram mais.

Neville sacudiu os ombros.

— Não faz mal. Eles não querem derramar muito sangue puro, por isso podem até nos torturar um pouco se formos atrevidos, mas não irão realmente nos matar.

Harry não sabia o que era pior, as coisas que Neville estava contando ou o tom banal com que as contava.

— As únicas pessoas que correm perigo, de fato, são as que têm amigos e parentes criando problemas do lado de fora. Viram reféns. O velho Xeno Lovegood estava fazendo críticas fortes demais n'*O Pasquim*, então, eles arrancaram Luna do trem quando íamos passar o Natal em casa.

— Neville, ela está bem, nós a vimos.

— É, eu sei, ela conseguiu me mandar uma mensagem.

Ele tirou do bolso uma moeda dourada, e nela Harry reconheceu um dos galeões falsos que os membros da Armada de Dumbledore usavam para trocar mensagens entre si.

— Elas têm sido ótimas — disse Neville, sorrindo para Hermione. — Os Carrow nunca sacaram como nos comunicávamos, e ficaram enlouquecidos.

Costumávamos sair escondidos à noite e rabiscar nas paredes: *Armada de Dumbledore: o recrutamento continua*, e outras coisas do gênero, o Snape odiava.

— Vocês *costumavam*? — perguntou Harry, que reparara no pretérito.

— Bem, com o tempo, foi ficando mais difícil. Perdemos Luna no Natal, Gina não voltou depois da Páscoa e nós três éramos os líderes, por assim dizer. Os Carrow perceberam que eu estava por trás de muitas dessas coisas, então começaram a me pressionar; depois Miguel Corner foi pego soltando um aluno do primeiro ano que tinham acorrentado e foi barbaramente torturado. Isso apavorou as pessoas.

— Não é para menos — resmungou Rony, e nessa hora a passagem começou a subir.

— É, bem, eu não podia pedir às pessoas para suportar o que o Miguel suportou, então, paramos com esses lances. Mas continuamos a lutar, agindo às escondidas, até umas duas semanas atrás. Foi quando eles concluíram que só havia uma maneira de me fazer parar, suponho, e prenderam minha avó.

— Eles fizeram *o quê*?! — exclamaram Harry, Rony e Hermione juntos.

— É — disse Neville, ofegando um pouco porque a passagem estava se tornando muito inclinada. — Bem, dá para vocês entenderem o raciocínio deles. O sequestro de crianças para forçar os parentes a se comportarem tinha dado bons resultados, e suponho que seria apenas uma questão de tempo pensarem em fazer o contrário. Agora — Neville ficou de frente para eles e Harry se surpreendeu com o seu ar risonho –, com a vovó, eles deram uma dentada maior do que cabia na barriga. Uma bruxa velhota morando sozinha, provavelmente acharam que não era preciso mandar ninguém muito poderoso. Enfim — Neville deu uma gargalhada –, Dawlish ainda está no St. Mungus e, vovó, foragida. Ela me mandou uma carta — Neville bateu no bolso do peito das vestes — me dizendo que sentia orgulho de mim, que sou filho dos meus pais e que continue a resistir.

— Legal — disse Rony.

— É – concordou Neville, feliz. – Só tem que quando perceberam que não tinham como me pressionar, resolveram que Hogwarts poderia muito bem passar sem mim. Não sei se estavam planejando me matar ou me mandar para Azkaban; qualquer que fosse o caso, achei que era hora de desaparecer.

— Mas — perguntou Rony, inteiramente desconcertado — não estamos... não estamos voltando direto para Hogwarts?

— Claro. Você verá. Chegamos.

Eles viraram um canto e logo adiante a passagem terminava. Um pequeno lance de escada levava a uma porta igual a que havia atrás do retrato de

Ariana. Neville abriu-a e galgou a escada. Quando o seguia, Harry ouviu o colega gritar para pessoas invisíveis:
— Vejam quem está aqui! Eu não disse a vocês?
Ao emergir da passagem para a sala além, ouviram-se gritos e aplausos...
— HARRY!
— É Potter, é POTTER!
— Rony!
— Hermione!
Harry teve uma impressão confusa de coisas coloridas penduradas, de candeeiros e muitos rostos. No momento seguinte, ele, Rony e Hermione foram engolfados, abraçados, receberam palmadas nas costas, tiveram os cabelos despenteados, as mãos apertadas, aparentemente por umas vinte pessoas: parecia que tinham ganhado uma final de quadribol.
— O.k., o.k., calma pessoal! — gritou Neville e, quando o amontoado de gente recuou, Harry pôde observar o ambiente.
Não reconheceu a sala. Era enorme e lembrava o interior de uma casa de árvore particularmente suntuosa, ou talvez uma gigantesca cabine de navio. Redes multicoloridas pendiam do teto e de uma galeria que rodeava o cômodo cujas paredes sem janelas eram revestidas de painéis de madeira escura, cobertas de tapeçarias de cores vibrantes. Harry viu o leão dourado da Grifinória sobre o fundo vermelho, o texugo preto da Lufa-Lufa sobre o amarelo e a águia bronze da Corvinal sobre o azul. Só estava ausente o verde e prata da Sonserina. Havia estantes superlotadas, algumas vassouras encostadas nas paredes e, a um canto, um grande rádio com caixa de madeira.
— Onde estamos?
— Na Sala Precisa, é claro! — respondeu Neville. — Desta vez ela foi demais, não? Os Carrow estavam me perseguindo, e eu sabia que só tinha um esconderijo possível: consegui passar pela porta e foi isso que encontrei! Bem, não estava exatamente assim quando cheguei, era bem menor, só tinha uma rede e tapeçarias da Grifinória. Mas se expandiu à medida que mais gente da Armada de Dumbledore foi chegando.
— E os Carrow não podem entrar? — perguntou Harry, olhando ao redor à procura da porta.
— Não — respondeu Simas Finnigan, que Harry não reconhecera até ouvir sua voz: o rosto do colega estava inchado e roxo. — É um esconderijo de verdade, desde que um de nós esteja sempre presente, eles não podem nos surpreender, a porta não se abrirá. É tudo obra do Neville. Ele realmente *saca*

essa sala. Você tem que pedir *exatamente* o que precisa... tipo "Não quero que nenhum seguidor dos Carrow possa entrar", e a sala fará isso! Você só tem que garantir que não deixou nenhum furo! Neville é o cara!

— Na realidade, não tem mistério — disse Neville, modestamente. — Eu já estava aqui fazia um dia e meio, louco de fome, desejei arranjar o que comer e a passagem para o Cabeça de Javali se abriu. Entrei por ela e deparei com Aberforth. Ele tem nos fornecido comida, porque, por alguma razão, essa é a única coisa que a sala não faz.

— É, bem, comida é uma das cinco exceções da Lei de Gamp sobre a Transfiguração Elementar — afirmou Rony, para surpresa geral.

— E assim estamos nos escondendo aqui há quase duas semanas — informou Simas —, e a sala acrescenta mais redes toda vez que precisamos, e até fez brotar um banheiro muito bom quando as garotas começaram a chegar...

— ... foi quando desejaram muito poder se lavar — acrescentou Lilá Brown, que Harry não havia notado até aquele momento. Agora que reparava melhor o ambiente, reconheceu os rostos de muitos colegas. As gêmeas Patil estavam ali, bem como Terêncio Boot, Ernesto Macmillan, Antônio Goldstein e Miguel Corner.

— Mas contem o que vocês andaram fazendo — pediu Ernesto —; são muitos os boatos que correm e temos procurado nos manter informados sobre vocês pelo *Observatório Potter*. — Ele apontou para o rádio. — Vocês não arrombaram o Gringotes?

— Arrombaram! — confirmou Neville. — E o dragão também é verdade!

Ouviram-se breves aplausos e alguns gritos; Rony fez uma reverência.

— Que estavam procurando? — perguntou Simas, ansioso.

Antes que alguém pudesse desviar a pergunta com outra, Harry sentiu uma dor terrível e causticante na cicatriz. Ao se virar rapidamente de costas para os rostos curiosos e extasiados, a Sala Precisa desapareceu, e ele se viu parado no interior de um casebre de pedra, em ruínas, as tábuas podres do soalho arrancadas aos seus pés, uma caixa de ouro desenterrada aberta e vazia ao lado de um buraco, e o berro de fúria de Voldemort vibrou em sua cabeça.

Com enorme esforço, ele se retirou da mente de Voldemort e voltou ao lugar em que estava, na Sala Precisa, oscilando, o suor porejando em seu rosto e Rony sustentando-o em pé.

— Você está bem, Harry? — Ele ouviu Neville perguntar. — Quer se sentar? Imagino que esteja cansado, não...?

— Não — respondeu Harry. Ele olhou para Rony e Hermione, tentando lhes comunicar, mudamente, que Voldemort acabara de descobrir a perda de uma de suas Horcruxes. O tempo estava se esgotando depressa: se Voldemort decidisse visitar Hogwarts em seguida, eles perderiam sua oportunidade.

"Temos que ir andando", falou, e as expressões dos colegas revelaram compreensão.

— Que vamos fazer, então, Harry? — perguntou Simas. — Qual é o plano?

— Plano? — repetiu Harry. Ele estava exercendo toda a sua força de vontade para não se deixar sucumbir à fúria de Voldemort: sua cicatriz continuava a queimar. — Bem, tem uma coisa que nós, Rony, Hermione e eu, precisamos fazer, e depois temos que sair daqui.

Ninguém mais estava rindo nem aplaudindo. Neville pareceu aturdido.

— Como assim "sair daqui"?

— Não viemos para ficar — respondeu Harry, esfregando a cicatriz, tentando suavizar a dor. — Tem uma coisa importante que precisamos fazer...

— Que é?

— Eu... eu não posso dizer.

Seguiram-se murmúrios de desagrado a essa notícia: as sobrancelhas de Neville se contraíram.

— Por que não pode nos dizer? É alguma coisa ligada à luta contra Você-Sabe-Quem, certo?

— Bem, é...

— Então nós o ajudaremos.

Os outros membros da Armada de Dumbledore assentiram, alguns entusiasticamente, outros solenemente. Uns dois se levantaram de suas cadeiras para demonstrar sua disposição de agir imediatamente.

— Você não está entendendo. — Pareceu-lhe ter repetido aquilo muitas vezes nas últimas horas. — Nós... nós não podemos dizer. Temos que fazer isso... sozinhos.

— Por quê? — perguntou Neville.

— Porque... — Em seu desespero para começar a procurar a Horcrux restante, ou, pelo menos, ter uma conversa particular com Rony e Hermione para decidir por onde começar a busca, Harry teve dificuldade em pensar. Sua cicatriz ainda queimava. — Dumbledore nos encarregou de uma tarefa, que não devíamos comentar... quer dizer, ele queria que a fizéssemos, só nós três.

— Nós somos a Armada dele — insistiu Neville. — A Armada de Dumbledore. Estivemos todos unidos nisso, temos continuado a resistir enquanto vocês três estiveram lá fora sozinhos...

— Não tem sido exatamente um piquenique, colega — disse Rony.
— Eu nunca disse que foi, mas não vejo por que não podem confiar na gente. Todos nesta Sala estiveram lutando e acabaram aqui porque estavam sendo caçados pelos Carrow. Todos aqui provaram sua lealdade a Dumbledore, lealdade a você.

— Escute — começou Harry, sem saber o que ia dizer, mas não importava: a porta do túnel acabara de abrir às suas costas.

— Recebemos sua mensagem, Neville! Olá, vocês três, achamos que deviam estar aqui!

Eram Luna e Dino. Simas deu um urro de prazer e correu a abraçar o seu melhor amigo.

— Oi, pessoal! — cumprimentou Luna, feliz. — Ah, que ótimo estar aqui de novo!

— Luna — disse Harry, perturbado —, que está fazendo aqui? Como foi...?

— Pedi a ela para vir — respondeu Neville, mostrando o galeão falso. — Prometi a ela e a Gina que, se você voltasse, eu avisaria. Todos pensamos que a sua volta significaria realmente uma revolução. Que íamos derrubar Snape e os Carrow.

— Claro que é isso que significa — confirmou Luna, animada. — Não é, Harry? Vamos expulsá-los de Hogwarts à força?

— Escutem — disse Harry, com uma crescente sensação de pânico. — Sinto muito, mas não foi para isso que voltamos. Tem uma coisa que precisamos fazer e depois...

— Vocês vão nos deixar nessa confusão? — quis saber Miguel Corner.

— Não! — protestou Rony. — O que estamos fazendo vai acabar beneficiando todo mundo, estamos tentando nos livrar de Você-Sabe-Quem...

— Então nos deixe ajudar! — exclamou Neville, irritado. — Queremos participar!

Houve novo ruído atrás deles, e Harry se virou. Seu coração pareceu parar: Gina vinha agora passando pelo buraco na parede, seguida de perto por Fred, Jorge e Lino Jordan. Gina deu a Harry um sorriso radiante: ele tinha esquecido ou, então, nunca apreciara realmente como era bonita, mas nunca sentira menos satisfação em vê-la.

— Aberforth está ficando meio rabugento — comentou Fred, acenando em resposta aos vários gritos de saudação. — Ele quer dormir, e aquilo virou uma estação de trem.

O queixo de Harry caiu. Logo atrás de Lino Jordan vinha sua antiga namorada, Cho Chang. Ela sorriu.

— Recebi a mensagem — disse ela, erguendo o seu galeão falso, e atravessou a sala para se sentar ao lado de Miguel Corner.

— Então, qual é o plano, Harry? — perguntou Jorge.

— Não há nenhum — respondeu Harry, ainda desorientado pela repentina aparição de tanta gente, incapaz de apreender tudo aquilo, enquanto sua cicatriz continuava a queimar barbaramente.

— Vai improvisar à medida que formos indo, é isso? É o que mais gosto — comentou Fred.

— Você tem que fazer isso parar! — disse Harry a Neville. — Para que chamou todos de volta? Isto é uma insanidade...

— Vamos lutar, não é? — perguntou Dino, tirando do bolso o galeão falso. — A mensagem dizia que Harry tinha voltado e que íamos lutar! Mas vou precisar de uma varinha...

— Você não tem *varinha*...? — começou Simas.

Rony virou-se subitamente para Harry.

— Por que eles não podem ajudar?

— Quê?

— Eles podem ajudar. — Ele baixou a voz para que ninguém mais pudesse ouvir, exceto Hermione, que estava entre os dois. — Não sabemos onde a coisa está. Precisamos encontrá-la depressa. Não temos que dizer a eles que é uma Horcrux.

Harry olhou de Rony para Hermione, que murmurou:

— Acho que Rony tem razão. Nem sabemos o que estamos procurando, precisamos deles. — E, ao ver que Harry parecia em dúvida: — Você não tem que fazer tudo sozinho.

O garoto pensou depressa, sua cicatriz ainda formigando, seu coração ameaçando rachar outra vez. Dumbledore o alertara para não falar sobre as Horcruxes a quem quer que fosse, exceto Rony e Hermione. *"Segredos e mentiras, foi assim que fomos criados, e Alvo... tinha um pendor natural..."* Estaria virando um Dumbledore, guardando os segredos só para si, com medo de confiar? Mas Dumbledore confiara em Snape, e a que isso levara? À morte no topo da torre mais alta...

— Está bem — disse, em voz baixa, para os dois. — O.k. — dirigiu-se aos que estavam na sala, e todo o barulho cessou. Fred e Jorge, que contavam piadas para divertimento dos que estavam mais próximos, se calaram, e todos olharam atentos, nervosos.

"Tem uma coisa que precisamos encontrar", começou Harry. "Uma coisa... uma coisa que nos ajudará a derrubar Você-Sabe-Quem. Está aqui em Hogwarts, mas não sabemos onde. Talvez tenha pertencido a Ravenclaw. Alguém já ouviu falar de um objeto assim? Alguém já topou com algum objeto com uma águia gravada, por exemplo?"

Ele olhou esperançoso para o pequeno grupo de alunos da Corvinal, para Padma, Miguel, Terêncio e Cho, mas foi Luna quem respondeu, empoleirada no braço da poltrona de Gina.

– Bem, tem o diadema perdido. Falei dele para você, lembra, Harry? O diadema perdido de Ravenclaw? Papai está tentando duplicar.

– É, mas o diadema perdido – comentou Miguel Corner, virando os olhos para o teto – está *perdido*, Luna. Essa é justamente a questão.

– Quando foi perdido? – perguntou Harry.

– Dizem que há séculos – informou Cho, e Harry sentiu desânimo. – O professor Flitwick diz que o diadema desapareceu com a própria Ravenclaw. As pessoas têm procurado, mas – e ela apelou para os colegas da Casa – ninguém encontrou o menor vestígio, não foi?

Todos sacudiram a cabeça confirmando.

– Desculpem, mas o que é um diadema? – perguntou Rony.

– É uma espécie de coroa – explicou Terêncio Boot. – Acreditava-se que o da Ravenclaw tinha propriedades mágicas, ampliava a sabedoria de quem o usava.

– Isso, os sifões dos zonzóbulos do papai...

Mas Harry interrompeu Luna.

– E nenhum de vocês nunca viu nada parecido?

Todos tornaram a sacudir a cabeça. Harry olhou para Rony e Hermione e viu o próprio desapontamento espelhado no rosto deles. Um objeto que se perdera havia tanto tempo, e aparentemente sem deixar vestígio, não parecia um bom candidato a Horcrux escondida no castelo, porém, Cho retomou a palavra.

– Se você quiser ver que aparência acreditam ter o diadema, eu posso levá-lo à nossa sala comunal e lhe mostrar, Harry. Ravenclaw foi esculpida usando-o.

A cicatriz de Harry queimou outra vez: por um momento a Sala Precisa flutuou à sua frente, e em seu lugar ele viu a terra escura deslizando sob os pés e sentiu a enorme cobra enrolada em seus ombros. Voldemort estava voando outra vez, fosse para o lago subterrâneo fosse para ali, para o castelo, ele ignorava, mas tanto fazia, quase não restava tempo.

– Ele está viajando – disse, em voz baixa, para Rony e Hermione. Harry olhou para Cho e tornou a olhar para os amigos. – Escutem, sei que não é uma grande pista, mas vou dar uma espiada na estátua, para saber ao menos que aparência tem o diadema. Me esperem aqui e segurem, sabem... a outra... bem segura.

Cho se erguera, mas Gina disse meio agressiva.

– Não, Luna levará o Harry, fará isso, não, Luna?

– Aaah, claro, com todo prazer – respondeu ela, alegremente, e Cho tornou a se sentar, desapontada.

– Como saímos? – perguntou Harry a Neville.

– Por aqui.

Ele levou Harry e Luna para um canto, onde um pequeno armário se abria para uma escada íngreme.

– Surge a cada dia em um lugar diferente, por isso, nunca conseguiram encontrá-la. O único problema é que nós nunca sabemos exatamente onde vamos parar quando saímos. Cuidado, Harry, há sempre patrulhas nos corredores à noite.

– Tudo bem. Vemos vocês daqui a pouco.

Ele e Luna subiram correndo a escada, que era longa, iluminada por archotes e fazia curvas inesperadas. Por fim, chegaram ao que lhes pareceu uma parede maciça.

– Entre aqui embaixo – disse Harry a Luna, apanhando a Capa da Invisibilidade e atirando-a sobre os dois. Deu, então, um empurrãozinho na parede.

Ela se dissolveu ao seu toque e os dois saíram depressa: Harry olhou para trás e viu que a parede tornara a se fechar imediatamente. Achavam-se em um corredor escuro; Harry puxou Luna de volta às sombras, procurou na bolsa pendurada ao seu pescoço e encontrou o mapa do maroto. Segurando-o junto ao nariz, procurou e localizou os pontinhos dele e de Luna.

– Estamos no quinto andar – sussurrou, observando Filch se afastar deles, um corredor à frente. – Vamos, é por aqui.

Saíram, então, andando furtivamente.

Harry rondara à noite pelo castelo muitas vezes, mas nunca seu coração batera tão rápido, nunca tanta coisa dependera de passar ileso por esses corredores. Atravessando quadrados de luar no piso, passando por armaduras cujos elmos rangiam ao som dos seus passos abafados, dobrando quinas sem saber o que encontrariam do outro lado, Harry e Luna prosseguiram, verificando o mapa do maroto sempre que havia luz suficiente, parando duas vezes para deixar um fantasma passar sem atrair sua atenção para eles.

Ele esperava encontrar um obstáculo a qualquer momento; seu maior receio era o Pirraça, e apurava os ouvidos a cada passo para identificar os primeiros sinais da aproximação do poltergeist.

— Por aqui, Harry — sussurrou Luna, puxando a manga dele em direção a uma escada circular.

Subiram em círculos apertados e estonteantes; Harry nunca estivera ali antes. Finalmente, chegaram a uma porta. Não tinha maçaneta nem fechadura: nada, exceto uma tábua lisa de madeira envelhecida e uma aldraba de bronze em forma de águia.

Luna esticou a mão pálida, que parecia a de um fantasma flutuando no ar, desligada de braço ou corpo. Ela bateu uma vez, e, no silêncio, a batida pareceu a Harry um tiro de canhão. Imediatamente, o bico da águia se abriu, mas, em vez do grito do pássaro, uma voz suave e musical perguntou:

— O que veio primeiro, a fênix ou a chama?

— Humm... que acha, Harry? — perguntou Luna, pensativa.

— Quê? Não tem uma senha?

— Ah, não, você tem que responder a uma pergunta.

— E se você errar?

— Bem, aí terá que esperar até alguém acertar — disse Luna. — Assim, você aprende, entende?

— É... o problema é que não podemos realmente nos dar ao luxo de esperar por mais ninguém, Luna.

— Não, entendo o que você quer dizer — respondeu Luna, séria. — Bem, então, acho que a resposta é que um círculo não tem princípio.

— Bem pensado — disse a voz, e a porta se abriu.

A deserta sala comunal da Corvinal era ampla e circular, mais arejada do que qualquer outra que Harry já vira em Hogwarts. Graciosas janelas em arco pontuavam as paredes, ladeadas por reposteiros de seda azul e bronze; de dia, os alunos deviam ter uma vista espetacular das montanhas ao redor. O teto era abobadado e pintado com estrelas que se repetiam também no carpete azul-escuro. Havia mesas, poltronas e estantes e, em um nicho na parede oposta à porta, uma alta estátua de mármore branco.

Harry reconheceu Rowena Ravenclaw pelo busto que vira na casa de Luna. A estátua se erguia ao lado de uma porta que provavelmente levava aos dormitórios no andar de cima. Harry se dirigiu à mulher de mármore, que pareceu fitá-lo com um meio sorriso intrigado no rosto belo, mas levemente intimidante. Um diadema de aspecto delicado fora reproduzido, em mármore, no topo de sua cabeça. Não era muito diferente da tiara que Fleur usara em seu casamento. Nesta havia dizeres mínimos gravados. Harry saiu de baixo da capa e subiu no pedestal de Ravenclaw para lê-las.

— "*O espírito sem limites é o maior tesouro do homem.*"

— O que faz de você um pobre de espírito — disse uma voz aguda.

Harry virou-se, e deslizou do pedestal para o chão. O vulto de ombros caídos de Aleto Carrow estava parado ali; no mesmo instante em que Harry erguia a varinha, ela pressionou com o dedo curto o crânio com a serpente, marcado a fogo em seu braço.

30

A DEMISSÃO DE SEVERO SNAPE

No momento em que o dedo de Aleto tocou a Marca, a cicatriz de Harry queimou violentamente, a sala estrelada sumiu de vista, ele se viu parado em um afloramento rochoso sob um penhasco, o mar quebrava em ondas ao seu redor e havia triunfo em seu coração: *eles pegaram o garoto*.

Um forte estampido trouxe-o de volta à sala: desorientado, ele ergueu a varinha, mas a bruxa já estava caindo para frente; bateu no chão com tanta força que o vidro nas portas das estantes retiniu.

– Nunca estuporei ninguém exceto nas aulas da Armada de Dumbledore – comentou Luna, em tom levemente interessado. – Fez mais barulho do que imaginei que faria.

E sem dúvida, o teto começara a estremecer. O eco de passos correndo se tornou mais ruidoso por trás da porta que conduzia aos dormitórios: o feitiço de Luna acordara os alunos que dormiam no andar acima.

– Luna, onde você está? Preciso vestir a capa!

Os pés de Luna apareceram do nada; Harry correu para o seu lado e deixou a Capa cair sobre eles no momento em que a porta abriu e uma torrente de alunos da Corvinal, todos em roupas de dormir, inundou a sala comunal. Ouviram-se exclamações e gritinhos de surpresa quando viram Aleto caída no chão, inconsciente. Lentamente, eles a rodearam, uma fera selvagem que poderia despertar a qualquer momento e atacá-los. Então, um corajoso garoto do primeiro ano se aproximou ligeiro e cutucou o traseiro dela com o dedão do pé.

– Vai ver ela está morta! – exclamou, encantado.

– Ah, olhe – sussurrou Luna, feliz, quando os colegas se amontoaram em volta de Aleto. – Eles estão satisfeitos!

– É... ótimo...

Harry fechou os olhos, e, quando sua cicatriz tornou a latejar, ele resolveu submergir mais uma vez na mente de Voldemort... estava caminhando ao longo do túnel na primeira caverna... decidira verificar o medalhão antes de vir... mas isso não levaria muito tempo...

Houve uma batida na porta da sala comunal e todos os alunos da Casa pararam. Do lado de fora, Harry ouviu a suave voz musical que saía da aldraba em forma de águia: "Para onde vão os objetos desaparecidos?"

— Sei lá, sei? Cala a boca! — rosnou uma voz grosseira que Harry identificou como a do irmão Carrow, Amico. — Aleto? *Aleto?* Você está aí? Agarrou-o? Abra a porta!

Os alunos da Corvinal cochicharam entre si, aterrorizados. Então, sem aviso, ouviram uma série de fortes estampidos como se alguém estivesse atirando na porta com uma arma.

— *ALETO!* Se ele vier e não tivermos agarrado o Potter... você quer acabar do mesmo jeito que os Malfoy? ME RESPONDA! — Amico berrou, sacudindo a porta com toda a força, mas, ainda assim, ela não abriu. Os alunos estavam todos recuando, e os mais apavorados começaram a subir rapidamente a escada para suas camas. Então, no momento em que Harry se perguntava se não seria melhor explodir a porta e estuporar Amico antes que o Comensal da Morte pudesse fazer mais alguma coisa, uma segunda voz, muito conhecida, ecoou do outro lado da porta.

— Posso lhe perguntar o que está fazendo, professor Carrow?

— Tentando... passar... por essa maldita... porta! — gritou Amico. — Vá buscar Flitwick! Faça-o abrir esta porta, já!

— Mas sua irmã não está aí dentro? — perguntou a professora McGonagall. — O professor Flitwick não a deixou entrar mais cedo esta noite, a seu pedido urgente? Quem sabe ela mesma possa abrir a porta para o senhor? Assim, não precisará acordar metade do castelo.

— Ela não está respondendo, sua trapeira velha! Abra *você* então! Pô! Abra, já!

— Certamente, se o senhor quiser — respondeu a professora McGonagall, com terrível frieza. Ouviu-se uma delicada batida na aldraba e a voz musical perguntou mais uma vez: "Para onde vão os objetos desaparecidos?"

— Para o não ser, ou seja, o todo — respondeu a professora McGonagall.

— Bem fraseado — replicou a aldraba, e a porta se abriu.

Os poucos alunos da Corvinal que ainda restavam na sala correram para a escada quando Amico arremessou-se pelo portal brandindo a varinha. Curvado como a irmã, tinha uma cara pálida e flácida e olhos miúdos, que recaíram imediatamente sobre Aleto, esparramada e imóvel no chão. Ele soltou um berro de fúria e medo.

– Que foi que eles fizeram, esses pestinhas? – gritou. – Vou torturar todos até denunciarem quem fez isso... e o que vai dizer o Lorde das Trevas? – guinchou ele, em pé junto à irmã, socando a testa com o punho. – Não agarramos ele, e ainda por cima a mataram!

– Ela está apenas estuporada – disse, impaciente, a professora McGonagall, que se abaixara para examinar Aleto. – Ficará perfeitamente bem.

– Uma ova que ficará! – berrou Amico. – Não depois que o Lorde das Trevas a pegar! Ela o chamou, senti a minha marca queimar, e ele acha que agarramos Potter!

– Agarrou Potter? – perguntou a professora McGonagall com rispidez. – Como assim "agarrou Potter"?

– Ele disse que Potter podia tentar entrar na Torre da Corvinal e que queria ser avisado se a gente o pegasse.

– E por que Potter tentaria entrar na Torre da Corvinal? Potter pertence à minha Casa!

Por baixo da incredulidade e raiva, Harry percebeu um quê de orgulho na voz da professora, e a afeição por Minerva McGonagall jorrou em seu íntimo.

– Nos informaram que ele poderia vir aqui! – respondeu Carrow. – Não sei por quê, sei?

A professora McGonagall se levantou e seus olhos pequenos e brilhantes esquadrinharam a sala. Duas vezes passaram pelo lugar onde estavam Harry e Luna.

– Podemos lançar a culpa nos garotos – disse Amico, seu rosto porcino repentinamente ardiloso. – É, é o que vamos fazer. Diremos que Aleto caiu em uma armadilha preparada pelos garotos, os garotos aí em cima – ele olhou para o teto estrelado em direção aos dormitórios –, e diremos que eles a obrigaram a apertar a Marca e foi por isso que ele recebeu um falso alarme... ele pode puni-los. Meia dúzia de garotos a mais ou a menos, que diferença faz?

– Apenas a diferença entre a verdade e a mentira, a coragem e a covardia – disse a professora McGonagall, empalidecendo –; em suma, uma diferença que você e sua irmã parecem incapazes de apreciar. Mas me permita deixar uma coisa bem clara. Você não vai culpar os alunos de Hogwarts por sua inépcia. Eu não permitirei.

– Desculpe?

Amico se adiantou até ficar ofensivamente perto da professora, seu rosto a centímetros do dela. McGonagall não recuou, olhou-o com superioridade, como se ele fosse uma coisa nojenta que ela encontrara grudada na tampa do vaso sanitário.

— Não entra em questão se *você* permitirá, Minerva McGonagall. Seu tempo acabou. Nós é que mandamos aqui agora, e ou você confirma o que eu disser ou irá me pagar.

E ele cuspiu na cara de Minerva.

Harry arrancou a capa, ergueu a varinha e disse:
— Você não devia ter feito isso.

E quando Amico se virou, o garoto gritou:
— Crucio!

O Comensal da Morte foi erguido do chão. Contorceu-se no ar como um homem se afogando, debatendo-se e uivando de dor, e então, com um baque e o ruído de vidro estilhaçando, bateu contra as portas da estante e desmontou, sem sentidos, no chão.

— Entendi o que Belatriz quis dizer — disse Harry, o sangue ribombando em seu cérebro —, "é preciso *querer* usá-la".

— Potter! — sussurrou a professora McGonagall, levando a mão ao peito. — Potter... você está aqui! Quê...? Como...? — Ela fez força para se controlar. — Potter, que tolice!

— Ele cuspiu na senhora.

— Potter, eu... isso foi muito... muito *galante* de sua parte... mas você não percebe...?

— Percebo, sim — Harry lhe assegurou. De alguma forma, o medo dela o tranquilizou. — Professora McGonagall, Voldemort está a caminho.

— Ah, já podemos dizer o nome dele? — perguntou Luna com ar interessado, despindo a Capa da Invisibilidade. A aparição de um segundo proscrito pareceu transtornar a professora, que recuou, vacilante, e caiu em uma cadeira próxima, segurando a gola de seu velho robe de tecido escocês.

— Acho que não faz a menor diferença o nome que o chamarmos — disse Harry a Luna —, ele já sabe onde estou.

Em uma parte distante do cérebro de Harry, a parte ligada à cicatriz que ardia furiosamente, ele viu Voldemort navegando veloz sobre o lago escuro no fantasmagórico barco verde... estava quase chegando à ilha onde se achava a bacia de pedra...

— Você tem que fugir — sussurrou a professora McGonagall. — Agora, Potter, o mais rápido que puder!

— Não posso. Tem uma coisa que preciso fazer. Professora, a senhora sabe onde está o diadema de Rowena Ravenclaw?

— O d-diadema de Ravenclaw? Claro que não... não está perdido há séculos? — Ela se empertigou na poltrona. — Potter, foi loucura, absoluta loucura, entrar no castelo...

— Fui obrigado. — Professora, há uma coisa escondida aqui que tenho de encontrar, e *poderia* ser o diadema... preciso... se eu pudesse ao menos falar com o professor Flitwick...

Ouviram, então, um movimento de vidro tilintando: Amico estava voltando a si. Antes que Harry e Luna pudessem agir, a professora se pôs de pé, apontou a varinha para o Comensal da Morte estonteado e ordenou:

— *Imperio*!

Amico se levantou, foi até onde estava a irmã, apanhou sua varinha, voltou em direção à professora e, obediente, lhe entregou as duas varinhas: a sua e a dela. Depois se deitou no chão ao lado de Aleto. McGonagall fez outro gesto com a varinha, e apareceu no ar um pedaço de corda tremeluzente, que espiralou em torno dos Carrows, amarrando-os, juntos, com firmeza.

— Potter — disse a professora, virando-se para ele com soberba indiferença ao problema dos dois irmãos —, se Aquele-Que-Não-Deve-Ser-Nomeado tiver certeza que você está aqui...

Quando McGonagall disse isso, uma cólera que semelhava a uma dor física perpassou Harry, ateando fogo à sua cicatriz, e, por um segundo, ele contemplou a bacia cuja poção se tornara transparente e viu que não havia medalhão algum guardado sob sua superfície...

— Potter, você está bem? — disse uma voz, e Harry voltou: estava segurando o ombro de Luna para não cair.

— O tempo está se esgotando, Voldemort está se aproximando. Professora, estou cumprindo ordens de Dumbledore, preciso encontrar o que ele queria que eu encontrasse! Mas temos que fazer os alunos saírem enquanto estivermos vasculhando o castelo: sou eu que Voldemort quer, mas tanto faz para ele matar mais ou menos gente, não agora... — *Não agora que ele sabe que estou atacando Horcruxes*, Harry completou a frase mentalmente.

— Você está cumprindo ordens de *Dumbledore*? — indagou ela com uma expressão de crescente assombro. Então aprumou-se ao máximo. — Vamos proteger a escola contra Aquele-Que-Não-Deve-Ser-Nomeado enquanto você procura esse... esse objeto.

— É possível?

— Acho que sim — disse ela, secamente. — Nós, professores, somos muito bons em magia, sabe. Tenho certeza de que poderemos mantê-lo a distância por algum tempo, se empenharmos nisso os nossos melhores esforços. Naturalmente, teremos que fazer alguma coisa a respeito do professor Snape...

— Me deixe...

— ... e se Hogwarts está prestes a ser sitiada, com o Lorde das Trevas às portas, seria de fato aconselhável tirar do caminho o maior número possível de pessoas inocentes. Com a Rede de Flu sob vigilância e a impossibilidade de aparatar...

— Tem um jeito — disse Harry depressa, e explicou sobre a passagem que levava ao Cabeça de Javali.

— Potter, estamos falando de centenas de alunos...

— Eu sei, professora, mas se Voldemort e os Comensais da Morte estiverem se concentrando nas divisas da escola, não irão se interessar por gente desaparatando no Cabeça de Javali.

— Você não deixa de ter razão — concordou McGonagall. Ela apontou a varinha para os Carrow e sobre seus corpos amarrados caiu uma rede prateada que se fechou em torno deles e os ergueu no ar, onde ficaram balançando sob o teto azul e ouro, como dois grandes e feios animais marinhos.

— Venha. Temos que alertar os outros diretores de Casas. É melhor vestir a capa.

Ela saiu em direção à porta ao mesmo tempo que erguia a varinha. Da ponta, irromperam gatos prateados com marcas de óculos em torno dos olhos. Os Patronos correram graciosamente à sua frente, enchendo a escada em espiral de luzes prateadas, quando a professora, Harry e Luna desceram apressados.

Eles se precipitaram ao longo dos corredores, e, um a um, os Patronos foram abandonando-os; o robe de tecido escocês da professora McGonagall farfalhava arrastando pelo chão, e Harry e Luna a seguiam, correndo, cobertos pela capa.

Tinham descido mais dois andares quando passos abafados se juntaram aos deles. Harry, cuja cicatriz continuava a formigar, ouviu-os primeiro: apalpou a bolsa pendurada ao pescoço à procura do mapa do maroto, mas, antes que pudesse tirá-lo, McGonagall também pareceu tomar consciência do acompanhante. Ela parou, ergueu a varinha, preparando-se para duelar, e perguntou:

— Quem está aí?

— Sou eu — disse uma voz baixa.

Detrás de uma armadura, saiu Severo Snape.

O ódio ferveu no peito de Harry ao vê-lo: tinha esquecido os detalhes da aparência de Snape diante da magnitude dos seus crimes, esquecido como seus cabelos pretos e oleosos caíam como cortinas dos lados do seu rosto magro, como seus olhos pretos tinham uma expressão fria e sem vida. Não estava de roupas de dormir, vestia a capa preta de sempre e também empunhava a varinha, pronto para lutar.

– Onde estão os Carrow? – perguntou, em voz baixa.

– Onde você os mandou ir, imagino, Severo – respondeu a professora McGonagall.

Snape se aproximou e seus olhos passaram rapidamente por ela e o ar ao seu redor, como se soubesse que Harry estava ali. O garoto também erguera a varinha, pronto para lutar.

– Tive a impressão – disse Snape – de que Aleto prendeu um intruso.

– Sério? E o que lhe deu essa impressão?

Snape ergueu levemente o braço esquerdo onde a Marca Negra estava gravada em sua pele.

– Ah, sim, naturalmente. Esqueci que vocês Comensais da Morte têm um meio particular de comunicação.

Snape fingiu não tê-la ouvido. Seus olhos continuavam a sondar o ar ao seu redor e ele foi gradualmente se aproximando com uma expressão de quem não tem consciência do que está fazendo.

– Eu não sabia que era a sua noite de patrulhar os corredores, Minerva.

– Alguma objeção?

– Não imagino o que teria tirado você da cama tão tarde da noite.

– Pensei ter ouvido um barulho – respondeu a professora.

– Verdade? Mas tudo me parece calmo.

Snape encarou-a nos olhos.

– Você viu Harry Potter, Minerva? Porque se viu, devo insistir...

A professora McGonagall se mexeu mais rápido do que o garoto teria acreditado: sua mão cortou o ar e, por uma fração de segundo, Harry pensou que Snape fosse desmontar inconsciente, mas a rapidez do Feitiço Escudo que o professor lançou foi de tal ordem que McGonagall se desequilibrou. Ela brandiu a varinha para um archote e o objeto saiu voando do suporte na parede: Harry, que ia lançar um feitiço contra Snape, foi forçado a puxar Luna do caminho das labaredas que desceram e formaram um círculo de fogo que encheu o corredor e deslizou pelo ar como um laço contra Snape...

No momento seguinte não era mais fogo, mas uma grande cobra preta que McGonagall explodiu em fumaça, e tornou a se juntar e solidificar em segundos, transformando-se em um enxame de adagas que perseguiram Snape; ele só conseguiu evitá-las empurrando uma armadura à sua frente e, retinindo sonoramente, as adagas afundaram uma a uma no peito de metal...

— Minerva! — chamou uma voz fina e, ao olhar para trás, ainda protegendo Luna dos feitiços que voavam, Harry viu os professores Flitwick e Sprout em roupas de dormir, correndo pela passagem ao encontro deles, com o enorme professor Slughorn ofegando em seu encalço.

— Não! — guinchou Flitwick, erguendo a varinha. — Você não vai matar mais ninguém em Hogwarts!

O feitiço de Flitwick atingiu a armadura atrás da qual Snape se abrigara: com estrépito, ela ganhou vida. Snape desvencilhou-se dos braços da armadura que o esmagavam e arremessou-a contra os seus atacantes. Harry e Luna precisaram mergulhar de lado para evitar a armadura, que colidiu com a parede e se espatifou. Quando Harry tornou a erguer os olhos, Snape fugia embalado, McGonagall, Flitwick e Sprout perseguiam-no em tropel: Snape se precipitou pela porta de uma sala de aula e, momentos depois, Harry ouviu McGonagall gritar:

— Covarde! *COVARDE!*

— Que aconteceu, que aconteceu? — perguntou Luna.

Harry ajudou-a a se levantar e os dois dispararam pelo corredor, arrastando a Capa da Invisibilidade atrás deles, e entraram em uma sala de aula vazia onde os professores McGonagall, Flitwick e Sprout estavam parados perto de uma janela quebrada.

— Ele saltou — disse a professora McGonagall, quando Harry e Luna entraram.

— A senhora quer dizer que ele está morto? — Harry correu à janela, sem dar atenção aos berros assustados de Flitwick e Sprout ao verem-no subitamente aparecer.

— Não, ele não está morto — lamentou McGonagall. — Ao contrário de Dumbledore, ele ainda tinha a varinha na mão... e, pelo jeito, aprendeu alguns truques com o seu mestre.

Com um arrepio de horror, Harry viu ao longe o vulto enorme de um morcego voando na escuridão, em direção aos muros que circundavam a escola.

Ouviram passos pesados às costas e alguém bufando: Slughorn acabara de alcançá-los.

— Harry! — ofegou ele, massageando o vasto peito sob o pijama de seda verde-esmeralda. — Meu caro rapaz... que surpresa... Minerva, por favor me explique... Severo... o quê...?

— O nosso diretor vai tirar umas breves férias — disse a professora, apontando para o buraco com os seus contornos, que Snape deixara na janela.

— Professora! — Harry gritou, as mãos na cabeça. Via o lago pululante de Inferi deslizar sob ele, e sentiu o fantasmagórico barco verde bater na margem e Voldemort saltar dele com uma fúria homicida... — Professora, temos que barricar a escola, ele já está vindo!

— Muito bem. Aquele-Que-Não-Deve-Ser-Nomeado está a caminho — informou ela aos outros professores. Sprout e Flitwick ofegaram; Slughorn soltou um gemido. — Potter tem uma tarefa a cumprir no castelo por ordem de Dumbledore. Precisamos lançar sobre este lugar todo tipo de proteção de que formos capazes, enquanto Potter faz o que precisa.

— Naturalmente, você sabe que nada manterá Você-Sabe-Quem fora por tempo indefinido, não? — chiou Flitwick.

— Mas podemos retardá-lo — disse a professora Sprout.

— Obrigada, Pomona — disse McGonagall, e as duas bruxas trocaram olhares de sombria compreensão. — Sugiro que estabeleçamos uma proteção básica em torno da escola, depois reunamos os alunos e nos encontremos no Salão Principal. A maioria precisa ser evacuada, embora, se algum for maior de idade e quiser ficar e lutar, deveríamos lhe dar essa oportunidade.

— De acordo. — E a professora Sprout dirigiu-se, apressada, para a porta.

— Encontro vocês no Salão Principal dentro de vinte minutos, com os alunos da minha Casa.

E enquanto a bruxa corria e desaparecia de vista, eles a ouviam murmurar:

— Tentácula. Visgo-do-diabo. E vagens de Arapucosos... sim, gostaria de ver os Comensais da Morte enfrentando esses.

— Posso agir daqui mesmo — disse Flitwick e, embora mal conseguisse enxergar o exterior do castelo, apontou a varinha pela janela quebrada e começou a murmurar encantamentos de grande complexidade. Harry ouviu um zunido esquisito, como se Flitwick tivesse desencadeado a força do vento nos terrenos da escola.

— Professor — disse Harry, aproximando-se do bruxo miúdo que ensinava Feitiços —, professor, peço desculpas por interrompê-lo, mas é importante. O senhor tem ideia de onde está o diadema de Ravenclaw?

— ... *Protego horribilis*... o diadema de Ravenclaw? — chiou Flitwick. — Um pouco mais de sabedoria nunca se perde, Potter, mas não consigo imaginar como poderia lhe ser útil na *presente* situação!

— O que quis dizer foi... o senhor sabe onde está? Algum dia o senhor o viu?

— Viu? Não se tem memória de alguém que o tenha visto. Há muito desapareceu, menino!

Harry sentiu uma mistura de agudo desapontamento e pânico. Que seria, então, a Horcrux?

— Encontraremos você e os alunos da sua Casa no Salão Principal, Filio! — disse a professora McGonagall, fazendo sinal a Harry e Luna para acompanhá-la.

Tinham acabado de chegar à porta quando Slughorn recuperou a voz.

— Puxa — bufou, pálido e suarento, sua bigodeira de leão-marinho sacudindo. — Que confusão! Não tenho muita certeza se o que está fazendo é sensato, Minerva. Ele acabará encontrando um modo de entrar, sabe, e qualquer um que tenha tentado atrasá-lo correrá um perigo atroz...

— Esperarei você e os alunos da Sonserina também no Salão Principal dentro de vinte minutos — disse a professora McGonagall. — Se quiser se retirar com eles, não iremos impedi-lo. Mas se algum de vocês tentar sabotar a nossa resistência, ou pegar em armas contra nós dentro deste castelo, então, Horácio, duelaremos até a morte.

— Minerva! — exclamou ele, horrorizado.

— Chegou o momento da Sonserina decidir a quem é leal — interrompeu-o a professora. — Vá acordar os seus alunos, Horácio.

Harry não esperou para ver Slughorn tartamudeando; ele e Luna correram atrás da professora McGonagall, que tomara posição de varinha erguida no meio do corredor.

— *Piertotum*... ah, pelo amor de Deus, Filch, *agora* não.

O zelador idoso acabara de surgir, mancando e aos gritos:

— Os alunos se levantaram! Os alunos estão nos corredores!

— É onde deveriam estar, seu rematado idiota! — gritou McGonagall. — Agora vá se ocupar com alguma coisa construtiva! Procure o Pirraça!

— P-Pirraça? — gaguejou Filch, como se nunca tivesse ouvido esse nome.

— Pirraça, sim, seu parvo, Pirraça! Você não se queixa dele há um quarto de século? Vá buscá-lo, imediatamente!

Filch evidentemente achou que a professora McGonagall tivesse perdido o juízo, mas afastou-se mancando, os ombros curvados, resmungando com seus botões.

— E agora: *Piertotum locomotor!* — exclamou ela.

E por todo o corredor, as estátuas e armaduras saltaram dos seus pedestais, e, pelo eco fragoroso nos andares abaixo e acima, Harry percebeu que as suas companheiras em todo o castelo tinham feito o mesmo.

— Hogwarts está ameaçada! — bradou a professora McGonagall. — Guarneçam os muros, nos protejam, cumpram o seu dever para com a nossa escola!

Com estrépitos e berros, a horda de estátuas em movimento passou por Harry como um estouro de boiada; algumas pequenas, outras enormes. Havia animais também, e as armaduras chocalhando brandiam espadas e manguais.

— Agora, Potter — disse McGonagall —, é melhor você e a srta. Lovegood voltarem para os seus amigos e trazê-los para o Salão Principal; vou acordar os outros alunos da Grifinória.

Eles se separaram no alto da escada seguinte: Harry e Luna correram de volta à entrada oculta da Sala Precisa. No trajeto, encontraram grandes grupos de alunos, a maioria usando capas de viagem por cima dos pijamas, escoltados por professores e monitores para o Salão Principal.

— Aquele era o Potter!
— *Harry Potter!*
— Era ele, juro, acabei de ver o Harry!

Harry, porém, não olhou para trás e, por fim, chegaram à entrada da Sala Precisa. O garoto se encostou na parede encantada que se abriu para admiti-los, e ele e Luna desceram correndo a escada íngreme.

— Qu...?

Quando avistaram a sala, Harry escorregou alguns degraus, assustado. Estava cheia, muito mais cheia de gente do que da última vez que tinha estado ali. Kingsley e Lupin olhavam para ele, e igualmente Olívio Wood, Katie Bell, Angelina Johnson e Alícia Spinnet, Gui e Fleur, e o sr. e a sra. Weasley.

— Harry, que está acontecendo? — perguntou Lupin, indo ao seu encontro no pé da escada.

— Voldemort está a caminho, estão barricando a escola... Snape fugiu... que estão fazendo aqui? Como souberam?

— Enviamos mensagens a todo o resto da Armada de Dumbledore — explicou Fred. — Você não esperava que o pessoal fosse perder a festa, Harry, e a Armada de Dumbledore avisou a Ordem da Fênix, e a coisa virou uma bola de neve.

— Que vai ser primeiro, Harry? — perguntou Jorge. — Que está acontecendo?

— Estão evacuando os alunos menores, e todos vão se encontrar no Salão Principal para nos organizarmos — disse Harry. — Vamos lutar.

Ergueu-se um forte brado e uma onda de pessoas avançou para a escada; Harry foi empurrado contra a parede quando elas passaram apressadas, uma mistura de membros da Ordem da Fênix, da Armada de Dumbledore e da antiga equipe de quadribol de Harry, todas empunhando varinhas, em direção ao interior do castelo.

— Vamos, Luna — chamou Dino ao passar, estendendo-lhe a mão livre; ela segurou-a e acompanhou o amigo escada acima.

A multidão foi rareando: apenas um grupinho de pessoas permaneceu na Sala Precisa, e Harry se reuniu a elas. A sra. Weasley debatia-se com Gina. Em torno das duas, Lupin, Fred e Jorge, Gui e Fleur.

— Você é menor de idade! — gritava a sra. Weasley para a filha quando Harry se aproximou. — Não vou permitir! Os rapazes, sim, mas você tem que voltar para casa.

— Não vou voltar.

Os cabelos de Gina esvoaçavam enquanto ela tentava soltar o braço do aperto da mãe.

— Estou na Armada de Dumbledore...

— ... um bando de adolescentes!

— Um bando de adolescentes que está disposto a enfrentar *ele*, o que mais ninguém se atreveu a fazer! — replicou Fred.

— Ela tem dezesseis anos! — gritou a sra. Weasley. — Não tem idade suficiente! Que é que vocês dois tinham na cabeça quando a trouxeram junto...

Fred e Jorge pareceram um pouco envergonhados.

— Mamãe tem razão, Gina — disse Gui, delicadamente. — Você não pode lutar. Todos os menores de idade terão de se retirar, é o certo.

— Não posso ir para casa! — gritou Gina, lágrimas de raiva brilhando em seus olhos. — Toda a minha família está aqui, eu não suportaria ficar lá sozinha, esperando sem saber e...

Seus olhos encontraram os de Harry pela primeira vez. Ela o olhou suplicante, mas ele sacudiu a cabeça e a garota lhe deu as costas amargurada.

— Ótimo — disse, com os olhos na entrada do túnel para o Cabeça de Javali. — Vou dizer adeus então e...

Ouviram alguma coisa raspando e um forte baque: alguém mais saíra do túnel, desequilibrara-se um pouco e caíra. O homem se guindou para a cadeira mais próxima, olhou ao redor através dos óculos tortos e perguntou:

— Cheguei tarde demais? Já começou? Acabei de saber, então eu... eu...

Percy embatucou e se calou. Evidentemente, não tinha esperado topar com quase toda a família. Houve um longo momento de espanto, rompido por Fleur, que se virou para Lupin e falou, em uma tentativa muito transparente de quebrar a tensão:

— Entam... come vai o pequene Tedí?

Lupin piscou os olhos, espantado. O silêncio entre os Weasley pareceu se solidificar, como gelo.

— Eu... ah, sim... está ótimo! — respondeu Lupin em voz alta. — É, a Tonks está com ele... na casa da mãe.

Percy e os outros Weasley continuavam a se encarar, paralisados.

— Olhe, tenho uma foto! — gritou Lupin, puxando uma foto do bolso interno do blusão e mostrando-a a Fleur e Harry, um bebezinho com um tufo de cabelos turquesa-berrante, acenando os punhos gorduchos para a máquina fotográfica.

— Fui um tolo! — bradou Percy, tão alto que Lupin quase deixou cair a foto. — Fui um idiota, um covarde pomposo, fui um... um...

— Cego pelo Ministério, um renegador da família, um idiota sedento de poder — concluiu Fred.

Percy engoliu em seco.

— Fui tudo isso!

— Bem, você não poderia falar com maior justeza — disse Fred, estendendo a mão ao irmão.

A sra. Weasley caiu no choro. Avançou correndo, empurrou Fred para o lado e puxou Percy para um abraço de sufocar, enquanto ele retribuía com palmadinhas em suas costas, com os olhos no pai.

— Desculpe, papai — pediu Percy.

O sr. Weasley piscou rapidamente, então, ele também apressou-se a abraçar o filho.

— Que o fez tomar juízo, Perce? — perguntou Jorge.

— Eu já vinha tomando há algum tempo — respondeu ele, enxugando os olhos por baixo dos óculos com uma ponta da capa de viagem. — Mas precisava encontrar um modo de sair e não é fácil, no Ministério não param de prender traidores. Consegui fazer contato com Aberforth e ele me avisou faz dez minutos que Hogwarts ia resistir, então vim.

— Bem, esperamos que os nossos monitores assumam a liderança em momentos como esses — disse Jorge, em uma boa imitação do tom mais pomposo de Percy. — Agora vamos subir e lutar, ou não sobrará bons Comensais da Morte para nós.

— Então, você agora é minha cunhada? — perguntou Percy, apertando a mão de Fleur enquanto se apressavam a subir as escadas com Gui, Fred e Jorge.

— Gina! — bradou a sra. Weasley.

A garota estava tentando, sob o disfarce da reconciliação, subir furtivamente.

— Molly, vou dar uma sugestão — disse Lupin. — Por que Gina não fica aqui, pelo menos permanecerá no castelo e saberá o que está acontecendo, mas não estará no meio da batalha?

— Eu...

— É uma boa ideia — disse o sr. Weasley, com firmeza. — Gina, você fica aqui nesta sala, ouviu?

Gina não pareceu gostar muito da ideia, mas sob o olhar raramente severo do pai concordou. O sr. e a sra. Weasley e Lupin se encaminharam também para a escada.

— Onde está Rony? — perguntou Harry. — Onde está Hermione?

— Já devem ter subido para o Salão Principal — falou o sr. Weasley por cima do ombro.

— Não os vi passar — respondeu Harry.

— Eles disseram alguma coisa sobre um banheiro — disse Gina — pouco depois de você sair.

— Um banheiro?

Harry atravessou a sala a passos largos em direção a uma porta que abria para fora da Sala Precisa e verificou o banheiro além. Estava vazio.

— Você tem certeza de que eles disseram banh...?

Nesse momento, sua cicatriz queimou e a Sala Precisa desapareceu: ele estava olhando pelas grades dos portões ladeados por pilares com javalis alados, olhando para os terrenos escuros na direção do castelo inteiramente iluminado. Nagini estava deitada sobre seus ombros. Apossou-se dele aquele senso de propósito frio e cruel que antecedia o homicídio.

31

A BATALHA DE HOGWARTS

A abóbada encantada do Salão Principal estava escura e salpicada de estrelas, e abaixo viam-se as quatro longas mesas ocupadas por alunos desarrumados, alguns de capas de viagem, outros de robes. Aqui e ali, brilhavam os vultos branco-perolados dos fantasmas da escola. Todos os olhares, dos vivos e dos mortos, fixavam-se na professora McGonagall, que falava de cima de uma plataforma no fundo do salão. Atrás dela, achavam-se, em pé, os demais professores, inclusive o centauro baio, Firenze, e os membros da Ordem da Fênix que tinham vindo lutar.

– ... a evacuação será supervisionada pelo sr. Filch e por Madame Pomfrey. Monitores, quando eu der a ordem, vocês organizarão os alunos de suas Casas e os levarão, enfileirados, ao lugar da retirada.

Muitos alunos pareciam petrificados. Entretanto, quando Harry contornava as paredes, examinando a mesa da Grifinória à procura de Rony e Hermione, Ernesto Macmillan se levantou à mesa da Lufa-Lufa e perguntou:

– E se eu quiser ficar e lutar?

Ouviram-se breves aplausos.

– Se você for maior de idade, pode ficar – definiu McGonagall.

– E as nossas coisas? – perguntou uma garota à mesa da Corvinal. – Nossos malões, nossas corujas?

– Não temos tempo para recolher pertences – respondeu a professora. – O importante é sair daqui são e salvo.

– Onde está o professor Snape? – gritou uma garota à mesa da Sonserina.

– Para usar a expressão vulgar, ele se mandou – esclareceu a professora, e ouviu-se uma grande ovação nas mesas da Grifinória, Lufa-Lufa e Corvinal.

Harry andou ao longo da mesa da Grifinória em direção ao fundo do salão, ainda procurando Rony e Hermione. Quando passou, os rostos se voltaram para ele, e uma onda de murmúrios o acompanhou.

— Já fizemos a proteção ao redor do castelo — continuava a professora —, mas é pouco provável que dure muito tempo, a não ser que a reforcemos. Portanto, devo pedir a vocês que andem rápida e calmamente e façam o que os seus monitores...

Suas palavras finais, no entanto, foram abafadas por outra voz que ecoou pelo salão. Era aguda, clara e fria: não era possível identificar sua origem; parecia sair das próprias paredes. Tal como o monstro que, no passado, ela comandara, poderia estar ali, em estado de latência, havia séculos.

"*Sei que estão se preparando para lutar.*"

Ouviram-se gritos entre os alunos, alguns se abraçaram, aterrorizados, enquanto procuravam ao redor de onde vinha aquele som.

"*Seus esforços são inúteis. Não podem lutar comigo. Não quero matar vocês. Tenho grande respeito pelos professores de Hogwarts. Não quero derramar sangue mágico.*"

Fez-se, então, silêncio no salão, o tipo de silêncio que comprime os tímpanos, que parece vasto demais para ser contido entre paredes.

"*Entreguem-me Harry Potter*", disse a voz de Voldemort, "*e ninguém sairá ferido. Entreguem-me Harry Potter, e não tocarei na escola. Entreguem-me Harry Potter e serão recompensados.*"

"*Terão até meia-noite.*"

O silêncio tornou a engoli-los. Todas as cabeças se viraram, todos os olhares no salão pareciam ter encontrado Harry, para mantê-lo congelado à luz de milhares de raios invisíveis. Então, uma pessoa se levantou à mesa da Sonserina e ele reconheceu Pansy Parkinson, no momento em que ela esticou para o alto um braço trêmulo e gritou:

— Mas ele está ali! Potter está ali! Agarrem ele!

Antes que Harry pudesse falar, houve um movimento massivo. Os alunos da Grifinória tinham se erguido à sua frente e encaravam, não Harry, mas os colegas da Sonserina. Em seguida, os da Lufa-Lufa se puseram de pé e, quase no mesmo momento, os da Corvinal, todos de costas para Harry, todos olhando para Pansy, e Harry, aterrado e sufocado, viu varinhas surgirem por todo lado, sacadas de capas e mangas.

— Obrigada, srta. Parkinson — disse a professora McGonagall, em tom seco. — Será a primeira a deixar o salão com o sr. Filch. Se os demais alunos de sua Casa puderem acompanhá-la...

Harry ouviu o atrito dos bancos no chão e o barulho dos alunos da Sonserina saindo pelo lado oposto do salão.

— Os alunos da Corvinal em seguida! — gritou a professora.

Lentamente, as quatro mesas se esvaziaram. A da Sonserina ficou completamente deserta, mas alguns alunos mais velhos da Corvinal continuaram sentados depois que os colegas saíram: um número ainda maior de alunos da Lufa-Lufa ficou para trás, e metade da Grifinória não deixou os bancos, e foi preciso a professora McGonagall descer da plataforma para fazer os menores de idade saírem.

– Absolutamente não, Creevey, vá! E você, Peakes!

Harry correu para os Weasley, todos sentados juntos à mesa da Grifinória.

– Onde estão Rony e Hermione?

– Você não os encon...? – começou o sr. Weasley, preocupado.

Parou, no entanto, de falar: Kingsley se adiantara na plataforma para se dirigir aos que tinham permanecido.

– Temos apenas meia hora até a meia-noite, portanto precisamos agir com rapidez! Os professores de Hogwarts e a Ordem da Fênix concordaram com um plano de batalha. Os professores Flitwick, Sprout e McGonagall vão levar grupos de combatentes ao topo das três torres mais altas: Corvinal, Astronomia e Grifinória; dali terão uma visão abrangente e ótimas posições para lançar seus feitiços. Nesse meio-tempo, Remo – ele indicou Lupin –, Arthur – ele apontou para o sr. Weasley, sentado à mesa da Grifinória – e eu levaremos grupos para os jardins. Precisaremos de alguém para organizar a defesa das entradas das passagens para a escola...

– ... parece trabalho para nós – falou Fred em voz alta, indicando a si mesmo e a Jorge, e Kingsley aprovou com um aceno de cabeça.

– Muito bem, os líderes subam aqui para dividirmos as tropas!

– Potter – disse a professora McGonagall, correndo para ele quando os estudantes invadiram a plataforma, se empurrando para se posicionar, recebendo instruções –, *você não devia estar procurando alguma coisa?*

– Quê! Ah – exclamou Harry –, ah, sim!

Quase esquecera a Horcrux, quase esquecera que haveria uma batalha para que pudesse procurá-la: a inexplicável ausência de Rony e Hermione momentaneamente expulsara qualquer outro pensamento de sua mente.

– Então vá, Potter, vá!

– Certo... é...

Ele sentiu os olhares acompanhando-o quando saiu correndo do Salão Principal para o saguão ainda apinhado de alunos que se retiravam. Deixou-se arrastar por eles escadaria acima, mas, no alto, tomou um corredor deserto. O medo e o pânico anuviavam seus processos mentais. Tentou se acalmar, se concentrar na procura da Horcrux, mas seus pensamentos zumbiam, frenética e inutilmente, como vespas presas em um copo. Sem Rony e Hermione para ajudá-lo, não parecia ser capaz de colocar as ideias em ordem. Harry diminuiu o passo e parou no meio de um corredor vazio, sentou-se no pedestal que uma estátua desocupara e tirou o mapa do maroto da bolsa pendurada ao pescoço. Não viu os nomes de Rony e Hermione em lugar algum, embora a densidade dos pontos a caminho da Sala Precisa pudesse, pensou ele, estar encobrindo os dois. Tornou a guardar o mapa, escondeu o rosto nas mãos e fechou os olhos, tentando se concentrar.

Voldemort pensou que eu iria à Torre da Corvinal.

Tinha ali um fato concreto, o lugar por onde começar. Voldemort postara Aleto Carrow na sala comunal da Corvinal, e só poderia haver uma explicação: ele temia que Harry já soubesse que sua Horcrux estava ligada àquela Casa.

Entretanto, o único objeto associado à Corvinal era o diadema perdido de sua fundadora... e como poderia a Horcrux ser o diadema? Como era possível que Voldemort, que pertencia à Sonserina, tivesse encontrado o diadema que frustrara gerações de alunos da Corvinal? Quem poderia ter lhe dito onde procurar, quando não se tinha memória de alguém vivo ter visto o diadema?

De alguém vivo...

Cobertos pelas mãos, os olhos de Harry se abriram de repente. Ele saltou do pedestal e disparou pelo caminho que viera, agora em busca de sua última esperança. O barulho das centenas de pessoas que se dirigiam à Sala Precisa foi crescendo em seu retorno à escadaria de mármore. Monitores gritavam instruções, tentando não perder de vista os alunos de suas Casas; havia muito aperto e empurrão; Harry viu Zacarias Smith atropelando estudantes do primeiro ano para chegar à frente da fila; aqui e ali, os mais novos choravam, enquanto os mais velhos chamavam, desesperados, pelos amigos e parentes...

Harry avistou o vulto branco-perolado flutuando pelo saguão de entrada e berrou o mais alto que pôde para se sobrepor ao clamor geral.

– Nick! NICK! Preciso falar com você!

Ele abriu caminho à força pela maré de alunos e, finalmente, chegou ao pé da escadaria onde Nick Quase Sem Cabeça, o fantasma da Torre da Grifinória, o aguardava.

– Harry! Meu caro rapaz! – Nick fez menção de segurar as mãos de Harry nas dele: o garoto teve a sensação de que tinham sido enfiadas em água gelada.

— Nick, você precisa me ajudar. Quem é o fantasma da Torre da Corvinal?

Nick Quase Sem Cabeça pareceu surpreso e ligeiramente ofendido.

— A Mulher Cinzenta, naturalmente, mas se precisa de serviços fantasmais...

— Tem que ser ela... você sabe onde ela está neste momento?

— Vejamos...

A cabeça de Nick oscilou um pouco sobre a gola de tufos engomados quando a virou para cá e para lá, espiando por cima do enxame de estudantes.

— Olhe ela ali, Harry, a jovem de cabelos longos.

Harry olhou na direção que o indicador transparente de Nick apontava e viu uma fantasma alta que percebeu o garoto olhando-a, ergueu as sobrancelhas e se afastou, atravessando uma parede maciça.

Harry correu atrás dela. Ao cruzar a porta do corredor em que a Mulher Cinzenta desaparecera, ele a viu quase no final, ainda se distanciando suavemente.

— Ei... espere... volte!

Ela concordou em parar, flutuando a alguns centímetros do chão. Harry achou-a linda, com seus cabelos até a cintura e a capa que chegava ao chão, mas parecia também arrogante e orgulhosa. De perto, ele a reconheceu como a fantasma pela qual passara tantas vezes no corredor, mas a quem nunca se dirigira.

— A senhora é a Mulher Cinzenta?

Ela assentiu silenciosamente.

— O fantasma da Torre da Corvinal?

— Correto.

Seu tom não era encorajador.

— Por favor, preciso de ajuda. Preciso saber qualquer coisa que a senhora possa me dizer sobre o diadema perdido.

Um sorriso frio arqueou os seus lábios.

— Receio — disse, virando-se para ir embora — não poder ajudá-lo.

— ESPERE!

Harry não pretendia gritar, mas a raiva e o pânico ameaçavam dominá-lo. Olhou para o seu relógio de pulso enquanto ela pairava ali: faltavam quinze minutos para a meia-noite.

— É urgente — disse ele, com veemência. — Se aquele diadema está em Hogwarts, preciso encontrá-lo, e depressa.

— Você não é o primeiro estudante a cobiçar o diadema — respondeu ela, desdenhosamente. — Gerações de estudantes têm me importunado...

— Não se trata de obter notas melhores! — gritou Harry. — Trata-se de Voldemort... de derrotar Voldemort... ou a senhora não está interessada nisso?

Ela não podia corar, mas suas faces transparentes se tornaram opacas e sua voz irritada ao responder:

— É claro que eu... como se atreve a insinuar...?

— Bem, me ajude, então!

Sua serenidade foi se desfazendo.

— Não... não é uma questão de... — gaguejou ela. — O diadema de minha mãe...

— De sua mãe?

Ela pareceu aborrecida consigo mesma.

— Quando eu era viva — disse, formalmente —, fui Helena Ravenclaw.

— A senhora é filha dela? Mas, então, deve saber o que aconteceu ao diadema!

— Embora o diadema conceda sabedoria — disse, com um esforço óbvio para se controlar —, duvido que possa aumentar expressivamente as suas chances de derrotar o bruxo que se intitula Lorde...

— Acabei de lhe dizer: não estou interessado em usá-lo! — enfatizou Harry, impetuosamente. — Não há tempo para explicar, mas se a senhora tem apreço por Hogwarts, se quer ver Voldemort liquidado, tem que me dizer o que souber sobre o diadema!

A Mulher Cinzenta ficou muito quieta, flutuando no ar, olhando Harry do alto, e uma sensação de desamparo o invadiu. Naturalmente que, se ela soubesse de alguma coisa, teria contado a Flitwick ou a Dumbledore, que, sem dúvida, já lhe teriam feito a mesma pergunta. Ele balançara a cabeça e fizera menção de ir embora, quando a fantasma falou em voz baixa:

— Eu roubei o diadema da minha mãe.

— A senhora... a senhora fez o quê?

— *Roubei o diadema* — repetiu Helena Ravenclaw, sussurrando. — Desejava me tornar mais inteligente, mais importante do que a minha mãe, e fugi com o diadema.

Harry não sabia como conseguira ganhar sua confiança, nem perguntou: simplesmente escutou, atento, quando ela continuou:

— Minha mãe, dizem, nunca admitiu que o diadema tinha desaparecido, fingiu que continuava em seu poder. Escondeu sua perda, minha terrível traição, até dos fundadores de Hogwarts.

"Então ela caiu doente, fatalmente doente. Apesar da minha perfídia, quis desesperadamente me ver pela última vez. Mandou à minha procura um homem que sempre me amara, embora eu desdenhasse suas propostas amorosas. Minha mãe sabia que ele não descansaria até fazer o que lhe pedira."
Harry aguardou. A Mulher Cinzenta inspirou profundamente e atirou a cabeça para trás.

– Ele seguiu o meu rastro até a floresta em que eu estava escondida. Quando me recusei a acompanhá-lo, tornou-se violento. O barão sempre foi um homem de temperamento colérico. Furioso com a minha recusa, invejando a minha liberdade, ele me apunhalou.

– O *barão*? A senhora está se referindo...?

– Sim, ao Barão Sangrento – respondeu a Mulher Cinzenta, e, afastando a capa que usava, mostrou um único ferimento em seu peito branco.

– Quando ele viu o que tinha feito, foi invadido pelo remorso. Apanhou a arma com que tirara minha vida e usou-a para se matar. E séculos depois ele ainda usa correntes como um ato de penitência... como deveria – acrescentou, amargurada.

– E... e o diadema?

– Ficou onde eu o tinha escondido quando ouvi o barão andando às tontas pela floresta em minha direção. Escondi-o no oco de uma árvore.

– No oco de uma árvore? – repetiu Harry. – Que árvore? Onde foi isso?

– Uma floresta na Albânia. Um lugar solitário que achei que estivesse bem longe do alcance de minha mãe.

– Albânia – repetiu Harry. O sentido emergia milagrosamente da confusão, e agora ele entendia por que a fantasma estava lhe contando o que negara a Dumbledore e Flitwick. – A senhora já contou essa história a alguém, não? A outro estudante?

Ela fechou os olhos e assentiu.

– Eu não fazia... ideia... ele era... lisonjeador. Parecia... entender... se solidarizar...

Sim, pensou Harry, Tom Riddle certamente teria compreendido o desejo de Helena Ravenclaw de possuir objetos fabulosos a que não tinha muito direito.

– Bem, a senhora não foi a primeira de quem Riddle obteve coisas – murmurou Harry. – Ele sabia ser encantador quando queria...

Então Voldemort tinha conseguido extrair da Mulher Cinzenta a localização do diadema perdido. Tinha viajado àquela longínqua floresta e tirado o diadema do esconderijo, talvez logo que terminara Hogwarts, antes mesmo de ter começado a trabalhar para a Borgin & Burkes.

E aquelas matas albanesas isoladas não tinham lhe parecido um excelente refúgio quando, muito mais tarde, precisou de um lugar para ficar fora de circulação, sem ninguém perturbá-lo, durante dez longos anos?

O diadema, porém, depois de transformado em preciosa Horcrux, não teria sido deixado naquela árvore humilde... não, o diadema fora devolvido secretamente à sua verdadeira casa, e Voldemort devia tê-lo guardado lá...

— Na noite em que viera pedir emprego! — disse Harry, completando o pensamento.

— Perdão?

— Ele escondeu o diadema no castelo na noite em que pediu a Dumbledore para deixá-lo ensinar aqui! — Falar em voz alta lhe permitia encontrar o nexo de tudo. — Deve ter escondido o diadema a caminho do escritório de Dumbledore, ou na saída! Mas ainda valia a pena tentar obter o emprego... assim, poderia ter uma chance de roubar a espada de Gryffindor também... obrigado, muito obrigado!

Harry deixou-a flutuando ali, com um ar de total perplexidade. Ao contornar o canto de volta ao saguão, consultou o relógio. Faltavam cinco minutos para a meia-noite, e, embora soubesse *qual* era a última Horcrux, não estava nem próximo de descobrir *onde* encontrá-la...

Gerações de estudantes não tinham conseguido encontrar o diadema; isto sugeria que não estava na Torre da Corvinal — mas, se não ali, onde, então? Que esconderijo Tom Riddle descobrira no interior do castelo de Hogwarts, que acreditava que jamais seria descoberto?

Perdido em desesperada especulação, Harry virou um canto, mas dera apenas alguns passos no novo corredor quando a janela à sua esquerda estourou com um estrépito ensurdecedor. Ao pular para um lado, um corpo gigantesco entrou pela janela e bateu na parede oposta. Uma coisa grande e peluda se destacou do recém-chegado, choramingando, e se atirou sobre Harry.

— Hagrid! — berrou Harry, lutando para afastar Canino e suas atenções, enquanto o enorme vulto barbudo se levantava. — Que...?

— Harry, você está aqui! *Você está aqui!*

Hagrid se curvou, concedeu a Harry um apressado abraço de quebrar costelas, e se voltou para a janela estilhaçada.

— Bom garoto, Grope! — berrou ele pelo buraco na janela. — Vejo você daqui a pouco, isso é que é um bom garoto!

Para além de Hagrid, na noite escura, Harry avistou clarões ao longe e ouviu um grito esquisito e pungente. Ele olhou para o relógio: era meia-noite. A batalha começara.

— Caramba, Harry — arquejou Hagrid —, então é isso, hein? Hora de lutar?

— Hagrid, de onde você está vindo?

— Ouvi Você-Sabe-Quem lá de cima, na nossa caverna — respondeu, sombriamente. — A voz foi longe, não? "Vocês têm até meia-noite para me entregar Potter." Eu sabia que você devia estar aqui, sabia o que devia estar acontecendo. *Desce*, Canino. Então viemos participar, eu, Grope e Canino. Entramos arrebentando tudo pela divisa da floresta, Grope estava nos carregando, a mim e Canino. Pedi para ele me descarregar no castelo e ele me atirou pela janela, Deus o abençoe. Não foi bem o que eu queria, mas... onde estão Rony e Hermione?

— Essa é realmente uma boa pergunta. Venha.

Eles saíram apressados pelo corredor, Canino saltando ao lado dos dois. Harry ouvia movimento em todos os corredores: gente correndo, gritos; pelas janelas via mais clarões nos jardins escuros.

— Para onde estamos indo? — bufou Hagrid, andando pesadamente nos calcanhares de Harry, fazendo as tábuas do soalho tremer.

— Não sei ao certo — disse Harry, dando mais uma volta a esmo —, mas Rony e Hermione têm que estar aqui em algum lugar.

As primeiras baixas da batalha já estavam espalhadas em seu caminho: as duas gárgulas de pedra que normalmente guardavam a entrada da sala dos professores tinham sido destroçadas por um feitiço que entrara por outra janela quebrada. Suas ruínas se moveram impotentes no chão e, quando Harry saltou sobre uma das cabeças sem corpo, a estátua gemeu baixinho:

— Ah, não se importe comigo... ficarei aqui deitada desmoronando...

Sua feia cara de pedra fez Harry pensar subitamente no busto de mármore de Rowena Ravenclaw na casa de Xenofílio, usando aquele toucado delirante — depois na estátua na Torre da Corvinal, com o diadema de pedra sobre seus cachos brancos...

Quando chegava ao fim do corredor, ocorreu-lhe a lembrança de uma terceira efígie de pedra: a de um velho bruxo em cuja cabeça o próprio Harry colocara uma cabeleira e uma velha tiara escalavrada. O choque atravessou Harry como o calor do uísque de fogo, e ele quase tropeçou e caiu.

Finalmente sabia onde a Horcrux o aguardava...

Tom Riddle, que não confiava em ninguém e só agia sozinho, poderia ter sido suficientemente arrogante para supor que ele, e somente ele, penetrara os mais profundos mistérios do castelo de Hogwarts. Naturalmente, Dumbledore e Flitwick, estudantes exemplares, nunca tinham entrado naquele determinado lugar, mas ele, Harry, vagara por caminhos pouco frequentados no tempo que estudara na escola – ali, finalmente, estava um segredo que ele e Voldemort conheciam, que Dumbledore jamais havia descoberto...

Ele foi despertado pela professora Sprout, que passava com estrondo, seguida por Neville e meia dúzia de outros, todos usando abafadores de ouvidos e carregando, aparentemente, grandes plantas envasadas.

– Mandrágoras! – berrou Neville por cima do ombro, ao passar correndo por Harry. – Vamos atirá-las por cima dos muros: eles não vão gostar nem um pouco!

Harry agora sabia aonde ir: saiu embalado, com Hagrid e Canino galopando atrás dele. Passaram retrato após retrato, e as imagens pintadas corriam acompanhando-os, bruxos e bruxas em rufos e calções, em armaduras e capas, comprimiam-se nas telas uns dos outros, gritando as notícias das outras partes do castelo. Quando chegaram ao final do corredor, o castelo inteiro sacudiu e Harry percebeu, quando um vaso gigantesco foi arrancado do pedestal com força explosiva, que estava nas garras de encantamentos mais sinistros do que os dos professores e da Ordem.

– Tudo bem, Canino... tudo bem! – berrou Hagrid, mas o grande cão fugiu desembestado diante dos cacos de porcelana que voaram pelo ar como estilhaços de granada, e Hagrid foi atrás do cão aterrorizado, deixando Harry sozinho.

O garoto avançou rapidamente pelas passagens movediças, a varinha em posição, e, ao longo de todo um corredor, o pequeno cavalheiro Sir Cadogan correu de quadro em quadro ao seu lado, chocalhando a lataria da armadura, gritando palavras de incentivo, seu pônei gorducho seguindo-o a trote.

– Fanfarrões e patifes, cães e canalhas, expulse-os, Harry Potter, ponha-os para correr!

Harry se precipitou por um canto e encontrou Fred e um grupinho de estudantes, que incluía Lino Jordan e Ana Abbott, parados junto a outro pedestal vazio, cuja estátua escondia uma passagem secreta. Empunhavam as varinhas e escutavam pelo buraco oculto.

– Boa noite para isso! – gritou Fred, quando o castelo tornou a tremer e Harry passou embalado, eufórico e aterrorizado em igual medida. Por mais um corredor, ele disparou e deparou com corujas para todo lado; Madame

Nor-r-ra bufava e tentava rebatê-las com as patas, sem dúvida para fazê-las voltar ao seu devido lugar...

— Potter!

Aberforth Dumbledore estava bloqueando o corredor à frente, de varinha em punho.

— Centenas de garotos passaram como uma trovoada pelo meu bar, Potter!

— Eu sei, estamos evacuando o castelo — disse Harry. — Voldemort está...

— ... atacando porque eles ainda não o entregaram, sei — disse Aberforth —, não sou surdo, toda Hogsmeade o ouviu. E não ocorreu a ninguém manter alguns alunos da Sonserina como reféns? Tem filhos dos Comensais da Morte que vocês acabaram de mandar para um lugar seguro. Não teria sido mais inteligente mantê-los aqui?

— Isso não deteria Voldemort — disse Harry —, e o seu irmão jamais teria agido assim.

Aberforth resmungou e saiu apressado na direção oposta.

Seu irmão jamais teria agido assim... ora, era a verdade, pensou Harry, recomeçando a correr; Dumbledore, que defendera Snape por tanto tempo, jamais pediria resgate por estudantes...

Então, o garoto derrapou ao virar um último canto e, com um berro que misturava alívio e fúria, ele os viu: Rony e Hermione, os dois com os braços cheios de objetos amarelos sujos e curvos, Rony sobraçando uma vassoura.

— Onde vocês se meteram, pô? — reclamou Harry.

— Câmara Secreta.

— Câmara... *o quê?* — perguntou Harry, parando desequilibrado à frente deles.

— Foi o Rony, ideia do Rony! — exclamou Hermione, sem fôlego. — Não foi absolutamente genial? Nós estávamos lá, depois que você saiu, e eu disse ao Rony, mesmo que a gente encontre a outra, como vamos nos livrar dela? Ainda não nos livramos da taça! Então, ele se lembrou! O basilisco!

— Que b...?

— Uma coisa para destruir as Horcruxes — respondeu Rony, com simplicidade.

O olhar de Harry baixou para os objetos que Rony e Hermione traziam nos braços: grandes dentes curvos arrancados, percebeu ele, do crânio de um basilisco morto.

— Mas como vocês entraram lá? — perguntou ele, seu olhar surpreso indo dos dentes para Rony. — É preciso saber ofidioglossia!

— Ele sabe! — sussurrou Hermione. — Mostre a ele, Rony!

Rony emitiu um silvo estrangulado e medonho.

— Foi o que você fez para abrir o medalhão — disse ele a Harry, desculpando-se.

— Precisei experimentar algumas vezes para acertar, mas — ele encolheu os ombros modestamente —, no final, conseguimos.

— Ele foi incrível! — exclamou Hermione. — Incrível!

— Então... — Harry estava fazendo força para entender. — Então...

— Então, agora temos uma Horcrux a menos — concluiu Rony, e, de dentro do blusão, puxou os restos da taça de Hufflepuff destruída. — Hermione espetou-a. Achou que devia. Ainda não tinha tido esse prazer.

— Genial! — berrou Harry.

— Não foi nada — respondeu Rony, embora parecesse felicíssimo consigo mesmo. — E quais são as suas novidades?

À sua pergunta, ouviram uma explosão no alto: os três olharam para a poeira que caía do teto e ouviram um grito distante.

— Sei como é o diadema e sei onde está — disse Harry, depressa. — Ele o escondeu exatamente onde escondi o meu velho livro de Poções, onde todo o mundo vem escondendo coisas há séculos. Ele pensou que fosse o único a descobrir esse lugar. Venham.

Entre paredes que estremeciam, ele levou os amigos de volta à entrada oculta e desceu a escada para a Sala Precisa. Estava vazia, exceto por três mulheres: Gina, Tonks e uma velha bruxa com um chapéu roído de traças, em quem Harry reconheceu imediatamente a avó de Neville.

— Ah, Potter — disse ela, sem hesitação, como se estivesse à sua espera. — Você pode nos pôr a par do que está acontecendo.

— Estão todos o.k.? — perguntaram Gina e Tonks ao mesmo tempo.

— Até onde sabemos. Ainda tem gente indo para o Cabeça de Javali?

Ele sabia que a sala não poderia se transformar se ainda houvesse gente na passagem.

— Fui a última a atravessá-la — respondeu a sra. Longbottom. — Lacrei-a, acho insensato mantê-la aberta agora que Aberforth deixou o bar. Você viu meu neto?

— Está lutando — informou Harry.

— Certamente — disse a velha senhora, orgulhosa. — Com licença, preciso ir ajudá-lo.

Com surpreendente rapidez, ela se dirigiu à escada de pedra. Harry olhou para Tonks.

— Pensei que você estivesse com Teddy na casa de sua mãe.

– Não aguentei ficar sem saber... – Tonks parecia aflita. – Minha mãe cuidará dele... você viu Remo?
– Ele estava planejando levar um grupo de combatentes para os jardins.
Sem dizer mais nada, Tonks saiu correndo.
– Gina – disse Harry –, desculpe, mas você precisa sair também. Só por um instante. Pode voltar em seguida.
Gina pareceu simplesmente encantada de deixar o seu santuário.
– E depois você volta! – gritou para a garota que já dera as costas e corria escada acima atrás de Tonks. – Você tem que voltar para cá!
– Calma aí um instante! – disse Rony, com energia. – Esquecemos alguém!
– Quem? – perguntou Hermione.
– Os elfos domésticos, devem estar lá embaixo na cozinha, não?
– Você quer dizer que devíamos pôr os elfos para lutar? – perguntou Harry.
– Não – respondeu Rony, sério –, devíamos dizer a eles para dar o fora. Não queremos outros Dobbys, não é? Não podemos mandá-los morrer por nós...
Houve um estrépito quando os dentes de basilisco caíram em cascata dos braços de Hermione. Correndo para Rony, ela se atirou ao seu pescoço e chapou-lhe um beijo na boca. Rony largou os dentes e a vassoura que estava carregando e retribuiu com tal entusiasmo que tirou Hermione do chão.
– Isso é hora? – perguntou Harry, timidamente, e, quando a cena não se alterou exceto por Rony e Hermione terem se abraçado com tanta força que chegaram a bambear, ele ergueu a voz: – Oi! Tem uma guerra rolando aqui!
Rony e Hermione se separaram, ainda abraçados.
– Eu sei, colega – disse Rony, com cara de quem acabara de levar um balaço na nuca –, então é agora ou nunca, não é?
– Deixa pra lá, e a Horcrux? – gritou Harry. – Você acha que poderia só... só segurar isso aí, até apanharmos o diadema?
– Certo... desculpe – disse Rony, e ele e Hermione começaram a recolher os dentes, os dois muito corados.
Ficou evidente, quando os três voltaram ao corredor de cima, que, nos minutos que tinham passado na Sala Precisa, a situação no castelo havia deteriorado seriamente: as paredes e o teto estavam sacudindo pior do que antes; a poeira enchia o ar e, pela janela mais próxima, Harry viu clarões verdes e vermelhos tão próximos à base do castelo que concluiu que os Comensais da Morte deviam estar na iminência de invadir o lugar. Olhando para baixo, viu

Grope, o gigante, andando sem rumo e balançando o que lhe pareceu uma gárgula de pedra arrancada do telhado, urrando insatisfeito.

— Tomara que ele pisoteie meia dúzia deles! — disse Rony, quando ouviram o eco de outros gritos muito próximos.

— Desde que não seja nenhum dos nossos! — disse uma voz; Harry se virou e viu Gina e Tonks, as duas brandindo as varinhas da janela adiante, já desfalcada de vários vidros. No momento em que olhou, Gina lançou um feitiço certeiro contra um grupo de combatentes embaixo.

— Boa menina! — berrou um vulto que corria pela poeira ao encontro delas, e Harry viu passar Aberforth, seus cabelos grisalhos esvoaçando, liderando um pequeno grupo de estudantes. — Parece que eles estão rompendo as ameias do norte do castelo, trouxeram gigantes aliados!

— Você viu Remo? — gritou Tonks para ele.

— Estava duelando com Dolohov — gritou Aberforth —, depois não o vi mais!

— Tonks — disse Gina —, Tonks, tenho certeza de que ele está o.k...

Tonks, porém, saíra correndo pela poeira no rastro de Aberforth.

Gina se virou, desamparada, para Harry, Rony e Hermione.

— Eles vão ficar bem — disse Harry, embora soubesse que eram palavras vazias. — Gina, voltamos em um instante, fique fora do caminho, não se arrisque... vamos! — ele chamou Rony e Hermione, e os três correram para o trecho de parede atrás do qual a Sala Precisa aguardava para satisfazer o desejo do seu próximo ocupante.

Preciso do lugar onde se esconde tudo, pediu Harry mentalmente e, em sua terceira passagem, a porta se materializou.

O furor da batalha morreu no instante em que cruzaram o portal e fecharam a porta às suas costas: tudo era silêncio. Estavam em um lugar do tamanho de uma catedral, com o aspecto de uma cidade, suas altas paredes formadas por objetos escondidos por milhares de estudantes que há muito haviam partido.

— E ele nunca imaginou que *qualquer* um poderia entrar? — perguntou Rony, sua voz ecoando no silêncio.

— Ele pensou que fosse o único — disse Harry. — Azar o dele que precisei esconder uma coisa no meu tempo de Hogwarts... por aqui — acrescentou —, acho que é ali embaixo.

Ele passou pelo trasgo estufado e o Armário Sumidouro que Draco Malfoy consertara no ano anterior com desastrosas consequências, depois hesitou, olhando para cima e para baixo das alas de quinquilharias; não se lembrava para que lado deveria virar...

— *Accio diadema!* — exclamou Hermione em desespero, mas nada voou pelo ar ao seu encontro. Parecia que, a exemplo do cofre em Gringotes, a sala não entregava os objetos com essa facilidade.

— Vamos nos separar — sugeriu Harry aos amigos. — Procurem o busto de pedra de um velho usando uma peruca e uma tiara! Está em um armário e, sem a menor dúvida, aqui por perto...

Eles saíram depressa pelas alas adjacentes; Harry ouviu os passos dos amigos ecoarem nas enormes pilhas de quinquilharias, garrafas, chapéus, caixotes, cadeiras, livros, armas, vassouras, morcegos...

— Em algum lugar por aqui — murmurou Harry com os seus botões. — Em algum lugar... algum lugar...

Ele foi se embrenhando no labirinto, procurando objetos que pudesse reconhecer de sua visita anterior à sala. Sua respiração soava alta aos seus ouvidos e, então, a sua própria alma pareceu se arrepiar: ali estava, bem à frente, o velho armário com a superfície coberta de bolhas no qual escondera o velho livro de Poções, e em cima o bruxo de pedra bexiguenta usando uma velha peruca empoeirada e algo parecido com uma antiga tiara descolorida.

Ele já estendera a mão, embora a três metros de distância, quando ouviu uma voz às suas costas:

— Pare, Potter.

Ele parou derrapando e se virou. Crabbe e Goyle estavam postados ali, ombro a ombro, as varinhas apontadas para ele. Pelo estreito vão entre seus rostos zombeteiros, ele viu Draco Malfoy.

— É a minha varinha que você está segurando, Potter — disse Malfoy, apontando a que segurava pelo espaço entre Crabbe e Goyle.

— Não é mais — ofegou Harry, apertando com força a varinha de pilriteiro. — Ganhou, guardou, Malfoy. Quem lhe emprestou essa?

— Minha mãe — respondeu Draco.

Harry riu, embora não houvesse a menor graça na situação. Não estava mais ouvindo Rony e Hermione. Pareciam ter saído do seu campo de audição, procurando o diadema.

— Então por que não estão com Voldemort? — perguntou Harry.

— Vamos receber uma recompensa — respondeu Crabbe: sua voz era surpreendentemente suave para uma pessoa com tal corpanzil; Harry quase nunca o ouvira falar. Crabbe sorria como um garotinho a quem tivessem prometido um grande saco de balas. — Ficamos na escola, Potter. Decidimos não sair. Decidimos levar você para ele.

— Ótimo plano! — exclamou Harry, fingindo admiração. Não conseguia acreditar que, estando tão perto, fosse atrapalhado por Malfoy, Crabbe e Goyle. Ele começou a se deslocar lentamente, de costas para o lugar em que a Horcrux jazia enviesada na cabeça do busto. Se ao menos conseguisse pegá-la antes de começarem a lutar... — Como foi que entraram aqui? — perguntou, tentando distraí-los.

— Vivi praticamente nesta sala de objetos escondidos o ano passado — explicou Malfoy, a voz quebrando. — Sei como entrar.

— Estávamos escondidos lá fora, no corredor — resmungou Goyle. — Já sabemos lançar Feitiços da Desilusão! Então — seu rosto se abriu em um sorriso abobado —, você apareceu bem na nossa frente e disse que estava procurando um dia-D! Que é um dia-D?

— Harry? — A voz de Rony ecoou repentinamente atrás da parede à direita de Harry. — Você está falando com alguém?

Com um movimento de chicote, Crabbe apontou a varinha para a montanha de quase vinte metros de móveis velhos, malões desmantelados, vestes e livros e lixaria indiscriminada, e gritou:

— *Descendo!*

A parede começou a balançar, então desmoronou sobre a ala ao lado daquela em que Rony se encontrava.

— Rony! — berrou Harry, ao mesmo tempo que, em algum lugar, Hermione gritou e Harry ouviu um estrondo de objetos batendo no chão do outro lado da parede desestabilizada: ele apontou a varinha para o alto e gritou: — *Finite!* — E a parede se firmou.

— Não! — gritou Malfoy, segurando o braço de Crabbe quando ele fez menção de repetir o feitiço. — Se você desmontar a sala, talvez enterre o tal diadema!

— E daí? — retrucou Crabbe, se desvencilhando. — É o Potter que o Lorde das Trevas quer, quem se importa com um dia-D?

— Potter entrou aqui para apanhá-lo — replicou Malfoy, mal disfarçando a impaciência com o retardamento dos colegas —, então deve significar...

— Deve significar? — Crabbe se voltou para Malfoy, com visível ferocidade. — Quem se importa com o que você pensa? Não recebo mais ordens suas, Draco. Você e seu pai já eram.

— Harry? — tornou Rony a chamar do outro lado da parede de quinquilharias. — Que está acontecendo?

— Harry? — arremedou-o Crabbe. — Que está... *não*, Potter! *Crucio!*

Harry mergulhara para pegar a tiara; o feitiço de Crabbe não o acertou, mas bateu no busto de pedra, que foi projetado no ar; o diadema pairou no alto e caiu, desaparecendo na massa de objetos em que o busto estivera apoiado.

— PARE! — gritou Malfoy para Crabbe, sua voz ecoando pela enorme sala.

— O Lorde das Trevas quer ele vivo...

— Então? Eu não estou matando ele, estou? — berrou Crabbe, empurrando o braço de Malfoy que o tolhia —, mas, se eu puder, é o que farei, o Lorde das Trevas quer ele morto mesmo, qual é a dif...?

Um jato de luz vermelha passou a centímetros de Harry: Hermione tinha contornado o canto por trás dele e lançado um Feitiço Estuporante direto na cabeça de Crabbe. Errou apenas porque Malfoy tirou o colega do caminho.

— É aquela sangue-ruim! *Avada Kedavra!*

Harry viu Hermione mergulhar para um lado, e sua fúria ao ver que Crabbe quisera matá-la apagou todo o resto de sua mente. Ele lançou um Feitiço Estuporante em Crabbe, que se arremessou para longe derrubando a varinha da mão de Malfoy; o objeto desapareceu sob uma montanha de caixas e móveis quebrados.

— Não o mate! NÃO O MATE! — urrou Malfoy para Crabbe e Goyle, que miravam em Harry: a fração de segundo de hesitação foi só o que Harry precisou.

— *Expelliarmus!*

A varinha de Goyle voou de sua mão e sumiu entre os objetos ao seu lado. Goyle ficou pulando inutilmente no mesmo lugar, tentando recuperá--la; Malfoy saltou fora do alcance do segundo Feitiço Estuporante de Hermione e Rony, aparecendo repentinamente no fim da ala, lançou um Feitiço do Corpo Preso em Crabbe, que, por pouco, não o acertou.

Crabbe se virou e tornou a gritar:

— *Avada Kedavra!* — Rony, de um salto, se escondeu para evitar o jorro de luz verde. Malfoy, sem varinha, abrigou-se atrás de um guarda-roupa de três pernas quando Hermione avançou contra eles e, a caminho, acertou Goyle com um Feitiço Estuporante.

— Está por aqui em algum lugar! — berrou Harry para ela, apontando uma pilha de destroços em que a velha tiara caíra. — Procure enquanto vou ajudar R...

— HARRY! — gritou ela.

Um rugido crescente às suas costas lhe deu um breve aviso. Ele se virou e viu Rony e Crabbe correndo o mais rápido possível pela ala em sua direção.

— Que tal o calor, gentalha? — urrou Crabbe enquanto corria.

Entretanto, ele parecia não ter o menor controle sobre o que fizera. Chamas de tamanho anormal os perseguiram, lambendo os lados da montanha de objetos, que se desfazia em fuligem ao seu toque.

— *Aguamenti*! — berrou Harry, mas o jato de água que voou da ponta de sua varinha se evaporou no ar.

— CORRAM!

Malfoy agarrou o estuporado Goyle e arrastou-o consigo: Crabbe ultrapassou todos na corrida, agora aterrorizado; Harry, Rony e Hermione se precipitaram em seu rastro, o fogo atrás. Não era um fogo normal; Crabbe usara um feitiço que Harry desconhecia: ao virarem um canto, as chamas se lançaram em seu encalço como se estivessem vivas, conscientes, decididas a matá-los. Então, o fogo começou a mudar, a formar um gigantesco bando de feras: serpentes flamejantes, quimeras e dragões se elevavam e baixavam e tornavam a se elevar, e os detritos de séculos com que se alimentavam eram arremessados no ar para dentro de suas bocas dentadas, jogados para o alto sobre pés com garras, antes de serem consumidos pelo inferno.

Malfoy, Crabbe e Goyle tinham desaparecido; Harry, Rony e Hermione pararam subitamente; os monstros de fogo os rodeavam, cada vez mais próximos, chicoteando garras, chifres e caudas, e o calor se tornava sólido como uma parede, sitiando-os.

— Que fazemos? — gritou Hermione, sobrepondo-se ao rugido ensurdecedor do fogo. — Que fazemos?

— Aqui!

Harry passou a mão em duas vassouras de aspecto pesado na pilha de lixo mais próxima e atirou uma para Rony, que puxou Hermione para a garupa. Harry montou a segunda vassoura e, chutando o chão com vigor, eles levantaram voo, passando ao largo do bico chifrudo de um raptor flamejante que tentava abocanhá-los. A fumaça e o calor estavam se tornando avassaladores: embaixo, o fogo amaldiçoado estava consumindo o contrabando de gerações de estudantes perseguidos, o resultado criminoso de experiências proibidas, os segredos de incontáveis almas que buscaram refúgio naquela sala. Harry não via vestígio de Malfoy, Crabbe e Goyle em lugar algum: mergulhou o mais baixo que a coragem lhe permitiu sobre as monstruosas chamas errantes para tentar encontrá-los, mas não viu nada exceto fogo: era uma morte terrível... jamais desejara isso...

— Harry, vamos embora, vamos embora! — berrou Rony, embora fosse impossível ver onde estava a porta naquela fumaceira escura.

Então Harry ouviu um débil lamento humano no meio da terrível confusão, do rugido das chamas devoradoras.

— É... muito... perigoso! — berrou Rony, mas Harry fez meia-volta no ar. Seus óculos ofereciam aos seus olhos alguma proteção contra a fumaça, ele investigou a tempestade de fogo embaixo, procurando um sinal de vida, um membro ou um rosto que ainda não tivesse virado carvão como a madeira...

E ele os viu: Malfoy com os braços em volta do inconsciente Goyle, os dois empoleirados sobre uma frágil torre de escrivaninhas queimadas, e Harry mergulhou. Malfoy viu-o descendo, ergueu um braço, mas, no momento em que o agarrou, Harry percebeu que não adiantava: Goyle era pesado demais e a mão suada de Malfoy escorregou instantaneamente da dele...

— SE MORRERMOS POR CAUSA DELES, VOU MATAR VOCÊ, HARRY! — vociferou Rony, e quando uma grande quimera flamejante avançou sobre os dois, ele e Hermione puxaram Goyle para cima da vassoura e subiram mais uma vez no ar, rolando para os lados, para a frente e para trás, enquanto Malfoy escalava com mãos e pés a traseira da vassoura de Harry.

— A porta, vão para a porta, a porta! — gritou Malfoy no ouvido de Harry, e o garoto ganhou velocidade, seguindo Rony, Hermione e Goyle através da crescente nuvem de fumaça escura, mal conseguindo respirar: a toda volta os últimos objetos ainda não queimados pelas chamas devoradoras foram parar no ar, enquanto as criaturas do fogo maldito comemoravam, atirando-os para o alto: taças, escudos, um colar cintilante e uma velha tiara descolorida...

— O que você está fazendo, o que você está fazendo? A porta é para o outro lado! — gritou Malfoy, mas Harry fez uma curva fechada e mergulhou. O diadema parecia cair em câmara lenta, girando e rebrilhando em direção à barriga de uma serpente a bocejar, então ele o capturou, enlaçando-o no pulso...

Harry fez nova curva quando a serpente se atirou sobre ele, empinou o nariz da vassoura e voou direto para o lugar em que, pedia ele aos céus, haveria uma porta aberta: Rony, Hermione e Goyle tinham desaparecido, Malfoy gritava e se agarrava a Harry com tanta força que chegava a machucá-lo. Então, através da fumaça, o garoto viu um trecho retangular da parede e apontou para lá a vassoura, momentos depois o ar puro encheu seus pulmões e os dois se chocaram contra a parede no corredor além.

Malfoy caiu da vassoura e ficou deitado de cara para baixo, arquejando, tossindo e engulhando. Harry rolou para o lado e se sentou: a porta da Sala

Precisa desaparecera, e Rony e Hermione, ofegantes, estavam sentados ao lado de Goyle, que continuava inconsciente.

— C-Crabbe — engasgou Malfoy, assim que pôde falar. — C-Crabbe...

— Ele está morto — disse Rony, com rispidez.

Fez-se silêncio, exceto pelos arquejos e tossidas. Então, uma série de fortes estampidos sacudiu o castelo e uma grande cavalgada de vultos transparentes passou a galope, as cabeças gritando sedentas de sangue sob os braços dos fantasmas. Harry se ergueu cambaleando depois que os Caçadores Sem Cabeça passaram, e olhou ao seu redor: a batalha continuava para todo lado. Ouviam-se outros gritos além dos emitidos pelos fantasmas em retirada. O pânico cresceu em seu íntimo.

— Onde está a Gina? — perguntou, bruscamente. — Ela estava aqui. Devia ter voltado para a Sala Precisa.

— Caramba, você acha que ela ainda funcionará depois desse incêndio? — indagou Rony, mas ele também se levantou, esfregando o peito e olhando para os lados. — Vamos nos separar e procurar...?

— Não — disse Hermione, levantando-se também. Malfoy e Goyle continuavam caídos e inermes no chão do corredor; nenhum dos dois tinha varinha. — Ficamos juntos. Vamos... Harry, que é isso no seu braço?

— Quê? Ah, é...

Ele puxou o diadema do pulso e mostrou-o. Ainda estava quente, sujo de fuligem, mas, ao examiná-lo de perto, ele conseguiu entrever os dizeres minúsculos que havia gravados nele: *O espírito sem limites é o maior tesouro do homem.*

Uma substância semelhante a sangue, escura e resinosa, parecia vazar do diadema. De repente, Harry sentiu a coisa vibrar violentamente e se partir em suas mãos, e, quando isso aconteceu, ele pensou ter ouvido um leve e longínquo grito de dor, que não vinha dos terrenos do castelo, mas da coisa que acabara de se fragmentar entre seus dedos.

— Deve ter sido o Fogomaldito! — murmurou Hermione, seus olhos cravados nos cacos do diadema.

— Desculpe?

— Fogomaldito é uma das substâncias que destrói Horcruxes, mas eu nunca, jamais, teria me atrevido a usá-lo, tão perigoso que é. Como Crabbe terá...?

— Deve ter aprendido com os Carrow — disse Harry, sombriamente.

— Pena que não estivesse prestando atenção quando eles ensinaram a apagá-lo, pena mesmo — disse Rony, cujos cabelos, como os de Hermione, estavam chamuscados e cujo rosto estava preto. – Se não tivesse tentado nos matar, eu lamentaria a morte dele.

– Mas você não percebe? – cochichou Hermione. – Isto significa que se pudermos apanhar a cobra...

Ela, no entanto, se calou quando berros, gritos e o inconfundível barulho de combate encheram o corredor. Harry olhou e seu coração pareceu parar: Comensais da Morte tinham penetrado Hogwarts. Fred e Percy acabavam de aparecer, recuando, os dois duelando com os homens de máscara e capuz.

Harry, Rony e Hermione correram a ajudar: jorros de luz voavam em todas as direções e o homem que lutava com Percy retrocedeu rapidamente: então, seu capuz escorregou e eles viram a testa alta e os cabelos raiados de branco...

– Olá, Ministro! – berrou Percy, lançando um feitiço certeiro contra Thicknesse, que deixou cair a varinha e agarrou a frente das vestes, aparentando extremo embaraço. – Cheguei a mencionar que estou me demitindo?

– Você está brincando, Perce! – gritou Fred, quando o Comensal da Morte a quem ele dava combate desmontou sob o efeito de três Feitiços Estuporantes distintos. Thicknesse tinha caído no chão com espículos brotando por todo o corpo; pelo visto, estava se transformando em alguma forma de ouriço-do-mar. Fred olhou para Percy com prazer.

"Você *está* mesmo brincando, Perce... acho que nunca ouvi você brincar desde que era..."

O ar explodiu. Eles estavam agrupados, Harry, Rony, Hermione, Fred e Percy, os dois Comensais da Morte a seus pés, um estuporado, o outro transfigurado: e, naquela fração de instante, quando o perigo parecia temporariamente contido, o mundo se cindiu. Harry sentiu que voava pelo ar e tudo que conseguiu fazer foi agarrar com todas as forças aquele fino pedaço de madeira que era a sua única arma, e proteger a cabeça com os braços: ele ouviu berros e gritos de seus companheiros, sem esperança de saber o que acontecera com eles.

Então, tudo se resumiu em dor e penumbra: ele estava quase soterrado pelos destroços do corredor que sofrera um terrível ataque: o ar frio o fez perceber que aquele lado do castelo explodira e a sensação pegajosa na face lhe informava que estava sangrando profusamente. Ouviu um grito terrível que arrancou suas entranhas, expressando uma agonia que nem fogo nem maldição poderiam causar, e ele se levantou, tonto, mais assustado do que se sentira naquele dia, mais assustado talvez do que já se sentira na vida...

E Hermione tentava ficar em pé entre os destroços, e havia três homens ruivos no chão, que estavam juntos quando a parede explodiu. Harry segurou a mão de Hermione e seguiram, cambaleando e tropeçando, sobre pedras e paus.

— Não... não... não! — alguém estava gritando. — Não! Fred! Não!

Percy sacudia o irmão, Rony estava ajoelhado ao lado deles, e os olhos de Fred estavam muito abertos e cegos, o fantasma de sua última risada ainda gravado em seu rosto.

32

A VARINHA
DAS VARINHAS

O mundo acabara, então por que a batalha prosseguia, o horror não silenciara o castelo, e cada combatente não depusera suas armas? A mente de Harry estava em queda livre, girando descontrolada, incapaz de apreender o impossível, porque Fred Weasley não podia estar morto, o testemunho dos seus sentidos devia ser mentiroso...

E, então, um cadáver entrou pelo rombo na fachada lateral da escola e feitiços voaram contra eles vindos da escuridão, atingindo a parede atrás de suas cabeças.

– Abaixe-se! – gritou Harry, ao ver que outros tantos feitiços cortavam a noite: ele e Rony agarraram Hermione ao mesmo tempo e a puxaram para o chão, mas Percy se deitara sobre o corpo de Fred, protegendo-o de dano maior, e quando Harry gritou "Percy, anda, temos que sair daqui!", ele balançou a cabeça.

– Percy! – Harry viu uma trilha de lágrimas marcar a fuligem no rosto de Rony, quando ele segurou os ombros do irmão mais velho e puxou-o, mas Percy não se moveu. – Percy, você não pode fazer nada por ele! Vamos...

Hermione gritou e Harry, virando-se, não precisou perguntar o porquê. Uma aranha monstruosa do tamanho de um automóvel compacto estava tentando trepar pelo enorme rombo na parede: um dos descendentes de Aragogue viera participar da luta.

Rony e Harry gritaram juntos; seus feitiços colidiram e o monstro foi rechaçado, suas pernas sacudiram freneticamente, e ele perdeu-se na escuridão.

– Ela trouxe os amigos! – Harry alertou os outros, correndo o olhar pelos muros do castelo, através do buraco que os feitiços tinham aberto: mais aranhas gigantescas vinham subindo pelo lado da construção, libertadas da Floresta Proibida por onde deviam ter penetrado os Comensais da Morte. Harry lançou Feitiços Estuporantes contra as invasoras, derrubando o monstro que as liderava em cima das companheiras, fazendo-as rolar fachada abaixo e desaparecer. Então, mais feitiços voaram sobre a cabeça de Harry, tão perto que ele sentiu seu ímpeto despentear-lhe os cabelos.

— Vamos sair, AGORA!

Empurrando Hermione e Rony à frente, Harry se inclinou para agarrar o corpo de Fred por baixo dos braços. Percy, percebendo o que Harry estava tentando fazer, soltou o corpo e ajudou-o; juntos, abaixados para evitar os feitiços atirados contra eles, os dois tiraram Fred do caminho.

— Aqui — disse Harry, e o colocaram em um nicho onde antes estivera uma armadura. Ele não aguentaria olhar para Fred nem um segundo além do necessário e, se certificando de que o corpo estava bem escondido, saiu ao encalço de Rony e Hermione. Malfoy e Goyle tinham sumido, mas no fim do corredor, que agora se enchia de pó e destroços de alvenaria, de vidros das janelas há muito estourados, ele viu muitas pessoas avançando e recuando; se eram amigas ou inimigas, ele não saberia dizer. Dobrando um canto, Percy soltou um fortíssimo berro "ROOKWOOD!", e correu em direção a um homem alto, que perseguia uns estudantes.

— Harry, entra aqui! — chamou Hermione.

Ela puxara Rony para trás de uma tapeçaria. Pareciam estar lutando e, por um delirante segundo, Harry achou que estavam se beijando outra vez; então viu que Hermione estava tentando impedir Rony de correr atrás de Percy.

— Me escute... ESCUTE, RONY!

— Quero ajudar... quero matar Comensais da Morte...

Seu rosto estava contorcido, sujo de poeira e fuligem, e ele tremia de fúria e pesar.

— Rony, nós somos os únicos que podemos pôr fim a isso! Por favor... Rony... precisamos da cobra, temos que matar a cobra! — disse Hermione.

Harry, no entanto, sabia o que Rony estava sentindo: capturar outra Horcrux não lhe traria a satisfação da vingança; ele também queria lutar, castigar as pessoas que tinham matado Fred, queria achar os outros Weasley e, acima de tudo, ter certeza, certeza absoluta de que Gina não estava... mas ele não podia permitir que essa ideia tomasse corpo em sua mente...

— Nós lutaremos! — disse Hermione. —Teremos que lutar para chegar à cobra! Mas não vamos perder de vista, agora, o que devíamos estar f-fazendo! Somos os únicos que podemos pôr fim a isso!

Ela estava chorando também, e enxugava o rosto na manga queimada e rasgada enquanto falava, mas inspirou profundamente mais de uma vez para se acalmar e, sem largar Rony, virou-se para Harry.

— Você precisa descobrir onde Voldemort está, porque a cobra está com ele, não? Faça isso, Harry... espie a mente dele!

Por que isso era tão fácil? Porque sua cicatriz estava queimando havia horas, querendo lhe mostrar os pensamentos de Voldemort? Ele fechou os olhos quando Hermione mandou, e, na mesma hora, os gritos e estampidos e todos os ruídos dissonantes da batalha foram abafados até se tornarem quase inaudíveis, como se ele estivesse longe, muito longe dali...

Harry estava parado em uma sala arruinada, mas estranhamente familiar, o papel descascando nas paredes e todas as janelas fechadas com tábuas, exceto uma. O fragor do assalto à escola soava indistinto e remoto. A única janela destapada revelava clarões distantes junto ao castelo, mas dentro da sala estava escuro, exceto por uma solitária lâmpada a óleo.

Ele estava girando a varinha entre os dedos, examinando-a, seus pensamentos na sala do castelo, a sala secreta que só ele encontrara, a sala, como a Câmara, que a pessoa tinha de ser inteligente, astuta e curiosa para descobrir... ele estava confiante de que o garoto não encontraria o diadema... embora o fantoche de Dumbledore tivesse ido mais longe do que ele jamais imaginara... longe demais...

— Milorde — disse uma voz falha e desesperada. Ele se virou: ali estava Lúcio Malfoy, sentado no canto mais escuro, rasgado e ainda trazendo as marcas do castigo que recebera depois da última fuga do garoto. Um de seus olhos fechado e inchado. — Milorde... por favor... meu filho...

— Se o seu filho estiver morto, Lúcio, não será por minha culpa. Ele não veio se reunir a mim, como os outros alunos da Sonserina. Quem sabe decidiu ser amigo de Harry Potter?

— Não... nunca — sussurrou Malfoy.

— Pois deseje que não.

— O senhor não... não tem medo, Milorde, que Potter morra por outras mãos que não as suas? — perguntou Malfoy, a voz trêmula. — Não seria... me perdoe... mais prudente interromper essa batalha, entrar no castelo e procurá-lo p-pessoalmente?

— Não finja, Lúcio. Você quer que a batalha termine para poder descobrir o que aconteceu com o seu filho. E eu não preciso procurar Potter. Antes que a noite termine, Potter virá me procurar.

Voldemort baixou novamente o olhar para a varinha entre seus dedos. Ela o incomodava... e as coisas que incomodavam Lorde Voldemort precisavam ser resolvidas...

— Vá buscar Snape.

— Snape, M-milorde?
— Snape. Agora. Preciso dele. Tem um... serviço... que preciso que ele faça. Vá.

Assustado, tropeçando um pouco na luz rarefeita da sala, Lúcio saiu. Voldemort continuou parado ali, girando a varinha nos dedos, estudando-a.

— É a única solução, Nagini — sussurrou, virando a cabeça para onde estava a cobra grande e grossa, agora suspensa no ar, revirando-se graciosamente no espaço encantado e protegido que Voldemort criara para ela: uma esfera transparente e estrelada, algo entre uma jaula cintilante e um tanque.

Com um ofego, Harry se retirou e abriu os olhos; no mesmo instante, seus ouvidos foram assaltados por guinchos e gritos, os choques e estampidos da batalha.

— Ele está na Casa dos Gritos. A cobra está com ele, tem uma espécie de proteção mágica em volta. E ele acabou de mandar Lúcio Malfoy buscar Snape.

— Voldemort está sentado na Casa dos Gritos?! — exclamou Hermione, indignada. — Ele não... ele não está nem *lutando*?

— Acha que não precisa lutar. Acha que vou procurá-lo.

— Mas por quê?

— Ele sabe que quero as Horcruxes... está mantendo Nagini junto dele... obviamente eu terei de procurá-lo para me aproximar daquela coisa...

— Certo — falou Rony, aprumando os ombros. — Logo, você não pode ir, se é o que ele quer, o que está esperando. Você fica aqui e cuida da Hermione, e eu irei pegar...

Harry interrompeu-o.

— Vocês dois ficam aqui. Irei com a Capa da Invisibilidade e voltarei assim que...

— Não — discordou Hermione —, faz muito mais sentido eu levar a capa e...

— Nem pense nisso — disse Rony, rispidamente.

Antes que Hermione pudesse terminar de dizer "Rony, sou tão capaz...", a tapeçaria no alto da escada em que estavam foi rasgada.

— POTTER!

Dois Comensais da Morte mascarados achavam-se parados ali, mas, antes que pudessem acabar de erguer suas varinhas, Hermione ordenou:

— *Glisseo!*

Os degraus sob seus pés se achataram formando um plano inclinado pelo qual ela, Harry e Rony despencaram, incapazes de controlar a sua velocidade, tão alta que os Feitiços Estuporantes dos Comensais da Morte passaram muito acima de suas cabeças. Os bruxos atravessaram a tapeçaria que os ocultava e rolaram pelo chão, batendo na parede oposta.

– Duro! – gritou Hermione, apontando a varinha para a tapeçaria, e eles ouviram dois baques fortes e nauseantes quando a tapeçaria virou pedra e os Comensais que os perseguiam desabaram com a colisão.

– Para trás! – gritou Rony, e os três se achataram contra uma porta no momento em que passou por eles um trovejante rebanho de carteiras a galope, pastoreadas por uma professora McGonagall velocista. Aparentemente não reparou neles: seus cabelos tinham se soltado e havia um corte em seu rosto. Quando virou o canto, eles a ouviram ordenar: "ATACAR!"

– Harry, vista a capa – disse Hermione –, não se incomode conosco...

Ele, porém, atirou a capa sobre os três; embora fossem grandes, ele duvidava que alguém pudesse ver os seus pés sem corpo através da poeira que entupia o ar, das pedras caindo, do brilho dos feitiços.

Eles desceram a escada seguinte e toparam com um corredor repleto de combatentes. Os quadros de cada lado estavam cheios de figuras que gritavam conselhos e incentivos, enquanto os Comensais da Morte, tanto os mascarados quanto os sem máscara, duelavam com estudantes e professores. Dino conquistara uma varinha porque estava cara a cara com Dolohov, Parvati enfrentava Travers. Harry, Rony e Hermione ergueram imediatamente as varinhas, prontos para atacar, mas os adversários zanzavam para aqui e para ali de tal modo que, se eles disparassem feitiços, era grande a probabilidade de ferir um aliado. Ainda em posição, esperando uma oportunidade para agir, ouviram um guincho agudíssimo e, erguendo os olhos, Harry viu Pirraça, que sobrevoava a cena, disparado, despejando vagens de Arapucosos nos Comensais da Morte, cujas cabeças eram subitamente engolfadas por túberas verdes que se mexiam como gordos vermes.

– Irque!

Um punhado delas batera na capa sobre a cabeça de Rony; as raízes verdes e pegajosas pararam absurdamente no ar enquanto ele tentava sacudi-las fora.

– Tem alguém invisível lá! – gritou um Comensal da Morte mascarado, apontando.

Dino tirou partido da momentânea distração do Comensal e derrubou-o com um Feitiço Estuporante; Dolohov tentou retaliar, e Parvati lançou contra ele um Feitiço do Corpo Preso.

– VAMOS EMBORA! – berrou Harry, e ele, Rony e Hermione seguraram a capa mais junto do corpo e saíram correndo de cabeça abaixada entre os combatentes, escorregando um pouco nas poças de sumo de Arapucosos, em direção à escadaria de mármore do saguão de entrada.

— Sou Draco Malfoy, sou Draco, estou do seu lado!

Draco estava no alto da escadaria, se defendendo de outro Comensal mascarado. Harry estuporou o Comensal quando passaram: Malfoy olhou para os lados, sorridente, procurando o seu salvador, e Rony deu-lhe um murro por baixo da capa. Malfoy caiu para trás por cima do Comensal, a boca sangrando, completamente pasmo.

— E essa é a segunda vez que salvamos sua vida hoje à noite, seu filho da mãe de duas caras! — berrou Rony.

Havia mais gente duelando por toda a escada e o saguão, havia Comensais da Morte para qualquer lugar que Harry olhasse: Yaxley, próximo às portas de entrada, dava combate a Flitwick, um Comensal da Morte mascarado duelava com Kingsley. Estudantes corriam em todas as direções, alguns carregando ou arrastando amigos feridos. Harry mirou um Feitiço Estuporante em um Comensal mascarado, falhou, mas quase acertou Neville, que surgira de algum lugar brandindo uma braçada de Tentáculos Venenosos, dos quais um espécime se enganchou feliz no Comensal mais próximo e começou a puxá-lo para si.

Harry, Rony e Hermione desceram correndo a escadaria de mármore: vidros estilhaçaram à sua esquerda e a ampulheta da Sonserina que registrava os pontos da Casa vazou as esmeraldas pelo recinto, fazendo as pessoas escorregarem e se desequilibrarem ao fugir. Dois corpos caíram da galeria no alto quando os garotos chegaram ao térreo, e um borrão cinzento, que Harry pensou ser um animal, correu sobre quatro patas pelo saguão e cravou os dentes em um dos caídos.

— NÃO! — guinchou Hermione, e com um jato ensurdecedor de sua varinha, Lobo Greyback foi arremessado para longe do corpo ainda vivo de Lilá Brown. Ele se chocou com os balaústres de mármore e tentou se pôr de pé. Então, com um cintilante lampejo branco e um estalo, uma esfera de cristal atingiu-o na cabeça e ele desmontou no chão, e não mais se mexeu.

— Tenho mais! — gritou a professora Trelawney, do alto da escada. — Mais para quem quiser! Aqui vai...

E com um movimento que lembrava um serviço de tênis, ela ergueu outra enorme bola de cristal da bolsa, acenou com a varinha no ar e fez a bola disparar pelo saguão e atravessar uma janela, destroçando-a. No mesmo momento, as pesadas portas de madeira da entrada se escancararam, e mais aranhas gigantes forçaram a entrada no saguão.

Berros de terror cortaram o ar: os combatentes se dispersaram, tanto Comensais da Morte quanto Hogwartianos, e jatos de luz vermelha e verde foram lançados no meio dos monstros atacantes, que estremeciam e se empinavam, mais pavorosos que nunca.

– Como vamos sair? – berrou Rony, mais alto que a gritaria geral, mas, antes que Harry ou Hermione pudessem responder, foram empurrados para o lado: Hagrid desceu trovejando, brandindo seu florido guarda-chuva rosa.

– Não machuquem elas, não machuquem elas! – berrava.

– HAGRID, NÃO!

Harry esqueceu todo o resto: saltou de baixo da capa e correu abaixado para evitar os feitiços que iluminavam todo o saguão.

– HAGRID, VOLTE AQUI!

Ele, no entanto, não cobrira sequer a metade da distância até Hagrid, quando viu acontecer: Hagrid desapareceu entre as aranhas e, com grande correria e um movimento de enxame, elas se retiraram sob uma barragem violenta de feitiços, Hagrid soterrado no meio delas.

– HAGRID!

Harry ouviu alguém chamar seu nome, fosse amigo ou inimigo não fez diferença: ele se precipitou pelos degraus da entrada em direção aos jardins escuros, e o enxame de aranhas se afastava com sua presa, e ele não conseguia ver nenhuma parte de Hagrid.

– HAGRID!

Ele pensou ter avistado um enorme braço acenando em meio às aranhas, mas, quando fez menção de persegui-las, seu caminho foi barrado por um pé monumental, que baixou da escuridão e fez estremecer o chão em que pisou. Harry ergueu a cabeça: havia um gigante parado diante dele, seis metros de altura, a cabeça oculta nas sombras, nada exceto canelas peludas e grossas como troncos de árvores iluminadas pelas luzes do castelo. Com um movimento brutal, ele enfiou o punho maciço por uma janela dos andares superiores e o vidro choveu sobre Harry, forçando-o a recuar para a proteção do portal de entrada.

– Ah, meu...! – guinchou Hermione, quando ela e Rony alcançaram Harry e olharam para o gigante, que agora tentava gadunhar gente pela janela.

– NÃO! – berrou Rony, agarrando a mão de Hermione quando ela ergueu a varinha. – Se você o estuporar, ele achatará metade do castelo...

– HAGGER?

Grope surgiu correndo pela quina do castelo; só agora Harry percebia que ele era, na realidade, um gigante nanico. O monstro gargantuano, que tentava esmagar gente nos andares altos, olhou para o lado e soltou um rugido. Os degraus de pedra vibraram quando ele se voltou pesadamente para o seu pequeno parente, e a boca torta de Grope se abriu, deixando à mostra dentes amarelos do tamanho de tijolos; então eles se atiraram um ao outro com a selvageria de leões.

— CORRAM! — berrou Harry; a noite se enchia de gritos medonhos e pancadas de gigantes em luta, e ele segurou a mão de Hermione e saiu disparado pelos degraus de acesso aos jardins, Rony seguiu-os. Harry não perdera a esperança de salvar Hagrid; corriam tão depressa que já estavam a meio caminho da Floresta quando foram novamente barrados.

O ar ao redor congelara: a respiração de Harry ficou presa e solidificou em seu peito. Sombras saíram da escuridão, vultos rodopiantes de pura escuridão deslocavam-se em uma grande onda em direção ao castelo, os rostos ocultos sob o capuz e a respiração estertorante...

Rony e Hermione se colocaram dos lados de Harry quando os ruídos da batalha às suas costas repentinamente silenciaram, morreram, porque caía denso sobre a noite um silêncio que somente os dementadores poderiam trazer...

— Vamos, Harry! — Ele ouviu a voz de Hermione chamando de muito distante. — Patronos, Harry, vamos!

Ele ergueu a varinha, mas um surdo desalento o invadiu: Fred se fora e Hagrid certamente estava morrendo ou morto; quantos mais ele ainda ignorava que jaziam mortos? Tinha a sensação de que metade de sua alma abandonara seu corpo...

— ANDA, HARRY! — gritou Hermione.

Cem dementadores vinham avançando, deslizando ao encontro deles, sugando a distância para se avizinhar do desespero de Harry, que era uma promessa de banquete...

Ele viu o terrier prateado de Rony irromper no ar, brilhar fracamente e se extinguir; viu a lontra de Hermione girar no ar e se dissolver, e a varinha tremeu em sua mão, fazendo-o quase acolher com prazer o oblívio que chegava, a promessa do nada, da ausência da emoção...

Então, uma lebre, um javali e uma raposa prateados sobrevoaram as cabeças de Harry, Rony e Hermione: os dementadores recuaram ante a aproximação dos animais. Mais três pessoas emergiram da escuridão para se postar ao seu lado, as varinhas em punho, continuando a conjurar Patronos: Luna, Ernesto e Simas.

— Certo — disse Luna em tom de incentivo, como se estivessem de volta à Sala Precisa e aquilo fosse simplesmente uma prática de feitiços para a Armada de Dumbledore. — Certo, Harry... vamos, pense em alguma coisa feliz...

— Alguma coisa feliz? — disse ele, a voz quebrada.

— Ainda estamos todos aqui — sussurrou ela —, ainda estamos lutando. Vamos, agora...

Houve uma faísca prateada, depois uma luz vacilante, então, com o maior esforço que já lhe custara, o veado irrompeu da ponta da varinha de Harry. Ele avançou em um meio galope e agora os dementadores realmente se dispersaram e logo a noite amornou, mas os sons da batalha circundante agrediam seus ouvidos.

— Nem sei como agradecer a vocês — disse Rony trêmulo, dirigindo-se a Ernesto e Simas —, vocês acabaram de salvar...

Com um rugido e um tremor de terra, outro gigante se precipitou da escuridão vindo da Floresta, brandindo uma clava maior do que qualquer um deles.

— CORRAM! — tornou Harry a gritar, mas eles não precisaram ouvir a ordem: todos se espalharam na hora certa, pois o pé descomunal da criatura baixou exatamente no lugar em que tinham estado parados. Harry olhou para os lados: Rony e Hermione continuaram a segui-lo, mas os outros três tinham voltado à luta e desaparecido de vista.

— Vamos sair da linha de fogo! — berrou Rony, quando o gigante tornou a girar a clava e seus urros ecoaram pela noite nos terrenos da escola, onde clarões vermelhos e verdes continuavam a iluminar a escuridão.

— O Salgueiro Lutador — disse Harry. — Agora!

De alguma forma, ele emparedara as emoções em sua mente, confinara-as em um pequeno espaço para o qual ele não podia olhar agora: pensamentos sobre Fred e Hagrid, e seu medo por aqueles que amava, espalhados dentro e fora do castelo, todos precisariam esperar, porque eles tinham que correr, tinham que chegar à cobra e a Voldemort, porque era, como dizia Hermione, a única maneira de acabar com aquilo...

Ele correu velozmente, acreditando que, de certa forma, poderia ultrapassar a morte em si, ignorando os jatos de luz que voavam pela escuridão à sua volta, o ruído do lago quebrando como o mar, e os rangidos da Floresta Proibida, embora fosse uma noite de calmaria; através dos jardins que pareciam ter, eles mesmos, se rebelado, Harry correu mais veloz do que jamais o fizera na vida, e foi ele quem viu primeiro a grande árvore, o Salgueiro que protegia o segredo em suas raízes com ramos que cortavam como chicotes.

Com a respiração ofegante, Harry desacelerou, rodeando os ramos socadores do Salgueiro, examinando na escuridão o seu grosso tronco, tentando localizar o nó único na casca da velha árvore que a paralisava. Rony e Hermione o alcançaram tão sem fôlego que não conseguiam falar.

— Como... como vamos entrar? — ofegou Rony. — Poderia... ver o lugar... se ao menos tivéssemos... Bichento...

— Bichento? — chiou Hermione, dobrada, segurando o peito. — *Você é um bruxo ou não é?*

— Ah... certo... é...

Rony olhou em volta e em seguida apontou a varinha para um graveto no chão e disse:

— *Wingardium Leviosa!* — O graveto ergueu-se do chão, girou no ar como se uma rajada de vento o apanhasse, então disparou certeiro contra o tronco entre os ramos do Salgueiro Lutador que balançavam agourentamente. Cravou direto em determinado ponto junto às raízes, e imediatamente a árvore se imobilizou.

— Perfeito! — ofegou Hermione.

— Esperem.

Por um lento segundo, ouvindo os choques e estrondos da batalha que enchiam o ar, Harry hesitou. Voldemort queria que ele fizesse aquilo, queria que ele viesse... estaria levando Rony e Hermione para uma armadilha?

A realidade, porém, pareceu assediá-lo, simples e cruel: o único modo de progredir era matar a cobra, e a cobra estava onde Voldemort estava, e Voldemort estava no fim do túnel...

— Harry, vamos com você, entre logo aí! — disse Rony, empurrando-o para a frente.

Harry se espremeu pela passagem de terra oculta pelas raízes da árvore. Estava muito mais apertada do que da última vez que penetraram ali. O túnel tinha o teto baixo: eles precisaram se dobrar para atravessá-lo quase quatro anos antes, agora não havia opção exceto engatinhar. Harry entrou primeiro, a varinha iluminada, esperando encontrar barreiras a qualquer instante, mas não havia nenhuma. Eles se moveram em silêncio, o olhar de Harry fixo na luz oscilante da varinha que empunhava.

Por fim, o túnel começou a se inclinar para o alto e Harry viu adiante uma fresta de luz. Hermione deu um puxão em seu tornozelo.

— A capa! — sussurrou ela. — Vista a capa!

Ele tateou às costas e ela empurrou em sua mão livre um embrulho de tecido escorregadio. Com dificuldade, ele puxou a Capa da Invisibilidade por cima do corpo e murmurou "Nox", apagando a luz da varinha e continuando a engatinhar o mais silenciosamente possível, todos os seus sentidos tensos, esperando a cada segundo ser descoberto, ouvir a voz fria e clara, ver um lampejo de luz verde.

Então, ele ouviu vozes que vinham da sala diretamente à frente, ligeiramente abafadas porque a abertura no final do túnel estava bloqueada por um objeto que parecia um velho caixote. Mal se atrevendo a respirar, Harry avançou cauteloso até a saída e espiou por uma pequena fresta entre o caixote e a parede.

A sala estava mal iluminada, mas dava para ver Nagini, girando e se enrolando como se estivesse embaixo da água, protegida em sua encantada esfera de estrelas, que flutuava sem apoio no ar. Dava para ver a ponta de uma mesa e uma mão branca de dedos longos brincando com uma varinha. Então Snape falou, e o coração de Harry deu um salto: o bruxo estava a centímetros do lugar em que ele se encolhia escondido.

– ... Milorde, a resistência está entrando em colapso...

– ... e está fazendo isso sem a sua ajuda – retorquiu Voldemort, com sua voz clara e aguda. – Mesmo sendo um bruxo competente, Severo, acho que você não fará muita diferença agora. Estamos quase chegando lá... quase.

– Deixe-me procurar o garoto. Deixe-me trazer Potter. Sei que posso encontrá-lo, Milorde. Por favor.

Snape passou em frente à fresta e Harry recuou um pouco, mantendo os olhos fixos em Nagini, imaginando se haveria algum feitiço que pudesse penetrar a proteção que a cercava, mas não conseguiu pensar em nada. Uma tentativa fracassada e trairia sua posição...

Voldemort se levantou. Harry o via agora, via seus olhos vermelhos e o rosto achatado e ofídico, sua palidez levemente luminosa na penumbra.

– Tenho um problema, Snape – disse Voldemort, suavemente.

– Milorde?

Voldemort ergueu a Varinha das Varinhas, segurando-a com a delicadeza e a precisão de uma batuta de maestro.

– Por que ela não funciona comigo, Severo?

No silêncio, Harry imaginou que ouvia a cobra silvar levemente, enrolando-se e desenrolando-se, ou seria o suspiro sibilante de Voldemort ainda vibrando no ar?

– Mi... milorde? – replicou Snape, aturdido. – Não estou entendendo. O senhor realizou extraordinária magia com essa varinha.

— Não. Realizei a minha magia habitual. Sou extraordinário, mas esta varinha... não. Ela não revelou as maravilhas prometidas. Não sinto diferença entre esta varinha e a que comprei de Olivaras tantos anos atrás.

O tom de Voldemort era reflexivo, calmo, mas a cicatriz de Harry começara a latejar e vibrar: a dor em sua testa aumentava e ele percebia um sentimento de fúria controlada crescer em Voldemort.

— Não há diferença — repetiu Voldemort.

Snape não respondeu. Harry não via seu rosto. Pôs-se a imaginar se ele perceberia o perigo, se estava tentando achar as palavras certas para tranquilizar o seu senhor.

Voldemort começou a andar pela sala. Harry perdeu-o de vista por alguns segundos nos quais ele rondava, ainda falando naquele mesmo tom comedido; a dor e a fúria se avolumavam em Harry.

— Estive refletindo longa e intensamente, Severo... você sabe por que o fiz voltar da cena da batalha?

E, por um momento, Harry viu o perfil de Snape: seus olhos estavam pregados na cobra que se enroscava na jaula encantada.

— Não, Milorde, mas peço que me deixe retornar. Me deixe encontrar Potter.

— Você parece o Lúcio falando. Nenhum dos dois compreende Potter como eu. Ele não precisa ser achado. Ele virá a mim. Conheço sua fraqueza, entende, seu grande defeito. Ele não suportará ver os outros caírem fulminados ao seu redor, sabendo que é por ele que estão morrendo. Irá querer pôr um fim nisso a qualquer custo. Ele virá.

— Mas, Milorde, ele pode ser morto acidentalmente por outra pessoa que não o senhor.

— Minhas instruções aos meus Comensais da Morte foram absolutamente claras. Capturem Potter. Matem seus amigos... quanto mais melhor... mas não o matem.

"Mas é sobre você que eu queria falar, Severo, e não Harry Potter. Você tem sido muito valioso para mim. Muito valioso."

— Milorde, sabe que só busco servi-lo. Mas... me deixe ir procurar o garoto, Milorde. Deixe-me trazer Potter ao senhor. Sei que posso...

— Já lhe disse, não! — exclamou Voldemort, e Harry percebeu um brilho vermelho em seus olhos quando ele se virou, o farfalhar de sua capa lembrando o rastejar de uma cobra, e o garoto sentiu a impaciência de Voldemort na queimação de sua cicatriz. — Minha preocupação no momento, Severo, é o que irá acontecer quando eu finalmente me encontrar com o garoto!

– Milorde, não pode haver dúvida, certamente...?
– ... mas *há* uma dúvida, Severo. Há.

Voldemort fez uma pausa, e Harry ouviu-o claramente escorregando a Varinha das Varinhas entre seus dedos brancos, com os olhos em Snape.

– Por que as duas varinhas que usei não funcionaram quando as apontei para Harry Potter?

– Eu... eu não sei responder, Milorde.

– Não sabe?

A pontada de raiva pareceu um furador penetrando a cabeça de Harry: ele enfiou o punho na boca para conter os gritos de dor. Fechou os olhos e, subitamente, ele era Voldemort, encarando o rosto pálido de Snape.

– Minha varinha de teixo fez tudo que lhe pedi para fazer, Severo, exceto matar Harry Potter. Falhou duas vezes. Olivaras me falou, sob tortura, dos núcleos gêmeos, me aconselhou a tomar a varinha de outro. Fiz isso, mas a varinha de Lúcio se partiu ao enfrentar a de Potter.

– Eu... eu não tenho explicação, Milorde.

Snape não estava olhando para Voldemort no momento. Seus olhos pretos continuavam fixos na cobra movimentando-se em sua esfera protetora.

– Procurei uma terceira varinha, Severo. A Varinha das Varinhas, a Varinha do Destino, a Varinha da Morte, tirei-a do seu dono anterior. Tirei-a do túmulo de Alvo Dumbledore.

E agora Snape olhou para Voldemort, e seu rosto lembrava uma máscara mortuária. Estava branco-mármore e tão imóvel que, quando ele falou, foi um susto perceber que havia um ser vivente por trás dos seus olhos inexpressivos.

– Milorde... me deixe ir até o garoto...

– Durante toda essa longa noite, de vitória iminente, estive sentado aqui – disse Voldemort, sua voz pouco mais do que um sussurro – pensando, pensando, por que a Varinha das Varinhas se recusa a ser o que deveria ser, se recusa a agir como a lenda diz que deve agir para o seu legítimo dono... e acho que sei a resposta.

Snape ficou calado.

– Talvez você já saiba, não? Afinal, você é um homem inteligente, Severo. Você tem sido um servo bom e fiel, e eu lamento o que terá de acontecer.

– Milorde...

– A Varinha das Varinhas não pode me servir corretamente, Severo, porque não sou o seu verdadeiro dono. A Varinha das Varinhas pertence ao bruxo que matou o seu dono anterior. Você matou Alvo Dumbledore. Enquanto você viver, Severo, a Varinha das Varinhas não pode ser verdadeiramente minha.

— Milorde! — protestou Snape, erguendo a varinha.

— Não pode ser de outro modo — replicou Voldemort. — Tenho que dominar a varinha, Severo. Domino a varinha e domino Potter, enfim.

E Voldemort cortou o ar com a Varinha das Varinhas. Ela não afetou Snape, que, por uma fração de segundo, pareceu pensar que sua execução fora temporariamente suspensa: então, a intenção de Voldemort se tornou evidente. A jaula da cobra girava no ar, e, antes que Snape pudesse dar mais do que um grito, ela o envolvera, a cabeça e os ombros, e Voldemort falava em linguagem ofídica.

— *Mate*.

Ouviu-se um berro terrível. Harry viu o rosto de Snape perder a pouca cor que lhe restava, embranquecer, e seus olhos pretos se arregalarem quando as presas da cobra se cravaram em seu pescoço, pois não conseguira repelir a jaula encantada para longe, seus joelhos cederam e ele caiu ao chão.

— Lamento — disse Voldemort, friamente.

O Lorde das Trevas virou-se para sair; não havia tristeza alguma nele, remorso algum. Estava na hora de deixar a casa e assumir o comando, com a varinha que agora lhe obedeceria perfeitamente. Apontou-a para a jaula estrelada que continha a cobra, e ela se elevou, afastando-se de Snape, caído de lado no chão, o sangue esguichando dos ferimentos no pescoço. Voldemort saiu imponente da sala sem sequer olhar para trás, e a grande cobra acompanhou-o flutuando em sua enorme esfera protetora.

De volta ao túnel e à sua própria mente, Harry abriu os olhos: fizera sangrar os punhos mordendo-os na tentativa de refrear seus gritos. Agora ele olhava pela pequena fresta entre o caixote e a parede, observando uma bota tremendo no chão.

— Harry! — sussurrou Hermione às suas costas, mas ele já apontara a varinha para o caixote que bloqueava sua visão. O objeto se ergueu uns três centímetros no ar e se deslocou sem ruído para o lado. O mais silenciosamente que pôde, ele se guindou para dentro da sala.

Não sabia por que estava fazendo aquilo, por que estava se aproximando do homem moribundo: não sabia o que sentia ao ver o rosto branco de Snape e os dedos tentando estancar o sangue no ferimento do pescoço. Harry tirou a Capa da Invisibilidade e olhou do alto para o homem que odiava, cujos olhos arregalados encontraram Harry ao tentar falar. Harry se curvou sobre ele; Snape agarrou a frente de suas vestes e puxou-o para perto. Um gargarejo rascante e terrível saiu da garganta do professor.

– Leve... isso... Leve... isso...

Alguma coisa além do sangue vazava de Snape. Algo prateado, nem gás, nem líquido, jorrou de sua boca, ouvidos e olhos, e Harry percebeu o que era, mas não sabia o que fazer...

Um frasco materializou-se no ar e foi empurrado em suas mãos por Hermione. Harry recolheu a substância prateada com a varinha. Quando o frasco se encheu e Snape pareceu exangue, ele afrouxou o aperto nas vestes de Harry.

– Olhe... para... mim – sussurrou o bruxo.

Os olhos verdes encontraram os pretos, mas em um segundo alguma coisa no fundo dos olhos de Snape pareceu sumir, deixando-os fixos, inexpressivos e vazios. A mão que segurava Harry bateu no chão e Snape não se mexeu mais.

33

A HISTÓRIA
DO PRÍNCIPE

Harry permaneceu ajoelhado ao lado de Snape, simplesmente contemplando-o, até que, de súbito, uma voz aguda e fria falou tão perto que ele se pôs de pé com um salto, o frasco bem seguro na mão, pensando que Voldemort tivesse voltado à sala.

A voz do Lorde das Trevas ressoou nas paredes e no chão, e Harry percebeu que o bruxo estava se dirigindo a Hogwarts e a toda a área vizinha, para que os residentes de Hogsmeade e todos que ainda lutavam no castelo o ouvissem tão claramente como se estivesse ao lado deles, bafejando-lhes na nuca, à distância de um golpe mortal.

"Vocês lutaram", disse a voz, "valorosamente. Lorde Voldemort sabe valorizar a bravura.

"Vocês sofreram pesadas baixas. Se continuarem a resistir a mim, todos morrerão, um a um. Não quero que isto aconteça. Cada gota de sangue mágico derramado é uma perda e um desperdício.

"Lorde Voldemort é misericordioso. Ordeno que as minhas forças se retirem imediatamente.

"Vocês têm uma hora. Deem um destino digno aos seus mortos. Cuidem dos seus feridos.

"Eu me dirijo agora diretamente a você, Harry Potter. Você permitiu que os seus amigos morressem por você em lugar de me enfrentar pessoalmente. Esperarei uma hora na Floresta Proibida. Se ao fim desse prazo, você não tiver vindo ao meu encontro, não tiver se entregado, então a batalha recomeçará. Desta vez eu participarei da luta, Harry Potter, e o encontrarei, e castigarei até o último homem, mulher e criança que tentou escondê-lo de mim. Uma hora."

Ambos, Rony e Hermione, sacudiram a cabeça freneticamente, olhando para Harry.

— Não dê ouvidos a ele — disse Rony.

— Tudo dará certo — acrescentou Hermione, irrefletidamente. — Vamos voltar ao castelo; se ele foi para a Floresta, precisaremos pensar em um novo plano...

Ela olhou para o corpo de Snape e voltou correndo ao túnel. Rony seguiu-a. Harry recolheu a Capa da Invisibilidade e tornou a lançar um olhar a Snape. Não sabia o que sentir, exceto choque pela maneira como fora morto, e a razão alegada...

Eles voltaram engatinhando pelo túnel, calados, e Harry ficou em dúvida se Rony e Hermione ainda conseguiam ouvir o eco das palavras de Voldemort em sua cabeça, como ele.

Você permitiu que os seus amigos morressem por você em lugar de me enfrentar pessoalmente. Esperarei uma hora na Floresta Proibida... uma hora...

Pequenos embrulhos pareciam coalhar o gramado em frente ao castelo. Devia faltar pouco mais de uma hora para amanhecer, mas estava um breu. Os três se apressaram em direção aos degraus de pedra da entrada. Um tamanco solitário, do tamanho de um pequeno barco, se achava abandonado ali. Não havia sinal de Grope nem do seu atacante.

O castelo estava anormalmente silencioso. Não havia clarões agora, nem estampidos, nem gritaria. As lages do deserto saguão de entrada estavam manchadas de sangue. As esmeraldas continuavam espalhadas pelo piso ao lado de pedaços de mármore e lascas de madeira. Parte do balaústre fora destruída.

– Onde estão todos? – sussurrou Hermione.

Rony saiu à frente para o Salão Principal. Harry parou à porta.

As mesas das Casas tinham sido retiradas, e o salão estava lotado. Os sobreviventes formavam grupos, abraçando uns aos outros. Na plataforma, os feridos recebiam atendimento de Madame Pomfrey e seus auxiliares. Firenze estava entre os feridos; seu flanco sangrava e ele se agitava deitado, incapaz de se levantar.

Os mortos estavam enfileirados no meio do salão. Harry não viu o corpo de Fred, porque a família o rodeava. Jorge estava ajoelhado à cabeça do irmão gêmeo; a sra. Weasley se deitara sobre o seu peito, o corpo sacudindo, o sr. Weasley acariciava os cabelos dela e as lágrimas desciam em cascata pelo seu rosto.

Sem dizer palavra a Harry, Rony e Hermione se afastaram. Harry viu Hermione se aproximar de Gina, cujo rosto estava inchado e borrado, e abraçou-a. Rony se juntou a Gui, Fleur e Percy, que passou o braço pelos ombros do irmão. Quando Gina e Hermione se aproximaram do resto da família, Harry pôde ver com clareza os corpos ao lado de Fred: Remo e Tonks, pálidos e imóveis, a fisionomia plácida, aparentemente dormindo sob o escuro teto encantado.

O Salão Principal pareceu fugir, se tornar menor, encolher, quando Harry recuou tanto do portal. Não conseguia respirar. Não conseguia suportar a visão dos outros corpos, saber quem mais morrera por ele. Não conseguia suportar a ideia de se reunir aos Weasley, não conseguia olhar em seus olhos, pois se ele tivesse se sacrificado em primeiro lugar, Fred talvez não tivesse morrido...

Ele deu as costas e subiu, rápido, a escadaria de mármore. Lupin, Tonks... ele ansiava por não sentir... desejava poder arrancar seu coração, suas entranhas, tudo que estava gritando dentro dele...

O castelo estava completamente vazio; até os fantasmas pareciam ter se reunido ao funeral coletivo no Salão Principal. Harry correu sem parar, apertando o frasco de cristal contendo as últimas lembranças de Snape, e não desacelerou até alcançar a gárgula de pedra que guardava o gabinete do diretor.

"*Senha?*"

– Dumbledore! – disse, sem pensar, porque era quem ele ansiava por ver, e, para sua surpresa, a gárgula se afastou revelando a escada circular que protegia.

Quando, porém, Harry irrompeu pelo gabinete, encontrou-o mudado. Os retratos pendurados a toda volta estavam vazios. Nem um único diretor ou diretora ficara para vê-lo: pelo visto, todos tinham saído voando, atravessado os quadros que se alinhavam pelo castelo, para poder ter uma boa visão dos acontecimentos.

Harry olhou desesperado para o quadro deserto de Dumbledore, diretamente atrás da cadeira do diretor, e lhe deu as costas. A Penseira de pedra estava no armário onde sempre estivera: Harry carregou-a para cima da escrivaninha e despejou as lembranças de Snape na grande bacia com a borda de runas. Fugir para a cabeça de outro era um alívio abençoado... nada que mesmo alguém como Snape tivesse lhe deixado poderia ser pior do que os seus próprios pensamentos. As lembranças giraram, branco-prateadas e estranhas, e, sem hesitar, possuído de um sentimento de irrefletido abandono, como se isso pudesse aliviar a tortura do seu pesar, Harry mergulhou.

Caiu de cabeça em um lugar ensolarado e seus pés encontraram um chão morno. Quando se endireitou, viu que estava em um parquinho infantil quase deserto. Uma enorme chaminé solitária dominava o horizonte distante. Duas meninas se balançavam para a frente e para trás, e um menino magricela as observava, de trás de uma moita de arbustos. Seus cabelos pretos eram demasiado longos e suas roupas tão díspares que isso até parecia intencional: jeans excessivamente curto, um casaco enxovalhado e tão largo que poderia ter pertencido a um adulto, uma camisa estranha, com aspecto de bata.

Harry se acercou do garoto. Snape não parecia ter mais de nove ou dez anos, macilento, pequeno, rijo. Havia uma indisfarçável cobiça em seu rosto magro ao espiar a mais jovem das meninas que se balançava mais alto do que a irmã.

– Lílian, não faz isso! – gritava a mais velha.

A garota, porém, soltava o balanço na altura máxima do arco que descrevia e voava no ar, literalmente voava, atirava-se para o céu com uma grande gargalhada e, em vez de cair no asfalto do parquinho, pairava no ar como uma artista de trapézio, permanecendo no alto tempo demais, aterrissando leve demais.

– Mamãe disse para você não fazer!

Petúnia parou o próprio balanço arrastando os calcanhares das sandálias no chão, produzindo um forte atrito, depois saltou, com as mãos nos quadris.

– Mamãe disse que você não podia, Lílian!

– Mas eu estou ótima – respondeu Lílian, ainda rindo. – Túnia, dá uma olhada. Veja o que eu sei fazer.

Petúnia relanceou a sua volta. O parquinho estava deserto exceto pelas duas e, embora as garotas ignorassem, Snape. Lílian apanhara uma flor caída na moita em que o garoto espreitava. Petúnia se aproximou, evidentemente dividida entre a curiosidade e a desaprovação. Lílian esperou a irmã chegar suficientemente perto para poder ver bem, então estendeu a palma da mão. A flor estava ali, abrindo e fechando as pétalas, como uma bizarra ostra com muitos lábios.

– Para com isso! – guinchou Petúnia.

– Não estou machucando ninguém – respondeu Lílian, mas fechou a flor na mão e atirou-a no chão.

– Não é direito – reclamou Petúnia, mas seus olhos tinham acompanhado o voo da flor até o chão e se detiveram nela. – Como é que você faz isso? – acrescentou, e havia um claro desejo em sua voz.

– É óbvio, não é? – Snape não conseguira mais se conter e saltara de trás da moita. Petúnia gritou e voltou correndo para os balanços, mas Lílian, embora visivelmente assustada, não arredou pé. Snape pareceu se arrepender de ter se mostrado. Um colorido baço subiu às suas bochechas pálidas quando olhou para Lílian.

– O que é óbvio? – perguntou ela.

Snape tinha um ar de nervosa animação. Com um olhar rápido à distante Petúnia, agora parada ao lado dos balanços, ele baixou a voz e disse:

— Sei o que você é.
— Como assim?
— Você é... você é uma bruxa — sussurrou Snape.

Ela se ofendeu.

— Não é bonito dizer *isso* a uma pessoa!

Ela deu as costas, empinou o nariz e se afastou com firmeza em direção à irmã.

— Não! — chamou Snape. Estava agora muito vermelho, e Harry se perguntou por que não tirava aquele casaco ridiculamente grande, a não ser que quisesse esconder a bata que usava por baixo. Ele saiu atrás das garotas abanando o casaco, já parecendo o absurdo morcego que veio a se tornar um adulto.

As irmãs o avaliaram, unidas em sua desaprovação, ambas se segurando na armação do balanço como se fosse um pique.

— Você é — disse Snape a Lílian. — Você é uma bruxa. Estive observando um tempo. Mas não é uma coisa ruim. Minha mãe é, eu sou um bruxo.

A risada de Petúnia foi um balde de água fria.

— Bruxo! — guinchou ela, retomando a coragem, agora que se refizera do choque de sua inesperada aparição. — Eu sei quem *você* é. Você é aquele garoto Snape! Mora na rua da Fiação na beira do rio — disse Petúnia à irmã, deixando evidente, pelo seu tom, que considerava o endereço uma fraca recomendação. — Por que estava nos espionando?

— Não estava espionando — respondeu Snape, vermelho e constrangido, os cabelos sujos à claridade do sol. — Não espionaria você, pode ter certeza — acrescentou vingativo —, *você é* uma trouxa.

Embora Petúnia não entendesse a palavra, o tom não deixava dúvida.

— Lílian, anda, vamos embora! — disse esganiçada. Lílian obedeceu imediatamente à irmã, fazendo cara feia para Snape ao se afastar. Ele ficou parado observando-as se dirigirem ao portão do parquinho, e Harry, o único que restara ali, reconheceu o amargo desapontamento de Snape e compreendeu que o bruxo planejara aquele momento há muito tempo e que tudo saíra errado...

A cena se dissolveu e, antes que Harry tomasse consciência, uma nova se formara ao seu redor. Achava-se agora em um arvoredo. Via o rio banhado de sol cintilando entre os troncos. As sombras projetadas pelas árvores produziam um círculo de sombra verde e fresca. Snape agora despira o casaco; sua bata esquisita causava menos estranheza à meia-luz.

– ... e o Ministério pode punir você se usar magia fora da escola, você recebe cartas.

– Mas eu usei magia fora da escola!

– Não é o nosso caso. Ainda não temos varinhas. Não castigam quando a gente é criança e não consegue se controlar. Mas quando se faz onze anos – ele acenou a cabeça com autoridade – e começam a nos ensinar, então temos que maneirar.

Houve um breve silêncio. Lílian apanhara um gravetinho no chão e girou-o no ar, e Harry percebeu que ela estava imaginando faíscas saindo de sua ponta. Ela largou o graveto, se inclinou para o garoto e perguntou:

– Isso é verdade, não é? Não é uma brincadeira? Petúnia diz que você está mentindo. Petúnia diz que Hogwarts não existe. É verdade, não é?

– É verdade para nós – respondeu Snape. – Não para ela. Mas nós receberemos a carta, você e eu.

– Sério? – sussurrou Lílian.

– Sem a menor dúvida. – E mesmo com os seus cabelos mal cortados e suas roupas descombinadas, ele era uma figura estranhamente impressionante, esparramado à sua frente, esbanjando confiança no próprio destino.

– E realmente vai ser entregue por uma coruja? – sussurrou Lílian.

– Normalmente é. Mas você é nascida trouxa, então alguém da escola terá de vir explicar aos seus pais.

– Faz diferença ser nascida trouxa?

Snape hesitou. Seus olhos pretos, ansiosos à sombra esverdeada, percorreram o rosto pálido e os cabelos acaju da garota.

– Não – garantiu ele. – Não faz a menor diferença.

– Que bom – disse Lílian, se descontraindo: era evidente que andara preocupada.

– Você tem muita magia. Eu vi. Todas as vezes que estive espiando você.

Sua voz foi se distanciando; ela não estava mais ouvindo, deitara-se no chão coberto de folhas e contemplava a abóbada de folhas no alto. Ele a observava tão avidamente quanto o fizera no parquinho.

– Como vão as coisas em sua casa? – perguntou Lílian.

Um pequeno vinco apareceu entre os olhos dele.

– Ótimas.

– Eles não estão mais brigando?

– Ah, sim, continuam brigando. – Ele apanhou um punhado de folhas e começou a rasgá-las, aparentemente sem notar o que estava fazendo. – Mas não vai demorar muito e logo terei ido embora.

— O seu pai não gosta de magia?
— Ele não gosta muito de nada.
— Severo?

Um pequeno sorriso curvou os cantos da boca de Snape ao ouvi-la pronunciar o seu nome.

— Quê?
— Me fale outra vez dos dementadores.
— Para que quer saber sobre eles?
— Se eu usar magia fora da escola...
— Não entregariam você aos dementadores só por isso! São para as pessoas que fazem coisas realmente ruins. Os dementadores guardam a prisão dos bruxos, Azkaban. Você não vai para Azkaban, você é muito...

Ele corou novamente e rasgou mais folhas. Então, um leve farfalhar atrás de Harry o fez se virar: Petúnia, escondida atrás de uma árvore, se desequilibrara.

— Túnia! — exclamou Lílian, havia surpresa e boas-vindas em sua voz, mas Snape saltara em pé.

— Quem está espionando agora? — gritou. — Que é que você quer?

Petúnia ficou ofegante, assustada por ter sido descoberta. Harry viu que se concentrava à procura de alguma coisa para dizer que o magoasse.

— Afinal, o que é isso que você está vestindo? — perguntou ela, apontando para o peito de Snape. — A blusa da sua mãe?

Ouviram um estalo: caíra um galho na cabeça de Petúnia. Lílian gritou; o galho bateu no ombro da irmã, que cambaleou e caiu no choro.

— Túnia!

Petúnia, porém, estava fugindo. Lílian virou-se para Snape.

— Você fez isso acontecer?
— Não. — Em seu rosto havia desafio e medo.
— Fez! — Ela foi se afastando dele. — *Fez*, sim! Você a machucou!
— Não... não fiz!

A mentira, no entanto, não convenceu Lílian; lançando-lhe um último olhar fulminante, ela saiu correndo do arvoredo atrás da irmã, deixando Snape com um ar infeliz e confuso...

A cena se reformulou. Harry olhou para os lados: estava na plataforma 9¾ com Snape ao seu lado, ligeiramente curvo, ao lado de uma mulher magra de rosto pálido e azedo, parecidíssima com ele. O garoto observava uma família de quatro pessoas não muito longe. As duas garotas um pouco separadas dos pais. Lílian parecia estar justificando alguma coisa para a irmã; Harry aproximou-se para ouvir.

– ... desculpe, Túnia, me desculpe! Escute... – Ela segurou a mão da irmã e apertou-a, embora Petúnia tentasse se desvencilhar. – Talvez quando eu estiver lá... não, escute, Túnia! Talvez quando eu estiver lá, eu possa procurar o professor Dumbledore e convencê-lo a mudar de ideia!

– Eu não... quero... ir! – disse Petúnia, ela puxou com força a mão do aperto da irmã. – Você acha que eu quero ir para um castelo idiota e aprender a ser... ser...

O seu olhar percorreu a plataforma, passou pelos gatos que miavam no colo dos seus donos, pelas corujas que esvoaçavam piando umas para as outras nas gaiolas, pelos estudantes, alguns já usando longas vestes pretas, embarcando os malões no trem de locomotiva vermelha ou então se cumprimentando com gritos de alegria, depois de um verão separados.

– ... você acha que quero ser um... um bicho estranho?

Os olhos de Lílian se encheram de lágrimas quando Petúnia conseguiu largar a mão dela.

– Não sou um bicho estranho – respondeu Lílian. – Que coisa horrível para dizer.

– É para onde você vai – insistiu Petúnia, com gosto. – Uma escola especial para bichos estranhos. Você e aquele garoto Snape... bizarros, é o que vocês são. É bom que sejam isolados das pessoas normais. É para a nossa segurança.

Lílian olhou em direção aos seus pais, que examinavam a plataforma com um ar de entusiástico prazer, absorvendo o cenário. Então, ela voltou o olhar para a irmã e sua voz era suave e cruel.

– Você não achou que era uma escola para anormais quando escreveu ao diretor suplicando que a aceitasse.

Petúnia ficou escarlate.

– Suplicando? Não supliquei!

– Eu vi a resposta dele. Foi muito bondosa.

– Você não devia ter lido... – sussurrou Petúnia. – Era minha e particular... como pôde...?

Lílian se traiu ao dar uma olhada em Snape parado ali perto. Petúnia ofegou.

– Foi aquele garoto que descobriu! Você e aquele garoto andaram espionando o meu quarto!

– Não... não espionando... – Agora Lílian estava na defensiva. – Severo viu o envelope, e não pôde acreditar que uma trouxa tivesse escrito para Hogwarts, foi isso! Ele diz que deve haver bruxos infiltrados nos correios que se encarregam de...

– Pelo visto, os bruxos metem o nariz em tudo! – replicou Petúnia, agora tão pálida quanto estivera corada. – *Anormal!* – Ela cuspiu na irmã e voltou acintosamente para o lado dos pais...

A cena se dissolveu mais uma vez. Snape estava andando apressado pelo corredor do Expresso de Hogwarts enquanto o veículo sacudia pelos campos. Já trocara as vestes da escola, talvez aproveitando a primeira oportunidade para despir suas horríveis roupas de trouxa. Finalmente, parou à porta de um compartimento onde um grupo de garotos barulhentos conversava. Encolhida no canto ao lado da janela, estava sentada Lílian, o rosto colado na vidraça.

Snape abriu a porta do compartimento e se sentou em frente à garota. Ela lhe lançou um breve olhar e tornou a voltar sua atenção para a janela. Estivera chorando.

– Não quero falar com você – disse, em tom crispado.

– Por que não?

– Túnia me od... odeia. Porque vimos aquela carta do Dumbledore.

– E daí?

Ela lhe lançou um olhar de profundo desagrado.

– E daí que ela é minha irmã!

– Ela é só uma... – Ele se refreou depressa; Lílian, ocupada demais em secar os olhos discretamente, não o ouviu. – Mas nós vamos! – exclamou ele, incapaz de conter a exaltação na voz. – Isso é o que conta! Estamos viajando para Hogwarts!

Ela concordou, enxugando os olhos, e, apesar de não querer, deu um meio sorriso.

– É melhor você entrar para a Sonserina – disse Snape, animado ao vê-la menos triste.

– Sonserina?

Um dos garotos que dividia com eles o compartimento, e até aquele momento não mostrara o menor interesse em Lílian e Snape, olhou para o lado ao ouvir aquele nome, e Harry, cuja atenção estivera totalmente concentrada nos dois ao lado da janela, viu seu pai: magro, cabelos pretos como os de Snape, mas com aquele ar indefinível de alguém que foi bem cuidado, até adorado, que visivelmente faltava a Snape.

– Quem quer ir para a Sonserina? Acho que eu desistiria da escola, você não? – Tiago perguntou a um garoto esparramado nos assentos defronte a ele, e, com um sobressalto, Harry percebeu que era Sirius. Sirius não riu.

– Toda a minha família foi da Sonserina.

– Caramba – replicou Tiago –, e eu que pensei que você fosse legal! Sirius riu.

– Talvez eu quebre a tradição. Para qual você iria se pudesse escolher?

– Tiago ergueu uma espada invisível.

– "Grifinória, a morada dos destemidos!" Como o meu pai.

Snape deu um muxoxo de descaso. Tiago se virou para ele.

– Algum problema?

– Não – retrucou Snape, embora seu sorrisinho de deboche dissesse o contrário. – Se você prefere ter mais músculo do que cérebro...

– E para onde está esperando ir, uma vez que não tem nenhum dos dois?

– interpôs Sirius.

Tiago deu gostosas gargalhadas. Lílian se empertigou, ruborizada, e olhou de Tiago para Sirius com ar de desagrado.

– Vamos, Severo, vamos procurar outro compartimento.

– Oooooo...

Tiago e Sirius imitaram o seu tom de superioridade; Tiago tentou fazer Snape tropeçar quando ele passou.

– A gente se vê, Ranhoso! – uma voz gritou quando a porta do compartimento bateu...

Mais uma vez a cena se dissolveu...

Harry estava atrás de Snape, ambos observando as mesas iluminadas a velas, repletas de rostos extasiados. Então, a professora McGonagall chamou:

– Evans, Lílian!

Ele observou a mãe se adiantar de pernas trêmulas e se sentar no banquinho bambo. A professora deixou cair o Chapéu Seletor sobre sua cabeça, e, mal se passara um segundo após tocar seus cabelos acaju, o chapéu anunciou: "Grifinória!"

Harry ouviu Snape soltar um pequeno gemido. Lílian tirou o chapéu, devolveu-o à professora McGonagall, e correu ao encontro dos alunos da Grifinória que a aplaudiam, mas a caminho se virou para olhar Snape, e havia um sorriso triste no rosto dela. Harry viu Sirius escorregar no banco para dar espaço a Lílian. Ela deu uma olhada e pareceu reconhecê-lo do trem, cruzou os braços e, com firmeza, virou-lhe as costas.

A chamada continuou. Harry observou Lupin, Pettigrew e seu pai se reunirem a Lílian e Sirius à mesa da Grifinória. Por fim, quando restavam apenas dez estudantes a serem selecionados, a professora McGonagall chamou Snape.

Harry acompanhou-o ao banquinho, viu-o colocar o chapéu na cabeça. "*Sonserina!*", anunciou o Chapéu Seletor.

E Severo Snape andou para o lado oposto do salão, longe de Lílian, onde os alunos da Casa o aplaudiam e Lúcio Malfoy, com um crachá de monitor brilhando no peito, deu-lhe uma palmadinha nas costas quando Snape se sentou ao seu lado...

E a cena mudou...

Lílian e Snape atravessavam o pátio do castelo, discutindo abertamente. Harry se apressou a alcançá-los e escutar. Quando chegou perto, percebeu o quanto ambos haviam crescido: alguns anos pareciam ter transcorrido desde a seleção.

– ... pensei que fôssemos amigos? – reclamava Snape. – Grandes amigos?

– *Somos*, Sev, mas não gosto de um pessoal com quem você anda! Desculpe, mas detesto Avery e Mulciber! *Mulciber*! O que vê nele, Sev? Me dá arrepios! Você sabe o que ele tentou fazer com a Maria Macdonald outro dia?

Lílian chegou a uma pilastra e se encostou, com os olhos erguidos para o rosto magro e macilento.

– Aquilo não foi nada. Foi uma brincadeira, só isso...

– Foi magia das trevas, e se você acha que isso é brincadeira...

– E aquelas coisas que Potter e os amigos dele aprontam? – retrucou Snape. Seu rosto corou ao dizer isso, aparentemente incapaz de refrear o seu rancor.

– E onde é que o Potter entra nisso? – perguntou Lílian.

– Eles saem escondidos à noite. Tem alguma coisa esquisita naquele Lupin. Aonde é que ele sempre vai?

– Ele é doente. Dizem que é doente.

– Todo mês na lua cheia?

– Conheço a sua teoria – replicou Lílian, e seu tom era frio. – Afinal, por que você é tão obcecado por eles? Por que se importa com o que eles fazem à noite?

– Só estou tentando lhe mostrar que eles não são tão maravilhosos quanto todo o mundo parece pensar.

A intensidade do seu olhar a fez corar.

– Mas eles não usam magia das trevas. – Lílian baixou a voz. – E você está sendo realmente ingrato. Me contaram o que aconteceu outra noite. Você estava bisbilhotando naquele túnel do Salgueiro Lutador e Tiago Potter salvou você de sei lá o que tem lá embaixo...

O rosto de Snape se contorceu e ele engrolou:

– Salvou? Salvou? Você acha que ele estava bancando o herói? Ele estava salvando o próprio pescoço e o dos amigos também! Você não vai... eu não vou deixar você...

– Me deixar? Me deixar? Os vivos olhos verdes de Lílian se estreitaram. Snape retrocedeu na mesma hora.

– Eu não quis dizer... só não quero ver você fazer papel de boba... ele gosta de você, Tiago Potter gosta de você! – As palavras davam a impressão de serem arrancadas dele contra sua vontade. – E ele não é... Todo o mundo acha... Grande herói de quadribol... – A amargura e a antipatia que Snape sentia deixavam-no incoerente, e as sobrancelhas de Lílian subiam sem parar em sua testa.

– Eu sei que Tiago Potter é um biltre arrogante – disse ela, cortando Snape. – Não preciso que você me diga. Mas a ideia que Mulciber e Avery fazem do que seja brincadeira é simplesmente maligna. *Maligna*, Sev. Não entendo como você pode ser amigo deles.

Harry duvidava que Snape tivesse sequer escutado as críticas de Lílian a Mulciber e Avery. No momento em que ela insultara Tiago Potter, todo o seu corpo se descontraiu, e, quando se separaram, havia uma nova leveza no andar de Snape...

E a cena se dissolveu...

De novo, Harry observou Snape deixar o Salão Principal, após prestar o exame de Defesa Contra as Artes das Trevas para obtenção do N.O.M., sair do castelo sem destino e, distraído, parar perto da bétula onde Tiago, Sirius, Lupin e Pettigrew estavam sentados juntos. Desta vez, porém, Harry guardou distância, porque sabia o que tinha acontecido depois que Tiago pendurou Severo no ar para atormentá-lo; sabia o que tinha sido feito e dito, e não lhe daria prazer algum tornar a assistir. Ele viu quando Lílian se reuniu ao grupo e saiu em defesa de Snape. A distância, ouviu o grito de Snape para ela em sua fúria e humilhação, a palavra imperdoável: "*Sangue ruim*."

A cena mudou...

– Me desculpe.

– Não estou interessada.

– Me desculpe!

– Poupe seu fôlego.

Era noite. Lílian, de robe, estava parada de braços cruzados diante do retrato da Mulher Gorda, à entrada da Torre de Grifinória.

— Eu só saí porque Maria me disse que você estava ameaçando dormir aqui.

— Estava. Teria feito isso. Nunca quis chamar você de sangue ruim, simplesmente me...

— Escapou? — Não havia piedade na voz de Lílian. — É tarde demais. Há anos dou desculpas para o que você faz. Nenhum dos meus amigos consegue entender sequer por que falo com você. Você e seus preciosos amiguinhos Comensais da Morte: está vendo, você nem nega! Nem nega que é isso que vocês pretendem ser! Você mal pode esperar para se reunir a Você-Sabe--Quem, não é?

Ele abriu a boca, mas tornou a fechá-la sem falar.

— Não posso mais fingir. Você escolheu o seu caminho, eu escolhi o meu.

— Não... escute, eu não quis...

— ... me chamar de sangue ruim? Mas você chama de sangue ruim todos que nasceram como eu, Severo. Por que eu seria diferente?

Ele se debateu, prestes a responder, mas, com um olhar de desprezo, Lílian lhe deu as costas e atravessou o buraco do retrato...

O corredor se dissolveu, e a cena seguinte demorou um pouquinho a se formar: Harry teve a impressão de estar sobrevoando formas e cores mutantes até que o cenário se solidificou e ele se viu parado no escuro, no cume de um morro, abandonado e frio, o vento assoviando entre os galhos de umas poucas árvores desfolhadas. O Snape adulto arfava, virava-se no mesmo lugar, a mão apertando com força a varinha, esperando alguma coisa ou alguém... seu medo contagiou Harry, embora o garoto soubesse que não podia ser atingido, e ele espiou por cima do ombro, imaginando o que Snape estaria aguardando...

Então, um feixe denteado de ofuscante luz branca cortou o ar: Harry pensou em raio, mas Snape caíra de joelhos e sua varinha voara da mão.

— Não me mate!

— Não era a minha intenção.

Qualquer aviso da aparatação de Dumbledore fora abafado pelo ruído do vento passando pelos galhos. Ele surgiu diante de Snape com as vestes drapejando contra o corpo e o rosto iluminado de baixo para cima pela varinha.

— Então, Severo? Qual é a mensagem que Lorde Voldemort tem para mim?

— Não... nenhuma mensagem, estou aqui por conta própria!

Snape torcia as mãos: parecia meio enlouquecido, com os cabelos pretos desgrenhados voando em torno da cabeça.

– Eu... eu venho com um alerta... não, um pedido... por favor...

Dumbledore fez um gesto com a varinha. Embora as folhas e ramos ainda se agitassem no ar da noite ao redor, fez-se silêncio no lugar em que ele e Snape se defrontavam.

– Que pedido poderia um Comensal da Morte fazer a mim?

– A... a profecia... o vaticínio... Trelawney...

– Ah, sim. Quanto daquilo você relatou a Lorde Voldemort?

– Tudo... tudo que ouvi! – respondeu Snape. – É por isso... é por esta razão... que ele julga que se refere a Lílian Evans!

– A profecia não se referia a uma mulher. Mencionava um menino nascido no fim de julho...

– O senhor sabe o que quero dizer! Ele acha que se refere ao filho dela, ele vai matá-la... matar a todos...

– Se ela significa tanto para você – disse Dumbledore –, certamente Lorde Voldemort irá poupá-la, não? Você não poderia pedir a ele misericórdia para a mãe em troca do filho?

– Pedi... pedi a ele...

– Você me dá nojo – disse Dumbledore, e Harry nunca ouvira tanto desprezo em sua voz. Snape pareceu se encolher um pouco. – Você não se importa, então, com as mortes do marido e do filho dela? Eles podem morrer desde que você tenha o que quer?

Snape não disse nada, apenas ergueu os olhos para Dumbledore.

– Esconda-os todos, então – falou rouco. – Mantenha ela... eles... em segurança. Por favor.

– E o que me dará em troca, Severo?

– Em... troca? – Snape olhou boquiaberto para Dumbledore, e Harry esperou que ele protestasse, mas, passado um longo momento, ele respondeu: – O que quiser.

O cume do morro desapareceu e Harry se viu parado no gabinete de Dumbledore, e alguma coisa produzia um ruído terrível como o de um animal ferido. Snape estava dobrado para frente em uma cadeira e Dumbledore contemplava-o do alto, com um ar inflexível. Após alguns momentos, Snape ergueu o rosto, e parecia um homem que tivesse vivido cem anos de privações desde que deixara o cume do morro.

– Pensei... que o senhor fosse... mantê-la... segura...

— Ela e Tiago depositaram sua fé na pessoa errada — disse Dumbledore.
— Muito semelhante a você, Severo. Você não tinha a esperança de que Lorde Voldemort fosse poupá-la?
A respiração de Snape era ansiosa.
— O filho dela sobreviveu — ressalvou Dumbledore.
Com um brusco e quase imperceptível aceno da cabeça, Snape pareceu espantar uma mosca irritante.
— O filho sobreviveu. Tem os olhos dela, exatamente os mesmos. Você certamente se lembra da forma e da cor dos olhos de Lílian Evans, não?
— NÃO! — berrou Snape. — Se foi... Morreu...
— Isto é remorso, Severo?
— Eu gostaria... gostaria que eu é que estivesse morto...
— E que utilidade isso teria para alguém? — perguntou Dumbledore, friamente. — Se você amou Lílian Evans, se você a amou verdadeiramente, então o seu caminho futuro é cristalino.
Snape parecia espiar através de uma névoa de dor, e as palavras de Dumbledore levaram um longo tempo para alcançá-lo.
— Como... como assim?
—Você sabe como e por que ela morreu. Empenhe-se para que não tenha sido em vão. Ajude-me a proteger o filho de Lílian.
— Ele não precisa de proteção. O Lorde das Trevas se foi...
—... o Lorde das Trevas retornará, e Harry correrá um perigo terrível quando isso ocorrer.
Fez-se uma longa pausa e lentamente Snape recuperou o controle, normalizou sua respiração. Por fim, disse:
— Muito bem. Muito bem. Mas jamais, jamais revele isso, Dumbledore! Isto deve ficar entre nós! Jure! Não posso suportar... particularmente o filho de Potter... Quero sua palavra!
— Dou a minha palavra, Severo, de que jamais revelarei o que você tem de melhor. — Dumbledore suspirou, olhando para o rosto feroz e angustiado de Snape. — Se você insiste...
O gabinete se dissolveu, mas reapareceu instantaneamente. Snape andava de um lado para outro diante de Dumbledore.
—... medíocre, arrogante como o pai, deliberadamente indisciplinado, encantado com a fama, exibido e impertinente...
— Você vê o que espera ver, Severo — disse Dumbledore, sem erguer os olhos do exemplar de *Transfiguração Hoje*. — Outros professores me informam que o garoto é modesto, amável e tem algum talento. Pessoalmente, eu o acho uma criança cativante.

Dumbledore virou uma página e disse sem erguer os olhos:
— Vigie Quirrell, por favor.

Um redemoinho de cor, e em seguida tudo escureceu, e Snape e Dumbledore estavam parados a certa distância no saguão de entrada, enquanto os retardatários do baile de Natal passavam a caminho do dormitório.
— Então? — murmurou Dumbledore.
— A Marca de Karkaroff está escurecendo também. Ele está em pânico, receia uma retaliação; você sabe o quanto ele ajudou o Ministério depois da queda do Lorde das Trevas. — Snape olhou de esguelha para o perfil de nariz-torto de Dumbledore. — Karkaroff pretende fugir se a Marca arder.
— É mesmo?! — exclamou Dumbledore em voz baixa, no momento em que Fleur Delacour e Rogério Davies entravam do jardim às risadinhas. — E você está tentado a se juntar a ele?
— Não — disse Snape, seus olhos pretos acompanhando os dois alunos que se retiravam. — Não sou tão covarde.
— Não — concordou Dumbledore. — Você é um homem bem mais corajoso do que Karkaroff. Sabe, às vezes penso que fazemos a Seleção cedo demais...

Dumbledore se afastou, deixando Snape com um ar espantado...

E, mais uma vez, Harry se viu no gabinete do diretor. Era noite e Dumbledore estava sentado em sua cadeira-trono, à escrivaninha, com o corpo meio caído para um lado, aparentemente semiconsciente. Sua mão direita pendia do braço, escura e queimada. Snape murmurava encantamentos, apontando a varinha para o seu pulso, ao mesmo tempo em que, com a mão esquerda, inclinava uma taça cheia com uma densa poção dourada para a garganta de Dumbledore. Passados alguns momentos, as pálpebras dele mexeram e se abriram.
— Por quê? — perguntou Snape, sem preâmbulo. — Por que você pôs esse anel no dedo? Ele tem um feitiço, certamente você percebeu isso. Por que tocou nele?

O anel de Servolo Gaunt estava sobre a mesa diante de Dumbledore. Estava rachado; e, a espada de Gryffindor, ao lado da joia.

Dumbledore fez uma careta.
— Fui... um tolo. Aflitivamente tentado...
— Tentado pelo quê?

Dumbledore não respondeu.
— É um milagre que tenha conseguido voltar a Hogwarts! — Havia fúria no tom de Snape. — Esse anel carregava um feitiço de extraordinário poder,

paralisá-lo é o máximo que podemos ter esperança de conseguir; por ora, restringi o feitiço a uma das mãos...

Dumbledore ergueu a mão escurecida e inútil, examinou-a com a expressão de uma pessoa a quem mostrassem uma interessante curiosidade.

– Você cuidou muito bem de mim, Severo. Quanto tempo acha que me resta?

O tom de Dumbledore era coloquial; poderia estar perguntando qual era a previsão da meteorologia. Snape hesitou e então respondeu:

– Não sei dizer. Talvez um ano. Não há como paralisar um feitiço desses definitivamente. No fim, ele irá se espalhar, é o tipo de feitiço que se fortalece com o tempo.

Dumbledore sorriu. A notícia de que tinha menos de um ano de vida lhe pareceu de pequena ou nenhuma consequência.

– Tenho a sorte, a extrema sorte, de contar com você, Severo.

– Se tivesse mandado me chamar um pouco mais cedo, eu talvez tivesse podido fazer mais, ganhar mais tempo para você! – disse Snape, indignado. Ele olhou para o anel partido e a espada. – Você achou que partindo o anel pudesse romper o feitiço?

– Algo parecido... sem dúvida eu estava delirando... – respondeu Dumbledore. Com esforço ele se aprumou na cadeira. – Bem, realmente isso torna as questões mais objetivas.

Snape pareceu extremamente espantado. Dumbledore sorriu.

– Estou me referindo ao plano que Lorde Voldemort está tecendo a meu respeito. O plano de mandar o coitado do menino Malfoy me liquidar.

Snape sentou-se na cadeira que Harry tantas vezes ocupara em frente à mesa de Dumbledore. O garoto percebeu que ele queria acrescentar mais alguma coisa a respeito da mão amaldiçoada de Dumbledore, mas o diretor ergueu-a em uma cortês recusa de continuar a discutir o assunto. Amarrando a cara, Snape comentou:

– O Lorde das Trevas não espera que Draco seja bem-sucedido. Isto é apenas um castigo pelos recentes malogros de Lúcio. Uma tortura lenta para os pais de Draco, que o observam fracassar e pagar o preço.

– Em suma, o menino foi sentenciado à morte com tanta certeza quanto eu – disse Dumbledore. – Agora, eu diria que o sucessor natural para esse serviço, se Draco não tiver êxito, será você, não?

Houve uma breve pausa.

– Esse, acho, é o plano do Lorde das Trevas.

— Lorde Voldemort prevê um momento em futuro próximo em que não precisará ter um espião em Hogwarts?
— Ele acredita que a escola logo estará nas mãos dele, sim.
— E se realmente cair nas mãos dele — disse Dumbledore, quase como um aparte —, tenho a sua palavra de que fará tudo em seu poder para proteger os estudantes de Hogwarts?
Snape assentiu formalmente.
— Ótimo. Agora então. Sua prioridade será descobrir o que Draco está fazendo. Um adolescente amedrontado é um perigo para os outros e para si mesmo. Ofereça-se para ajudá-lo e orientá-lo, ele deve aceitar, ele gosta de você...
— ... menos, desde que o pai caiu em desgraça. Draco me culpa, acha que usurpei a posição de Lúcio.
— Ainda assim, tente. Estou menos preocupado comigo do que com as vítimas acidentais dos planos que possam ocorrer ao menino. Em última hipótese, é claro, há apenas uma coisa a fazer se você quiser salvá-lo da ira de Lorde Voldemort.
Snape ergueu as sobrancelhas e seu tom foi sardônico quando perguntou:
— Você está pretendendo deixar que Draco o mate?
— Certamente que não. *Você* deverá me matar.
Houve um longo silêncio, quebrado apenas por estranhos cliques. Fawkes, a fênix, estava roendo um pedaço de osso de siba.
— Quer que eu faça isso agora? — perguntou Snape, a voz carregada de ironia. — Ou gostaria de ter alguns momentos para compor um epitáfio?
— Ah, ainda não — respondeu Dumbledore sorrindo. — Acho que a oportunidade se apresentará no devido tempo. Considerando o que aconteceu esta noite — ele indicou a mão murcha —, podemos ter certeza de que isso ocorrerá dentro de um ano.
— Se você não se importa de morrer — disse Snape, com aspereza —, então por que não deixa Draco fazer isso?
— A alma daquele menino ainda não está totalmente comprometida — contestou Dumbledore. — Eu não permitiria que se rompesse por minha causa.
— E a minha alma, Dumbledore? A minha?
— Somente você é capaz de saber se prejudicará sua alma ajudar um velho a evitar a dor e a humilhação — replicou Dumbledore. — Peço a você um único e grande favor, Severo, porque a morte está vindo me buscar tão certo

quanto os Chudley Cannons terminarão este ano em último lugar. Confesso que prefiro uma saída rápida e indolor à opção demorada e suja que terei se, por exemplo, Greyback estiver envolvido; ouvi dizer que Voldemort o recrutou. Ou se for a cara Belatriz, que gosta de brincar com a comida antes de comê-la.

Seu tom era leve, mas seus olhos azuis perfuravam Snape como tão frequentemente perfuravam Harry, como se ele pudesse ver a alma que discutiam. Por fim, Snape fez um breve aceno com a cabeça.

Dumbledore pareceu satisfeito.

– Obrigado, Severo...

O gabinete desapareceu, e agora Snape e Dumbledore estavam caminhando juntos nos jardins desertos do castelo ao crepúsculo.

– Que é que você está fazendo com Potter, todas essas noites em que se trancam no gabinete? – perguntou Snape, abruptamente.

Dumbledore tinha o ar abatido.

– Por quê? Você está tentando lhe dar *mais* detenções, Severo? Logo o menino passará mais tempo em detenções do que fora delas.

– Ele é o pai sem tirar nem pôr...

– Na aparência, talvez, mas, em sua natureza profunda, ele parece muito mais com a mãe. Gasto tempo com Harry porque tenho coisas a conversar com ele, informações que preciso lhe passar antes que seja tarde demais.

– Informações – respondeu Snape. – Você as confia a ele... não as confia a mim.

– Não é uma questão de confiança. Tenho, como ambos sabemos, um tempo limitado. É essencial que eu dê ao menino informações suficientes para ele fazer o que precisa ser feito.

– E não posso receber as mesmas informações?

– Prefiro não guardar todos os meus segredos em uma única cesta, particularmente uma cesta que passa tanto tempo pendurada no braço de Lorde Voldemort.

– O que faço cumprindo suas ordens!

– E faz isso extremamente bem. Não pense que subestimo o constante perigo em que se coloca, Severo. Dar a Voldemort informações que pareçam valiosas, negando-lhe o essencial, é um serviço que eu não confiaria a ninguém exceto você.

– Contudo, você faz muito mais confidências a um garoto que é incapaz de Oclumência, cuja magia é medíocre e que tem uma ligação direta com a mente do Lorde das Trevas!

– Voldemort teme essa ligação. Não faz muito tempo, ele provou um pouquinho do que realmente significa partilhar a mente de Harry. Foi uma dor que ele jamais experimentara na vida. Não tentará possuir Harry outra vez, tenho certeza. Não da mesma forma.

– Não estou entendendo.

– A alma de Lorde Voldemort, mutilada como está, não suporta o contato com uma mente como a de Harry. É como o contato de uma língua com o aço congelado, como a carne do corpo em chamas...

– Almas? Estamos falando de mentes!

– No caso de Harry e Lorde Voldemort, falar em uma é falar da outra.

Dumbledore olhou ao redor para se certificar de que se encontravam realmente sozinhos. Agora estavam muito próximos da Floresta Proibida, mas não havia sinal de ninguém na vizinhança.

– Depois que me matar, Severo...

– Você se recusa a me contar tudo, no entanto espera de mim esse pequeno serviço! – rosnou Snape, e uma fúria real inflamou o seu rosto magro.

– Você presume muita coisa, Dumbledore! Talvez eu tenha mudado de ideia!

– Você me deu a sua palavra, Severo. E, já que estamos falando em serviços, você está em falta comigo, pensei que tivesse concordado em vigiar o nosso jovem amigo da Sonserina?

Snape não escondia a raiva, a rebeldia. Dumbledore suspirou.

– Venha ao meu gabinete hoje à noite, Severo, às onze, e você não se queixará de que não tenho confiança em você.

Tinham voltado ao gabinete de Dumbledore, as janelas escuras, e Fawkes estava tão silenciosa quanto Snape imóvel na cadeira, e o diretor andava em volta dele, falando.

– Harry não pode saber, não até o último momento, não até que seja necessário, do contrário como poderia ter a força para fazer o que deve ser feito?

– Mas o que deve fazer?

– Isto é entre mim e Harry. Agora escute bem, Severo. Virá um tempo... depois da minha morte... não discuta, não interrompa! Virá um tempo em que Lorde Voldemort temerá pela vida da cobra dele.

– Por Nagini? – Snape pareceu admirado.

– Exatamente. Quando chegar o momento em que Lorde Voldemort parar de mandar a cobra cumprir os seus mandados, e a mantiver segura ao seu lado, sob proteção mágica, então, acho, não haverá perigo em contar a Harry.

— Contar o quê?

Dumbledore inspirou profundamente e fechou os olhos.

— Conte-lhe que na noite em que Lorde Voldemort tentou matá-lo, quando Lílian pôs a própria vida entre os dois como um escudo, a Maldição da Morte ricocheteou em Lorde Voldemort, e um fragmento da alma dele irrompeu do todo e se prendeu à única alma sobrevivente na casa que desabava. Parte de Lorde Voldemort vive em Harry, e é esta parte que lhe dá tanto a capacidade de falar com cobras quanto uma ligação com a mente de Lorde Voldemort que ele jamais entendeu. E enquanto esse fragmento de alma, de que Voldemort não sentiu falta, permanecer preso e protegido por Harry, Lorde Voldemort não poderá morrer.

Harry teve a sensação de estar observando os dois homens do fim de um longo túnel, tão distantes estavam dele, as vozes ecoando estranhamente em seus ouvidos.

— Então o garoto... o garoto deve morrer? — perguntou Snape, muito calmo.

— E é Voldemort quem deve matá-lo, Severo. Isto é essencial.

Seguiu-se outro longo silêncio. Então Snape falou:

— Pensei... todos esses anos... que nós o protegíamos por causa dela. De Lílian.

— Nós o protegíamos porque era essencial que fosse ensinado, criado e pudesse experimentar a própria força — explicou Dumbledore, com os olhos ainda fechados. — Nesse meio-tempo, a ligação entre os dois foi crescendo, um crescimento parasitário: às vezes penso que Harry suspeita disso. Se bem o conheço, tomará providências para que, ao sair ao encontro da morte, isto represente, verdadeiramente, o fim de Voldemort.

Dumbledore reabriu os olhos. Snape estava horrorizado.

— Você o manteve vivo para que pudesse morrer na hora certa?

— Não fique chocado, Severo. Quantos homens e mulheres você viu morrer?

— Ultimamente apenas os que não pude salvar. — Ele se levantou. — Você me usou.

— Em que sentido?

— Espionei por você, menti por você, corri risco mortal por você. Supostamente tudo para manter o filho de Lílian Potter vivo. Agora você me diz que o esteve criando como um porco para o abate...

— Ora, isso é comovente, Severo! — exclamou Dumbledore, sério. — Você acabou se afeiçoando ao menino, afinal?

— A ele? — gritou Snape. — *Expecto patronum!*

Da ponta de sua varinha irrompeu a corça prateada: ela pousou, correu pelo soalho do gabinete e saiu voando pela janela. Dumbledore observou-a se afastando pelos ares e, quando seu brilho prateado se dissipou, ele se dirigiu a Snape e seus olhos estavam cheios de lágrimas.

— Depois de todo esse tempo?

— Sempre — respondeu Snape.

E a cena mudou. Agora Harry via Snape conversando com o retrato de Dumbledore atrás da escrivaninha.

— Você terá de informar a Voldemort a data certa da partida de Harry da casa dos tios — recomendou Dumbledore. — Se não fizer isso, levantará suspeitas, uma vez que Voldemort o julga bem informado. Entretanto, você precisa plantar a ideia dos chamarizes: acho que isso deverá garantir a segurança de Harry. Tente confundir Mundungo Fletcher. E, Severo, se você for obrigado a tomar parte na perseguição, assegure-se de representar a sua parte convincentemente... Estou contando com você para continuar nas boas graças de Lorde Voldemort o maior tempo possível, ou Hogwarts ficará à mercê dos Carrow...

Agora Snape estava face a face com Mundungo em uma taberna desconhecida, o rosto deste parecendo curiosamente inexpressivo, Snape franzindo a testa concentrado.

— Você irá sugerir à Ordem da Fênix — murmurou Snape — que use chamarizes. Poção Polissuco. Potters idênticos. É a única coisa que poderia dar resultado. Você esquecerá que lhe sugeri isso. Apresentará a ideia como sua. Entendeu?

— Entendi — murmurou Mundungo, seus olhos desfocados...

Agora Harry estava voando emparelhado com a vassoura de Snape, através da noite escura e desanuviada: o professor ia acompanhado por outros Comensais da Morte encapuzados, e à sua frente estavam Lupin e Harry, que era na realidade Jorge... um Comensal passou a frente de Snape e apontou a varinha diretamente para as costas de Lupin...

— *Sectumsempra!* — gritou Snape.

O feitiço que visava a mão do Comensal da Morte, no entanto, errou o alvo e atingiu Jorge...

No momento seguinte, Snape se achava ajoelhado no antigo quarto de Sirius. As lágrimas escorriam da ponta do seu nariz curvo ao ler a carta de Lílian. A segunda página tinha apenas algumas palavras:

... pudesse ter sido amigo de Gerardo Grindelwald. Pessoalmente, acho que ela está começando a caducar!

Afetuosamente,
Lílian

Snape removeu a página que continha a assinatura de Lílian e o seu afeto e guardou-a no bolso interno das vestes. Em seguida, rasgou ao meio a foto que segurava, para poder guardar a metade em que Lílian ria, e atirou a outra com Tiago e Harry no chão, sob a cômoda...

E agora Snape estava mais uma vez no gabinete do diretor e Fineus Nigellus voltava correndo para o seu quadro.

– Diretor! Eles estão acampando na Floresta do Deão! A sangue ruim...
– Não use essa palavra!
– ... que seja, a garota Granger mencionou o lugar quando abriu a bolsa e eu a ouvi!
– Muito bom. Ótimo! – exclamou o retrato de Dumbledore atrás da cadeira do diretor. – Agora, Severo, a espada! Não esqueça que deve ser apanhada sob condições de necessidade e coragem, e ele não pode saber quem a está entregando! Se Voldemort puder ler a mente de Harry e vir você ajudando-o...

– Eu sei – respondeu Snape, secamente. Aproximou-se, então, do retrato de Dumbledore e afastou-o para um lado. O quadro girou para a frente, revelando uma cavidade oculta, da qual ele tirou a espada de Gryffindor.

"E você vai continuar a não explicar por que é tão importante dar a Potter a espada?", indagou Snape, vestindo uma capa de viagem por cima das vestes.

– Vou, acho que vou – respondeu o retrato de Dumbledore. – Ele saberá o que fazer com ela. E, Severo, tenha muito cuidado, os garotos podem não reagir bem à sua presença depois do acidente com Jorge Weasley...

À porta, Snape se virou.

– Não se preocupe, Dumbledore – disse tranquilo. – Tenho um plano...

E, dizendo isso, saiu do gabinete. Harry ergueu a cabeça da Penseira, e momentos depois estava deitado no piso acarpetado exatamente na mesma sala: Snape poderia ter acabado de fechar a porta.

34

DE VOLTA
À FLORESTA

Finalmente, a verdade. Deitado com o rosto no carpete empoeirado do gabinete, onde no passado ele pensara estar aprendendo os segredos da vitória, Harry compreendeu, por fim, que não devia sobreviver. Sua tarefa era seguir calmamente para os braços abertos da Morte. No caminho, ele deveria dispor dos últimos vínculos de Voldemort com a vida, de modo que, ao se atirar à frente do bruxo, sem erguer uma varinha para se defender, o fim fosse limpo, e o serviço que deveria ter sido feito em Godric's Hollow fosse concluído: nenhum viveria, nenhum poderia sobreviver.

Ele sentiu o coração bater violentamente no peito. Como era estranho que, em seu temor da morte, ele bombeasse com mais força, mantendo-o vivo. Teria, porém, que parar, e em breve. Seus batimentos estavam contados. Para quantos haveria tempo, quando se pusesse de pé e atravessasse o castelo pela última vez, para sair aos jardins e penetrar na Floresta?

O terror engolfou-o, ali deitado no chão, com aquele tambor fúnebre batendo em seu íntimo. Doeria morrer? Todas as vezes que julgara ter chegado a hora, e escapara, ele nunca realmente pensara na morte em si: sua vontade de viver sempre fora muito maior do que o seu medo de morrer. Contudo, agora não lhe ocorria tentar fugir, vencer Voldemort na corrida. Era o fim, ele sabia, e só lhe restava a coisa em si: morrer.

Se ao menos pudesse ter morrido naquela noite de verão quando deixara para sempre o número quatro da rua dos Alfeneiros, quando a nobre varinha de pena de fênix o salvara! Se ao menos pudesse ter morrido como Edwiges, tão rápido, que nem sentiria que acontecera! Ou se pudesse ter se atirado à frente de uma varinha para salvar alguém que amasse... ele agora invejava até mesmo a morte dos seus pais. A caminhada a sangue-frio para a própria destruição exigia uma forma diferente de bravura. Ele sentiu os dedos tremerem levemente e fez um esforço para controlá-los, embora ninguém pudesse vê-lo; os quadros nas paredes estavam todos vazios.

Lentamente, muito lentamente, ele se sentou, e, ao fazê-lo, se sentiu mais vivo e mais cônscio de seu corpo vivente do que jamais estivera. Por que nunca apreciara o milagre que ele era, cérebro, nervos e coração pulsante? Tudo isso se iria... ou pelo menos, ele os abandonaria. Respirava lenta e profundamente, e sua boca e garganta estavam muito secas, e seus olhos também.

A traição de Dumbledore quase não pesava. Naturalmente houvera um plano maior; Harry fora simplesmente tolo demais para enxergá-lo, percebia agora. Jamais questionara sua suposição de que Dumbledore o queria vivo. Agora entendia que a duração de sua vida sempre fora definida pelo tempo que gastaria para eliminar todas as Horcruxes. Dumbledore transferira a ele a tarefa de destruí-las, e, obedientemente, ele continuara a cortar os laços que ligavam não apenas Voldemort, mas ele próprio, à vida! Que precisão, que elegância, não desperdiçar mais vidas, mas entregar a perigosa tarefa ao garoto que já estava marcado para o abate, e cuja morte não seria uma calamidade, e sim mais um golpe contra Voldemort.

E Dumbledore estivera seguro de que Harry não se esquivaria, que prosseguiria até o fim, embora fosse o *seu* fim, porque ele se dera o trabalho de procurar conhecê-lo, não? Dumbledore sabia, tal como Voldemort, que Harry não deixaria ninguém morrer por ele, uma vez que descobrisse que estava em seu poder impedir isso. As imagens de Fred, Lupin e Tonks deitados, sem vida, no Salão Principal tornaram a invadir sua mente, e por um momento ele mal pôde respirar: a Morte se impacientava...

Mas Dumbledore o superestimara. Ele falhara: a cobra sobrevivera. Restaria ainda uma Horcrux, ligando Voldemort à terra, mesmo depois de Harry ser liquidado. Era verdade que isso representaria uma tarefa mais fácil para alguém. Perguntou-se quem faria isso... Rony e Hermione saberiam o que era preciso fazer, naturalmente... essa teria sido a razão por que Dumbledore queria que ele confiasse em mais duas pessoas... de modo que, se cumprisse o seu destino mais cedo, eles dessem continuidade à tarefa...

Semelhante à chuva batendo em uma janela fria, esses pensamentos tamborilavam na superfície dura da verdade incontroversa: ele devia morrer. *Eu devo morrer*. Isto deve findar.

Rony e Hermione pareciam estar muito longe, em um país longínquo; sentia como se tivessem se separado havia muito tempo. Não haveria despedidas nem explicações, assim decidira. Era uma viagem que não poderiam empreender juntos, e as tentativas que os amigos fizessem para impedi-lo seriam uma perda de tempo preciosa. Baixou os olhos para o relógio de ouro arranhado que recebera no décimo sétimo aniversário. Quase metade da hora que Voldemort fixara para sua rendição já transcorrera.

Ele se pôs de pé. Seu coração saltando contra as costelas como um pássaro frenético. Talvez ele soubesse que lhe restava muito pouco tempo, talvez estivesse decidido a completar os batimentos de uma vida antes de seu fim. Ele não olhou para trás ao fechar a porta do gabinete.

O castelo estava deserto. Sentiu-se um fantasma, atravessando-o sozinho, como se já tivesse morrido. Os bruxos dos retratos continuavam ausentes de suas molduras; o lugar estava soturnamente quieto, como se toda a sua força vital estivesse concentrada no Salão Principal, onde se comprimiam os mortos e os enlutados.

Harry vestiu a Capa da Invisibilidade e foi descendo os andares e, por último, a escadaria de mármore do saguão de entrada. Talvez uma parte infinitesimal dele tivesse esperança de ser percebida, de ser detida, mas a capa estava, como sempre, impenetrável, perfeita, e ele alcançou as portas da entrada sem empecilhos.

Então Neville quase colidiu com ele. Era um dos dois que traziam um cadáver dos jardins. Harry olhou para baixo e sentiu outra pancada surda no estômago: Colin Creevey. Embora menor de idade, devia ter voltado escondido como tinham feito Malfoy, Crabbe e Goyle. Ele parecia minúsculo na morte.

— Sabe de uma coisa? Posso carregá-lo sozinho, Neville — disse Olívio Wood, e colocou Colin sobre o ombro, como fazem os bombeiros, e levou-o para o Salão Principal.

Neville encostou-se no portal por um momento e secou a testa com o dorso da mão. Parecia um velho. Em seguida, voltou a descer a escada e entrou pela escuridão para resgatar mais corpos.

Harry virou-se para olhar o Salão Principal. As pessoas se movimentavam, tentavam consolar umas às outras, se ajoelhavam ao lado dos mortos, mas ele não viu nenhuma das que amava, nenhum vestígio de Hermione, Rony, Gina, nem dos outros Weasley, nem de Luna. Sentiu que teria dado todo o tempo que lhe sobrava para uma última olhada neles; mas, então, encontraria forças para parar de olhar? Era melhor assim.

Ele desceu a escada e saiu para a escuridão. Eram quase quatro horas da manhã e a quietude mortal dos jardins dava a impressão de que todos prendiam a respiração, aguardando para ver se ele conseguiria fazer o que devia.

Harry caminhou em direção a Neville, que ia se curvando para outro cadáver.

— Neville.
— Caramba, Harry, você quase me fez infartar!
Harry despira a Capa da Invisibilidade: a ideia acabara de lhe ocorrer, nascida de um desejo de garantir o desfecho.
— Onde é que você está indo sozinho? — perguntou Neville, desconfiado.
— É tudo parte do plano — respondeu Harry. — Tem uma coisa que eu preciso fazer. Escute... Neville...
— Harry! — De repente o amigo se apavorou. — Harry, você não está pensando em se entregar, está?
— Não — mentiu Harry, sem hesitação. — Claro que não... é outra coisa. Mas eu talvez fique invisível por um tempo. Você conhece a cobra de Voldemort, Neville? Ele tem uma cobra enorme... chama-a de Nagini...
— Já ouvi falar... e daí?
— Ela tem que ser morta. Rony e Hermione sabem disso, mas caso eles...
O horror daquela possibilidade o sufocou por um momento, impedindo-o de continuar a falar. Recuperou, porém, o controle: isto era crítico, ele precisava ser como Dumbledore, manter a cabeça fria, garantir que houvesse substitutos, outros para dar prosseguimento. Dumbledore morrera na certeza de que três pessoas ainda sabiam das Horcruxes; agora, Neville tomaria o lugar de Harry: continuaria a haver três que conheciam o segredo.
— Se eles estiverem... ocupados... e você tiver a chance de...
— Matar a cobra?
— Matar a cobra — repetiu Harry.
— Certo, Harry. Você está o.k., não está?
— Estou ótimo. Obrigado, Neville.
Neville, porém, agarrou Harry pelo pulso quando o amigo fez menção de se afastar.
— Nós todos vamos continuar a lutar, Harry. Você já sabe?
— É, eu...
A sensação de sufocamento cortou o fim da frase, ele não pôde continuar. Neville aparentemente não achou isso estranho. Deu uma palmada no ombro de Harry, soltou-o e saiu a procurar outros mortos.
Harry tornou a vestir a capa e continuou a andar. Havia mais alguém se movendo não muito longe, curvando-se para outro vulto deitado de bruços no chão. Ele estava a vários passos de distância quando reconheceu Gina. Estacou. Ela estava debruçada sobre uma garota que sussurrava, chamando pela mãe.
— Está tudo bem — dizia Gina. — Tudo o.k. Vamos levar você para dentro.

— Mas quero ir para *casa* — murmurou a garota. — Não quero mais lutar!

— Eu sei — disse Gina, e sua voz quebrou. — Vai dar tudo certo.

Arrepios percorreram em ondas a pele de Harry. Ele queria gritar para a noite, queria que Gina soubesse que ele estava ali, queria que soubesse aonde estava indo. Queria que o fizessem parar, que o arrastassem de volta, que o mandassem para casa...

Contudo, ele *estava* em casa. Hogwarts era a primeira e melhor casa que conhecera. Ele, Voldemort e Snape, os garotos abandonados, tinham encontrado ali um lar...

Gina estava agora ajoelhada ao lado da garota ferida, segurando sua mão. Com um esforço supremo, Harry se obrigou a prosseguir. Pensou ter visto Gina olhar para os lados quando passou, e se perguntou se ela teria pressentido alguém andando por perto, mas ele não falou, e tampouco quis olhar para trás.

A cabana de Hagrid assomou na escuridão. Não havia luzes, nem o ruído de Canino arranhando a porta, seu latido bradando as boas-vindas. Todas aquelas visitas que fizera a Hagrid, e o brilho da chaleira de cobre no fogo, os bolos com passas e os vermes gigantescos, e sua enorme cara barbuda, e Rony vomitando lesmas, e Hermione ajudando-o a salvar Norberta...

Ele continuou andando e, ao chegar à orla da Floresta, parou.

Um enxame de dementadores deslizava entre as árvores; ele sentia sua frialdade, e não teve certeza se seria capaz de atravessá-la são e salvo. Não lhe restavam forças para conjurar um Patrono. Já não conseguia controlar os seus tremores. Afinal, não era tão fácil morrer. Cada segundo que respirava, o cheiro do capim, o ar fresco no rosto, tudo era muito precioso: pensar que as pessoas tinham anos a fio, tempo para desperdiçar, tanto tempo que se arrastava, e ele se apegando a cada segundo. Simultaneamente, ele pensou que não seria capaz de continuar, e sabia que devia. O demorado jogo terminara, o pomo de ouro fora capturado, era hora de sair do ar...

O pomo. Seus dedos desvigorados apalparam por um momento a bolsa que trazia ao pescoço e puxaram a bolinha.

Abro no fecho.

Respirando forte e rápido, Harry o contemplou. Agora que queria que o tempo passasse o mais lentamente possível, este parecia ter acelerado, e a compreensão sobreveio tão rápido que pareceu prescindir do pensamento. Este era o fecho. Este era o momento.

Ele encostou o metal dourado nos lábios e sussurrou:

— Estou prestes a morrer.

A concha de metal se abriu. Ele baixou a mão trêmula, ergueu a varinha de Draco sob a capa e murmurou:

— *Lumus*!

A pedra preta com a fenda irregular ao centro estava aninhada nas duas metades do pomo. A Pedra da Ressurreição cortava a linha vertical que representava a Varinha das Varinhas. O triângulo e o círculo representando a capa e a pedra ainda eram perceptíveis.

E novamente Harry compreendeu, sem precisar pensar. Não fazia diferença trazê-los de volta, porque estava prestes a se reunir a eles. Não ia realmente buscá-los: eles estavam vindo buscá-lo.

O garoto fechou os olhos, e virou a pedra na mão três vezes.

Soube que tinha acontecido, porque ouviu leves movimentos ao seu redor que sugeriam corpos frágeis pisando o chão terroso coberto de gravetos que marcava a orla externa da Floresta. Abriu os olhos e relanceou ao redor.

Não eram fantasmas nem propriamente corpos, isto ele via. Lembravam mais o Riddle que escapara do diário, havia tanto tempo, e aquele fora uma lembrança quase sólida. Menos substancial do que corpos viventes, mas muito mais do que fantasmas, eles vieram ao seu encontro e em cada rosto havia o mesmo sorriso amoroso.

Tiago tinha exatamente a mesma altura que Harry. Usava as roupas com que morrera, e seus cabelos estavam descuidados e arrepiados, e os óculos tortos como os do sr. Weasley.

Sirius estava alto e bonito e muito mais jovem do que Harry o vira em vida. Andava com uma elegância natural, as mãos nos bolsos e um sorriso no rosto.

Lupin estava mais jovem também, e muito menos desleixado, e seus cabelos eram mais bastos e mais escuros. Parecia feliz de voltar a este lugar familiar, cenário de tantas divagações na adolescência.

O sorriso de Lílian era o maior. Ela afastou os longos cabelos para as costas ao se aproximar, e seus olhos verdes, tão semelhantes aos dele, examinaram seu rosto vorazmente, como se nunca tivesse tido tempo de olhá-lo o suficiente.

— Você tem sido tão corajoso!

Ele não pôde falar. Seus olhos se banquetearam nela, e lhe ocorreu que gostaria de ficar parado, contemplando-a para sempre, e que isto seria suficiente.

— Você está quase chegando — disse Tiago. — Muito perto. Estamos... tão orgulhosos de você.

— Dói?

A pergunta infantil escapara dos lábios de Harry antes que ele pudesse contê-la.

— Morrer. Nem um pouco — respondeu Sirius. — Mais rápido e mais fácil do que adormecer.

— E ele vai querer que seja rápido. Quer terminar logo — disse Lupin.

— Eu não queria que você tivesse morrido — disse Harry, as palavras saindo involuntariamente. — Nenhum de vocês. Sinto muito...

Ele se dirigia mais a Lupin do que a qualquer dos demais, súplice.

— ... logo depois de ter tido um filho... Remo, sinto muito...

— Eu também sinto. Lamento que nunca chegarei a conhecê-lo... mas ele saberá por que morri, e espero que entenda. Estive tentando construir um mundo em que ele pudesse viver uma vida mais feliz.

Uma brisa gelada que parecia emanar do coração da Floresta ergueu os cabelos na testa de Harry. Sabia que eles não o mandariam ir embora, que isto seria uma decisão dele.

— Vocês ficarão comigo?

— Até o fim — respondeu Tiago.

— Eles não poderão vê-los?

— Somos parte de você — disse Sirius. — Invisíveis a todos os outros.

Harry olhou para a mãe.

— Fique perto de mim — disse baixinho.

E ele começou a andar. O frio dos dementadores não o envolveu; atravessou-o com seus companheiros, e eles produziram o efeito de Patronos, e unidos marcharam entre as velhas árvores que cresciam muito juntas, seus ramos emaranhados, suas raízes repletas de nós e torcidas sob seus pés. Naquela escuridão, Harry segurou a capa bem junto do corpo, se embrenhando cada vez mais na Floresta, sem fazer ideia do lugar exato em que estava Voldemort, mas certo de que o encontraria. Ao seu lado, quase sem fazer ruído, caminhavam Tiago, Sirius, Lupin e Lílian; a presença deles era sua coragem e a razão pela qual era capaz de pôr um pé à frente do outro.

Sentia o corpo e a mente estranhamente desvinculados agora, suas pernas agiam sem comando consciente, como se ele fosse o passageiro, e não o motorista, do corpo que estava em vias de deixar. Os mortos que o escoltavam pela Floresta eram muito mais reais para ele do que os vivos que tinham ficado no castelo: Rony, Hermione, Gina, todos eles lhe pareciam fantasmas à medida que ele seguia tropeçando e escorregando em direção ao fim de sua vida, em direção a Voldemort...

Um baque e um sussurro: outra criatura vivente tinha se mexido ali perto. Harry parou sob a capa, espiou ao redor, atento, e sua mãe e seu pai, Lupin e Sirius pararam também.

— Alguém lá. — Ouviu-se a voz rouca muito próxima. — Está usando uma Capa da Invisibilidade. Seria...?

Dois vultos emergiram de trás de uma árvore: as varinhas se iluminaram e Harry viu Yaxley e Dolohov examinando diretamente a escuridão que rodeava Harry, seus pais, Sirius e Lupin. Aparentemente não conseguiam ver nada.

— Decididamente, ouvi alguma coisa — disse Yaxley. — Animal, será?

— Aquele doidão do Hagrid guardava um monte de coisas aqui — comentou Dolohov, espiando por cima do ombro.

Yaxley consultou o relógio.

— O tempo está quase se esgotando. Potter já gastou a hora dele. Acho que não vem.

— E o lorde tinha certeza de que ele viria! Não vai ficar nada feliz.

— Melhor voltar — sugeriu Yaxley. — Descobrir qual é o plano agora.

Ele e Dolohov deram meia-volta e se embrenharam na Floresta. Harry seguiu-os, sabendo que o levariam exatamente aonde queria ir. Olhou para os lados, sua mãe lhe sorriu e seu pai acenou com a cabeça, encorajando-o.

Tinham andado apenas minutos quando Harry viu uma luz adiante, e Yaxley e Dolohov desembocaram em uma clareira que ele conhecera no passado como o hábitat da monstruosa Aragogue. Os restos de sua vasta teia ainda estavam ali, mas os descendentes que procriara tinham sido expulsos pelos Comensais da Morte, para defender sua causa.

Havia uma fogueira no meio da clareira, e sua luz incerta iluminava uma multidão completamente silenciosa de vigilantes Comensais. Alguns deles ainda usavam máscaras e capuzes, outros mostravam o rosto. Dois gigantes estavam sentados na periferia do grupo, projetando imensas sombras sobre a cena, suas fisionomias cruéis, talhadas como pedras. Harry viu Greyback, sorrateiro, roendo as longas garras; Rowle, o grandalhão louro, enxugando o lábio sangrento. Viu Lúcio Malfoy, que transparecia derrota e terror, e Narcisa, cujos olhos estavam encovados e cheios de apreensão.

Todos os olhares estavam fixos em Voldemort, em pé com a cabeça curvada, e as mãos brancas cruzadas sobre a Varinha das Varinhas, na frente do peito. Poderia estar rezando, ou então contando mentalmente, e Harry, ainda parado à margem da cena, pensou absurdamente em uma criança contando em uma brincadeira de esconde-esconde. Atrás de sua cabeça, ainda girando e se enroscando, a grande cobra Nagini flutuava na cintilante gaiola encantada como uma auréola monstruosa.

Quando Dolohov e Yaxley se reuniram ao círculo, Voldemort ergueu a cabeça.

— Não há sinal dele, milorde — informou Dolohov.

A expressão de Voldemort não se alterou. Os olhos vermelhos pareciam incandescentes à luz da fogueira. Lentamente, ele segurou a Varinha das Varinhas entre os longos dedos.

— Milorde...

Belatriz falara: estava sentada mais próxima de Voldemort, desgrenhada, seu rosto um pouco manchado, mas, sob outros aspectos, intocado.

Voldemort ergueu a mão para silenciá-la, e ela nada mais disse, mas espreitou-o com fascinada adoração.

— Pensei que ele viria — comentou Voldemort em sua voz clara e aguda, seus olhos postos nas línguas de fogo. — Esperava que viesse.

Ninguém falou. Todos pareciam tão apavorados quanto Harry, cujo coração agora saltava contra as costelas como se tivesse decidido escapar do corpo que estava prestes a descartar. Suas mãos estavam suadas, e ele despiu a Capa da Invisibilidade e guardou-a, com a varinha, dentro das vestes. Não queria se sentir tentado a lutar.

— Aparentemente... me enganei — disse Voldemort.

— Não se enganou.

Harry falou o mais alto que pôde, com toda a força que conseguiu reunir: não queria parecer amedrontado. A Pedra da Ressurreição escorregou dos seus dedos dormentes e, pelo canto dos olhos, ele viu seus pais, Sirius e Lupin desaparecerem quando ele avançou para a claridade. Naquele momento, sentiu que ninguém mais importava exceto Voldemort. Havia apenas os dois.

A ilusão se desfez tão logo sobreveio. Os gigantes bradaram quando os Comensais da Morte se ergueram juntos, e ouviram-se muitos gritos, exclamações e até risadas. Voldemort se imobilizara onde estava, mas seus olhos vermelhos focalizaram Harry, e o observaram enquanto o garoto caminhava ao seu encontro, sem nada a separá-los a não ser a fogueira.

Então, uma voz berrou...

— HARRY! NÃO!

Ele se virou: Hagrid estava amarrado dobrado e preso a uma árvore próxima. Seu corpo maciço sacudiu os galhos no alto quando ele se debateu desesperado.

– NÃO! NÃO! HARRY, QUE É QUE VOCÊ...
– CALADO! – berrou Rowle, e, com um aceno de varinha, silenciou Hagrid.

Belatriz, que se pusera em pé de um salto, olhava ansiosa de Voldemort para Harry, o peito arfante. As únicas coisas que se moviam eram as chamas e a cobra, se enrolando e desenrolando na gaiola atrás da cabeça de Voldemort.

Harry sentia sua varinha junto ao peito, mas não fez tentativa alguma para sacá-la. Sabia que a cobra estava muito bem protegida, sabia que, se conseguisse apontar a varinha para Nagini, cinquenta feitiços o atingiriam primeiro. E Voldemort e Harry continuaram a se encarar, e agora o lorde inclinou ligeiramente a cabeça para o lado, examinando o garoto parado à sua frente, e um sorriso singularmente sem alegria encrespou sua boca sem lábios.

– Harry Potter – disse ele, muito suavemente. Sua voz poderia fazer parte das fagulhas da fogueira. – O menino que sobreviveu.

Nenhum dos Comensais da Morte se moveu. Aguardavam: tudo aguardava. Hagrid se debatia, e Belatriz ofegava, e Harry inexplicavelmente pensou em Gina, em seu olhar radioso e na sensação dos seus lábios nos dele...

Voldemort erguera a varinha. Sua cabeça ainda estava inclinada para um lado, como a de uma criança curiosa, imaginando o que aconteceria se ele prosseguisse. Harry encarou os olhos vermelhos e desejou que acontecesse naquele instante, rapidamente, enquanto ele ainda se mantinha de pé, antes que se descontrolasse, antes que traísse o seu medo...

Ele viu a boca se mover e um clarão verde, e tudo desapareceu.

35

KING'S CROSS

Ele estava de bruços, escutando o silêncio. Absolutamente sozinho. Ninguém o observava. Ninguém mais estava ali. Nem tinha absoluta certeza de que ele próprio estivesse ali.

Muito tempo depois, ou talvez tempo algum, ocorreu-lhe que devia existir, devia ser mais do que pensamento incorpóreo, porque estava deitado, decididamente deitado, sobre alguma superfície. Portanto, possuía tato, e a coisa sobre a qual deitava também existia.

Quase no instante em que chegou a esta conclusão, Harry tomou consciência de que estava nu. Convencido de sua total solidão, isso não o preocupou, mas deixou-o ligeiramente intrigado. Perguntou-se se, uma vez que podia sentir, também seria capaz de ver. Ao abrir os olhos, descobriu que os possuía.

Estava deitado em meio a uma névoa brilhante, embora não se parecesse com névoa alguma que já tivesse visto. O espaço que o rodeava não estava toldado, pelo contrário, a névoa vaporosa ainda não se formara ao seu redor. O chão em que estava deitado parecia ser branco, nem quente nem frio, existia apenas, algo plano, vazio sobre o qual estar.

Ele se sentou. Seu corpo parecia ileso. Apalpou o rosto. Não estava mais usando óculos.

Então, do nada informe que o cercava, chegou-lhe aos ouvidos um barulho: as batidinhas suaves de algo que adejava, se açoitava e se debatia. Era um barulho que inspirava piedade, mas também era ligeiramente obsceno. Teve a desconfortável sensação de que estava bisbilhotando alguma coisa furtiva, vergonhosa.

Pela primeira vez, desejou estar vestido.

Mal acabara de formular mentalmente esse desejo, apareceram vestes a uma pequena distância. Apanhou-as e vestiu-as: eram macias, limpas e quentes. Era extraordinário como tinham aparecido, instantaneamente, no momento em que as desejara...

Ele se levantou e relanceou ao redor. Estaria em alguma ampla Sala Precisa? Quanto mais olhava, mais havia para ver. Um enorme domo de vidro faiscava ao sol, lá no alto. Talvez fosse um palácio. Tudo era imóvel e silencioso, exceto por aquelas estranhas lamúrias e pancadas surdas que vinham dali perto em meio à névoa...

Harry se virou lentamente no mesmo lugar, e o ambiente pareceu se reinventar diante de seus olhos. Um grande vão, claro e limpo, um salão muito maior do que o Salão Principal com aquele teto abobadado de vidro. Vazio. Ele era a única pessoa ali, exceto por...

Encolheu-se. Localizara a coisa que estava produzindo os ruídos. Tinha a forma de uma criancinha nua, enroscada no chão, a pele em carne viva e grossa, parecendo açoitada, e tremia embaixo de uma cadeira onde fora deixada, indesejável, posta fora de vista, tentando respirar.

Teve medo. Pequena, frágil e ferida como estava, Harry não quis se aproximar dela. Contudo, ele foi se acercando devagar, pronto para saltar para trás a qualquer momento. Logo estava perto o suficiente para tocá-la, ainda que não conseguisse se obrigar a isso. Sentiu-se um covarde. Devia consolá-la, mas ela lhe causava repugnância.

– Não há nada que você possa fazer.

Ele virou-se depressa. Alvo Dumbledore vinha ao seu encontro, animado e aprumado, trajando amplas vestes azul-escuras.

– Harry. – Ele abriu bem os braços, e suas mãos estavam, ambas, inteiras, brancas e ilesas. – Garoto maravilhoso. Homem corajoso, muito corajoso. Vamos caminhar.

Aturdido, Harry acompanhou-o; Dumbledore se afastou da criança flagelada que choramingava, e o conduziu a duas cadeiras em que Harry não reparara antes, dispostas a alguma distância sob aquele teto alto e cintilante. Dumbledore sentou-se em uma delas e Harry se largou na outra, fitando o seu antigo diretor. Os longos cabelos e barbas prateadas de Dumbledore, os olhos azuis penetrantes por trás dos oclinhos de meia-lua, o nariz torto: exatamente como ele lembrava. Contudo...

– Mas você está morto – disse Harry.

– Ah, sim – respondeu Dumbledore, sem rodeios.

– Então... eu estou morto também?

– Ah – disse o diretor com um sorriso ainda maior. – Essa é a dúvida, não é? De modo geral, meu caro rapaz, acho que não.

Eles se encararam, o velho ainda sorrindo.

– Não? – repetiu Harry.

— Não.
— Mas... — Harry levou instintivamente a mão à cicatriz em forma de raio. Aparentemente sumira. — Mas eu deveria ter morrido... não me defendi! Deliberadamente deixei que me matasse!

— E isso, acho eu, terá feito toda a diferença.

A felicidade parecia se irradiar de Dumbledore como luz, como fogo: Harry jamais vira um homem tão absoluta e palpavelmente satisfeito.

— Explique — pediu Harry.

— Mas você já sabe. — E Dumbledore girou os polegares.

— Eu deixei que me matasse. Não foi?

— Foi — assentiu Dumbledore. — Continue!

— Então a parte da alma dele que estava comigo...

Dumbledore assentiu ainda mais entusiasticamente, instando Harry a prosseguir, um amplo sorriso de incentivo no rosto.

— ... se foi?

— Ah, sim! Ele a destruiu. A sua alma é inteira e totalmente sua, Harry.

— Mas então...

Harry espiou por cima do ombro, para onde a pequena criatura mutilada tremia embaixo da cadeira.

— Que é aquilo, professor?

— Uma coisa além da nossa possibilidade de ajudar.

— Mas se Voldemort usou aquela Maldição da Morte — recomeçou Harry —, e desta vez ninguém morreu por mim... como posso estar vivo?

— Acho que você sabe. Faça uma retrospectiva. Lembre o que ele fez em sua ignorância, cobiça e crueldade.

Harry pensou. Deixou o seu olhar vaguear pelo ambiente. Se de fato fosse um palácio o lugar em que estavam, era estranho, com cadeiras em pequenas fileiras e gradis aqui e ali, e Dumbledore e a criatura atrofiada embaixo da cadeira eram os únicos seres presentes. Então a resposta aflorou aos seus lábios facilmente, sem esforço.

— Ele tirou o meu sangue — respondeu Harry.

— Exato! — exclamou Dumbledore. — Ele tirou o seu sangue e usou-o para reconstruir o próprio corpo vivente! O seu sangue nas veias dele, Harry, a proteção de Lílian nos dois! Ele prendeu você à vida enquanto ele viver!

— Eu vivo... enquanto ele viver? Mas pensei... pensei que fosse o contrário! Pensei que nós dois tínhamos que morrer? Ou dá no mesmo?

Harry foi distraído pelo choro e as batidas da criatura angustiada às suas costas, e tornou a se virar para vê-la.

— Tem certeza de que não podemos fazer nada?
— Não há ajuda possível.
— Então me explique... melhor — pediu Harry, e Dumbledore sorriu.
— Você foi a sétima Horcrux, Harry, a Horcrux que ele nunca pretendeu criar. Voldemort deixou a alma tão instável que ela se fragmentou quando ele cometeu aqueles atos de indizível maldade, o assassinato dos seus pais, a tentativa de matar uma criança. Mas o que escapou daquele quarto foi ainda menos do que ele percebeu. Voldemort deixou ali mais do que o seu corpo. Deixou uma parte de si mesmo presa a você, a pretensa vítima que sobrevivera.

"E o conhecimento dele permaneceu lamentavelmente incompleto, Harry! Aquilo a que Voldemort não dá valor ele não se dá sequer o trabalho de compreender. De elfos domésticos e contos infantis, amor, lealdade e inocência, Voldemort não entende nada. Nadinha. Que todos tenham um poder que supere o dele, um poder que supere o alcance da magia, é uma verdade que ele jamais compreendeu.

"Ele tirou o seu sangue acreditando que isto o fortaleceria. Integrou ao próprio corpo uma parte mínima do encantamento com que sua mãe o recobriu quando morreu para salvá-lo. O corpo dele guarda vivo o sacrifício de Lílian, e enquanto esse encantamento sobreviver, você também sobreviverá, assim como a última esperança de Voldemort."

Dumbledore sorriu para Harry, e o garoto o encarou.
— E o senhor sabia disso? Sabia... o tempo todo?
— Tive um palpite. Mas os meus palpites normalmente têm sido muito bons — respondeu ele, feliz, e os dois ficaram sentados em silêncio por um tempo que pareceu muito longo, enquanto a criatura continuava a choramingar e tremer.
— Tem mais — disse Harry. — Tem mais coisas. Por que a minha varinha partiu a que ele pediu emprestada?
— Quanto a isso, não tenho muita certeza.
— Dê um palpite, então — pediu Harry, fazendo Dumbledore rir.
— O que você precisa entender, Harry, é que você e Lorde Voldemort empreenderam juntos uma jornada ao reino de uma magia até agora desconhecida e não comprovada. Imagino, porém, que tenha acontecido o seguinte, e não há precedentes, nem fabricante de varinha algum, acho eu, que pudesse jamais ter predito ou explicado isso a Voldemort.

"Sem querer, como você agora sabe, Lorde Voldemort duplicou o vínculo entre vocês quando retomou a forma humana. Uma parte de sua alma já estava presa a você, e, pensando em se fortalecer, ele incorporou uma parte do sacrifício de sua mãe. Se pudesse ter compreendido o poder exato e terrível daquele sacrifício, talvez não tivesse ousado tocar no seu sangue... mas se ele fosse capaz de compreender, não seria Lorde Voldemort, e, talvez, nunca tivesse matado ninguém.

"Tendo garantido essa dupla vinculação, tendo amarrado os seus destinos juntos, mais seguramente do que dois bruxos jamais fizeram em toda a história, Voldemort atacou você com uma varinha que possuía o mesmo núcleo que a sua. Então, ocorreu algo muito estranho, como sabemos. Os núcleos reagiram de uma forma que Lorde Voldemort, que nunca soube que a sua varinha era gêmea da dele, não poderia prever.

"Ele sentiu mais medo do que você naquela noite, Harry. Você tinha aceitado, e até considerado bem-vinda, a ideia da morte, coisa que Lorde Voldemort jamais foi capaz de fazer. Sua coragem venceu, sua varinha dominou a dele. E ao fazer isso, aconteceu entre as duas varinhas uma coisa que refletiu a relação entre os seus donos.

"Acredito que a sua varinha tenha absorvido parte do poder e das qualidades da varinha de Voldemort naquela noite, ou seja, o objeto captou um pouco do próprio Voldemort. Então, a sua varinha o reconheceu enquanto ele o perseguia, reconheceu um homem que era, ao mesmo tempo, parente e inimigo mortal, e regurgitou contra Voldemort um pouco de sua própria magia, magia muito mais poderosa do que qualquer coisa que a varinha de Lúcio pudesse realizar. Sua varinha passou a conter simultaneamente o poder de sua enorme coragem e da perícia letal de Voldemort: que chance teria aquela mísera varinha de Lúcio Malfoy?"

– Mas, se a minha varinha ficou tão poderosa, como Hermione pôde quebrá-la? – perguntou Harry.

– Meu caro rapaz, seus efeitos excepcionais eram dirigidos apenas a Voldemort, que mexeu de forma tão imprudente com as mais profundas leis da magia. Apenas contra ele aquela varinha era anormalmente poderosa. Nos demais casos, era uma varinha como outra qualquer... embora, sem dúvida, fosse boa – concluiu Dumbledore bondosamente.

Harry parou refletindo um longo tempo, ou talvez segundos. Ali, era muito difícil ter certeza de dimensões.

– Ele me matou com a sua varinha.

– Ele *não conseguiu* matar você com a minha varinha – corrigiu-o Dumbledore. – Acho que podemos concordar que você não está morto... embora, é claro – acrescentou ele, como se receasse ser indelicado –, eu não esteja minimizando os seus sofrimentos que, seguramente, foram rigorosos.

— Mas estou me sentindo ótimo no momento — replicou Harry, olhando para suas mãos limpas e intactas. — Exatamente onde estamos?

— Bem, eu ia lhe perguntar isso — disse Dumbledore, olhando ao redor.

— Onde você diria que estamos?

Até Dumbledore perguntar, Harry não fazia ideia. Então, descobriu que tinha uma resposta pronta para lhe dar.

— Parece — disse, lentamente — a estação de King's Cross. Exceto que muito mais limpa e vazia, e, pelo visto, não há trens.

— A estação de King's Cross! — Dumbledore estava dando gargalhadas. — Valha-me Deus, sério?

— Bem, onde o senhor acha que estamos? — perguntou Harry, um pouco na defensiva.

— Meu caro rapaz, não faço a menor ideia. Como costumam dizer, a festa é *sua*.

Harry não entendeu o que isso queria dizer; Dumbledore estava aborrecendo-o. Olhou carrancudo para o diretor, então se lembrou de uma pergunta muito mais urgente do que a presente localização.

— As Relíquias da Morte — disse, e ficou satisfeito ao ver que as palavras tinham apagado o sorriso do rosto de Dumbledore.

— Ah, sim — disse ele, parecendo até um pouco preocupado.

— Então?

Pela primeira vez desde que Harry conhecera Dumbledore, ele pareceu menos que um homem idoso, muito menos. Pareceu, por um momento fugaz, um garoto apanhado em uma travessura.

— Será que pode me perdoar? Será que pode me perdoar por não ter confiado em você? Por não ter lhe dito? Harry, eu só receei que você fracassasse como eu. Só temi que repetisse os meus erros. Imploro o seu perdão, Harry. Já faz algum tempo que sei que você é um homem melhor do que eu.

— Do que está falando? — perguntou o garoto, assustado com o tom de Dumbledore, com as lágrimas repentinas em seus olhos.

— As Relíquias, as Relíquias — murmurou Dumbledore. — O sonho de um homem desesperado!

— Mas elas são reais!

— Reais e perigosas, além de uma sedução para os tolos. E eu próprio fui um tolo. Mas você sabe disso, não é? Não tenho mais segredos para você. Você sabe.

— Que é que eu sei?

Dumbledore virou-se de frente para Harry e as lágrimas ainda cintilavam em seus olhos muito azuis.

— Senhor da Morte, Harry, senhor da Morte! Em última análise, terei sido melhor que Voldemort?

— Claro que foi. Claro... como pode fazer essa pergunta? O senhor nunca matou quando pôde evitar!

— Verdade, verdade. — E ele parecia uma criança precisando de reafirmação. — Contudo, eu, também, busquei um modo de vencer a morte, Harry.

— Não como ele. — Depois de toda a sua raiva por Dumbledore, era estranho sentar ali, sob aquele teto abobadado, e defendê-lo de si mesmo. — Relíquias, não Horcruxes.

— Relíquias — murmurou Dumbledore —, não Horcruxes. Exatamente.

Houve uma pausa. A criatura choramingou, mas Harry não se virou.

— Grindelwald as estava procurando também? — perguntou ele.

Dumbledore fechou os olhos por um momento e assentiu.

— Foi isso, acima de tudo, que nos aproximou — disse ele, em voz baixa. — Dois rapazes inteligentes e arrogantes com uma obsessão em comum. Ele quis ir a Godric's Hollow, como você certamente adivinhou, por causa do túmulo de Ignoto Peverell. Queria explorar o local em que o terceiro irmão falecera.

— Então, é verdade? A história toda? Os irmãos Peverell...

— ... eram os três irmãos do conto — confirmou Dumbledore. — Ah, sim, acho que sim. Agora, se encontraram a Morte em uma estrada deserta... acho mais provável que os irmãos Peverell fossem simplesmente bruxos talentosos e temerários que conseguiram criar esses objetos poderosos. A história de que seriam as próprias Relíquias da Morte me parece o tipo de lenda que pode ter surgido em torno de suas criações.

"A capa, como você agora sabe, passou durante séculos de pai para filho, de mãe para filha, até o último descendente vivo de Ignoto, que nasceu na aldeia de Godric's Hollow."

Dumbledore sorriu para Harry.

— Eu?

— Você. Você conjecturou, eu sei, por que a capa estava em meu poder na noite em que seus pais morreram. Tiago a mostrara a mim poucos dias antes. Ela explicava muitos dos seus malfeitos, na escola, que passavam despercebidos! Mal consegui acreditar no que via. Pedi a capa emprestada para examiná-la. Havia muito tempo que desistira do meu sonho de juntar as Relíquias, mas não pude resistir, não pude deixar de vê-la de perto... Era uma capa como eu jamais vira, imensamente velha, perfeita sob todos os aspectos... então seu pai morreu, e eu tinha finalmente duas Relíquias só para mim!

Seu tom era insuportavelmente amargurado.

– A capa não teria ajudado meus pais a sobreviver – apressou-se Harry a dizer. – Voldemort sabia onde meu pai e minha mãe estavam. A capa não os tornaria à prova de maldição.

– Verdade – suspirou Dumbledore. – Verdade.

Harry aguardou, mas o diretor não disse mais nada, então, ele o instigou.

– Então, desistiu de procurar as Relíquias quando viu a capa?

– Ah, sim – respondeu Dumbledore, com a voz fraca. Ele parecia fazer força para fitar Harry. – Você sabe o que aconteceu. Você sabe. Você não pode me desprezar mais do que eu me desprezo.

– Mas eu não o desprezo...

– Então deveria. – Dumbledore inspirou profundamente. – Você conhece o segredo da precária saúde da minha irmã, o que aqueles trouxas fizeram, no que a transformaram. Você sabe como o meu pobre pai buscou vingança e pagou por isso, morrendo em Azkaban. Você sabe como minha mãe abriu mão da própria vida para cuidar de Ariana.

"Tive raiva disso, Harry."

Dumbledore confessou abertamente, friamente. Olhava agora por cima da cabeça de Harry, para longe.

– Eu era talentoso, era brilhante. Queria fugir. Queria brilhar. Queria a glória.

"Não me entenda mal", disse ele, e a dor perpassou o seu semblante, fazendo-o parecer novamente muito idoso. "Eu os amava. Amava meus pais. Amava meu irmão e minha irmã, mas era egoísta, Harry, mais egoísta do que você, que é uma pessoa extraordinariamente generosa, poderia imaginar.

"Então, quando minha mãe morreu, e me deixou a responsabilidade de uma irmã incapacitada e um irmão rebelde, voltei para minha aldeia enraivecido e amargurado. Preso e desperdiçado, pensei! Então, naturalmente, ele chegou..."

Dumbledore tornou a fitar Harry nos olhos.

– Grindelwald. Você não pode imaginar como as suas ideias me contagiaram, Harry, me inflamaram. Trouxas forçados à submissão. Nós, bruxos, vitoriosos. Grindelwald e eu, os jovens líderes gloriosos da revolução.

"Ah, eu tinha alguns escrúpulos. Aliviava a minha consciência com palavras vãs. Tudo seria para o bem maior, e qualquer dano causado seria compensado cem vezes em benefícios para os bruxos. Se eu sabia, no fundo do meu coração, quem era Gerardo Grindelwald? Acho que sim, mas fechei os olhos. Se os planos que estávamos fazendo viessem a frutificar, todos os meus sonhos se concretizariam.

"E, no cerne dos nossos projetos, as Relíquias da Morte! Como elas o fascinavam, como fascinavam a nós dois! A varinha invencível, a arma que nos conduziria ao poder! A Pedra da Ressurreição significava para ele, embora eu fingisse não saber, um exército de Inferi! Para mim, confesso, significava o retorno dos meus pais e a remoção de toda a responsabilidade dos meus ombros.

"E a Capa da Invisibilidade... por alguma razão, nunca a discutimos muito, Harry. Nós dois éramos capazes de nos ocultar muito bem sem a capa, cuja magia, naturalmente, é poder ser usada para proteger e escudar outros, além do seu dono. Pensei que, se algum dia a encontrássemos, ela poderia ser útil para ocultar Ariana, mas o nosso interesse na capa era apenas completar o trio, porque, dizia a lenda, o homem que reunisse os três objetos seria verdadeiramente o senhor da Morte, e, para nós, invencível.

"Senhores invencíveis da Morte, Grindelwald e Dumbledore! Dois meses de insanidade, de sonhos cruéis e descaso com os dois únicos membros da família que me restavam.

"Então... você sabe o que aconteceu. A realidade retornou, na forma do meu irmão rude, iletrado e infinitamente mais admirável. Eu não quis ouvir as verdades que ele atirou na minha cara. Não quis ouvir que não poderia partir em busca das Relíquias levando comigo uma irmã frágil e instável.

"A discussão virou uma briga. Grindelwald se descontrolou. Aquilo que eu sempre percebera nele, embora fingisse não existir, revelou-se de um modo terrível. E Ariana... depois de todo o cuidado e a cautela de minha mãe... jazia morta no chão."

Dumbledore ofegou e começou a chorar profusamente. Harry estendeu a mão, e ficou contente de constatar que podia tocá-lo: apertou seu braço com força, e Dumbledore gradualmente recobrou o controle.

— Bem, Grindelwald fugiu, como todo o mundo, exceto eu, poderia ter previsto. Sumiu com os seus planos de tomar o poder e seus projetos de torturar trouxas, e seus sonhos com as Relíquias da Morte, sonhos em que eu o encorajara e ajudara. Ele fugiu, me deixando sozinho para enterrar minha irmã e aprender a viver com a minha culpa e o meu terrível pesar, o preço da minha vergonha.

"Os anos passaram. Correram boatos a respeito dele. Diziam que obtivera uma varinha de imenso poder. Entrementes, me ofereceram o posto de ministro da Magia, não uma, mas várias vezes. Naturalmente, recusei. Aprendera que não seria confiável se tivesse o poder em minhas mãos."

— Mas o senhor teria sido melhor, muito melhor do que o Fudge ou o Scrimgeour! — exclamou Harry.

– Teria? – perguntou Dumbledore, abatido. – Não estou muito seguro. Na adolescência, eu tinha comprovado que o poder era a minha fraqueza e a minha tentação. É uma coisa curiosa, Harry, mas talvez os que têm maior talento para o poder sejam os que nunca o buscaram. Pessoas, como você, a quem empurram a liderança e que aceitam o manto do poder porque devem, e descobrem, para sua surpresa, que lhes cai bem.

"Eu estava mais seguro em Hogwarts. Acho que fui um bom professor..."

– O senhor foi o melhor...

– É muita bondade sua, Harry. Mas, enquanto eu me ocupava com o ensino de jovens bruxos, Grindelwald estava reunindo um exército. Diziam que tinha medo de mim, e talvez fosse verdade, mas teria menos do que eu tinha dele...

"Ah, não de morrer", explicou Dumbledore em resposta ao olhar indagador de Harry. "Não do que ele pudesse me fazer usando a magia. Eu sabia que nos equiparávamos, talvez eu fosse até um tantinho mais talentoso. Eu temia a verdade. Entende, eu nunca soube qual de nós, naquela última luta horrenda, havia realmente lançado o feitiço que matara minha irmã. Você pode me chamar de covarde: e teria razão. Harry, eu temia mais que tudo o conhecimento de que fora eu o causador de sua morte, não apenas por causa da minha arrogância e estupidez, mas que eu, de fato, tivesse dado o golpe que lhe tirara a vida.

"Acho que ele sabia disso, acho que sabia o que me apavorava. Adiei o confronto com ele até que finalmente fosse demasiado vergonhoso resistir por mais tempo. As pessoas estavam morrendo, e ele parecia irrefreável, e tive que fazer o que pude.

"Bem, você sabe o que aconteceu a seguir. Ganhei o duelo. Ganhei a varinha."

Novo silêncio. Harry não perguntou se algum dia Dumbledore havia descoberto quem matara Ariana. Não queria saber, e menos ainda que o diretor se visse obrigado a lhe dizer. E, finalmente, ele soube o que Dumbledore teria visto no Espelho de Ojesed, e por que compreendera tão bem a fascinação que o objeto exercia sobre Harry.

Eles se sentaram em silêncio por muito tempo, e o choro da criatura às suas costas praticamente deixou de incomodar Harry.

Por fim, o garoto disse:

– Grindelwald tentou impedir que Voldemort fosse atrás da varinha. Mentiu, sabe, fingindo que nunca a tivera em seu poder.

Dumbledore assentiu, olhando para o colo, as lágrimas brilhando em seu nariz torto.

— Dizem que ele demonstrou remorso nos últimos anos, sozinho em sua cela em Nurmengard. Espero que seja verdade. Gostaria de pensar que ele percebeu o horror e a vergonha do que tinha feito. Talvez aquela mentira a Voldemort fosse a sua tentativa de compensar... de impedir que Voldemort se apossasse da Relíquia...

— ... ou violasse o seu túmulo, talvez? — arriscou Harry, e Dumbledore secou as lágrimas.

Após mais um breve intervalo, Harry disse:
— O senhor tentou usar a Pedra da Ressurreição.

Dumbledore fez que sim.

— Quando a descobri, depois de tantos anos, enterrada na casa abandonada dos Gaunt, a Relíquia mais desejável de todas, embora na minha juventude eu a quisesse possuir por motivos muito diversos, perdi a cabeça, Harry. Esqueci que fora transformada em Horcrux, que o anel certamente carregaria um feitiço. Apanhei-o e coloquei-o no dedo, e, por um segundo, imaginei que estava prestes a ver Ariana, minha mãe e meu pai e lhes dizer o muito que eu lamentava...

"Fui muito tolo, Harry. Depois de tantos anos, eu não aprendera nada. Eu era indigno de unir as Relíquias da Morte, evidenciara isso repetidamente, e ali estava a prova final."

— Por quê? Era natural! Queria rever sua família. Que há de errado nisso?

— Talvez um homem em um milhão possa unir as Relíquias, Harry. Eu só merecia possuir a mais mesquinha delas, a menos extraordinária. Eu merecia possuir a Varinha das Varinhas, e não me gabar disso, e não usá-la para matar. Tinha permissão de domar e usar a varinha, porque a conquistara, não para meu ganho pessoal, mas para salvar outros do seu poder.

"Mas a capa, eu a tomei por mera curiosidade, por isso nunca poderia ter funcionado para mim como funciona para você, seu verdadeiro dono. A pedra, eu a teria usado na tentativa de trazer de volta aqueles que estão em paz, e não para permitir o sacrifício da minha vida, como você fez. Você é o digno possuidor das Relíquias."

Dumbledore deu uma palmadinha afetuosa na mão de Harry, e o garoto ergueu os olhos para o velho e sorriu; não pôde se conter. Como poderia continuar zangado com Dumbledore, agora?

— Por que precisou dificultar tanto as coisas?

O sorriso de Dumbledore foi trêmulo.

— Receio que tenha contado com a srta. Granger para refreá-lo, Harry. Tive medo que sua cabeça quente pudesse dominar o seu bom coração. Senti pavor que, se lhe apresentasse logo os fatos sobre esses objetos tentadores, você pudesse se apoderar das Relíquias, como fiz, no momento errado, pelos motivos errados. Se pusesse as mãos nelas, eu queria que fossem suas sem perigo. Você é o verdadeiro senhor da Morte, porque o verdadeiro senhor não busca fugir da morte. Ele aceita que deve morrer, e compreende que há coisas piores, muito piores do que a morte no mundo dos viventes.

— E Voldemort nunca ouviu falar nas Relíquias?

— Acho que não, porque ele não reconheceu a Pedra da Ressurreição quando a transformou em Horcrux. Mas, mesmo que tivesse ouvido falar, Harry, duvido que se interessasse por qualquer delas, exceto a primeira. Não iria achar que precisasse da capa e, quanto à pedra, quem ele iria querer ressuscitar? Ele teme os mortos. Ele não ama.

— Mas o senhor esperava que ele saísse em busca da varinha?

— Tive certeza de que tentaria, desde que a sua varinha derrotou Voldemort no cemitério de Little Hangleton. A princípio, ele receou que você o tivesse vencido por possuir maior perícia. Uma vez que sequestrou Olivaras, porém, ele descobriu a existência dos núcleos gêmeos. Achou que isso explicava tudo. Entretanto, a varinha emprestada não apresentou melhor resultado contra a sua! Então, Voldemort, em vez de se perguntar que qualidade havia em você que tornava sua varinha tão forte, que dom você possuía que lhe faltava, naturalmente saiu à procura da única varinha que, diziam, derrotaria qualquer outra. Para ele, a Varinha das Varinhas se tornara uma obsessão que rivalizava à que tinha por você. Ele acredita que a Varinha das Varinhas elimina sua última fraqueza e o torna verdadeiramente invencível. Coitado do Severo...

— Se o senhor planejou morrer nas mãos de Snape, pretendia que ele acabasse dono da varinha, não?

— Admito que tive essa intenção, mas não se realizou como eu pretendi, não é?

— Não. Essa parte saiu diferente.

A criatura às costas deles estremeceu e gemeu, e Harry e Dumbledore continuaram sentados, sem falar, fazendo a pausa mais demorada até aquele momento. A compreensão do que aconteceria a seguir foi pouco a pouco se consolidando em Harry, nesses longos minutos, como a neve caindo suavemente.

— Tenho que voltar, não é?

— Isto depende de você.

— Tenho opção?
— Ah, sim. — Dumbledore sorriu. — Estamos em King's Cross, não foi o que você disse? Acho que, se decidir não voltar, você poderia... digamos... tomar um trem.
— E aonde ele me levaria?
— Em frente — respondeu Dumbledore, com simplicidade.
Novo silêncio.
— Voldemort tem a Varinha das Varinhas.
— Verdade. Voldemort tem a Varinha das Varinhas.
— Mas o senhor quer que eu volte?
— Acho que se você escolher voltar, há uma chance de que ele seja liquidado para sempre. Não posso prometer. Mas de uma coisa eu sei, Harry, você tem menos a temer do que ele ao retornarem para cá.

Harry tornou a relancear a coisa em carne viva que tremia e engasgava na sombra, sob a cadeira distante.

— Não tenha piedade dos mortos, Harry. Tenha piedade dos vivos e, acima de tudo, dos que vivem sem amor. Ao regressar, você poderá assegurar que menos almas serão mutiladas, menos famílias serão destroçadas. Se isso lhe parecer um objetivo meritório, então, por ora, diremos adeus.

Harry assentiu e suspirou. Deixar esse lugar não seria tão difícil quanto fora entrar na Floresta, mas ali era quente, claro e tranquilo, e ele sabia que estaria voltando à dor e ao temor de outras perdas. Ele se ergueu, Dumbledore o acompanhou, e os dois se fitaram demoradamente.

— Me diga uma última coisa — disse Harry. — Isso é real? Ou esteve acontecendo apenas em minha mente?

Dumbledore lhe deu um grande sorriso, e sua voz pareceu alta e forte aos ouvidos de Harry, embora a névoa clara estivesse baixando e ocultando seu vulto.

— Claro que está acontecendo em sua mente, Harry, mas por que isto significaria que não é real?

36

A FALHA DO PLANO

Harry estava novamente deitado com o rosto no chão. O cheiro da Floresta enchia suas narinas. Ele sentia a terra dura e fria sob sua face, e a dobradiça dos seus óculos, deslocados para um lado durante a queda, cortando sua têmpora. Cada centímetro do seu corpo doía, e, no ponto em que a Maldição da Morte o atingira, parecia ter levado um murro de punho de ferro. Ele não se mexeu, manteve-se exatamente onde caíra, com o braço esquerdo dobrado em um ângulo estranho e a boca aberta.

Esperara ouvir vivas de triunfo e júbilo por sua morte, mas, em vez disso, o ar se encheu de passos apressados, sussurros e murmúrios solícitos.

— Milorde... *milorde*...

Era a voz de Belatriz, como se falasse a um amante. Harry não ousou abrir os olhos, deixou seus outros sentidos explorarem a situação. Sabia que a varinha continuava guardada sob suas vestes porque a sentia espremida entre seu peito e o chão. Um fino acolchoamento na área do estômago lhe informava que a Capa da Invisibilidade também estava ali, escondida.

— Milorde...

— Agora chega. — Ele ouviu a voz de Voldemort.

Mais passos: várias pessoas estavam retrocedendo do mesmo lugar. Desesperado para ver o que estava acontecendo, e por quê, Harry entreabriu os olhos um milímetro.

Aparentemente, Voldemort estava se levantando. Vários Comensais da Morte se afastavam depressa dele, reintegrando a multidão à volta da clareira. Somente Belatriz continuou ali, ajoelhada ao lado de Voldemort.

Harry fechou os olhos e considerou o que vira. Os Comensais da Morte tinham se aglomerado em torno de Voldemort, que, pelo visto, caíra ao chão. Algo havia ocorrido quando atingira Harry com a Maldição da Morte. Teria tombado também? Parecia provável. Ambos teriam caído, momentaneamente desacordados, e agora ambos recobravam os sentidos...

— Milorde, me deixe...
— Não preciso de sua ajuda — respondeu Voldemort, friamente, e, embora não pudesse ver, Harry visualizou Belatriz, solícita, afastando a mão. — O garoto... está morto?
Fez-se absoluto silêncio na clareira. Ninguém se aproximou de Harry, mas ele sentiu que os olhares se concentravam nele, pareciam empurrá-lo mais fundo no chão, e apavorou-se que uma pálpebra ou um dedo seus pudessem mexer.
— Você — disse Voldemort, e houve um estampido e um gritinho de dor.
— Examine-o. Me diga se está morto.
Harry não sabia quem ele mandara verificar. Só lhe restava ficar parado, com o coração batendo forte, traindo-o, e aguardar ser examinado, mas, ao mesmo tempo, registrando, embora isso não fosse grande consolo, que Voldemort tomava a precaução de não se aproximar dele, que Voldemort suspeitava que tivesse havido uma falha no plano...
Mãos, mais leves do que imaginara, tocaram o seu rosto, ergueram uma pálpebra, se introduziram sob sua camisa e sentiram seu coração. Ele ouvia a respiração rápida da mulher, seus longos cabelos fizeram cócegas em seu rosto. Harry sabia que ela ouvia a pulsação ritmada da vida contra suas costelas.
— *Draco está vivo? Está no castelo?*
O sussurro era apenas audível; os lábios dela estavam a meros centímetros do seu ouvido, sua cabeça tão curvada que a cabeleira protegia seu rosto dos espectadores.
— *Está* — sussurrou ele em resposta.
Harry sentiu a mão em seu peito se contrair; suas unhas o espetaram. Então, ela retirou a mão. Sentara.
— Está morto! — anunciou Narcisa Malfoy para os Comensais.
E agora eles gritaram, agora deram berros de triunfo e bateram com os pés no chão, e, entre as pálpebras, Harry viu clarões vermelhos e prateados subirem ao ar, comemorando.
Ainda fingindo-se de morto, ele compreendeu. Narcisa sabia que a única maneira de lhe permitirem entrar em Hogwarts e procurar o filho era participar do exército conquistador. Ela já não se importava se Voldemort venceria ou não.
— Viram? — guinchou Voldemort, sobrepondo-se ao tumulto. — Harry Potter foi morto por minha mão, e agora nenhum homem vivo poderá me ameaçar! Vejam! *Crucio!*

Harry estivera esperando aquilo: sabia que não deixariam o seu corpo descansar intocado no chão da Floresta, teria que ser humilhado para comprovar a vitória de Voldemort. Ele foi erguido no ar, e precisou de toda a sua força de vontade para continuar inanimado; entretanto, a dor que previra não ocorreu. Foi atirado uma, duas, três vezes no ar, seus óculos voaram do rosto e ele sentiu a varinha escorregar um pouco sob suas vestes, mas continuou mole e sem vida e, quando caiu no chão pela última vez, a clareira ressoou com insultos e risadas agudas.

— Agora — disse Voldemort —, vamos ao castelo lhes mostrar o que restou do seu herói. Quem arrastará o corpo? Não... esperem...

Houve nova explosão de risadas e, transcorridos alguns instantes, Harry sentiu o chão tremer sob seu corpo.

— Você o carrega — ordenou Voldemort. — Ficará bem visível em seus braços, não é mesmo? Apanhe o seu amiguinho, Hagrid. E os óculos... reponha os óculos... ele precisa ficar reconhecível.

Alguém chapou os óculos no rosto de Harry com intenção de machucá-lo, mas as mãos enormes que o ergueram no ar foram extremamente gentis. Harry sentiu os braços de Hagrid tremendo com a violência dos seus profundos soluços, grossas lágrimas choveram sobre ele quando Hagrid o aninhou nos braços, e Harry não ousou, por movimento ou palavra, insinuar ao amigo que nem tudo estava perdido, ainda.

— Ande — ordenou Voldemort, e Hagrid avançou aos tropeços, abrindo passagem entre as árvores muito juntas, em direção à saída da Floresta. Os galhos prenderam nos cabelos e nas vestes de Harry, mas ele continuou inerte, a boca aberta molemente, os olhos fechados, e no escuro, enquanto os Comensais da Morte se aglomeravam ao seu redor, e enquanto Hagrid soluçava às cegas, ninguém se preocupou em verificar se pulsava uma veia no pescoço nu de Harry Potter...

Os dois gigantes acompanharam com estrondo os Comensais da Morte; Harry ouvia as árvores partindo e tombando à sua passagem; faziam tanto barulho que os pássaros levantavam voo, aos gritos, abafando até as caçoadas dos Comensais. A procissão da vitória marchou para campo aberto, e depois de algum tempo, Harry percebeu, pelo clareamento da escuridão através de suas pálpebras fechadas, que as árvores estavam começando a rarear.

— AGOURO!

O inesperado berro de Hagrid quase forçou Harry a abrir os olhos.

— Estão felizes agora por não ter lutado, seu bando covarde de mulas velhas? Satisfeitos de ver Harry Potter... m-morto...?

Hagrid não pôde continuar, sucumbiu às lágrimas. Harry ficou imaginando quantos centauros estariam assistindo à procissão passar; não se atreveu a abrir os olhos para avaliar. Alguns Comensais da Morte gritaram insultos para as criaturas, à medida que as deixavam para trás. Pouco depois, Harry sentiu, pelo refrescamento do ar, que tinham chegado à orla da Floresta.

– Pare.

Harry achou que Hagrid devia ter sido forçado a obedecer, porque ele cambaleou ligeiramente. Agora baixava uma frialdade sobre o lugar em que haviam parado, e Harry ouviu os arquejos roucos dos dementadores que patrulhavam as árvores naquele ponto da Floresta. Não o afetariam agora. A realidade de sua sobrevivência abrasava-o por dentro, um talismã contra eles, como se tivesse no coração o veado Patrono de seu pai a guardá-lo.

Alguém passou perto de Harry e ele percebeu que era Voldemort, porque ele falou em seguida, sua voz magicamente amplificada de modo a se propagar pelos terrenos da escola, retumbando nos tímpanos do garoto.

"Harry Potter está morto. Foi abatido em plena fuga, tentando se salvar enquanto vocês ofereciam as vidas por ele. Trazemos aqui o seu cadáver como prova de que o seu herói deixou de existir.

"A batalha está ganha. Vocês perderam metade dos seus combatentes. Os meus Comensais da Morte são mais numerosos que vocês, e O-Menino-Que-Sobreviveu está liquidado. A guerra deve cessar. Quem continuar a resistir, homem, mulher ou criança, será exterminado, bem como todos os membros de sua família. Saiam do castelo agora, ajoelhem-se diante de mim e serão poupados. Seus pais e filhos, seus irmãos e irmãs viverão e serão perdoados, e vocês se unirão a mim no novo mundo que construiremos juntos."

Houve silêncio nos jardins e no castelo. Voldemort estava tão perto que Harry não se atreveu a abrir os olhos.

– Venha – ordenou Voldemort. Harry ouviu-o avançar e Hagrid foi forçado a segui-lo. Harry abriu minimamente os olhos e viu Voldemort caminhando à frente, levando em torno dos ombros sua grande cobra, agora, livre da gaiola encantada. Harry, porém, não tinha possibilidade de sacar a varinha guardada dentro das vestes sem ser visto pelos Comensais da Morte que o ladeavam, marchando na escuridão que gradualmente se dissipava...

– Harry – soluçava Hagrid. – Ah, Harry... Harry...

O garoto tornou a fechar os olhos com força. Sabia que estavam se aproximando do castelo, e apurou os ouvidos para distinguir, acima das vozes alegres dos Comensais da Morte e dos seus passos pesados, sinais de vida em seu interior.

– Parem.

Os Comensais pararam: Harry os ouviu debandar, para formar uma linha em frente às portas abertas da escola. Via, mesmo através das pálpebras fechadas, a claridade avermelhada indicando que a luz que o iluminava saía do saguão de entrada. Ele aguardou. A qualquer momento, as pessoas por quem ele tentara morrer o veriam, deitado aparentemente morto, nos braços de Hagrid.

– NÃO!

O grito foi ainda mais terrível porque jamais esperara ou sonhara que a professora McGonagall pudesse emitir tal som. Ouviu uma risada de mulher ali perto, e percebeu que Belatriz exultava com o desespero de McGonagall. Ele tornou a espreitar por um segundo, e viu a entrada começar a se encher de gente, à medida que os sobreviventes da batalha saíam aos degraus, para encarar os seus vencedores, e constatar, com os próprios olhos, a realidade da morte de Harry. Viu Voldemort parado um pouco à frente dele, acariciando a cabeça de Nagini com um dedo branco. Ele fechou os olhos outra vez.

– Não!
– *Não!*
– Harry! HARRY!

As vozes de Rony, Hermione e Gina foram piores que as de McGonagall; tudo que Harry queria era gritar em resposta, manteve-se, porém, deitado e calado, e os gritos dos amigos tiveram o efeito de um gatilho, a multidão de sobreviventes se uniu a eles, gritando e berrando insultos para os Comensais da Morte até...

– SILÊNCIO! – exclamou Voldemort. Em seguida, um estampido, um forte clarão, e o silêncio se impôs a todos. – Acabou! Ponha-o no chão, Hagrid, aos meus pés, que é o lugar dele!

Harry sentiu que Hagrid o pousava na grama.

– Estão vendo? – disse Voldemort, e Harry sentiu-o andando de um lado para outro, paralelamente ao lugar em que ele jazia. – Harry Potter está morto! Entenderam agora, seus iludidos? Ele não era nada, jamais foi, era apenas um garoto, confiante de que os outros se sacrificariam por ele!

– Ele o derrotou! – berrou Rony, e o feitiço se rompeu, e os defensores de Hogwarts voltaram a gritar e a insultar até que um segundo estampido mais forte tornou a extinguir mais uma vez suas vozes.

– Ele foi morto tentando sair escondido dos terrenos do castelo – disse Voldemort, e, na sua voz, havia prazer com a mentira –, morto tentando se salvar...

Voldemort, no entanto, foi interrompido: Harry ouviu uma movimentação e um grito, em seguida mais um estampido, um clarão e um gemido de dor; ele abriu infinitesimalmente as pálpebras.

Alguém se destacara da multidão e investira contra Voldemort: Harry viu o vulto bater no chão, desarmado, Voldemort atirar a varinha do desafiante para o lado e rir.

— E quem é esse? — perguntou com o seu silvo suave de ofídio. — Quem está se voluntariando para demonstrar o que acontece com os que insistem em lutar quando a batalha está perdida?

Belatriz deu uma gargalhada prazerosa.

— É Neville Longbottom, milorde! O garoto que andou dando tanto trabalho aos Carrow! O filho dos aurores, lembra?

— Ah, sim, lembro — disse Voldemort, baixando os olhos para Neville, que fazia força para se pôr de pé, sem arma nem proteção, parado na terra de ninguém entre os sobreviventes e os Comensais da Morte. — Mas você tem sangue puro, não tem, meu bravo rapaz? — perguntou Voldemort a Neville, que o encarava, as mãos vazias fechadas em punhos.

— E se tiver? — respondeu Neville em voz alta.

— Você demonstra vivacidade e coragem, e descende de linhagem nobre... Você dará um valioso Comensal da Morte. Precisamos de gente como você, Neville Longbottom.

— Me juntarei a você quando o inferno congelar. Armada de Dumbledore! — gritou ele e, da multidão, ouviram-se vivas em resposta, que os Feitiços Silenciadores de Voldemort pareceram incapazes de conter.

— Muito bem — disse Voldemort, e Harry detectou um perigo maior na suavidade de sua voz do que no feitiço mais poderoso. — Se essa é a sua escolha, Longbottom, revertemos ao plano original. A culpa será toda sua — disse ele, calmamente.

Ainda observando por trás das pestanas, Harry viu Voldemort acenar com a varinha. Segundos depois, das janelas estilhaçadas do castelo, algo semelhante a um pássaro disforme voou na semiobscuridade e pousou na mão de Voldemort. Ele sacudiu o objeto mofado pelo bico e deixou-o pender vazio e roto: o Chapéu Seletor.

— Não haverá mais Seleção na Escola de Hogwarts — disse Voldemort. — Não haverá mais Casas. O emblema, escudo e cores do meu nobre antepassado, Salazar Slytherin, será suficiente para todos, não é mesmo, Neville Longbottom?

Ele apontou a varinha para Neville, que ficou rígido e calado, então forçou o chapéu a entrar na cabeça do garoto, fazendo-o escorregar abaixo dos seus olhos. A multidão que assistia à porta do castelo se movimentou e, sincronizados, os Comensais da Morte ergueram as varinhas, acuando os combatentes de Hogwarts.

— Neville agora vai demonstrar o que acontece com quem é suficientemente tolo para continuar a se opor a mim — anunciou Voldemort e, com um aceno da varinha, fez o Chapéu Seletor pegar fogo.

Gritos cortaram o amanhecer, e Neville ardeu em chamas, pregado ao chão, incapaz de se mexer, e Harry não pôde suportar: tinha que agir...

Então, muitas coisas aconteceram no mesmo instante.

Ouviu-se um clamor nas distantes divisas da escola, dando a impressão de que centenas de pessoas escalavam os muros fora do campo de visão de todos e corriam em direção ao castelo, proferindo retumbantes brados de guerra. Nessa hora, Grope apareceu contornando a quina do castelo e berrou "HAGGER!". Seu grito foi respondido por urros dos gigantes de Voldemort: eles avançaram para Grope como elefantes estremecendo a terra. Depois vieram os cascos, a vibração de arcos distendendo e flechas começaram repentinamente a chover entre os Comensais da Morte, que romperam fileiras, gritando, surpresos. Harry tirou a Capa da Invisibilidade de dentro das vestes, cobriu-se e ergueu-se de um salto, ao mesmo tempo que Neville.

Com um único movimento rápido e fluido, Neville se libertou do Feitiço do Corpo Preso que o imobilizava; o chapéu em chamas caiu de sua cabeça e, do fundo dele, o garoto puxou um objeto prateado com um punho cravejado de rubis.

O ruído da espada de prata cortando o ar não pôde ser ouvido acima do vozerio da multidão que se aproximava, ou o estrépito dos gigantes se enfrentando, ou a cavalgada dos centauros, contudo, pareceu atrair todos os olhares. Com um único golpe, Neville decepou a cabeça de Nagini, que girou no alto, reluzindo à luz que vinha do saguão de entrada, e a boca de Voldemort se abriu em um berro de fúria, que ninguém pôde ouvir, e o corpo da cobra bateu com um baque surdo aos seus pés...

Oculto pela Capa da Invisibilidade, Harry lançou um Feitiço Escudo entre Neville e Voldemort antes que este pudesse erguer a varinha. Então, sobrepondo-se aos gritos, rugidos e ao pesado sapateio dos gigantes em luta, ouviu-se o berro de Hagrid mais alto que tudo.

— HARRY! — gritou ele. — HARRY... ONDE ESTÁ HARRY?

Reinou o caos. A investida dos centauros dispersava os Comensais da Morte, todos fugiam das pisadas dos gigantes, e, cada vez mais próximos, estrondeavam os reforços que ninguém sabia de onde tinham vindo; Harry viu grandes criaturas aladas, os testrálios e Bicuço, o hipogrifo, rodeando as cabeças dos gigantes de Voldemort, gadunhando seus olhos, enquanto Grope os esmurrava; e agora os bruxos, defensores de Hogwarts, bem como os Comensais de Voldemort, estavam sendo empurrados para dentro do castelo. Harry lançava feitiços contra cada Comensal da Morte à vista, e eles caíam sem saber o que ou quem os atingira, e seus corpos eram pisoteados pela multidão em retirada.

Ainda sob a capa, Harry foi empurrado para dentro do saguão: procurou Voldemort e viu-o do lado oposto, a varinha disparando feitiços para todo lado enquanto recuava para dentro do Salão Principal, ainda berrando ordens para os seus seguidores; Harry lançou mais Feitiços Escudo, e as supostas vítimas de Voldemort, Simas Finnigan e Ana Abbott, passaram por ele correndo e entraram no Salão Principal, onde se uniram à luta que já se desenvolvia ali.

E agora havia mais, muito mais gente irrompendo pela escadaria da entrada, e Harry viu Carlinhos Weasley alcançar Horácio Slughorn, que ainda usava o pijama verde-esmeralda. Pareciam ter reassumido a liderança dos familiares e amigos de cada estudante de Hogwarts que ficara para lutar, acompanhados dos lojistas e habitantes de Hogsmeade. Os centauros Agouro, Ronan e Magoriano invadiram o saguão em um forte tropel, no momento em que a porta que levava à cozinha era arrancada das dobradiças.

Uma enxurrada de elfos domésticos de Hogwarts adentrou o saguão, gritando e brandindo seus trinchantes e cutelos, e à frente deles, com o medalhão de Régulo Black pendurado ao peito, vinha Monstro, sua voz de rã audível, apesar da zoeira:

— À luta! À luta! À luta pelo meu senhor, defensor dos elfos domésticos! À luta contra o Lorde das Trevas, em nome do corajoso Régulo! À luta!

Eles cortavam e furavam os tornozelos e canelas dos Comensais da Morte, seus pequenos rostos brilhando de malícia, e, por onde quer que Harry olhasse, os Comensais estavam se dobrando à superioridade dos números, vencidos pelos feitiços, arrancando flechas dos ferimentos, esfaqueados na perna pelos elfos, ou, simplesmente, tentando fugir, mas engolidos pela horda invasora.

A batalha, contudo, ainda não terminara: Harry disparou entre os duelistas, passou por prisioneiros que se debatiam e entrou no Salão Principal.

Voldemort estava no centro da luta e atacava e fulminava tudo ao seu alcance. Harry não conseguiu um ângulo desimpedido para mirar, então lutou para se aproximar, ainda invisível, e o Salão Principal foi lotando sempre mais, pois todos que podiam andar entravam à força.

Harry viu Yaxley ser nocauteado por Jorge e Lino Jordan, viu Dolohov cair com um grito às mãos de Flitwick, viu Walden Macnair ser atirado do outro lado do salão por Hagrid, bater na parede de pedra e escorregar, inconsciente, para o chão. Viu Rony e Neville abaterem Lobo Greyback, Aberforth estuporar Rookwood, Arthur e Percy derrubarem Thicknesse, e Lúcio e Narcisa Malfoy correndo entre a multidão, sem sequer tentar lutar, chamando, aos berros, pelo filho.

Voldemort agora duelava com McGonagall, Slughorn e Kingsley ao mesmo tempo, e seu rosto transparecia um ódio frio ao vê-los trançar e se proteger ao seu redor, incapazes de acabar com ele...

Belatriz também continuava a lutar, a uns cinquenta metros de Voldemort, e, como seu senhor, ela duelava com três de uma vez: Hermione, Gina e Luna, todas empenhadas ao máximo, mas Belatriz valia por todas juntas, e a atenção de Harry foi desviada quando uma Maldição da Morte passou tão perto de Gina que por menos de três centímetros não a matou...

Ele mudou de rumo, avançando para Belatriz em lugar de Voldemort, mas dera apenas alguns passos quando foi empurrado para o lado.

– A MINHA FILHA NÃO, SUA VACA!

A sra. Weasley atirou sua capa para longe enquanto corria, deixando os braços livres. Belatriz girou nos calcanhares, às gargalhadas, ao ver quem era sua nova desafiante.

– SAIAM DO MEU CAMINHO! – gritou a sra. Weasley às três garotas, e, fazendo um gesto largo com a varinha, começou a duelar. Harry observou com terror e animação a varinha de Molly Weasley golpear e girar, e o sorriso de Belatriz Lestrange vacilar e se transformar em um esgar. Jorros de luz voavam de ambas as varinhas, o chão em torno dos pés das bruxas esquentou e fendeu; as duas mulheres travavam uma luta mortal.

– Não! – gritou a sra. Weasley quando alguns estudantes correram, em seu auxílio. – Para trás! *Para trás!* Ela é minha!

Centenas de pessoas agora se encostaram às paredes observando as duas lutas, Voldemort e seus três oponentes, e Belatriz e Molly, e Harry parado, invisível, dilacerado entre as duas, querendo atacar e ao mesmo tempo proteger, incapaz de garantir que não iria atingir um inocente.

– Que vai acontecer com seus filhos depois que eu matar você? – provocou Belatriz, tão desvairada como o seu senhor, saltando para evitar os feitiços de Molly que dançavam ao seu redor. – Quando a mamãe for pelo mesmo caminho que o Fredinho?

– Você... nunca... mais... tocará... em... nossos... filhos! – gritou a sra. Weasley.

Belatriz deu uma gargalhada, a mesma gargalhada exultante que seu primo Sirius dera ao tombar para trás e atravessar o véu, e de repente Harry previu o que ia acontecer.

O feitiço de Molly voou por baixo do braço esticado de Belatriz e atingiu-a no peito, diretamente sobre o coração.

A risada triunfante de Belatriz congelou, seus olhos pareceram saltar das órbitas: por uma mínima fração de tempo, ela percebeu o que ocorrera e, então, desmontou, e a multidão que assistia bradou, e Voldemort deu um grito.

Harry sentiu como se estivesse virando em câmara lenta; viu McGonagall, Kingsley e Slughorn serem arremessados para trás, debatendo-se e contorcendo-se no ar, quando a fúria de Voldemort, em face da queda de sua última e melhor tenente, explodiu com a força de uma bomba. Voldemort ergueu a varinha e apontou-a para Molly Weasley.

– *Protego!* – berrou Harry, e o Feitiço Escudo expandiu-se no meio do Salão Principal, e Voldemort olhou admirado ao redor, procurando de onde viera, ao mesmo tempo que Harry despia, finalmente, a Capa da Invisibilidade.

O berro de choque, os vivas, os gritos de todos os lados de "HARRY!", "ELE ESTÁ VIVO!" foram imediatamente sufocados. A multidão se amedrontou, e o silêncio caiu brusca e completamente quando Voldemort e Harry se encararam e começaram no mesmo instante a se rodear.

– Não quero que mais ninguém tente ajudar – disse Harry em voz alta e, no silêncio total, sua voz ecoou como o toque de uma trompa. – Tem que ser assim. Tem que ser eu.

Voldemort sibilou.

– Potter não está falando sério – disse ele, arregalando os olhos vermelhos. – Não é assim que ele age, é? Quem você vai usar como escudo hoje, Potter?

– Ninguém – respondeu Harry, com simplicidade. – Não há mais Horcruxes. Só você e eu. Nenhum poderá viver enquanto o outro sobreviver, e um de nós está prestes a partir para sempre...

– Um de nós? – caçoou Voldemort, e todo o seu corpo estava tenso e seus olhos vermelhos atentos, uma cobra armando o bote. – Você acha que vai ser você, não é, o garoto que sobreviveu por acaso e porque Dumbledore estava puxando os cordões?

– Acaso, foi? Quando minha mãe morreu para me salvar? – desafiou Harry. Eles continuaram a se movimentar de lado, os dois, em um círculo perfeito, mantendo a mesma distância entre si, e para Harry só existia um rosto, o de Voldemort. — Acaso, quando decidi lutar naquele cemitério? Acaso, quando não me defendi hoje à noite e, ainda assim, sobrevivi e retornei para lutar?

— *Acasos!* — berrou Voldemort, mas ainda assim não atacou, e os circunstantes permaneceram imóveis como se estivessem petrificados, e, das centenas de pessoas no salão, ninguém parecia respirar, exceto os dois. — Acaso e sorte e o fato de você ter se escondido e choramingado atrás das saias de homens e mulheres superiores a você, e me permitido matá-los em seu lugar!

— Você não matará mais ninguém hoje à noite — disse Harry, enquanto se rodeavam e se encaravam nos olhos, verdes e vermelhos. — Você não será capaz de matar nenhum deles, nunca mais. Você não está entendendo? Eu estive disposto a morrer para impedir que você ferisse essas pessoas...

— Mas você não morreu!

— ... mas tive intenção, e foi isso que fez a diferença. Fiz o que minha mãe fez. Protegi-os de você. Você não reparou que nenhum dos feitiços que lançou neles são duradouros? Você não pode torturá-los. Você não pode atingi-los. Você não aprende com os seus erros, Riddle, não é?

— *Você se atreve...*

— Me atrevo, sim. Sei coisas que você ignora, Tom Riddle. Sei muitas coisas importantes que você ignora. Quer ouvir algumas, antes de cometer outro grande erro?

Voldemort não respondeu, continuou a rondá-lo em círculo, e Harry percebeu que o mantivera temporariamente hipnotizado e acuado, detido pela tênue possibilidade de que Harry pudesse, de fato, conhecer o segredo final...

— É o amor de novo? — disse Voldemort, a zombaria em seu rosto ofídico. — A solução favorita de Dumbledore, *amor*, que ele alegava conquistar a morte, embora o amor não o tivesse impedido de cair da Torre e se quebrar como uma velha estátua de cera? *Amor*, que não me impediu de matar sua mãe sangue-ruim como uma barata, Potter; e ninguém parece amá-lo o suficiente para se apresentar desta vez e receber a minha maldição. Então, o que vai impedir que você morra agora quando eu atacar?

— Só uma coisa — respondeu Harry, e eles continuavam a se rodear, absortos um no outro, separados apenas por aquele último segredo.

— Se não for o amor que irá salvá-lo desta vez — retrucou Voldemort —, você deve acreditar que é dotado de uma magia que não tenho, ou, então, de uma arma mais poderosa do que a minha?

— Creio que as duas coisas — replicou Harry, e observou o choque perpassar aquele rosto de cobra e instantaneamente se dispersar; Voldemort começou a rir, e o som era mais apavorante do que os seus gritos; desprovido de humor e sanidade, o riso ecoou pelo salão silencioso.

— *Você acha que conhece mais magia do que eu?* Do que eu, do que Lorde Voldemort, capaz de magia com que o próprio Dumbledore jamais sonhou?

— Ah, ele sonhou, sim, mas sabia mais do que você, sabia o suficiente para não fazer o que você fez.

— Você quer dizer que ele era fraco! — berrou Voldemort. — Fraco demais para ousar, fraco demais para se apoderar do que poderia ser dele, do que será meu!

— Não, ele era mais inteligente do que você, um bruxo melhor e um homem melhor.

— Eu causei a morte de Alvo Dumbledore!

— Você pensa que causou, mas se enganou.

Pela primeira vez a multidão que assistia se moveu quando as centenas de pessoas em torno das paredes unanimemente prenderam o fôlego.

— *Dumbledore está morto!* — Voldemort atirou as palavras para Harry como se pudessem lhe causar uma dor insuportável. — O corpo dele está apodrecendo no túmulo de mármore nos jardins deste castelo, eu o vi, Potter, e ele não irá retornar!

— Dumbledore está morto, sim — respondeu Harry, calmamente —, mas não foi você que mandou matá-lo. Ele escolheu como queria morrer, escolheu meses antes de morrer, combinou tudo com o homem que você julgou que era seu servo.

— Que sonho infantil é esse?! — exclamou Voldemort, mas, ainda assim, ele não atacou, e seus olhos vermelhos não se afastaram dos de Harry.

— Severo Snape não era homem seu. Snape era de Dumbledore, desde o momento em que você começou a caçar minha mãe. E você nunca percebeu, por causa daquilo que não pode compreender. Você nunca viu Snape conjurar um Patrono, viu, Riddle?

Voldemort não respondeu. Eles continuaram a se rodear como dois lobos prestes a se estraçalhar.

— O Patrono de Snape era uma corça — disse Harry —, o mesmo que o de minha mãe, porque ele a amou quase a vida toda, desde que eram crianças. Você devia ter percebido — disse Harry quando viu as narinas de Voldemort incharem —, ele lhe pediu para poupar a vida dela, não foi?

— Ele a desejava, nada mais — desdenhou Voldemort —, mas, quando ela se foi, ele concordou que havia outras mulheres, de sangue mais puro, mais dignas dele...

— Naturalmente foi o que Snape lhe disse, mas ele se tornou espião de Dumbledore a partir do momento em que você a ameaçou, e dali em diante trabalhou contra você! Dumbledore já estava morrendo quando Snape o matou!

— Não faz diferença! — guinchou Voldemort, que acompanhara cada palavra com extasiada atenção, mas, em seguida, soltou uma gargalhada insana.

— Não faz diferença se Snape era meu seguidor ou de Dumbledore, ou que mesquinhos obstáculos ele tentou colocar em meu caminho! Eu os esmaguei como esmaguei sua mãe, o pretenso grande *amor* de Snape! Ah, mas tudo isso faz sentido, Potter, e de modos que você não compreende!

"Dumbledore tentou me impedir de possuir a Varinha das Varinhas! Queria que Snape fosse o verdadeiro senhor da varinha! Mas passei à sua frente, garotinho: cheguei à varinha antes que você pudesse pôr as mãos nela, compreendi a verdade antes que você a percebesse. Matei Severo Snape há três horas, e a Varinha das Varinhas, a Varinha da Morte, a Varinha do Destino é realmente minha! O último plano de Dumbledore falhou, Harry Potter!"

— É, falhou. Você tem razão. Mas, antes de você tentar me matar, eu o aconselharia a pensar no que fez... pensar, e tentar sentir algum remorso, Riddle...

— Que é isso?

De tudo que Harry lhe dissera, acima de qualquer revelação ou zombaria, nada chocara tanto Voldemort. Harry viu suas pupilas se contraírem até virarem finos traços, viu a pele em torno dos seus olhos embranquecer.

— É a sua última chance — continuou o garoto —, e é só o que lhe resta... vi em que se transformará se não aproveitá-la... seja homem... tente sentir algum remorso...

— Você ousa...

— Ouso, sim, porque o último plano de Dumbledore não saiu às avessas para mim. Saiu às avessas para você, Riddle.

A mão de Voldemort estava tremendo em torno da Varinha das Varinhas e Harry apertou a de Draco com força. O momento, ele sabia, estava apenas a segundos de distância.

— A varinha não está funcionando corretamente para você, porque você matou a pessoa errada. Severo Snape jamais foi o verdadeiro senhor da Varinha das Varinhas. Ele jamais derrotou Dumbledore.

— Ele matou...

— Você não está prestando atenção? *Snape nunca derrotou Dumbledore!* A morte de Dumbledore foi planejada pelos dois! Dumbledore pretendia morrer sem ser derrotado, o último e verdadeiro senhor da varinha! Tudo correu conforme ele planejou, o poder da varinha morreria com ele, porque jamais foi arrebatada de suas mãos!

— Mas, então, Potter, Dumbledore praticamente me entregou a varinha! — A voz de Voldemort tremeu de malicioso prazer. — Roubei a varinha do túmulo do seu último senhor! Retirei-a, contrariando o desejo do seu último senhor! O seu poder é meu!

— Você ainda não entendeu, não é, Riddle! Possuir a varinha não é o suficiente! Empunhá-la, usá-la, não a torna realmente sua. Você não escutou o que Olivaras disse? *A varinha escolhe o bruxo...* A Varinha das Varinhas reconheceu um novo senhor antes de Dumbledore morrer, alguém que jamais tinha posto a mão nela. O novo senhor tirou a varinha de Dumbledore contra sua vontade, sem perceber exatamente o que tinha feito, ou que a varinha mais perigosa do mundo lhe dedicara a sua fidelidade...

O peito de Voldemort subia e descia rapidamente, e Harry sentiu a maldição a caminho, sentiu-a crescer no cerne da varinha apontada para o seu rosto.

— O verdadeiro senhor da Varinha das Varinhas era Draco Malfoy.

Absoluto aturdimento surgiu no rosto de Voldemort por um momento, mas logo desapareceu.

— Que diferença faz? — perguntou, brandamente. — Mesmo que você tenha razão, Potter, não faz a menor diferença para você nem para mim. Você não possui mais a varinha de fênix: duelaremos apenas com a perícia... e depois de tê-lo matado, posso cuidar de Draco Malfoy...

— Mas é tarde demais. Você perdeu sua chance. Cheguei primeiro. Subjuguei Draco faz semanas. Arrebatei a varinha dele.

Harry girou a varinha de pilriteiro e sentiu convergirem sobre ela todos os olhares no salão.

— Então, a questão se resume nisso, não é? — sussurrou Harry. — Será que a varinha em sua mão sabe que o seu último senhor foi desarmado? Porque se sabe... eu sou o verdadeiro senhor da Varinha das Varinhas.

Um brilho ouro-avermelhado irrompeu subitamente no céu encantado e incidiu sobre eles, quando um retalho ofuscante de sol surgiu no parapeito da janela mais próxima. A luz iluminou o rosto dos dois ao mesmo tempo, de modo que Voldemort se tornou subitamente um borrão chamejante. Har-

ry ouviu o seu grito agudo quando ele próprio berrou sua grande esperança para o céu, apontando a varinha de Draco:
— *Avada Kedavra!*
— *Expelliarmus!*

O estampido foi o de um tiro de canhão e as chamas douradas que jorraram entre as duas, no centro absoluto do círculo que eles tinham descrito, marcaram o ponto em que os feitiços colidiram. Harry viu o jato verde da maldição de Voldemort ir de encontro ao seu próprio feitiço, viu a Varinha das Varinhas voar para o alto, escura contra o nascente, girar pelo céu encantado como a cabeça de Nagini, girar pelo ar em direção ao senhor que se recusava a matar e que viera, enfim, tomar legitimamente posse dela. E Harry, com a habilidade infalível de um apanhador, agarrou a varinha com a mão livre ao mesmo tempo que Voldemort caía para trás de braços abertos, as pupilas ofídicas dos olhos vermelhos virando para dentro. Tom Riddle bateu no chão com uma finalidade terrena, seu corpo fraco e encolhido, as mãos brancas vazias, o rosto de cobra apático e inconsciente. Voldemort estava morto, atingido pelo ricochete de sua própria maldição, e Harry ficou parado com as duas varinhas na mão, contemplando o invólucro do seu inimigo.

Um segundo arrepiante de silêncio, o choque do momento suspenso no ar: então sobreveio o tumulto em torno de Harry, quando os gritos e vivas e brados dos circunstantes rasgaram o ar. O intenso nascente ofuscou as janelas, e eles correram com estardalhaço para ele, e os primeiros a alcançá--lo foram Rony e Hermione, e foram os seus braços que o envolveram, seus gritos incompreensíveis que o ensurdeceram. Depois Gina, Neville e Luna estavam ali, e todos os Weasley e Hagrid e Kingsley e McGonagall e Flitwick e Sprout, e Harry não conseguia ouvir uma palavra do que cada um deles gritava nem dizer de quem eram as mãos que o agarravam, puxavam, tentavam abraçar alguma parte do seu corpo, centenas de pessoas se empurrando, todas decididas a tocar n'O-Menino-Que-Sobreviveu, a razão de aquilo ter finalmente terminado...

O sol subiu gradualmente sobre Hogwarts, e o Salão Principal resplandecia de vida e luz. Harry era uma parte indispensável da mescla de manifestações de júbilo e luto, de pesar e comemoração. Todos o queriam ali, seu líder e símbolo, seu salvador e guia, e que ele não tivesse dormido, que desejasse a companhia de apenas uns poucos, não parecia ocorrer a ninguém. Ele devia falar aos consternados, apertar suas mãos, testemunhar suas lágrimas, receber seus agradecimentos, ouvir as notícias que agora chegavam aos poucos de todos os lados ao longo da manhã, que os que estavam sob o efeito da

Maldição Imperius no país tinham voltado a si, que os Comensais da Morte estavam fugindo ou sendo capturados, que os inocentes de Azkaban estavam sendo libertados naquele exato momento, e que Kingsley Shacklebolt fora nomeado ministro da Magia interino...

O corpo de Voldemort foi retirado e posto em uma câmara ao lado do Salão Principal, longe dos corpos de Fred, Tonks, Lupin, Colin Creevey e cinquenta outros que tinham morrido, combatendo-o. McGonagall havia reposto as mesas no salão, mas ninguém estava sentado de acordo com as Casas: todos estavam misturados, professores e alunos, fantasmas e pais, centauros e elfos domésticos, e Firenze convalescia deitado a um canto, e Grope espiou para dentro, por uma janela quebrada, e as pessoas estavam atirando comida em sua boca sorridente. Depois de algum tempo, exausto – física e emocionalmente –, Harry se viu sentado em um banco ao lado de Luna.

– Se fosse eu, iria querer um pouco de paz e sossego – comentou ela.

– Eu adoraria – respondeu ele.

– Eu os distrairei. Use a sua capa.

E, antes que Harry pudesse falar, ela exclamou:

– Aaah, vejam que máximo aquele bliberente! – E apontou para as janelas. Todos que a ouviram olharam, e Harry escorregou a capa por cima do corpo e se levantou.

Ele pôde, então, andar pelo salão sem interferências. Localizou Gina a duas mesas de distância; estava sentada com a cabeça no ombro da mãe: haveria tempo para conversarem depois, horas e dias e talvez anos. Ele viu Neville, a espada de Gryffindor pousada ao lado do seu prato enquanto comia, cercado por um grupinho de fervorosos admiradores. Ao longo dos corredores entre as mesas, ele caminhou e viu os três Malfoy juntinhos, como se não soubessem se deviam ou não estar ali, mas ninguém lhes dava a menor atenção. Para todo lado que se virava, Harry via famílias reunidas, e, por fim, viu os dois cuja companhia ele mais desejava.

– Sou eu – murmurou, agachando-se entre os amigos. – Podem me acompanhar?

Eles se levantaram imediatamente e, juntos, ele, Rony e Hermione deixaram o Salão Principal. Faltavam grandes pedaços da escadaria de mármore, parte da balaustrada desaparecera e, a intervalos, havia entulho e manchas de sangue nos degraus que subiam. Em algum lugar distante ouviam Pirraça disparando pelos corredores, cantando o hino da vitória que ele compusera:

Vencemos, esmagamos a fera, Potter é o Máximo,
Voldy já era, então agora vamos nos divertir à vera!

— Realmente passa o sentimento da amplitude e tragédia da coisa, não é mesmo? — comentou Rony, abrindo uma porta para deixar Harry e Hermione passarem.

A felicidade viria, pensou Harry, mas, no momento, estava anuviada pela exaustão e a dor de perder Fred, Lupin e Tonks o atravessava pelo caminho como se fosse uma dor física. E, principalmente, ele sentia um estupendo alívio e um grande desejo de dormir. Primeiro, porém, devia uma explicação a Rony e Hermione, que o tinham apoiado por tanto tempo, e que mereciam ouvir a verdade. Meticulosamente, narrou o que vira na Penseira e o que acontecera na Floresta, e eles nem sequer tinham começado a expressar todo o seu choque e assombro quando, finalmente, chegaram ao lugar a que estavam se dirigindo, embora nenhum deles tivesse mencionado esse destino.

Desde que a vira pela última vez, a gárgula que guardava a entrada para o gabinete do diretor tinha levado um tranco; estava inclinada para um lado, parecendo meio bêbada, e Harry ficou em dúvida se ela ainda seria capaz de distinguir senhas.

— Podemos subir? — perguntou ele à gárgula.

— À vontade — gemeu a estátua.

Eles passaram por cima dela para chegar à escada em espiral, que subiu lentamente como uma escada rolante. Harry abriu a porta no alto.

Deu uma única olhada na Penseira de pedra que deixara sobre a escrivaninha, e um barulho de estourar os tímpanos o fez gritar, pensando em maldições e no retorno dos Comensais da Morte e no renascimento de Voldemort...

Eram, porém, aplausos. A toda volta das paredes, os diretores e diretoras de Hogwarts lhe ofereciam uma vibrante ovação; acenavam com os chapéus e, em alguns casos, com as perucas, esticavam-se através das molduras para se cumprimentarem; dançavam para cima e para baixo das cadeiras em que tinham sido pintados; Dilys Derwent chorava sem constrangimento, Dexter Fortescue agitava a corneta acústica; Fineus Nigellus gritava com sua voz fina e esganiçada: "E que se registre que a Casa da Sonserina fez a sua parte! Que a nossa contribuição não seja esquecida!"

Harry, entretanto, só tinha olhos para o homem pintado no maior retrato logo atrás da cadeira do diretor. As lágrimas escorriam por trás dos óclinhos de meia-lua e penetravam nas longas barbas prateadas, e o orgulho e gratidão que emanavam do bruxo inundaram Harry com o mesmo bálsamo do canto da fênix.

Por fim, o garoto ergueu as mãos e os retratos respeitosamente silenciaram, sorrindo, enxugando os olhos e aguardando, ansiosos, que ele falasse.

O garoto, porém, dirigiu-se a Dumbledore, e escolheu suas palavras com enorme cuidado. Exausto e com a vista turva como estava, precisava fazer um último esforço, para buscar um último conselho.

— A coisa que estava escondida no pomo — começou ele —, deixei-a cair na Floresta. Não sei exatamente onde, mas não vou sair procurando. O senhor concorda?

— Meu caro rapaz, concordo — respondeu Dumbledore, enquanto seus colegas retratados se mostravam confusos e curiosos. — Uma decisão sábia e corajosa, mas eu não esperava menos de você. Alguém mais sabe onde caiu?

— Ninguém mais — disse Harry, e Dumbledore assentiu satisfeito. — Mas vou guardar o presente de Ignoto — acrescentou Harry, e Dumbledore abriu um largo sorriso.

— Naturalmente, Harry, será sua para sempre até você passá-la adiante!

— E tem mais isto.

Harry ergueu a Varinha das Varinhas, e Rony e Hermione a olharam com uma reverência que, mesmo em seu estado de tonteira e falta de sono, Harry não gostou de ver.

— Não a quero — disse Harry.

— Quê?! — exclamou Rony em voz alta. — Você é maluco?

— Eu sei que é poderosa — continuou Harry, extenuado. — Mas eu era mais feliz com a minha. Portanto...

Ele procurou na bolsa pendurada ao pescoço e retirou as duas metades do azevinho ainda ligadas apenas por um fio de pena de fênix. Hermione tinha dito que não poderia ser consertada, que o dano era sério demais. Tudo que ele sabia era que, se isso não resolvesse, nada mais resolveria.

Ele colocou a varinha partida sobre a escrivaninha do diretor, tocou-a com a ponta da Varinha das Varinhas e disse:

— *Reparo!*

E, enquanto sua varinha se emendava, faíscas vermelhas subiram de sua ponta. Harry percebeu que conseguira. Apanhou a varinha de azevinho e fênix, e sentiu um repentino calor em seus dedos, como se a varinha e a mão se rejubilassem com a sua reunião.

— Estou devolvendo a Varinha das Varinhas — comunicou ele a Dumbledore, que o contemplava com enorme afeição e admiração — ao lugar de onde veio. Ela pode continuar lá. Se eu morrer de morte natural como Ignoto, o seu poder será rompido, não é? O senhor anterior nunca foi vencido. E será o fim dela.

Dumbledore assentiu. Eles sorriram um para o outro.

— Você tem certeza? — perguntou Rony. Havia um levíssimo vestígio de desejo em sua voz ao olhar para a Varinha das Varinhas.

— Acho que Harry está certo — disse Hermione em voz baixa.

— A varinha não vale a confusão que provoca — respondeu Harry. — Sinceramente — deu as costas aos retratos, pensando na cama de dossel à sua espera na Torre da Grifinória, e imaginando se Monstro lhe levaria um sanduíche lá em cima —, já tive problemas suficientes para a vida inteira.

DEZENOVE ANOS DEPOIS

EPÍLOGO

O outono pareceu chegar de repente naquele ano. A manhã do dia primeiro de setembro estava revigorante e dourada como uma maçã, e, quando a pequena família atravessou saltitante a rua, em direção à grande estação encardida, a fumaça que os carros expeliam e a respiração dos pedestres cintilavam como teias de aranha no ar frio. Duas grandes gaiolas sacudiam em cima dos carrinhos cheios que os pais empurravam; as corujas dentro delas piavam indignadas, e a menina ruiva acompanhava chorosa os irmãos, agarrada à mão do pai.

— Não vai demorar muito, e você também irá — disse-lhe Harry.

— Dois anos — fungou Lílian. — Quero ir *agora*!

Os passageiros olharam curiosos para as corujas quando a família se encaminhou em zigue-zague para a barreira entre as plataformas nove e dez. A voz de Alvo chegou aos ouvidos de Harry apesar do barulho reinante; seus dois filhos tinham retomado a discussão começada no carro.

— *Não quero ir! Não quero ir para Sonserina!*

— Tiago, dá um tempo! — pediu Gina.

— Eu só disse que ele *talvez* fosse — defendeu-se Tiago, rindo do irmão mais novo. — Não vejo problema nisso. Ele *talvez* vá para Sonse...

Tiago, porém, viu o olhar da mãe e se calou. Os cinco Potter se aproximaram da barreira. Lançando ao irmão um olhar ligeiramente arrogante por cima do ombro, Tiago apanhou o carrinho que a mãe levava e saiu correndo. Um instante depois tinha desaparecido.

— Vocês vão escrever para mim, não vão? — perguntou Alvo aos pais, capitalizando imediatamente a ausência momentânea do irmão.

— Todo dia, se você quiser — respondeu Gina.

— *Todo dia não* — replicou Alvo, depressa. — O Tiago diz que a maioria dos alunos recebe carta de casa mais ou menos uma vez por mês.

— Escrevemos para Tiago três vezes por semana no ano passado — contestou Gina.

— E você não acredite em tudo que ele lhe disser sobre Hogwarts — acrescentou Harry. — Ele gosta de brincar, o seu irmão.

Lado a lado, eles empurraram o segundo carrinho e ganharam velocidade. Ao alcançarem a barreira, Alvo fez uma careta, mas a colisão não ocorreu. Em vez disso, a família emergiu na plataforma 9¾; estava encoberta pela densa fumaça clara que saía do Expresso de Hogwarts. Vultos indistintos pululavam na névoa, em que Tiago já desaparecera.

– Onde eles estão? – perguntou Alvo, ansioso, espiando os vultos brumosos pelos quais passavam ao avançar pela plataforma.

– Nós os acharemos – tranquilizou-o Gina.

Mas o vapor era denso, e estava difícil distinguir os rostos das pessoas. Separadas dos donos, as vozes ecoavam anormalmente altas. Harry pensou ter ouvido Percy discursar sonoramente sobre o regulamento para uso de vassouras, e ficou feliz de ter um pretexto para não parar e cumprimentar...

– Acho que são eles, Al – disse Gina, de repente.

Um grupo de quatro pessoas que estava parado ao lado do último vagão emergiu da névoa. Seus rostos só entraram em foco quando Harry, Gina, Lílian e Alvo estavam quase em cima deles.

– Oi – disse Alvo, parecendo imensamente aliviado.

Rosa, que já estava usando as vestes de Hogwarts recém-compradas, deu-lhe um grande sorriso.

– Afinal, conseguiu estacionar direito? – perguntou Rony a Harry. – Eu consegui. Hermione não acreditou que eu pudesse passar no exame de motorista dos trouxas, não é mesmo? Achou que eu ia precisar confundir o examinador.

– Não pensei, não – replicou Hermione –, fiz a maior fé em você.

– Pois eu o confundi, mesmo – sussurrou Rony para Harry, quando, juntos, embarcaram o malão e a coruja de Alvo no trem. – Só me esqueci de olhar pelo retrovisor externo, e, cá entre nós, posso usar um Feitiço Supersensorial para isso.

De volta à plataforma, eles encontraram Lílian e Hugo, o irmão mais novo de Rosa, entretidos em uma animada discussão sobre a Casa para a qual seriam selecionados, quando finalmente fossem para Hogwarts.

– Se você não for para a Grifinória, nós o deserdaremos – ameaçou Rony –, mas não estou pressionando ninguém.

– Rony!

Lílian e Hugo riram, mas Alvo e Rosa ficaram muito preocupados.

– Ele não está falando sério – disseram Hermione e Gina, mas Rony já não estava prestando atenção. Atraindo o olhar de Harry, ele acenou discretamente com a cabeça para um ponto a uns cinquenta metros. O vapor tinha rareado por um momento, e três pessoas estavam paradas destacando-se contra a névoa em movimento.

– Veja só quem está ali.

Draco Malfoy estava parado com a mulher e o filho, um sobretudo escuro abotoado até o pescoço. Seus cabelos já revelavam entradas que salientavam o seu queixo fino. O novo aluno parecia com Draco tanto quanto Alvo parecia com Harry. Draco viu Harry, Rony, Hermione e Gina olhando para ele, deu um breve aceno com a cabeça e se afastou.

– Então aquele é o pequeno Escórpio – comentou Rony em voz baixa.

– Não deixe de superá-lo em todos os exames, Rosinha. Graças a Deus você herdou a inteligência da sua mãe.

– Rony, pelo amor de Deus. – O tom de Hermione mesclava seriedade e vontade de rir. – Não tente indispor os dois antes mesmo de entrarem para a escola!

– Você tem razão, desculpe. – Mas, incapaz de se conter, ele acrescentou: – Mas não fique muito amiga dele, Rosinha. Vovô Weasley nunca perdoaria se você casasse com um sangue-puro.

– Ei!

Tiago reaparecera; tinha se livrado do malão, da coruja e do carrinho e, evidentemente, estava fervilhando de novidades.

– Teddy está lá atrás – disse ele, sem fôlego, apontando por cima do ombro para as gordas nuvens de vapor. – Acabei de ver! E adivinhe o que ele está fazendo? *Se agarrando com a Victoire!*

Ele ergueu os olhos para os adultos, visivelmente desapontado com a falta de reação.

– O *nosso* Teddy! *Teddy Lupin!* Agarrando a *nossa* Victoire! *Nossa* prima! E perguntei a Teddy que é que ele estava fazendo...

– Você interrompeu os dois? – indagou Gina. – Você é *igualzinho* ao Rony...

– ... e ele disse que tinha vindo se despedir dela! E depois me disse para dar o fora. Ele está *agarrando* ela! – acrescentou Tiago, preocupado que não tivesse sido suficientemente claro.

– Ah, seria ótimo se os dois se casassem! – sussurrou Lílian enlevada. – Então o Teddy ia *realmente* fazer parte da nossa família!

– Ele já aparece para jantar quatro vezes por semana – disse Harry. – Por que não o convidamos para morar de uma vez conosco?

– É! – concordou Tiago, entusiasmado. – Eu não me importo de dividir o quarto com o Alvo... Teddy poderia ficar com o meu!

— Não — disse Harry, com firmeza —, você e Al só dividirão um quarto quando eu quiser ter a casa demolida.

Ele consultou o velho relógio arranhado que, no passado, tinha pertencido a Fábio Prewett.

— São quase onze horas, é melhor embarcar.

— Não se esqueça de transmitir a Neville o nosso carinho! — recomendou Gina a Tiago ao abraçá-lo.

— Mamãe! Não posso transmitir *carinho* a um professor!

— Mas você *conhece* Neville...

Tiago girou os olhos para o alto.

— Aqui fora, sim, mas, na escola, ele é o professor Longbottom, não é? Não posso entrar na aula de Herbologia falando em *carinho*...

E, balançando a cabeça para a tolice da mãe, ele sapecou um pontapé em Alvo.

— A gente se vê, Al. Cuidado com os testrálios.

— Pensei que eles fossem invisíveis. *Você disse que eram invisíveis!*

Tiago, porém, riu apenas, permitiu que a mãe o beijasse, deu no pai um rápido abraço e saltou para o trem que se enchia rapidamente. Eles o viram acenar e sair correndo pelo corredor à procura dos amigos.

— Não precisa se preocupar com os testrálios — disse Harry a Alvo. — São criaturas meigas, não têm nada de apavorante. E, de qualquer modo, você não irá para a escola de carruagem, irá de barco.

Gina deu um beijo de despedida em Alvo.

— Vejo vocês no Natal.

— Tchau, Al — disse Harry, e o filho o abraçou. — Não esqueça que Hagrid o convidou para tomar chá na próxima sexta-feira. Não se meta com o Pirraça. Não duele com ninguém até aprender como se faz. E não deixe Tiago enrolar você.

— E se eu for para Sonserina?

O sussurro foi apenas para o pai, e Harry percebeu que só o momento da partida poderia ter forçado Alvo a revelar como o seu medo era grande e sincero.

Harry se abaixou de modo a deixar o rosto do menino ligeiramente acima do dele. Dos seus três filhos, apenas Alvo herdara os olhos de Lílian.

— Alvo Severo — disse Harry, baixinho, para ninguém mais, exceto Gina, poder ouvir, e ela teve tato suficiente para fingir que acenava para Rosa, que já estava no trem —, nós lhe demos o nome de dois diretores de Hogwarts. Um deles era da Sonserina, e provavelmente foi o homem mais corajoso que já conheci.

— Mas *me diga*...

— ... então, a Sonserina terá ganhado um excelente estudante, não é mesmo? Não faz diferença para nós, Al. Mas, se fizer para você, poderá escolher a Grifinória em vez da Sonserina. O Chapéu Seletor leva em consideração a sua escolha.

— Sério?

— Levou comigo.

Ele jamais contara isso a nenhum dos filhos, e notou o assombro no rosto de Alvo ao ouvi-lo. Agora, entretanto, as portas estavam começando a se fechar ao longo do trem vermelho, e os contornos indistintos dos pais se aglomeravam ao avançar para os beijos finais, as recomendações de última hora. Alvo pulou para o vagão, e Gina fechou a porta do compartimento dele. Os estudantes estavam pendurados nas janelas mais próximas. Um grande número de rostos, tanto dentro quanto fora do trem, parecia estar virado para Harry.

— Por que eles estão todos nos *encarando*? — perguntou Alvo, enquanto ele e Rosa se esticavam para olhar os outros estudantes.

— Não se preocupe — disse Rony. — É comigo. Sou excepcionalmente famoso.

Alvo, Rosa, Hugo e Lílian riram. O trem começou a se deslocar, e Harry acompanhou-o, olhando o rosto magro do filho já iluminado de animação. Continuou a sorrir e acenar, embora tivesse a ligeira sensação de ter sido roubado ao vê-lo se distanciando dele...

O último vestígio de vapor se dispersou no ar de outono. O trem fez uma curva, a mão erguida de Harry ainda acenava adeus.

— Ele ficará bem — murmurou Gina.

Ao olhá-la, Harry baixou a mão distraidamente e tocou a cicatriz em forma de raio em sua testa.

— Sei que sim.

A cicatriz não incomodara Harry nos últimos dezenove anos. Tudo estava bem.

MARY GRANDPRÉ ilustrou mais de vinte livros para crianças, incluindo as capas das edições brasileiras dos livros da série Harry Potter. Os trabalhos da ilustradora norte-americana estamparam as páginas da revista New Yorker e do Wall Street Journal, e seus quadros foram exibidos em galerias de todo os Estados Unidos. GrandPré vive com a família em Sarasota, na Flórida.

KAZU KIBUISHI é o criador da série Amulet, bestseller do New York Times, e Copper, uma compilação de seus populares quadrinhos digitais. Ele também é fundador e editor da aclamada antologia Flight. As obras de Kibuishi receberam alguns dos principais prêmios dedicados à literatura para jovens adultos nos Estados Unidos, inclusive os concedidos pela prestigiosa Associação dos Bibliotecários da América (ALA). Ele vive e trabalha em Alhambra, na Califórnia, com a mulher Amy Kim, que também é cartunista, e os dois filhos do casal. Visite Kibuishi no site www.boltcity.com.